Código Penal para el Estado de Jalisco
Código Nacional de Procedimientos Penales
Jurisprudencia

ACCESO GRATIS ***a la Lectura en la Nube + Actualizaciones***

Para visualizar el libro electrónico en la nube de lectura envíe junto a su nombre y apellidos una fotografía del código de barras situado en la contraportada del libro y otra del ticket de compra a la dirección:

ebooktirant@tirant.com

En un máximo de 72 horas laborables le enviaremos el código de acceso con sus instrucciones.

Código Penal para el Estado de Jalisco
Código Nacional de Procedimientos Penales
Jurisprudencia

4ª Edición

MIGUEL CARBONELL

tirant lo blanch
Ciudad de México, 2026

© EDITA: TIRANT LO BLANCH
DISTRIBUYE: TIRANT LO BLANCH MÉXICO
Av. Tamaulipas 150, Oficina 502
Hipódromo, Cuauhtémoc, 06100, Ciudad de México
Telf: +52 1 55 65502317
infomex@tirant.com
www.tirant.com/mex/
www.tirant.es
ISBN: 979-13-7040-154-2

ÍNDICE

CÓDIGO NACIONAL DE PROCEDIMIENTOS PENALES

Estudio preliminar
El marco jurídico del nuevo derecho penal mexicano

Miguel Carbonell
Director del Centro de Estudios Jurídicos Carbonell AC

La reforma constitucional publicada en el *Diario Oficial de la Federación* el 18 de junio de 2008 nos suministra la base para realizar una profunda comprensión del sistema penal mexicano. Sus disposiciones tocan varios de los ámbitos sustantivos de dicho sistema, dado que abarcan temas como la seguridad pública (cuerpos policiacos y prevención del delito), la procuración de justicia (el trabajo del ministerio público, el monopolio de la acción penal que desaparece al menos en parte), la administración de justicia (a través de la incorporación de elementos del debido proceso legal y de los llamados juicios orales) y la ejecución de las penas privativas de la libertad.

Se trata de una de las reformas más importantes de los años recientes. Aunque se ha debatido con intensidad acerca de su contenido y sobre las ventajas y riesgos que ofrece, lo cierto es que casi todos los que la han comentado reconocen que se trata de una reforma que no solamente era necesaria, sino también urgente.

La reforma surge a partir del reconocimiento de que el procedimiento penal mexicano está en completa bancarrota: es muy caro y no satisface ni garantiza los derechos de las víctimas, de los procesados y de los agentes de la autoridad que intervienen en su desarrollo. Las diferentes etapas que integran el proceso penal presentan enormes problemas, que se han intentado atender con mayor o menor éxito a partir de las bases que suministra la reforma de 2008 y los desarrollos normativos posteriores.

Cualquier análisis garantista de nuestros ordenamientos jurídicos no debería dejar de preguntarse una y otra vez cuándo y cómo se deben llevar a cabo los juicios, especialmente aquellos en materia penal, que suelen ser muy gravosos para los involucrados.

No hace falta subrayar el vínculo estrecho que existe entre el modelo de derecho penal sustantivo que se siga en un determinado ordenamiento, y su correspondiente modelo de procedimiento penal[1]. Las garantías penales sustantivas cobran sentido y se hacen realidad cuando cuentan con un contexto procesal adecuado, en el que se aseguren a niveles aceptables ciertas pautas normativas postuladas ya por el pensamiento penal de la Ilustración[2]. Para decirlo con las palabras de Ferrajoli, "tanto las garantías penales como las procesales valen no sólo por sí mismas, sino también unas y otras como garantía recíproca de su efectividad"[3].

Las garantías adjetivas en materia penal pueden ser divididas en dos distintas categorías: orgánicas por un lado y procesales por otro. Las orgánicas se refieren a la colocación institucional del poder judicial respecto a los otros poderes del Estado y respecto a los sujetos del proceso; son garantías tales como la independencia, la imparcialidad, la responsabilidad, la separación entre juez y acusación, el derecho al juez natural, obligatoriedad de la acción penal, etcétera. La garantías procesales, por su parte, son aquellas que se dirigen a la formación del juicio, lo que comprende la recolección de las pruebas, el desarrollo de la defensa y la convicción del órgano judicial; se trata de garantías como la formulación de una acusación exactamente determinada, la carga de la prueba[4], el principio de contradicción[5], las formas de los interrogatorios y demás actos de la

---

1 "Esquemas y culturas penales y procesal-penales... están siempre conectadas entre sí. Y esta conexión es histórica, además de teórica, puesto que los avatares del derecho penal material y de la teoría del delito han estado siempre modelados sobre las instituciones judiciales, y a la inversa", Ferrajoli, Luigi, *Derecho y razón*, Madrid, Trotta, 1995, p. 538.

2 Prieto Sanchís, Luis, *El pensamiento penal de la Ilustración*, México, INACIPE, 2003.

3 *Derecho y razón*, cit., p. 537.

4 Ver el artículo 20, apartado A fracción V de la Constitución.

5 Ver el encabezado del artículo 20, así como su apartado A fracciones IV y VI de la Constitución.

instrucción, la publicidad[6], la oralidad[7], los derechos de la defensa[8], la motivación de los actos judiciales, etcétera[9].

Las garantías del proceso penal, tanto orgánicas como procesales, sirven para construir un modelo procesal de corte cognoscitivo, cuyo objetivo es conocer una "verdad mínima", pero siempre controlada, de conformidad con los estándares del proceso acusatorio.

En este esquema las garantías tienen un objetivo no solamente de libertad, sino también de verdad, de modo que se genera una especie de derecho fundamental de la persona frente a puniciones arbitrarias a cargo del Estado[10]. Un esquema que se suele contraponer el cognoscitivo es el decisionista, que busca alcanzar una verdad sustancial, y global, fundada sobre todo en valoraciones; bajo este esquema, que suele darse en procesos de corte inquisitivo, los términos de la acusación pueden ser discrecionales, la instrucción puede ser secreta, el papel de la defensa resulta irrelevante y el objeto principal del proceso no es el hecho cometido y su valoración, sino la personalidad del reo[11].

Es precisamente el valor de la verdad, junto al de la libertad, lo que permite legitimar un proceso penal; al respecto Ferrajoli indica que "el objetivo justificador del proceso penal se identifica con la garantía de las *libertades* de los ciudadanos, a través de la garantía de la *verdad* —una verdad no caída del cielo, sino obtenida mediante pruebas y refutaciones— frente al abuso y al error". El valor de la verdad se proyecta de forma directa sobre el quehacer judicial, o sea sobre el desempeño profesional del juez, al que se exige "tolerancia para las razones controvertidas, atención y control sobre todas las hipótesis y las contrahipótesis en conflicto,

---

6 Ver el encabezado del artículo 20, así como su apartado B fracción V de la Constitución.

7 Ver el encabezado del artículo 20, así como su apartado A fracción IV de la Constitución.

8 Ver el artículo 20, apartado B fracción VI de la Constitución.

9 Ferrajoli, *Derecho y razón*, cit., pp. 539-540.

10 Ferrajoli, *Derecho y razón*, cit., pp. 540-541 y 543.

11 Ferrajoli, *Derecho y razón*, cit., p. 541.

imparcialidad frente a la contienda, prudencia, equilibrio, ponderación y duda como hábito profesional y como estilo intelectual"[12].

Por otro lado, mediante una reforma constitucional al artículo 73 fracción XXI de nuestra Carta Magna, publicada en el Diario Oficial de la Federación el 8 de octubre de 2013, se facultó al Congreso de la Unión para legislar en materia de legislación única de procedimientos penales. La fracción en cuestión quedó con el siguiente texto:

> **Artículo 73.** El Congreso tiene facultad:
>
> I. a XX...
>
> XXI. Para expedir:
>
> a) Las leyes generales en materias de secuestro y trata de personas, que establezcan como mínimo, los tipos penales y sus sanciones.
>
> Las leyes generales contemplarán también la distribución de competencias y las formas de coordinación entre la Federación, las entidades federativas, el Distrito Federal y los municipios;
>
> b) La legislación que establezca los delitos y las faltas contra la Federación y las penas y sanciones que por ellos deban imponerse; así como legislar en materia de delincuencia organizada;
>
> c) La **legislación única en materia procedimental penal,** de mecanismos alternativos de solución de controversias y de ejecución de penas que regirá en la República en el orden federal y en el fuero común.
>
> Las autoridades federales podrán conocer de los delitos del fuero común, cuando éstos tengan conexidad con delitos federales o delitos contra periodistas, personas o instalaciones que afecten, limiten o menoscaben el derecho a la información o las libertades de expresión o imprenta.
>
> En las materias concurrentes previstas en esta Constitución, las leyes federales establecerán los supuestos en que las autoridades del fuero común podrán conocer y resolver sobre delitos federales;
>
> XXII. a XXX...

Contando con esa base constitucional, el Congreso de la Unión expidió el Código Nacional de Procedimientos Penales cuyo contenido el lector podrá encontrar en las páginas siguientes, junto con las demás leyes penales relevantes para el estudio de tan relevante materia.

---

12 Ferrajoli, *Derecho y razón*, cit., p. 546 (las dos citas de este párrafo se encuentran en la misma página).

La comprensión detallada del proceso penal debe enmarcarse dentro de la prohibición existente en los Estados contemporáneos de la histórica venganza privada. Son los órganos públicos y no los propios afectados los que deben imponer las sanciones a aquellas personas que violan las normas jurídico-penales, tal como lo señala el artículo 17 de la Constitución mexicana. Se tiende, en consecuencia, a un sistema de "hetero-composición" de los conflictos sociales[13].

Esta tarea de los órganos públicos en materia punitiva requiere de límites claros, pues también la persecución penal puede caer en excesos y ser fuentes de graves injusticias. La historia demuestra que la imposición de las penas y de los castigos por parte del Estado ha sido una permanente fuente de injusticias. El proceso penal moderno intenta limitar dichos excesos a través, por ejemplo, de resaltar la presunción de inocencia a la que alude precisamente el artículo 2 del Código Nacional de Procedimientos Penales (y que se encuentra enunciado de manera más amplia en el artículo 13 del mismo Código), el cual es un derecho humano reconocido por la Constitución, por los tratados de derechos humanos firmados por México y desarrollado en la jurisprudencia de nuestra Suprema Corte de Justicia de la Nación.

Todo proceso penal moderno debe luchar por la consecución del objetivo de proteger a las personas inocentes y evitar los excesos en el ejercicio de la facultad de imponer sanciones a cargo del Estado, requiere una estricta formalización de la respuesta jurídico-penal frente a la realización de conductas que la ley señala como delitos. Al respecto Claus Roxin y Bernd Schünemann apuntan que "Los límites de la facultad de intervención estatal, que protegen al inocente en contra de persecuciones injustas y de excesivas restricciones de la libertad, y, que también deben garantizar al culpable de salvaguardia de todos sus derechos de defensa, caracterizan al *principio de formalidad* del procedimiento"[14].

---

[13] Alcalá-Zamora y Castillo, Niceto, *Proceso, autocomposición y autodefensa. Contribución al estudio de los fines del proceso*, 3ª edición (reimpresión), México, UNAM, 2018.

[14] Roxin, Claus y Schünemann, Bernd, *Derecho procesal penal*, Buenos Aires, Ediciones Didot, 2019, p. 58.

Solamente el respeto a dicha formalidad va a permitir que exista una justicia penal que resguarde a la vez el valor de la verdad (aunque sea una verdad contextualizada por las exigencias y finalidades del proceso penal)[15], evite castigos arbitrarios, permita a las víctimas obtener reparación y respeto a sus derechos humanos, y (al menos como aspiración), permita restaurar la paz social[16].

El objetivo de la presente compilación legislativa es contribuir a que se difundan las normas jurídicas del Estado de Jalisco en materia penal, para que entre todos tengamos un conocimiento profundo de ellas, sepamos cómo aplicarlas y podamos contar con los fundamentos normativos esenciales para lograr una mejor justicia penal. Ojalá que así sea.

---

15 Sobre las exigencias contextuales que existen en el proceso moderno en relación al objetivo de la búsqueda de la verdad, ver las atinadas reflexiones de Taruffo, Michele, *La prueba de los hechos*, Madrid, Trotta, 2002, páginas 21 y siguientes; así como las aportaciones de Gascón, Marina, *Los hechos en el derecho. Bases argumentales de la prueba*, 3ª edición, Madrid, Marcial Pons, 2010, páginas 113 y siguientes.

16 Roxin, Claus y Schünemann, Bernd, *Derecho procesal penal*, cit., p. 59.

Código Penal para el Estado libre y soberano de Jalisco

Al margen un sello que dice: Gobierno de Jalisco. Poder Ejecutivo. Secretaría General de Gobierno. Estados Unidos Mexicanos.

Flavio Romero de Velasco, Gobernador Constitucional del Estado Libre y Soberano de Jalisco, a los habitantes del mismo hago saber:

Que por la Secretaría del H. Congreso del Estado se me ha comunicado el siguiente:

DECRETO

Número 10985. El Congreso del Estado Decreta:

CÓDIGO PENAL PARA EL ESTADO LIBRE Y SOBERANO DE JALISCO

Última reforma 25 de noviembre de 2025

PRIMERO
DE LA PARTE GENERAL

TÍTULO PRIMERO
DISPOSICIONES PRELIMINARES

CAPÍTULO I
DE LOS PRINCIPIOS Y GARANTÍAS PENALES

Artículo 1. A nadie se le impondrá pena o medida de seguridad, sino por la realización de una acción u omisión expresamente prevista como delito en una ley vigente al tiempo de su realización, siempre y cuando concurran los presupuestos que para cada una de ellas señale la ley y la pena o la medida de seguridad se encuentren igualmente establecidas en ésta.

Artículo 2. No podrá imponerse pena o medida de seguridad, si no se acredita la existencia de los elementos del tipo penal del delito de que se trate.

Queda prohibida la aplicación retroactiva, analógica o por mayoría de razón, de la ley penal en perjuicio de persona alguna.

La ley penal sólo tendrá efecto retroactivo si favorece al imputado, cualquiera que sea la etapa del procedimiento, incluyendo la ejecución de la sanción. En caso de duda, se aplicará la ley más favorable.

Artículo 3. Para que la acción o la omisión sean penalmente relevantes, deben realizarse en forma dolosa o culposa. La sola causación del resultado no podrá fundamentar, por sí sola, la responsabilidad penal.

Para que la acción o la omisión sean consideradas delictivas, se requiere que lesionen o pongan en peligro, sin causa justa, al bien jurídico tutelado por la ley penal o leyes especiales.

Cuando se cometa un delito no previsto en este Código, pero sí en otra ley especial, se aplicará ésta, observando las disposiciones conducentes de este Código.

Artículo 4. No podrá aplicarse pena alguna, si la acción o la omisión no han sido realizadas culpablemente. Igualmente se requerirá la demostración de la culpabilidad del sujeto para la aplicación de una medida de seguridad a imputables, si ésta se impone accesoriamente a la pena, y su duración estará en relación directa con el grado de aquélla.

Para la imposición de medidas de seguridad y en caso de inimputables, será necesaria la existencia, al menos, de un hecho típico y antijurídico, siempre que de acuerdo con las condiciones personales del autor, hubiera necesidad de su aplicación en atención a los fines de prevención del delito que con aquéllas pudieran alcanzarse.

Toda pena y medida de seguridad deberán ser proporcionales al delito que sancione, al grado de culpabilidad del sujeto y al bien jurídico afectado.

La sanción que se aplique por la comisión de un delito no trascenderá de la persona y bienes de los que intervengan en aquél.

Artículo 5. Las consecuencias jurídicas del delito solo podrán imponerse por resolución de autoridad judicial.

Las disposiciones establecidas en este Código se aplicarán respetando los derechos humanos, fundamentales y garantías de las personas establecidas en la Constitución Política de los Estados Unidos Mexicanos, los tratados internacionales en materia de derechos humanos del que el Estado Mexicano sea parte, la Constitución Política del Estado de Jalisco, y toda normatividad que derive de ellos.

Artículo 6. Las disposiciones establecidas en este Código se aplicarán respetando la dignidad humana de las personas, sin establecerse diferencia alguna por razón de origen étnico, idioma, nacionalidad, género, edad, discapacidad, condición social, condiciones de salud, credo o religión, opiniones, preferencias sexuales, estado civil, cualesquiera otra circunstancia de análoga naturaleza u otros universalmente reconocidos como inaceptables con arreglo al derecho internacional.

Artículo 7. Toda persona será tratada como ser humano sujeto de derechos y no como objeto, respetando su dignidad, seguridad e integridad física, psíquica y moral.

En caso de que disposiciones normativas aplicables sean contradictorias, o que de su interpretación o de una norma deriven diversos significados, deberá escogerse aquel que beneficie más a la protección y garantía de los derechos fundamentales en favor del acusado. En el supuesto de que se encuentren enfrentados derechos de diversas personas, deberá observarse, además, las reglas de ponderación, necesidad y proporcionalidad para equilibrar los derechos en la medida de lo posible.

CAPÍTULO II
DE LA APLICACIÓN TERRITORIAL DEL CÓDIGO

Artículo 8. Este Código se aplicará a los hechos delictivos cometidos en el Estado de Jalisco que sean de la competencia de sus tribunales.

Asimismo, se aplicará a los delitos que se inicien, preparen o cometan fuera del Estado, cuando produzcan o se pretenda que tengan efectos en el territorio de Jalisco y siempre que no se haya sentenciado definitivamente por ellos al responsable en cualquier otro lugar.

Los delitos continuados y los permanentes iniciados fuera del Estado y que se sigan cometiendo en éste, se perseguirán con arreglo a lo dispuesto por las leyes de la entidad.

CAPÍTULO III
DE LA APLICACIÓN TEMPORAL DEL CÓDIGO

Artículo 9. Es aplicable la ley penal vigente en el momento de la realización del hecho punible.

Cuando entre la comisión del delito y la extinción de la pena o medida de seguridad correspondiente, entrare en vigor otra ley aplicable al caso, se estará a lo dispuesto en la ley más favorable al imputado, acusado o sentenciado, con excepción de los delitos permanentes y continuados. La autoridad que esté conociendo o haya conocido del procedimiento penal, aplicará de oficio la ley más favorable.

Si después de cometido el hecho constitutivo del delito y antes de que se dicte la sentencia que deba pronunciarse o ésta se haya dictado y no haya causado ejecutoria entrare en vigor una o más leyes que disminuyan la pena o la sustituyan por otra que sea menos grave, se aplicará la nueva ley.

Si una nueva ley deja de considerar una conducta como delito, se sobreseerán los procedimientos y cesarán los efectos de las sentencias, en sus respectivos casos, con excepción de lo relativo a la reparación del daño. En caso de haberse cubierto la reparación del daño no habrá lugar a solicitar la devolución de la misma.

CAPÍTULO IV
DE LA APLICACIÓN PERSONAL DEL CÓDIGO

Artículo 10. Este Código se aplicará a las personas físicas y jurídicas, sean nacionales o extranjeras, con las excepciones que se establezcan en las leyes especiales.

La conducta antisocial de los menores en conflicto con la ley, se regirá de acuerdo con lo establecido por la Ley de Justicia para Adolescentes del Estado de Jalisco.

CAPÍTULO V
CONCURSO APARENTE DE NORMAS

Artículo 11. Cuando una misma materia aparezca regulada por diversas disposiciones que resulten incompatibles entre sí, se estará a lo siguiente:

I. La de mayor protección al bien jurídico absorberá a la de menor alcance;

II. La especial prevalecerá sobre la general; o

III. La principal excluirá a la subsidiaria.

TÍTULO SEGUNDO
DE LOS DELITOS Y LA RESPONSABILIDAD PENAL

CAPÍTULO I
REGLAS GENERALES SOBRE DELITOS Y RESPONSABILIDADES DE LOS PARTÍCIPES

Artículo 12. Delito es el acto u omisión que concuerda exactamente con la conducta que, como tal, se menciona expresamente en este Código, en las leyes generales o en las leyes especiales.

Artículo 13. Para que puedan aplicarse legalmente las penas y medidas de seguridad previstas en cada una de las figuras típicas reguladas en este Código debe acreditarse en cada hecho punible, para la configuración del delito, la existencia de los siguientes elementos:

I. La conducta;

II. La tipicidad;

III. La antijuridicidad; y

IV. La culpabilidad.

Tratándose de sujetos declarados inimputables, para que se les pueda aplicar la correspondiente medida de seguridad, bastará la acreditación de los elementos descritos en las fracciones I, II y III del presente artículo.

Artículo 14. Los delitos pueden ser:

I. Dolosos, cuando el agente quiere que se produzca total o parcialmente el resultado o cuando actúa, o deja de hacerlo, pese al conocimiento de la posibilidad de que ocurra otro resultado cualquiera de orden antijurídico; o

II. Culposos, cuando se comete sin dolo, pero por imprudencia o negligencia.

Son delitos graves para los efectos de lo previsto en la Constitución Política de los Estados Unidos Mexicanos, aquellos que afecten de manera importante los valores fundamentales de la sociedad, con acciones u omisiones que generan mayor riesgo o con resultados de mayor peligro para la persona, bienes y familia del ofendido.

Artículo 15. El delito es instantáneo cuando su consumación se agota en el preciso momento en que se realizan todos sus elementos constitutivos; es permanente cuando después de consumado sigue produciendo efectos; y es continuado cuando el hecho que lo constituye implica una pluralidad de acciones u omisiones de la misma naturaleza, procedentes de idéntica intención del sujeto, que violan el mismo precepto legal, en perjuicio del mismo ofendido.

Artículo 16. El delito doloso seguirá operando aunque el acusado pruebe:

I. Que se propuso ofender a otra persona distinta del pasivo, si en cualquier forma causó daño tipificado como delito por este Código;

II. Que quiso causar un daño menor del que resultó, si éste fue consecuencia necesaria del hecho u omisión en que consistió el delito;

III. Que creía que la ley era injusta o moralmente lícito violarla; o

IV. Que creía que era legítimo el fin que se propuso.

Artículo 17. La responsabilidad penal no debe pasar de la persona o bienes de los autores o partícipes, estando prohibidas las penas trascendentales.

Los autores o partícipes del delito responderán cada uno en la medida de su propia culpabilidad.

Los instigadores serán responsables únicamente de los actos de instigación cuando se tenga el dominio del hecho, pero no de los demás que ejecute el instigado, a no ser que éstos fueran racionalmente previsibles o consecuencia inmediata y necesaria del acto instigado.

Capítulo II

De la Tentativa

Artículo 18. La tentativa es punible cuando, usando medios eficaces e idóneos, se ejecutan hechos encaminados directa e inmediatamente a la realización de un delito, si éste no se consuma por causas ajenas a la voluntad del agente.

Si el sujeto desiste espontáneamente de la ejecución o impide la consumación del delito, no se impondrá pena o medida de seguridad alguna por lo que a éste se refiere.

CAPÍTULO III
DE LAS PERSONAS RESPONSABLES DE LOS DELITOS

Artículo 19. Son autores o partícipes del delito:

I. Los que acuerden o preparen su realización;

II. Los que lo realicen por sí;

III. Los que lo realicen conjuntamente;

IV. Los que lo lleven a cabo sirviéndose de otro;

V. Los que induzcan dolosamente a otro a cometerlo;

VI. Los que dolosamente, con conocimiento del delito, presten auxilio a otro para su comisión;

VII. Los que con posteridad a su ejecución auxilien al sujeto activo, en cumplimiento de una promesa anterior al delito; y

VIII. Los que sin acuerdo previo, intervengan con otros en su comisión, cuando no se pueda precisar el resultado que cada quien produjo.

Los autores o partícipes a que se refiere el presente artículo responderán cada uno en la medida de su propia culpabilidad.

Artículo 20. Si varios sujetos activos toman parte en la realización de un delito determinado y alguno de ellos comete un delito distinto, sin previo acuerdo con los demás, todos serán responsables de la comisión del nuevo delito, salvo que concurran los requisitos siguientes:

I. Que el nuevo delito no sirva de medio adecuado para cometer el principal;

II. Que aquél no sea consecuencia necesaria o natural de éste o de los medios concertados;

III. Que no hayan sabido antes que se iba a cometer el nuevo delito; y

IV. Que no hayan estado presentes en la ejecución del nuevo delito, o que, habiéndolo estado, hayan hecho cuanto estaba de su parte para impedirlo.

Artículo 21. Sin perjuicio de la responsabilidad en que hubieren incurrido las personas físicas, miembros o representantes de una persona jurídica, con excepción de las instituciones estatales, las personas jurídicas también serán penalmente responsables según sea la clasificación jurídica que se les atribuya, la forma de intervención y la naturaleza dolosa o culposa por la conducta, cuando se cometa un hecho delictivo con los medios que para tal objeto le haya proporcionado la persona jurídica a la persona física o sus representantes, de modo que resulte cometido a nombre, bajo el amparo o en beneficio de aquélla, cuando se haya determinado, que además existió inobservancia del debido control en su organización.

A las personas jurídicas podrán imponérseles alguna o varias consecuencias jurídicas cuando hayan intervenido en la comisión de los siguientes delitos:

I. Desobediencia o resistencia de particulares previsto en los artículo 128 y 129;

II. Oposición a que se ejecute alguna obra o trabajo público previsto en el artículo 131;

III. Ultrajes a la moral o a las buenas costumbres e incitación a la prostitución previsto en el artículo 135;

IV. Lenocinio previsto en el artículo 139;

V. Corrupción de menores previsto en el artículo 142-A y 142-B;

VI. Prostitución infantil previsto en los artículos 142-F y 142-G;

VII. Revelación de secretos previsto en el artículo 143;

VIII. Obtención ilícita de información electrónica previsto en el artículo 143 Bis;

IX. Utilización ilícita de información confidencial previsto en el artículo 143 Ter;

X. Delitos por hechos de corrupción previstos en el Título Séptimo de este Código.

XI. Falsificación y uso indebido de sellos, marcas, llaves y troqueles previsto en el artículo 163;

XII. Fraude previsto en los artículos 250 al 252;

XIII. Delitos contra el desarrollo urbano previsto en los artículos 253 y 253 Ter;

XIV. Administración fraudulenta previsto en el artículo 254 Bis y 254 Ter;

XV. Delitos relacionados con la capacidad pecuniaria de las personas sujetas a concurso de acreedores previsto en el artículo 255;

XVI. Adquisición ilegítima de bienes materia de un delito o una infracción penal previsto en el artículo 265;

XVII. Adquisición ilegítima de bienes materia de un delito o una infracción penal previsto en el artículo 265;

XVIII. Defraudación fiscal previsto en los artículos 286 al 288;

XIX. Delitos contra el ambiente previstos en los artículos 289 al 297; y

XX. Delitos de Operaciones con Recursos de Procedencia Ilícita previstos en los artículos 310 y 311.

CAPÍTULO IV
DE LAS CAUSAS EXCLUYENTES DE RESPONSABILIDAD

Artículo 22. Excluyen de responsabilidad penal las siguientes:

I. Causas de ausencia de conducta: cuando el hecho se realice sin la intervención de la voluntad del agente;

II. Causas de inimputabilidad, que son:

a) La demencia u otro trastorno mental permanente del infractor;

b) Encontrarse el activo, al ejecutar el hecho o incurrir en la omisión, bajo la influencia de un trastorno transitorio y grave de la personalidad, producido en forma accidental e involuntaria;

c) La sordomudez, ceguera de nacimiento o sobrevenida antes de los cinco años de edad, cuando el sujeto carezca totalmente de instrucción, si esto lo privó de los conocimientos indispensables, de orden ético o moral, que le permitan distinguir el bien del mal; y

d) El miedo grave, cuando éste ofusque el entendimiento de tal manera, que el activo pierda su voluntad de actuar y obre, por ende, sin discernimiento.

Las circunstancias que se mencionan en los cuatro últimos incisos de esta fracción sólo obrarán como causa de inimputabilidad cuando anulen la capacidad del sujeto para comprender la ilicitud de su conducta y poderse determinar conforme a tal comprensión;

III. Causas de inculpabilidad, que son:

a) El temor fundado e irresistible de un mal inminente y grave en la persona del contraventor o de alguien ligado a éste por vínculos cercanos de parentesco o por lazos de amor o de estrecha amistad;

b) Ejecutar un hecho que no es delictuoso, sino por circunstancias del ofendido, si el ejecutor las ignoraba inculpablemente al tiempo de obrar;

c) Causar un daño por mero accidente, sin dolo ni culpa, ejecutando un hecho lícito;

d) El error de hecho, esencial e invencible;

e) El error de derecho, ya sea porque el sujeto desconozca la existencia de la ley o el alcance de la misma, o porque crea que está justificada su conducta;

f) Obedecer a un superior legítimo en el orden jerárquico, cuando su orden no constituya notoriamente un delito; y

IV. Causas de justificación, que son:

a) Obrar en cumplimiento de un deber o en el ejercicio de un derecho consignado en la ley;

b) Contravenir lo dispuesto en la Ley Penal, por un impedimento legítimo o insuperable;

c) El estado de necesidad, cuando exista la urgencia de salvar bienes jurídicos propios o ajenos en un peligro real, grave e inminente, siempre que no exista otro medio producible y menos perjudicial;

d) Ocultar al responsable de un delito o los efectos, instrumentos del mismo, cuando no se hiciere por interés bastardo, siempre que se trate de los ascendientes y descendientes consanguíneos, afines o adoptivos, del cónyuge, concubina o concubinario o parientes colaterales por consanguinidad hasta el cuarto grado, o por afinidad hasta el segundo y los que estén ligados con el sujeto activo por amor, respeto, gratitud o estrecha amistad; y

e) La legítima defensa de la persona, honor, derechos o bienes del activo; así como de la persona, honor, derechos o bienes de otro; entendiéndose que se encuentra en tal hipótesis quien rechace una agresión actual, real, violenta e ilegítima que genere un peligro inminente.

No operará tal excluyente, si el activo provocó dolosa, suficiente e inmediata la agresión o la previó o pudo evitarla fácilmente por otros medios. Operará parcialmente dicha excluyente, si no hubo necesidad racional del medio empleado en la defensa o si el daño que iba a causar el agresor era fácilmente reparable por otro medio o era notoriamente de poca importancia, comparado con el que causó la defensa.

Se presumirá que actúa en legítima defensa quien rechace y dañe a un intruso que realice un escalamiento o fractura de las cercas, paredes o entradas de su casa o departamento habitado o de sus dependencias interiores, y que exista la presunción evidente de cometer una agresión o la comisión de un delito, o revele la posibilidad de penetrar al inmueble o causar daño. La misma presunción favorecerá al que dañe a un intruso que encontrare en la habitación propia o familiar, o de aquella persona a quien tenga obligación de defender, o en lugar donde se encuentren sus bienes propios o ajenos que deba cuidar, siempre que la presencia del extraño ocurra en circunstancias que revelen la posibilidad de una agresión por el intruso. El Ministerio Público en la investigación resolverá de oficio si opera o no la legítima defensa.

En el caso de exceso en la legítima defensa que se menciona en este artículo, se aplicará al infractor la pena de tres días a ocho años de prisión.

Las causas que se mencionan en el presente artículo se harán valer de oficio o a petición de parte.

CAPÍTULO V
DEL CONCURSO DE DELITOS

Artículo 23. Existe concurso real o material, cuando una misma persona comete varios delitos ejecutados en actos distintos, si no se ha pronunciado antes sentencia irrevocable y la acción para perseguirlos no está prescrita. No hay concurso cuando se trate de los delitos continuados o de los permanentes.

Hay concurso ideal o formal cuando, con un solo acto u omisión, se violan varias disposiciones penales.

CAPÍTULO VI
DE LA REINCIDENCIA Y HABITUALIDAD

Artículo 24. Hay reincidencia siempre que el condenado por sentencia ejecutoria dictada por cualquier tribunal de la República o del extranjero, cometa un nuevo delito, si no ha transcurrido, desde el cumplimiento de la condena o desde el indulto de la misma, un término igual al de la prescripción de la pena, salvo las excepciones fijadas en la ley.

La condena sufrida en el extranjero se tendrá en cuenta si proviniere de un delito que tenga este carácter en este Código o leyes especiales.

Artículo 25. Será considerado como delincuente habitual al reincidente que comete un nuevo hecho delictuoso del mismo tipo que el anterior por el que haya sido sentenciado.

Artículo 26. En las prevenciones de los artículos anteriores, se comprenden los casos en que una o las dos condenas anteriores hayan sido por tentativa.

TÍTULO TERCERO
DE LA PRISIÓN PREVENTIVA

CAPÍTULO ÚNICO

Artículo 27. La prisión preventiva será de carácter excepcional y se sujetará a las disposiciones de este artículo y al Código Nacional de Procedimientos Penales.

El Ministerio Público sólo podrá solicitar al Juez de control la prisión preventiva o el resguardo domiciliario cuando otras medidas cautelares no sean suficientes para garantizar la comparecencia del imputado en el juicio, el desarrollo de la investigación, la protección de la víctima, de los testigos o de la comunidad, así como cuando el imputado esté siendo procesado o haya sido sentenciado previamente por la comisión de un delito doloso, siempre y cuando la causa diversa no sea acumulable o conexa en los términos del Código Nacional de Procedimientos Penales.

En el supuesto de que el imputado esté siendo procesado por otro delito distinto de aquel en el que se solicite la prisión preventiva, deberá analizarse si ambos procesos son susceptibles de acumulación, en cuyo caso la existencia de proceso previo no dará lugar por sí sola a la procedencia de la prisión preventiva.

El Juez de control, en el ámbito de su competencia, ordenará la prisión preventiva oficiosamente en los casos de homicidio doloso, violación, secuestro, trata de personas, delitos cometidos con medios violentos como armas y explosivos, así como delitos graves en contra del libre desarrollo de la personalidad y de la salud.

Se consideran delitos que ameritan prisión preventiva oficiosa, los señalados en este Código, que son los siguientes:

I. Lenocinio, artículo 139;

II. Corrupción de menores, artículo 142-A, en sus dos últimos párrafos;

III. Derogado

IV. Prostitución infantil artículos 142-F fracción I y 142-G;

V. Derogado

VI. Abuso sexual infantil, artículos 142-L, 142-M y 142-Ñ;

VII. Desaparición forzada de personas, artículos 154-A, 154-B, 154-D y 154-E;

VIII. Tortura, artículos 154- H y 154-I

IX. Violación, artículo 175;

X. Derogado

XI. Robo de infante, artículo 179, párrafo sexto;

XII. Tráfico de menores, artículo 179 Bis, párrafos primero y quinto;

XIII. Homicidio, artículos 213, 217 y 219;

XIV. Parricidio, artículo 223;

XV. Derogado

XVI. Aborto, artículo 228, párrafos segundo, tercero y cuarto;

XVII. Feminicidio, artículo 232 Bis.; y

XVIII. Trata de personas, en los términos de la Ley General para Prevenir, Sancionar y Erradicar los Delitos en Materia de Trata de Personas y para la Protección y Asistencia a las Víctimas de estos Delitos y de la Ley Estatal para Prevenir, Combatir y Erradicar la Trata de Personas;

El juez no impondrá la prisión preventiva oficiosa y la sustituirá por otra medida cautelar, únicamente cuando lo solicite el Ministerio Público por no resultar proporcional para garantizar la comparecencia del imputado en el proceso, el desarrollo de la investigación, la protección de la víctima y de los testigos o de la comunidad. Dicha solicitud deberá contar con la autorización del titular de la Fiscalía General o el funcionario en el que delegue esa facultad.

TÍTULO SEGUNDO
DE LAS SANCIONES Y MEDIDAS DE SEGURIDAD

CAPÍTULO I
DISPOSICIONES GENERALES

Artículo 28. Las sanciones y medidas de seguridad son:

I. Prisión y trabajo en prisión;

II. Confinamiento;

III. Prohibición de ir a lugar determinado o de residir en él;

IV. Reparación del daño;

V. Multa;

VI. Decomiso o destrucción de cosas peligrosas o nocivas;

VII. Decomiso de los instrumentos y del producto del delito;

VIII. Amonestación;

IX. Apercibimiento;

X. Caución de no ofender;

XI. Suspensión de derechos, oficio o profesión;

XII. Inhabilitación temporal para manejar vehículos, motores o maquinaria;

XIII. Suspensión, destitución e inhabilitación de funciones, cargos o empleos públicos;

XIV. Publicación especial de sentencia;

XV. Internamiento o tratamiento en libertad de inimputables y de quienes tengan el hábito o la necesidad de consumir estupefacientes o psicotrópicos;

XVI. Vigilancia de la autoridad;

XVII. Trabajo en libertad en beneficio de la comunidad;

XVIII. Trabajo obligatorio para la reparación del daño;

XIX. Pérdida definitiva de la patria potestad, tutela o custodia;

XX. Tratamiento psicoterapéutico integral;

XXI. Suspensión, disolución, prohibición, remoción e intervención, tratándose de personas jurídicas; y

XXII. Las demás que fijen las leyes.

CAPÍTULO II
DE LA PRISIÓN

Artículo 29. La prisión consiste en la privación de la libertad personal, con la posibilidad de imposición de trabajo y estudio obligatorios, y se ejecutará en los establecimientos y con las modalidades que al efecto señale el presente Código y la ley general en materia de ejecución de penas y medidas de seguridad, o en los convenios celebrados con la federación u otras entidades federativas.

La prisión podrá durar de tres días a setenta años. En toda pena de prisión que se imponga en una sentencia, se computará el tiempo de la detención.

El trabajo en prisión consiste en la prestación de servicios remunerados, en el centro penitenciario, cuando existan las condiciones necesarias para ello y en los términos de la legislación aplicable.

Artículo 30. La pena de prisión produce la suspensión de los derechos políticos, así como los de tutela, curatela, apoderado, defensor, albacea, perito, depositario, interventor, síndico o representante de ausentes, y dejará de surtir sus efectos al momento en que la autoridad ejecutora dé por cumplida la referida pena de prisión, sea por compurgación total o por obtención de beneficios, y se informará de ello, mediante oficio, a las autoridades que hayan tenido conocimiento de tal situación.

Inmediatamente después de dictar auto de libertad, el juez informará del hecho a los titulares de la Fiscalía General, del Instituto Jalisciense de Ciencias Forenses y demás autoridades que corresponda, con la finalidad de restituir los derechos suspendidos en los términos del párrafo anterior y cancelar el registro para efectos de la emisión de la constancia de antecedentes penales.

Artículo 30 Bis. La constancia relativa a los antecedentes penales se expedirá únicamente en los supuestos que establece la Ley Nacional de Ejecución Penal en su artículo 27 fracción IV.

Dicha constancia será una compulsa de la ficha signalética.

Artículo 31. Los imputados sujetos a prisión preventiva, los sentenciados por delitos contra la seguridad interior del Estado, así como los cometidos por servidores públicos, serán recluidos en establecimientos o departamentos especiales.

CAPÍTULO III
DEL CONFINAMIENTO

Artículo 32. El confinamiento consiste en la obligación de residir en determinado lugar y no salir de él. La autoridad judicial hará la designación del lugar, conciliando las exigencias de la tranquilidad pública, con la salud y las necesidades del sentenciado.

Esta pena sólo procederá en los delitos contra la seguridad interior del Estado.

CAPÍTULO IV
DE LA PROHIBICIÓN DE IR A LUGAR DETERMINADO O DE RESIDIR EN ÉL

Artículo 33. La prohibición de ir a lugar determinado, o de residir en él, sólo podrá aplicarse cuando exista peligro para la integridad física o moral de las víctimas de la comisión de un delito intencional.

La prohibición no podrá exceder de cinco años, salvo lo establecido en las leyes especiales.

CAPÍTULO V
DE LA REPARACIÓN DEL DAÑO

Artículo 34. La víctima o el ofendido por algún delito tienen derecho a que se les satisfaga la reparación del daño, en los casos que ésta proceda. Dicha reparación, que debe ser hecha por el imputado o sentenciado, tiene el carácter de pena pública, y se resolverá de conformidad con el Código Nacional de Procedimientos Penales.

Cuando la misma reparación debe exigirse a terceros, tendrá el carácter de responsabilidad civil, debiendo tramitarse en la forma y términos que prescribe el Código de Procedimientos Civiles del Estado de Jalisco.

CAPÍTULO VI
DE LA MULTA

Artículo 35. La multa que se impusiere como sanción es independiente de la reparación del daño. La multa equivale a la percepción neta diaria del sentenciado en el momento de consumar el delito, tomando en cuenta todos sus ingresos. El límite inferior de la multa será el equivalente al valor diario de la Unidad de Medida y Actualización. Por lo que toca al delito continuado se atenderá al valor diario de la Unidad de Medida y Actualización vigente en el momento consumativo de la última conducta. Para el permanente, se considerará el valor diario de la Unidad de Medida y Actualización en vigor en el momento en que cesó la consumación.

La multa se impondrá a razón del valor diario de la Unidad de Medida y Actualización; para calcular el importe de la multa así como cualquier otra cantidad de dinero a que alude esta ley, se tendrá como base el valor diario de la Unidad de Medida y Actualización vigente en la época en que se cometió el delito.

Cuando se acredite que el sentenciado no puede pagar la multa o solamente puede cubrir parte de ella, la autoridad judicial podrá sustituirla, total o parcialmente por prestación de jornadas de trabajo en favor de la comunidad; cada jornada de trabajo saldará un día multa.

Este tipo de sanción se aplicará solamente cuando el tipo penal lo señale expresamente y además, en aquellos en que la multa sea consecuencia de conmutación.

Cuando no sea posible o conveniente la sustitución de la multa por trabajo en favor de la comunidad, la autoridad judicial podrá decretar la libertad bajo vigilancia, cuya duración no excederá del número de días sustituido, sin que este plazo sea mayor al de la prescripción.

Dado el caso de que los supuestos de los tres párrafos anteriores no se cumplan, la autoridad judicial determinará la efectividad de la multa; en este caso la misma adquirirá el carácter de crédito fiscal.

Cuando varias personas cometan el delito, el juez de control o tribunal fijará la multa por cada uno de los sujetos activos, según su participación en el hecho delictuoso y sus condiciones económicas.

CAPÍTULO VII
DEL DECOMISO DE LOS INSTRUMENTOS Y DEL PRODUCTO DEL DELITO

Artículo 36. Los instrumentos, objetos y cualquiera otra cosa con que se cometa o intente cometer un delito, así como los que sean producto de él, se decomisarán si son de uso prohibido. Los objetos de uso lícito, a que se refiere este artículo, se decomisarán al acusado, solamente cuando fuere condenado por delito doloso. Si pertenecen a terceras personas, sólo se decomisarán cuando hayan sido empleados para fines delictuosos, con conocimiento de su dueño.

Artículo 37. El decomiso de los instrumentos, objetos y productos del delito se hará conforme lo señala el Código Nacional de Procedimientos Penales y la ley de la materia.

CAPÍTULO VIII
DE LA AMONESTACIÓN

Artículo 38. La amonestación consiste en la advertencia que el juez de control o tribunal hace al sentenciado, en diligencia formal, explicándole las consecuencias del delito que cometió, exhortándole a la enmienda y previniéndolo de las sanciones que se le impondrán en caso de reincidencia. La amonestación se hará en privado o públicamente, a juicio del juez de control o el tribunal.

CAPÍTULO IX
DEL APERCIBIMIENTO Y CAUCIÓN DE NO OFENDER

Artículo 39. El apercibimiento consiste en la conminación que el juez de control o el tribunal hace al sentenciado para que no delinca, cuando se tema con fundamento que está en disposición de cometer otro delito, por su actitud.

Artículo 40. Cuando el juez de control o el tribunal estimen que no es suficiente el apercibimiento, exigirán además, al sentenciado, una caución de no ofender, consistente en hipoteca, depósito o fianza por el tiempo que se le fije, para garantizar el compromiso del sentenciado de que no cometerá el delito que se proponía ni otro semejante, apercibido de que, si quebrantare su promesa, perderá la caución que debe otorgar.

Si desde que causa ejecutoria la sentencia que impuso la caución transcurre un lapso de tres años sin que el sentenciado haya repetido el daño, el órgano jurisdiccional ordenará de oficio, o a solicitud de parte, la cancelación de la garantía.

Si el sentenciado no puede otorgar la garantía, ésta será substituida por vigilancia de la autoridad durante un lapso que no excederá de tres años.

CAPÍTULO X
DE LA SUSPENSIÓN DE DERECHOS, OFICIO O PROFESIÓN Y DESTITUCIÓN O SUSPENSIÓN DE FUNCIONES O EMPLEOS

Artículo 41. La suspensión consiste en la pérdida temporal de derechos. La destitución consiste en la privación definitiva del empleo, cargo o comisión de cualquier naturaleza en el servicio público. La inhabilitación implica la incapacidad temporal para obtener y ejercer cargos, comisiones o empleos públicos.

La suspensión de los derechos, oficio o profesión y las de manejar vehículos, motores, maquinaria o instrumentos, procederá en los casos expresamente señalados por este Código o leyes relativas.

Lo prevenido en el párrafo anterior, se observará también para la suspensión o destitución en las funciones y en los empleos.

Artículo 42. La suspensión de derechos es de dos clases:

I. La que por ministerio de la ley resulta de una sanción como consecuencia necesaria de ésta, en cuyo caso, la suspensión comienza y concluye con la sanción de que es consecuencia; y

II. La que por sentencia formal se impone como sanción.

En este caso, cuando la suspensión se imponga con sanción privativa de la libertad comenzará al terminar ésta y su duración será la señalada en la sentencia; pero si la suspensión se impone sin ir acompañada de otra sanción, empezará a contar desde que cause ejecutoria el fallo, comprendiendo todo el lapso fijado.

Artículo 43. La sanción de prisión por delito doloso produce la suspensión de los derechos políticos y los de tutor, curador, apoderado, albacea, cuando no sea único heredero, perito, depositario, interventor judicial, síndico o interventor en quiebra, árbitro, arbitrador o representante de ausentes. Esta suspensión empezará a contar desde que cause ejecutoria la sentencia y durará todo el tiempo de la condena.

CAPÍTULO XI
DE LA PUBLICACIÓN ESPECIAL DE SENTENCIA

Artículo 44. La publicación especial de sentencia consiste en la inserción total o parcial de ella, en uno o dos periódicos que circulen en el Estado. El juez de control o el tribunal escogerá los periódicos y resolverá la forma en que debe hacerse la publicación.

La publicación de la sentencia se hará a costa del sentenciado, del ofendido si éste lo solicitare o del Estado si el juez de control o el tribunal lo estiman necesario.

El juez de control o el tribunal podrán a petición y a costa del ofendido ordenar la publicación de la sentencia en entidad federativa diferente o en algún otro periódico.

La publicación de sentencia se ordenará igualmente a título de reparación y a petición del interesado, cuando éste fuere absuelto, el hecho imputado no constituyere delito o él no lo hubiere cometido.

Artículo 45. Si el delito por el que se impuso la publicación de sentencia, fue cometido por medio de la prensa u otro medio de comunicación, además de la publicación a que se refiere el artículo anterior, se hará también en el periódico o medio de comunicación empleado para cometer el delito, con el mismo tipo de letra, igual color de tinta, en el mismo lugar o con las mismas características utilizadas.

CAPÍTULO XII
DEL INTERNAMIENTO O TRATAMIENTO EN LIBERTAD DE INIMPUTABLES Y DE QUIENES TENGAN EL HÁBITO O LA NECESIDAD DE CONSUMIR ESTUPEFACIENTES O PSICOTRÓPICOS

Artículo 46. En el caso de los sujetos con imputabilidad disminuida, la autoridad judicial dispondrá de la medida de tratamiento que corresponda, en internamiento o libertad vigilada, así como las condicionantes para asegurar la defensa social, considerando la peligrosidad del sujeto y las necesidades que se planteen en el curso de su tratamiento. La autoridad judicial podrá resolver sobre la conclusión de la medida en forma condicional o definitiva.

En caso de personas con desarrollo intelectual retardado o trastorno mental, la medida de seguridad tendrá carácter terapéutico en lugar adecuado para su aplicación. Queda prohibido aplicar la medida de seguridad en instituciones de reclusión preventiva o de ejecución de sanciones penales, o sus anexos.

Artículo 47. La autoridad competente podrá entregar al inimputable a sus familiares o a las personas que conforme a la ley tengan la obligación de hacerse cargo de él, siempre y cuando reparen el daño, se obliguen a tomar las medidas adecuadas para el tratamiento y vigilancia del inimputable y garanticen a satisfacción de la autoridad judicial, el cumplimiento de las obligaciones contraídas. Esta medida podrá revocarse cuando se deje de cumplir con las obligaciones contraídas.

La duración del tratamiento para el inimputable en ningún caso excederá del máximo de la pena privativa de libertad que se aplicaría por ese mismo delito a sujetos imputables. Concluido el tiempo del tratamiento, la autoridad competente entregará al inimputable a sus familiares para que se hagan cargo de él o a las autoridades de salud o institución asistencial, para que procedan conforme a las leyes aplicables.

Artículo 48. El tratamiento de deshabituación o desintoxicación es el que procede cuando el sujeto haya sido sentenciado por un delito cuya comisión obedezca a la inclinación o abuso de bebidas alcohólicas, estupefacientes, psicotrópicos o sustancias que produzcan efectos similares, independientemente de otras penas que correspondan.

El tratamiento de deshabituación o desintoxicación podrá cumplirse en organizaciones públicas o privadas propuestas por el sentenciado de conformidad con la ley general en materia de ejecución de penas.

Artículo 49. Al responsable del delito de violencia familiar o de un delito cometido contra una persona con quien tenga relación de parentesco, matrimonio, concubinato o análoga se le someterá a un tratamiento psicoterapéutico integral, para su reinserción.

CAPÍTULO XIII
DE LA PÉRDIDA DEFINITIVA DE LA PATRIA POTESTAD, TUTELA O CUSTODIA

Artículo 50. En todos los delitos contra la seguridad y la libertad sexual, el orden de la familia, la vida e integridad corporal y contra el desarrollo de la personalidad, cuando la víctima sea un menor o una persona que no tenga capacidad de comprender el significado de las cosas o de resistir el hecho, al autor del delito se decretará también la pérdida de la patria potestad, de la custodia y de todo derecho a la sucesión de todos los bienes del ofendido y, en su caso, se le inhabilitará para ser tutor o curador.

CAPÍTULO XIV
VIGILANCIA DE LA AUTORIDAD

Artículo 51. La vigilancia de la autoridad consiste en la supervisión y orientación de la conducta del sentenciado, ejercidas por personal especializado dependiente de la autoridad competente, con la finalidad exclusiva de coadyuvar a la reinserción social del sentenciado y a la protección de la comunidad. La autoridad judicial deberá disponer esta supervisión cuando en la sentencia imponga una sanción que restrinja la libertad o derechos, sustituya la privación de libertad por otra sanción o conceda la condena condicional y en los demás casos en los que la ley disponga. Su duración no deberá exceder de la correspondiente a la pena o medida de seguridad impuesta.

CAPÍTULO XV
DEL TRABAJO OBLIGATORIO PARA LA REPARACIÓN DEL DAÑO

Artículo 52. El trabajo obligatorio como pena tiene como objeto la reparación del daño a la víctima u ofendido. Tendrá lugar como sanción sustitutiva a la privativa de libertad, cuando el sentenciado acredite que con su empleo podrá cubrir el importe decretado por la autoridad judicial, en la forma y términos establecidos en la Ley.

CAPÍTULO XVI
DEL TRABAJO EN LIBERTAD EN BENEFICIO DE LA COMUNIDAD

Artículo 53. El trabajo en libertad en beneficio de la comunidad consiste en la prestación de servicios no remunerados en organismos públicos, institutos educativos, de asistencia o servicio social, en organizaciones privadas, de asistencia no lucrativas, o en programas especialmente diseñados por el Titular del Ejecutivo, en los términos de la legislación y los reglamentos aplicables.

Las jornadas de trabajo serán de cuatro horas cada una y se impondrán de acuerdo a las circunstancias particulares del caso, cuando esta sanción sea contemplada en el tipo penal o a petición del sentenciado por conmutación de multas.

CAPÍTULO XVII
DE LAS PERSONAS JURÍDICAS

Artículo 54. Se podrá imponer a las personas jurídicas las siguientes penas:

I. Suspensión: consiste en la cesación de la actividad de la persona jurídica durante el tiempo que determine el juez de control o el tribunal, la cual no podrá exceder de dos años;

II. Disolución: consiste en la conclusión definitiva de toda actividad social de la persona jurídica, además de la imposibilidad de constituir una nueva sociedad con el mismo objeto social e integrantes. La conclusión de toda actividad social se hará sin perjuicio de la realización de los actos necesarios para la disolución y liquidación total. La autoridad judicial designará en el mismo acto un liquidador que procederá a cumplir todas las obligaciones contraídas hasta entonces por la persona jurídica, inclusive las responsabilidades derivadas del delito cometido, observando las disposiciones legales sobre prelación de créditos, conforme a la naturaleza de éstos y de la entidad objeto de la liquidación;

III. Prohibición de realizar determinados negocios u operaciones: se refiere exclusivamente a los que determine la autoridad judicial, que deberán tener relación directa con el delito cometido y podrá ser hasta por cinco años. Los administradores y el comisario de la sociedad serán responsables ante la autoridad judicial que conozca del caso, del cumplimiento de esta prohibición. Asimismo, a quien con aquella calidad incumpla con dicha prohibición, se le aplicarán las penas que establece este Código por desobediencia a un mandato de autoridad;

IV. Remoción: consiste en la sustitución de los administradores por uno designado por la autoridad judicial, durante un período máximo de tres años. Para hacer la designación, el juez de control o el tribunal podrán atender la propuesta que formulen los socios o asociados que no hubiesen tenido participación en el delito. Cuando concluye el periodo previsto para la administración sustituta, la designación de los nuevos administradores se hará en la forma ordinaria prevista por las normas aplicables a estos actos; e

V. Intervención: consiste en la vigilancia de las funciones que realizan los órganos de representación de la persona jurídica, intervenir en su funcionamiento y ejercer las atribuciones que la ley confiere al interventor, hasta por tres años.

VI. Inhabilitación temporal o perpetua consistente en la suspensión de derechos para participar en adquisiciones, arrendamientos, concesiones, servicios u obras públicas, de manera directa, por interpósita persona o con capital proveniente de persona o personas sancionadas.

El juez de control o el tribunal tomarán las medidas pertinentes para dejar a salvo los derechos de los trabajadores y terceros frente a la persona jurídica, así como aquellos otros derechos que sean exigibles frente a otras personas, derivados de actos celebrados con la persona jurídica sancionada.

TÍTULO TERCERO
APLICACIÓN DE SANCIONES

CAPÍTULO I
REGLAS GENERALES

Artículo 55. Dentro de los límites fijados por la ley, los jueces y tribunales aplicarán las sanciones establecidas para cada delito, teniendo en cuenta las circunstancias exteriores de ejecución, las peculiares del sentenciado y las demás señaladas en el artículo siguiente.

Artículo 56. Para la aplicación de las sanciones penales se estará a lo establecido por el Código Nacional de Procedimientos Penales, y además se tendrá en cuenta:

I. La naturaleza de la acción u omisión, los medios empleados para ejecutarla, la gravedad del daño causado y el peligro corrido;

II. La edad, la educación, la ilustración, las costumbres y la conducta precedente del sujeto, los motivos que lo impulsaron o determinaron a delinquir y sus condiciones socioeconómicas. Cuando el procesado perteneciere a algún pueblo o comunidad indígena, se tomarán en cuenta, además, sus usos y costumbres;

III. Las condiciones especiales en que se encontraba en el momento de la comisión del delito y los demás antecedentes o condiciones personales que estén comprobados;

IV. Los vínculos de parentesco, matrimonio, concubinato, de amistad o nacidos de otras relaciones sociales; y

V. Las circunstancias de tiempo, lugar, modo y ocasión que demuestren la mayor o menor peligrosidad del sentenciado.

El juez de control o el tribunal deberán de tomar conocimiento directo del sujeto activo, del pasivo y de las circunstancias del hecho, en la medida requerida para cada caso y, en su caso, los dictámenes periciales tendientes a conocer la personalidad del sujeto y los demás elementos conducentes.

En el caso en que el sujeto activo del delito sea delincuente primario y tenga, al cometer la infracción, una edad comprendida entre los dieciocho y veinte años, o mayor de sesenta y cinco, el juez de control o el tribunal podrán disminuir en un tercio las penas que correspondan, fundando y razonando debidamente su resolución.

Cuando por haber sufrido el sujeto activo consecuencias graves en su persona o su precario estado de salud, fuere notoriamente innecesaria e irracional la imposición de una pena privativa de libertad, el juez de control o el tribunal, de oficio o a petición de parte motivando su resolución, podrán prescindir de ella o sustituirla por una medida de seguridad, para lo cual se apoyarán siempre en dictámenes de peritos.

Cuando se cometa un delito en contra de algún miembro de la familia, el juez de control o el tribunal deberá imponer el tratamiento previsto por el delito de violencia familiar, independientemente de las penas relativas al delito.

En los delitos que por cuestiones de género sean cometidos en agravio de mujeres, se aumentará la pena privativa de la libertad en una tercera parte, y se impondrá a los agresores trabajo en beneficio de la comunidad y la asistencia a programas reeducativos, integrales, especializados y gratuitos, en los términos de los artículos 58 y 59 de la Ley de Acceso de las Mujeres a una Vida Libre de Violencia del Estado de Jalisco.

Artículo 57. Además de las circunstancias señaladas en el artículo anterior, entre otras, se tomarán en consideración:

I. Para agravar el grado de punibilidad del sentenciado, salvo cuando estén previstas en la ley como elementos o calificativas del delito de que se trate:

a) Cometer el delito con el auxilio de otras personas. Particularmente si se trata de personas menores de edad o con discapacidad;

b) Cometer el delito con motivo de una catástrofe pública o desgracia privada que hubiera sufrido la víctima;

c) Haber ocasionado el delito consecuencias sociales graves o haber puesto en peligro o afectado a un grupo o sector de la población;

d) La utilización para la comisión del delito, por parte del sentenciado, de habilidades o conocimientos obtenidos por haber pertenecido a un cuerpo de seguridad pública o privada;

II. Para disminuir el grado de punibilidad del sentenciado, salvo cuando hayan sido consideradas como circunstancias atenuantes del delito, entre otras, se tomarán en cuenta las siguientes:

a) Los estudios sociológicos, económicos, psicológicos y psiquiátricos que se relacionen con la conducta del acusado y el bien jurídico dañado;

b) Haber tratado espontánea e inmediatamente después de cometido el delito, de disminuir sus consecuencias, prestar auxilio a la víctima, o reparar el daño causado;

c) Presentarse espontáneamente a las autoridades para facilitar su enjuiciamiento, salvo que esta conducta revele cinismo;

d) Haberse demostrado plenamente que se causó un resultado mayor al querido o aceptado;

e) Facilitar el enjuiciamiento, reconociendo judicialmente su autoría o participación;

f) Proporcionar datos verídicos para la identificación o localización de otros autores o partícipes del delito, siempre que esto no haya sido ya demostrado con pruebas o datos previamente recabados;

g) Haber reparado espontáneamente el daño hasta antes de la sentencia o haber intentado repararlo en su totalidad; y

h) Ser mayor de setenta años.

Artículo 58. Al individualizar las sanciones, la autoridad judicial no deberá fundar sus determinaciones sobre la base del origen étnico o nacional, género, edad, discapacidades, condición social, condiciones de salud, religión, opiniones, preferencias sexuales, estado civil o cualquier otra que atente contra la dignidad humana y tenga por objeto anular o menoscabar los derechos y libertades de las personas.

Artículo 59. No es imputable al acusado el aumento de gravedad proveniente de circunstancias particulares del ofendido, si las ignoraba inculpablemente al cometer el delito.

Artículo 60. Las circunstancias calificativas o modificativas de la sanción penal, que tienen relación con el hecho u omisión sancionados, aprovechan o perjudican a todos los que intervengan en cualquier grado en la comisión de un delito.

Las circunstancias personales de alguno o algunos de los sentenciados, cuando sean elemento constitutivo, modificativo o calificativo del delito, solo perjudican a los que lo cometen con conocimiento de ellas.

Artículo 61. Cuando un solo hecho pueda ser considerado bajo dos figuras delictivas distintas, con sanciones diferentes, se aplicará la que corresponda al delito más grave.

Artículo 62. La autoridad judicial, de oficio o a petición de parte, podrá prescindir de la imposición de la pena privativa o restrictiva de la libertad o sustituirla por una menos grave o por una medida de seguridad, cuando la imposición resulte notoriamente innecesaria e irracional, en razón de que el sujeto activo:

I. Con motivo del delito cometido, haya sufrido consecuencias graves en su persona;

II. Presente senilidad avanzada;

III. Padezca enfermedad grave e incurable avanzada o precario estado de salud. En estos casos, la autoridad judicial tomará en cuenta el resultado de los dictámenes médicos y asentará con precisión, en la sentencia, las razones de su determinación.

Se exceptúa la reparación del daño y la sanción económica, por lo que no se podrá prescindir de su imposición; o

IV. Haya cometido el delito durante el lapso en que sufriere en su persona violencia de género producida por la víctima, que pusiere en serio peligro la integridad física del sujeto activo.

CAPÍTULO II
DE LA APLICACIÓN DE SANCIONES A LOS DELITOS CULPOSOS

Artículo 63. Los delitos culposos se sancionarán con prisión de tres días a ocho años y suspensión hasta de dos años para ejercer profesión u oficio; en su caso, inhabilitación hasta por tres años, para manejar vehículos, motores, maquinaria o elementos relacionados con el trabajo, cuando el delito se haya cometido al usar alguno de esos instrumentos.

Si se causare por culpa grave homicidio, en el que concurra cualquiera de las circunstancias señaladas en la fracción III del presente artículo, se aplicará la sanción de cuatro años un mes a diez años de prisión. Si se causare por culpa grave homicidio, en el que concurran dos o más de las circunstancias señaladas en las fracciones I, II, IV, V y VI de este artículo o las lesiones señaladas en las fracciones IV o V del artículo 207 de este Código, se aplicará la sanción de tres a diez años de prisión. En cualquiera de estos casos se aplicará la inhabilitación para manejar hasta por un tiempo igual al de la duración de la pena privativa de la libertad.

Se considera culpa grave en los homicidios o lesiones a que se refiere el párrafo anterior, si se cometen con motivo del tránsito de vehículos, y se dé una de las siguientes circunstancias:

I. Cuando conduzca el probable responsable, con exceso de velocidad en más de treinta kilómetros por hora del límite establecido para la zona en donde ocurra el accidente;

II. Cuando se cometa en hospitales, o zonas de concurrencia de personas tales como escuelas en horarios de entrada o salida, centros comerciales o lugares de culto público siempre que, existan señalamientos de esta circunstancia;

III. Cuando al sujeto activo:

a) Se le detecten más de ciento cincuenta miligramos de alcohol por cien mililitros de sangre; o

b) Conduzca bajo el influjo de estupefacientes o psicotrópicos de los señalados en la Ley General de Salud, cuando conforme a dictamen pericial se pruebe que esas substancias alteren la facultad para conducir; o

c) Se niegue a proporcionar muestra de sangre o aire espirado, para realizar las pruebas de alcohol o toxicológicas;

IV. Cuando se cometa con vehículos cuya capacidad de carga sea mayor de cuatro toneladas, o más de doce plazas de pasajeros;

V. Cuando se conduzca un vehículo en sentido contrario a la circulación señalada o invada zonas peatonales; o

VI. Cuando el inculpado ha cometido anteriormente otros delitos culposos con motivo de tránsito de vehículos y conste en sentencia ejecutoriada.

En estos casos, cuando el imputado sea detenido en flagrancia el Ministerio Público podrá imponerle una medida cautelar en los términos del Código Nacional de Procedimientos Penales.

Cuando se cometa el delito de homicidio o lesiones por culpa grave, en accidente de tránsito, el vehículo conducido por el imputado será asegurado por la autoridad competente hasta que se pague la reparación del daño. El pago de la reparación del daño no prejuzga sobre la responsabilidad del conductor.

Artículo 64. La calificación de la culpa queda al prudente arbitrio del juez de control o del tribunal, quienes deberán tomar en consideración las circunstancias generales señaladas en el artículo 56 y las especiales siguientes:

I. La mayor o menor facilidad de prever y evitar el daño que resultó, si para evitar el daño bastaba una reflexión o atención ordinarias y conocimientos comunes en alguna ciencia, arte u oficio;

II. Si el inculpado ha delinquido anteriormente en circunstancias semejantes;

III. Si tuvo tiempo para obrar con la reflexión y cuidado necesarios; y

IV. Tratándose de delitos cometidos con motivo del tránsito de vehículos, del manejo de motores, maquinaria o elementos relacionados con el trabajo, el estado del equipo, vías de comunicación y condiciones de funcionamiento mecánico.

Artículo 65. Cuando por culpa se ocasionen daños en las cosas por cualquier valor, o bien se causen lesiones de las señaladas en las fracciones I, II y III del artículo 207 de este Código, el delito sólo se perseguirá por querella de la parte ofendida.

Lo dispuesto en el párrafo que antecede no se aplicará cuando el inculpado en el momento de ocurrir el hecho, se encontrare en estado de ebriedad o bajo el influjo de estupefacientes u otras sustancias que produzcan efectos similares.

CAPÍTULO III
DE LA SANCIÓN PARA LA TENTATIVA

Artículo 66. Al responsable de tentativa, se le impondrá a juicio del juez de control o el tribunal, y teniendo en consideración las prevenciones de los artículos 18 y 56 de este Código, de las dos terceras partes del mínimo hasta las dos terceras partes del máximo del ilícito si éste se llegare a consumar, y deberá de tomarse en cuenta las circunstancias del delito.

En los casos de tentativa de delito grave así calificado por este Código, la autoridad judicial impondrá una pena de prisión desde las tres cuartas partes de la pena mínima y podrá llegar hasta las tres cuartas partes de la sanción máxima prevista para el delito consumado.

Para imponer la sanción de la tentativa, la autoridad judicial tendrán en cuenta la peligrosidad del autor y el grado a que se hubiese llegado en la ejecución del delito.

CAPÍTULO IV
DE LAS SANCIONES EN LOS CASOS DE CONCURSO DE DELITOS, REINCIDENCIA, HABITUALIDAD Y QUEBRANTAMIENTO DE CONDENA

Artículo 67. En caso de concurso real se impondrá la sanción correspondiente al delito que merezca pena mayor, la que deberá aumentarse hasta la suma de las dos terceras partes de las sanciones de los demás delitos, sin que pueda exceder de cincuenta años.

En caso de concurso ideal se aplicará la sanción correspondiente al delito que merezca pena mayor, la que deberá ser aumentada hasta en una mitad más del máximo de su duración, sin que pueda exceder de la suma de las sanciones de los delitos cometidos.

Artículo 68. En caso de delito continuado, se aumentará hasta una tercera parte de la pena correspondiente al delito cometido.

En caso de delito continuado grave así calificado por este Código, se aumentará de una mitad hasta las dos terceras partes de la pena que la ley prevea para el delito cometido, sin que exceda del máximo legal.

Artículo 69. A los reincidentes se les impondrá la sanción que debiere imponérseles por el último delito cometido, aumentada hasta en un tercio de la sanción impuesta a juicio de la autoridad judicial; si la reincidencia fuere por delitos del mismo género, el aumento será de dos tercios. Cuando resulte una sanción mayor que la suma de las que corresponden al primero y segundo delitos, se aplicará esta suma sin que pueda exceder de cincuenta años.

La sanción a los delincuentes habituales no podrá ser menor de la que se les impondría como reincidentes; pero deberá aumentarse hasta otro tanto de la duración de la sanción correspondiente al último delito cometido, sin que pueda exceder de cincuenta años.

Artículo 70. Al sentenciado o imputado que se fugue mientras cumple alguna sanción privativa de la libertad o está en detención o prisión preventiva, no se le contará el tiempo que pase fuera del lugar del que se fugó.

Artículo 71. Al sentenciado a confinamiento que antes de cumplirlo salga injustificadamente del lugar que se le haya fijado como residencia, se le aplicará prisión por el tiempo que falte para extinguir el propio confinamiento. Igual sanción se aplicará a quien sin causa legítima violare la prohibición de ir a determinado lugar.

CAPÍTULO V
DE LA RECLUSIÓN PARA ENFERMOS MENTALES, SORDOMUDOS Y CIEGOS

Artículo 72. Los sordomudos o ciegos de nacimiento o quienes padezcan ceguera sobrevenida antes de los cinco años de edad y que carezcan totalmente de instrucción o los que sufran alguna enfermedad o enajenación mentales que les altere su capacidad de concientización o de discernir el bien del mal y que hayan ejecutado hechos o incurrido en omisiones, definidos como delitos, contemplados en este Código o demás disposiciones legales, serán recluidos en establecimientos especiales, por todo el tiempo necesario para su mejor adaptación social, curación o ambas, en su caso, sometiéndolos al tratamiento médico adecuado.

En igual forma, y de acuerdo con el Código Nacional de Procedimientos Penales, procederá la autoridad judicial con los imputados detenidos que enloquezcan sin perjuicio de que, si se curaren, sean reintegrados al centro de reclusión, continuándose el proceso.

Procederán en la misma forma las autoridades penitenciarias con los sentenciados que enloquezcan durante el tiempo en que estén sujetos a la privación de su libertad. Si sobreviniere la curación del sentenciado, será reingresado al lugar en que cumpla su condena hasta terminarla; pero se le computará el tiempo que estuvo recluido para su curación.

En los casos señalados en el presente artículo, la autoridad penitenciaria o judicial, enviará a los sentenciados de que se trata a establecimiento hospitalario oficial especializado.

CAPÍTULO VI
DE LA SUSTITUCIÓN Y CONMUTACIÓN DE SANCIONES

Artículo 73. La pena de prisión podrá ser sustituida por el juez de control o el tribunal considerando lo dispuesto en los artículos 55 y 56 de este Código, en los términos siguientes:

I. Por trabajo en favor de la comunidad o semilibertad, cuando la pena impuesta no exceda de cuatro años;

II. Por tratamiento de libertad si la prisión no excede de tres años; o

III. Por multa si la prisión no excede de dos años.

La semilibertad implica alteración de períodos de privación de la libertad y de tratamiento en libertad. Se aplicará según las circunstancias del caso, del siguiente modo: externación durante la semana de trabajo o educativa, con reclusión de fin de semana, salida de fin de semana, con reclusión durante el resto de ésta; salida diurna, con reclusión nocturna. La duración de la semilibertad no podrá exceder de la correspondiente pena de prisión sustituida.

Artículo 74. La multa podrá ser sustituida por la autoridad judicial por trabajo en favor de la comunidad.

Artículo 75. La sustitución de la sanción privativa de libertad procederá cuando se cubra la reparación del daño, pudiendo la autoridad judicial fijar plazos para ello, de acuerdo a la situación económica del sentenciado.

La sustitución de la pena de prisión no podrá aplicarse por la autoridad judicial cuando se trate de un sujeto al que anteriormente se le hubiere condenado en sentencia ejecutoriada por delito doloso que se investigue de oficio, así como cuando se trate de una trasgresión en perjuicio de la hacienda pública.

Artículo 76. La autoridad judicial podrá dejar sin efecto la sustitución y ordenar que se ejecute la pena de prisión impuesta cuando:

I. El sentenciado no cumpla con las condiciones que le fueran señaladas, salvo que la autoridad judicial estime conveniente apercibirlo, en cuyo caso, se fijará garantía para asegurar el cumplimiento de las condiciones; o

II. Al sentenciado se le condene en otro proceso por delito doloso; si el nuevo delito carece de trascendencia social o es culposo, la autoridad judicial resolverá si debe aplicarse la pena sustituida.

En caso de hacerse efectiva la pena de prisión sustituida, se tomará en cuenta el tiempo durante el cual el sentenciado hubiera cumplido la pena sustitutiva.

Artículo 77. La obligación del fiador concluirá al extinguirse la pena impuesta, en caso de habérsele nombrado para el cumplimiento de los deberes inherentes a la sustitución de penas.

Cuando el fiador tenga motivos para no continuar en su desempeño, los expondrá a la autoridad judicial a fin de que ésta, si los estima fundados, prevenga al sentenciado para que presente nuevo fiador dentro del plazo que se le fije, apercibido de que de no hacerlo se le hará efectiva la pena. En este último caso, se estará a lo dispuesto en el artículo anterior.

En caso de muerte o insolvencia del fiador, el sentenciado deberá poner el hecho en conocimiento de la autoridad judicial, para los efectos que se expresan en el párrafo que precede.

TÍTULO CUARTO
CUMPLIMIENTO DE LAS SANCIONES

CAPÍTULO I
DE LA EJECUCIÓN DE LAS SANCIONES

Artículo 78. Corresponde a las autoridades judiciales y administrativas en materia de ejecución de penas, observar en todo lo no previsto en este Código, la ley general en materia de ejecución de penas.

CAPÍTULO II
TRABAJO DE LOS PRESOS

Artículo 79. Toda persona privada de su libertad y que no se encuentre enferma o presente algún tipo de discapacidad, se ocupará en el trabajo que le competa en los términos señalados en el Plan de Actividades. El producto de su trabajo se depositará a través de una cuenta que se regirá bajo las condiciones que se establezcan en la Ley Nacional de Ejecución Penal y en las disposiciones aplicables correspondientes.

CAPÍTULO III
DE LA SUSPENSIÓN CONDICIONAL DE LA PENA

Artículo 80. El juez de control o el tribunal, al dictar sentencia condenatoria, suspenderá motivadamente la ejecución de las penas de acuerdo a lo siguiente:

I. Podrá suspenderse, a petición de parte o de oficio, si concurren estas condiciones:

a) Que la sanción privativa de la libertad no exceda de cuatro años;

b) Que sea la primera vez que delinque el sentenciado;

c) Que haya observado buena conducta, después del acto u omisión que constituyó su delito;

d) Que pruebe su modo honesto de vivir;

e) Que otorgue caución por la cantidad que fije el juez de control o el tribunal, para garantizar que se presentará ante la autoridad cuando fuere requerido; y

f) Que haya reparado el daño a que fue condenado.

II. Si durante el término de la sanción, contado a partir de la fecha en que se conceda en definitiva el citado beneficio, el sentenciado no diere lugar a nuevo proceso por delito doloso que concluya con sentencia condenatoria, se considerará extinguida la sanción fijada en aquélla.

En caso contrario, se hará efectiva la primera sentencia, además de la segunda, en la que el sentenciado será considerado como reincidente;

III. **La suspensión comprenderá la prisión y la multa. En cuanto a las demás sanciones impuestas, el juez de control o el tribunal resolverán según las circunstancias del caso. La suspensión tendrá una duración igual a la de la pena suspendida;**

IV. A quienes se conceda el beneficio de suspensión condicional, se les hará saber lo dispuesto en las fracciones II y III de este artículo, lo que se asentará por diligencia formal, sin que su falta impida, en su caso, la aplicación de lo prevenido de ellas;

V. La obligación contraída por el fiador conforme al inciso e) de la fracción I de este artículo, concluirá en seis meses después del término que señala la fracción II, siempre que el sentenciado no diere lugar a nuevo proceso por delito doloso, o cuando se pronuncie sentencia absolutoria;

VI. Cuando el fiador tenga motivos fundados para no continuar desempeñando el cargo, los expondrá al juez de control o al tribunal a fin de que éste, si los estima justos, prevenga al sentenciado que presente nuevo fiador dentro del plazo que prudentemente le fije, apercibido de que se hará efectiva la sanción si no lo hace.

En caso de muerte o insolvencia del fiador, estará obligado el sentenciado a poner el hecho en conocimiento de la autoridad en materia de ejecución de penas para el efecto y bajo el apercibimiento que se expresa en el párrafo que antecede; y

VII. Todo aquél que disfrute del beneficio de la suspensión condicional quedará sujeto a la vigilancia de la autoridad.

Artículo 81. El incumplimiento a cualquiera de las obligaciones impuestas por el juez de control o el tribunal serán motivo de revocación de la suspensión condicional de la pena.

TÍTULO QUINTO
EXTINCIÓN DE LA RESPONSABILIDAD PENAL

CAPÍTULO I
DE LA MUERTE DEL IMPUTADO O SENTENCIADO

Artículo 82. Por muerte del imputado o sentenciado procederá el sobreseimiento de la acción penal, así como las sanciones que se hubiesen impuesto, a excepción de la reparación del daño y el decomiso de los instrumentos con que se cometió el delito y de las cosas que sean efecto u objeto del mismo, salvo las excepciones que establezcan las leyes.

CAPÍTULO II
DEL PERDÓN DEL OFENDIDO

Artículo 83. El perdón del ofendido o del legitimado para otorgarlo, extingue la acción penal respecto de los delitos que se persiguen por querella, siempre que se conceda ante el Ministerio Público si éste no ha ejercido la misma o ante la autoridad antes de dictarse sentencia de segunda instancia. Una vez otorgado el perdón, éste no podrá revocarse.

Lo dispuesto en el párrafo anterior es igualmente aplicable a los delitos que sólo pueden ser perseguidos por declaratoria de perjuicio o por algún otro acto equivalente a la querella, siendo suficiente para la extinción de la acción penal la manifestación de quien está autorizado para ello de que el interés afectado ha sido satisfecho.

Cuando sean varios los ofendidos y cada uno pueda ejercer separadamente la facultad de perdonar a los responsables del delito y al encubridor, el perdón solo surtirá efectos por lo que hace a quien lo otorga.

El perdón sólo beneficia al imputado en cuyo favor se otorga a menos que el ofendido o el legitimado para otorgarlo, hubiese obtenido la satisfacción de sus intereses o derechos, caso en el cual beneficiará a todos los inculpados.

CAPÍTULO III
DEL RECONOCIMIENTO DE INOCENCIA E INDULTO

Artículo 84. El reconocimiento de inocencia y el indulto se otorgarán únicamente tratándose de sanción impuesta en sentencia irrevocable.

El reconocimiento de inocencia procederá conforme lo señala el Código Nacional de Procedimientos Penales.

El indulto lo concederá el Ejecutivo, cuando el sentenciado haya prestado servicios importantes a la nación o al Estado; pero, tratándose de delitos contra la seguridad interior del Estado, quedará al prudente criterio del Ejecutivo otorgarlo.

Artículo 85. El indulto extingue las sanciones impuestas, con excepción de las de reparación del daño, inhabilitación para ejercer una profesión u oficio, manejar vehículos, motores, maquinaria o elementos relacionados con el trabajo; ejercitar algún derecho civil o político o para desempeñar determinado cargo o empleo.

CAPÍTULO IV
DE LA REINSERCIÓN

Artículo 86. La reinserción tiene por objeto dotar de herramientas al imputado y al sentenciado que le permitan reinsertarse a la sociedad, mediante los modelos de educación, trabajo penitenciario y capacitación para el mismo, establecidos en la Ley Nacional de Ejecución Penal.

La aplicación de los modelos de reinserción previstos en el Código Nacional de Procedimientos Penales y La Ley Nacional de Ejecución Penal corresponderá a la Autoridad Penitenciaria.

CAPÍTULO V
DE LA AMNISTÍA

Artículo 87. La amnistía extingue la acción penal y las sanciones impuestas en los términos de la ley que la conceda.

CAPÍTULO VI
DISPOSICIONES GENERALES DE LA PRESCRIPCIÓN

Artículo 88. La prescripción extingue la acción penal y la sanción o sanciones impuestas.

La prescripción es personal y para que opere bastará el simple transcurso del tiempo señalado por la ley.

La prescripción será declarada de oficio o a petición de parte, en cualquier estado del procedimiento.

Artículo 89. Los plazos establecidos en este Código conforme a los que opera la prescripción se considerarán suspendidos durante la ejecución del acuerdo reparatorio de conformidad con el título I del Libro Segundo del Código Nacional de Procedimientos Penales y de la ley general en materia de justicia alternativa.

El cumplimiento de los convenios a que se refiere el párrafo anterior dará lugar, en su caso, al archivo definitivo de la carpeta de investigación correspondiente al proceso instaurado. En caso de incumplimiento de las obligaciones contenidas en el convenio final del método alternativo, el procedimiento continuará a partir de la última actuación que conste en el expediente.

No se podrá invocar en el proceso, dar lectura, ni incorporar como medio de prueba ningún antecedente contenido en el procedimiento del método alternativo.

CAPÍTULO VII
DE LA PRESCRIPCIÓN DEL DERECHO DE QUERELLA

Artículo 90. El derecho del ofendido para presentar su querella por un delito, sea o no continuo, que sólo pueda perseguirse por querella de parte, prescribirá en seis meses, contado desde el día en que la parte ofendida tenga conocimiento del delito y del imputado; y en tres años, independientemente de esta circunstancia. Presentada la querella, la prescripción se sujetará a las reglas señaladas por este Código para los delitos que se persiguen de oficio.

CAPÍTULO VIII
DE LA PRESCRIPCIÓN DE LA ACCIÓN PENAL

Artículo 91. Los términos para la prescripción de la acción penal serán continuos y se contarán desde el día en que se cometió el delito, si fuese instantáneo; desde que cesó, si fuere permanente; desde el día en que se hubiese realizado el último acto de ejecución, si fuere continuado; y desde el día en que se hubiese realizado el último acto tendiente a la ejecución, si se tratare de tentativa.

Artículo 92. La acción penal prescribirá en un plazo igual al término medio aritmético de la sanción privativa de la libertad que corresponde al delito, aumentada en una cuarta parte más de ese término; si sólo mereciere multa, destitución o suspensión de derechos, prescripción se consumará en el término de un año.

Para el caso de los delitos culposos que se cometan con motivo del tráfico de vehículos, la acción penal prescribirá en un plazo de seis meses; esta regla se aplicará exclusivamente para los conductores involucrados en el incidente, que permanezcan en el lugar de los hechos hasta que el Ministerio Público tenga conocimiento de los mismos y les tome las declaraciones correspondientes.

Tratándose de delitos fiscales, operará la prescripción en el término de cinco años, mismos que se computarán a partir de la fecha de la comisión del delito.

En caso de concurso de delitos, las acciones penales prescribirán simultánea y separadamente en los términos señalados para cada uno.

Serán imprescriptibles los delitos previstos en los artículos 142 A fracción III, 142 F, 142-L y 142-M.

En el caso de aquellas personas que no tengan la capacidad de comprender el significado de las cosas o de resistir el hecho, correrá a partir del momento en que exista evidencia de la comisión de esos delitos ante el Ministerio Público.

Artículo 93. Cuando para deducir una acción penal sea necesario que termine un juicio diverso, civil o penal, no comenzará a correr la prescripción, sino hasta que en el juicio previo se haya pronunciado sentencia irrevocable.

Si para deducir una acción penal exigiere la ley una declaración previa de alguna autoridad, las gestiones que a este fin se practiquen, antes del término señalado en el artículo anterior, interrumpirán la prescripción, siempre que las mismas ocurran en el plazo de un año.

Artículo 94. La prescripción de la acción penal nunca podrá ser inferior a tres años tres meses y sólo podrá interrumpirla la captura del imputado.

CAPÍTULO IX
DE LA PRESCRIPCIÓN DE LAS SANCIONES

Artículo 95. Los términos para la prescripción de las sanciones serán continuos y principiarán a correr desde el día siguiente a aquél en que el sentenciado se substraiga a la acción de la justicia, si fueren privativas de libertad y, si no lo son, desde la fecha de la sentencia ejecutoria.

Artículo 96. La sanción privativa de libertad prescribirá por el transcurso de un término igual al que debería durar y una mitad más.

Artículo 97. Cuando el reo hubiese compurgado ya una parte de su sanción, se necesitará para la prescripción tanto tiempo como el que falte de la condena y una mitad más de ese término.

Artículo 98. La prescripción de las sanciones privativas de la libertad sólo se interrumpe con la aprehensión del sentenciado, aún cuando se ejecute por delito diverso.

Artículo 99. La sanción consistente en multa prescribirá en un año. Las demás sanciones no previstas especialmente en este capítulo prescribirán por el transcurso de un término igual al de su duración y una cuarta parte más, pero nunca excederá de quince años.

Artículo 100. La sanción consistente en privación de derechos civiles o políticos prescribirá en un año, si se impuso como sanción única, pero cuando sea consecuencia de la pena de prisión prescribirá conjuntamente con ésta. La inhabilitación temporal y la suspensión de cualquier derecho prescribirán en un término igual al señalado por el artículo 96.

Artículo 101. La sanción consistente en la reparación del daño prescribirá en cinco años, contados a partir de la fecha en que cause ejecutoria la sentencia y sólo se interrumpirá cuando se reclame en los términos de ley ante la autoridad competente, por el Ministerio Público, la parte ofendida, el asesor jurídico o, en su defecto, por quien corresponda conforme a derecho.

TÍTULO SEXTO
REPARACIÓN DEL DAÑO PROVENIENTE DEL DELITO

CAPÍTULO ÚNICO

Artículo 102. La reparación del daño a cargo del imputado o sentenciado, deberá tramitarse en la forma y términos que prescribe el Código Nacional de Procedimientos Penales.

La obligación de pagar el importe de la reparación del daño es preferente y se cubrirá primero que cualquiera de las obligaciones que se hubiesen contraído con posterioridad al delito. La reparación del daño comprende, según la naturaleza del delito de que se trate:

I. El restablecimiento de las cosas en el estado en que se encontraban antes de cometerse el delito;

II. La restitución de la cosa obtenida por el delito, incluyendo sus frutos y accesorios y, si no fuese posible, el pago de su valor actualizado. Si se trata de bienes fungibles, el juez podrá condenar a la entrega de un objeto igual al que fuese materia del delito sin necesidad de recurrir a prueba pericial; y

III. **La indemnización del daño material y moral causado, así como del perjuicio ocasionado. El daño moral causado a la víctima será determinado, de conformidad a lo que establezca, sobre el particular, el Código Civil del Estado de Jalisco.**

En caso de tentativa, la reparación material o moral del daño estará supeditada a la legal demostración de procedencia de la misma.

Si la cosa y sus frutos se hallaren en poder de terceros no sujetos activos del delito, se observará lo dispuesto por el Código Civil del Estado de Jalisco sobre posesión de buena o de mala fe.

Artículo 102 Bis. Están obligados a reparar el daño, en los términos de este capítulo, los siguientes:

I. Los ascendientes, por las infracciones penales de sus descendientes que se hallasen bajo su patria potestad;

II. Los tutores y los custodios, por los ilícitos de los incapacitados que se hallasen bajo su responsabilidad;

III. Los dueños, empresarios o encargados de negociaciones o establecimientos mercantiles de cualquier especie, por los delitos que comentan sus obreros, jornaleros, empleados domésticos y artesanos, con motivo y en el desempeño de su servicio;

IV. Las sociedades y asociaciones, por los delitos cometidos por sus socios, gerentes o directores, en los términos en que, conforme a las leyes, sean responsables por las obligaciones que los segundos contraigan.

Se exceptúa de esta regla a la sociedad legal o conyugal, pues, en todo caso, cada cónyuge responderá con sus bienes propios o con la parte que le corresponda, por el daño que cause;

V. Los dueños de los mecanismos, instrumentos, aparatos, vehículos o sustancias peligrosas, por delitos que en ocasión de su tenencia, custodia o uso, cometan las personas que legítimamente los manejan o tengan a su cargo; y

VI. **Las autoridades estatales o municipales, en forma directa en los términos que establece la ley estatal en materia de responsabilidad patrimonial del Estado.**

Artículo 103. En orden de preferencia, tienen derecho a exigir la reparación del daño:

I. El ofendido;

II. El cónyuge y sus hijos menores de edad o mayores de edad incapacitados;

III. Los ascendientes;

IV. La concubina o el concubinario;

V. Los que dependan económicamente del ofendido;

VI. Los demás descendientes del ofendido; y

VII. La asistencia social.

Artículo 103 Bis. Cuando el daño que se cause al ofendido produzca su muerte, el monto de la pena de indemnización se fijará atendiendo a lo establecido en el artículo 502 de la Ley Federal del Trabajo. Si la víctima no percibe utilidad por salario o no pudiere determinarse éste, el monto de la indemnización se fijará tomando como base el valor diario de la Unidad de Medida y Actualización vigente

Si el daño produce incapacidad total o parcial, temporal o permanente, el monto de la indemnización se fijará de acuerdo con las tablas que para esta clase de incapacidades establece la Ley Federal del Trabajo, siendo aplicable en lo conducente, lo dispuesto en el párrafo que precede.

Artículo 103 Ter. La reparación del daño en casos de abuso sexual infantil y violación, comprenderá además del daño moral a que alude la fracción III del artículo 102 de este Código, el pago de alimentos a la mujer y al hijo, si lo hubiere.

Dicho pago se hará en la forma y términos que fija el Código Civil del Estado de Jalisco.

LIBRO SEGUNDO
DE LOS DELITOS EN PARTICULAR

TÍTULO PRIMERO
DELITOS CONTRA LA SEGURIDAD INTERIOR DEL ESTADO

CAPÍTULO I
CONSPIRACIÓN

Artículo 104. Se impondrán de quince días a un año de prisión y multa por el importe de cuatro a ciento noventa y seis veces el valor diario de la Unidad de Medida y Actualización, siempre que dos o más personas resuelvan de concierto cometer alguno de los delitos que señalan en los capítulos II, III, y IV de este título y acuerden los medios de llevar a efecto su determinación.

CAPÍTULO II
REBELIÓN

Artículo 105. Se impondrán de tres meses a seis años de prisión a los civiles o militares no en activo, que se alcen en armas contra el Gobierno del Estado, para lograr alguno de los siguientes objetivos:

I. Abolir o reformar la Constitución Política del Estado o las instituciones que de ella emanen;

II. Impedir la integración de nuevas instituciones o el libre ejercicio de las ya existentes;

III. Separar de su cargo o impedirle el ejercicio del mismo a cualquiera de los servidores estatales que estando comprendidos en la Ley de Responsabilidades de los Servidores Públicos, no lo estén el la hipótesis material del artículo 132, fracción III, parte final del Código Penal Federal; y

IV. Sustraer de la obediencia del Gobierno del Estado alguna población o fuerza pública.

Artículo 106. Se impondrán de uno a seis años de prisión y multa hasta por el importe de cuarenta veces el valor diario de la Unidad de Medida y Actualización, o de cuatro a seis años de prisión y multa hasta por el importe de ochenta veces el valor diario de la Unidad de Medida y Actualización, en caso de ser extranjero, al que instigue a una rebelión o auxilie a los rebeldes.

Artículo 107. Los rebeldes no serán responsables de las muertes ni de las lesiones inferidas en combate. Pero de todo homicidio que se cometa y toda lesión que se cause fuera de una batalla, serán responsables, tanto el que manda ejecutar el delito como el que lo permita y los que materialmente lo ejecuten.

Artículo 108. No se impondrá sanción a los que depongan las armas, si no hubiesen cometido alguno de los delitos mencionados en el artículo 107, segundo párrafo.

La excusa absolutoria beneficiará aún a los responsables de cualquier delito, siempre que éste sea cometido en el acto preciso del enfrentamiento.

Artículo 109. Se impondrá sanción de dos a cinco años de prisión al que viole la inmunidad de un parlamentario o la que da un salvoconducto.

CAPÍTULO III
SEDICIÓN

Artículo 110. Se impondrán de dos meses a tres años de prisión a los que reunidos tumultuariamente, pero sin armas, resistan a la autoridad o la ataquen para impedir u obstaculizar el libre ejercicio de sus funciones, con alguno de los fines a que se refiere el artículo 105.

A quienes patrocinen económicamente a otros para cometer el delito de sedición, se les impondrá, aparte de la sanción corporal que corresponda, una multa equivalente al importe de veinte a ciento noventa y seis veces el valor diario de la Unidad de Medida y Actualización.

En lo que sea aplicable a la sedición, se observará lo dispuesto en el capítulo que antecede.

CAPÍTULO IV
MOTÍN

Artículo 111. Se impondrán de quince días a tres meses de prisión y multa hasta por el importe de veinte veces el valor diario de la Unidad de Medida y Actualización, a quienes, para hacer uso de un derecho o pretextando su ejercicio o para evitar el cumplimiento de una ley, se reúnan tumultuariamente y perturben el orden público con el empleo de violencia en las personas o sobre las cosas, o amenacen a la autoridad para intimidarla u obligarla a tomar alguna determinación.

Se impondrá de seis meses a tres años de prisión y multa por el importe de cuatro a cuarenta veces el valor diario de la Unidad de Medida y Actualización, a los que dirijan, organicen, inciten o compelan a otros para cometer el delito de motín. A los que los patrocinen económicamente se les aplicará la misma pena de prisión y multa por el importe de veinte a ciento noventa y seis veces el valor diario de la Unidad de Medida y Actualización. Las sanciones anteriores se impondrán independientemente de las que procedan por otros delitos que se cometan coetáneamente

CAPÍTULO V
REGLA GENERAL

Artículo 112. Los delitos previstos en este título se sancionarán además, con suspensión de derechos políticos hasta por tres años.

TÍTULO SEGUNDO
DELITOS CONTRA LA SEGURIDAD PÚBLICA

CAPÍTULO I
EVASIÓN DE PRESOS

Artículo 113. Se impondrán de uno a nueve años de prisión al que favoreciere la evasión de algún detenido, procesado o condenado. Si el responsable de la evasión fuese servidor público, se aumentará la pena hasta en una tercera parte y será además destituido de su empleo e inhabilitado de uno a diez años para obtener otro de la misma naturaleza.

Si fuesen dos o más los que favorecieren la evasión, o dos o más los evadidos, la sanción será de dos a doce años de prisión.

Artículo 114. El artículo anterior no comprende a los ascendientes, descendientes, cónyuges o hermanos del prófugo, ni a sus parientes por afinidad hasta el segundo grado, pues están exentos de toda sanción, excepto que hayan proporcionado la fuga por medio de la violencia en las personas o fuerza en las cosas.

Artículo 115. Si la reaprehensión del prófugo se lograre por gestiones del responsable de la evasión, se impondrán a éste de tres días a un año de prisión, pero si la evasión se hubiese efectuado por mera negligencia del responsable y, por gestiones del mismo, se lograre la reaprehensión antes de formuladas las conclusiones en su proceso, no se le impondrá ninguna sanción.

Artículo 116. No se impondrá sanción al preso que se fugue, sino cuando obre de acuerdo con otro u otros presos y se fugue alguno de ellos o cuando ejerza violencia en las personas o en las cosas, en cuyo caso la sanción aplicable será de seis meses a tres años de prisión.

Artículo 117. Se impondrán de uno a cuatro años de prisión, destitución del cargo o empleo, a los servidores públicos o agentes de la administración pública, que ordenen o permitan la salida ilegal de detenidos, procesados o sentenciados, para que por cualquier tiempo permanezcan fuera de las prisiones. La misma pena se impondrá a quien facilite la evasión de las medidas cautelares impuestas al imputado.

CAPÍTULO II
QUEBRANTAMIENTO DE SANCIÓN

Artículo 118. El reo suspenso en su profesión u oficio o inhabilitado para ejercerlos, o el que esté en el manejo de vehículos, motores o maquinaria, que quebrante su condena, pagará una multa por el importe de veinte a ochenta veces el valor diario de la Unidad de Medida y Actualización. En caso de reincidencia, se le impondrán de veinte a cuarenta jornadas de trabajo a favor de la comunidad.

CAPÍTULO III
ARMAS Y OBJETOS PROHIBIDOS

Artículo 119. Se impondrán de diez a cincuenta días de multa o de veinte a cien jornadas de trabajo a favor de la comunidad, a quien fabrique, haga acopio, suministre, regale, compre, venda o porte, sin causa justificada, algún instrumento que comúnmente pueda ser utilizado para agredir, tales como navajas, verduguillos, puñales, dagas o cualquier otro objeto punzocortante así como objetos pirotécnicos o que contengan material inflamable, corrosivo, explosivo o cualquier otro que pueda provocar lesiones o daños a las personas y objetos.

Al reincidente, se le impondrá de uno a tres años de prisión.

No se considerarán como objetos prohibidos los instrumentos, herramientas o utensilios que, comprendidos en el párrafo anterior, normalmente sean utilizados en las labores domésticas, del campo o en cualquier otro oficio, arte, profesión o actividad deportiva, pero su uso se deberá de limitar siempre al local, ruta o área en que su poseedor se aboque o desempeñe tales actividades.

Cuando haya necesidad de transportar los instrumentos o utensilios referidos en el primer párrafo, sea por requerimientos de trabajo o para la práctica de algún deporte, la o las personas que lo realicen quedarán exentas de cualquier responsabilidad penal.

Artículo 119 Bis. Se deroga

CAPÍTULO IV
ASOCIACIÓN DELICTUOSA

Artículo 120. Se impondrán de uno a cuatro años de prisión al que forme parte de una asociación o banda de tres o más personas unidas con el propósito de delinquir, independientemente de la sanción que corresponda a los delitos que lleguen a cometerse.

Cuando el miembro de la asociación sea o haya sido, en los tres años anteriores a que forme parte de la asociación, servidor público de alguna corporación policíaca, la pena se aumentará hasta en una tercera parte más de la que le corresponda por el o los ilícitos cometidos; y se impondrán, además, destitución del empleo, cargo o comisión públicos, e inhabilitación de uno a seis años, para desempeñar otro.

CAPÍTULO V
PANDILLERISMO

Artículo 121. Se impondrán de seis meses a tres años de prisión a los que ejecuten en pandilla uno o más delitos, independientemente de las sanciones que les correspondan por el o los delitos cometidos.

Se entiende por pandilla la reunión de tres o más personas que, sin estar organizadas con fines delictivos, cometen en común algún delito, si éste no es consecuencia de un acuerdo previo a la reunión.

Cuando el miembro de la pandilla sea o haya sido, en los tres años anteriores a que forme parte de la pandilla, servidor público de alguna corporación policíaca, la pena se aumentará hasta en una tercera parte más de la que le corresponda por el o los ilícitos cometidos; y se impondrán, además, destitución del empleo, cargo o comisión públicos, e inhabilitación de uno a tres años, para desempeñar otro.

CAPÍTULO VI
DELITOS DE TRÁNSITO

Artículo 122. Al conductor que maneje un vehículo automotor, y se le detecten más de ciento treinta miligramos de alcohol por cien mililitros de sangre o más de 0.65 miligramos de alcohol por litro de aire espirado, o bajo el influjo de estupefacientes o psicotrópicos, que alteren su habilidad para conducirlo; o al que haya sido infraccionado por dos o más ocasiones por no haber acreditado la prueba de alcoholemia aplicada por autoridad, cuando cometa además otra infracción a la normatividad en materia de tránsito y transporte, se le impondrán de sesenta a ciento veinte jornadas de trabajo a favor de la comunidad, multa de ciento cincuenta a doscientos cincuenta unidades de medida y actualización (UMA), e inhabilitación de tres meses a dos años para manejar vehículos de motor, independientemente de las sanciones que correspondan por la comisión de otros delitos.

Al reincidente en este delito, se le impondrá además de las sanciones señaladas en el párrafo anterior, la obligación de someterse a un tratamiento de deshabituación o desintoxicación.

Artículo 123. En caso de habitualidad o si el delito previsto en el artículo anterior es cometido por conductores de vehículos en servicio público, transporte escolar o de servicio turístico, o por servidores públicos conduciendo vehículos oficiales, la sanción deberá elevarse hasta el duplo.

Artículo 124. Se sancionarán, en los términos del artículo 263 de este código, a los inspectores, cobradores y ayudantes que se encuentren en los vehículos de transporte de personas o de cosas que no tomen las medidas que estén a su alcance para impedir la comisión del delito a que se refiere el artículo 122 o que no lo hagan del conocimiento de la autoridad.

Las mismas sanciones se aplicarán a las personas que sin ser pasajeros o de las mencionadas en el artículo 22, fracción IV, inciso d), acompañen a todo conductor y no tomen las providencias encaminadas a impedir el delito o denunciarlo a la autoridad.

CAPÍTULO VII
DE LA VIOLENCIA EN ESPECTÁCULOS PÚBLICOS

Artículo 124 Bis. Se impondrá de seis meses a cuatro años de prisión al que ilegalmente introduzca, guarde, tuviere en su poder o porte en estadios, centros deportivos o de espectáculos públicos, cualquier tipo de objeto o arma de las señaladas en el artículo 119 de este Código. La misma sanción se impondrá al que facilite o permita la realización de cualquiera de las conductas a que se refiere el presente artículo.

Artículo 124 Ter. Comete el delito de violencia en espectáculos públicos la persona que:

I. Inicie, participe de manera activa o incite a otros a que cometan delitos de lesiones, daño en las cosas u homicidio, o cualquier otro delito antes, durante o después del evento en estadios, centros deportivos o en espectáculos públicos, dentro de las instalaciones o en los lugares de las mismas, en el trayecto a dichas instalaciones o en los lugares públicos de reunión o festejo, conductas que estén relacionadas con dicho evento, la cual será sancionada con pena de prisión de seis meses a cinco años y multa por el importe de cincuenta a trescientas veces el valor diario de la Unidad de Medida y Actualización;

II. Lance objetos de los señalados en el artículo 119 de este Código que pongan en riesgo o no la vida o integridad física de las personas, en estadios, centros deportivos o en espectáculos públicos, a la cual se le impondrá una pena de seis meses a dos años de prisión y multa por el importe de cuarenta a doscientas veces el valor diario de la Unidad de Medida y Actualización;

III. Entre a los terrenos de juego sin autorización o interrumpa la continuidad del evento y agreda a personas o cause daños en estadios, centros deportivos o en espectáculos públicos, la cual será sancionado con una pena de seis a tres años de prisión y multa por el importe de cien a quinientas veces el valor diario de la Unidad de Medida y Actualización; o

IV. Inicie, participe de manera activa o inicie riñas antes, durante o después del evento en estadios, centros deportivos o en espectáculos públicos, dentro de las instalaciones o afuera de las mismas, la cual será sancionada con una pena de seis meses a cinco años de prisión y multa por el importe de cien a quinientas veces el valor diario de la Unidad de Medida y Actualización.

Cuando se cometan en contra de elementos de seguridad pública la pena se aumentará hasta en una mitad más.

La misma sanción se impondrá al que facilite la realización de cualquiera de las conductas a que se refiere el presente artículo.

Artículo 124 Quáter. La pena aplicable a los delitos a que se refiere el presente Capítulo, será sin perjuicio de la que corresponda por la comisión de otros delitos.

En caso de reincidencia en cualquiera de los delitos a que se refiere el presente artículo, se suspenderá el derecho a asistir a espectáculos deportivos, por un plazo equivalente al doble de la pena de prisión que le resulte impuesta.

TÍTULO TERCERO
ATENTADOS A LAS COMUNICACIONES

CAPÍTULO I
ATAQUES A LAS VÍAS DE COMUNICACIÓN

Artículo 125. Se impondrán de un año a seis años de prisión al que por cualquier medio destruya, deteriore, obstaculice o impida el funcionamiento de las vías de comunicación o medios de transporte de uso público de jurisdicción estatal o municipal.

Se impondrá de seis meses a dos años de prisión al que quite, corte, inutilice, apague, cambie o destruya las señales o luces de seguridad de una vía de comunicación estatal o municipal, o coloque en la misma alguna no autorizada, así como cualquier otro objeto o balizamiento con el fin de bloquear la vía de comunicación o medios de transporte, sin la autorización de la autoridad competente.

Artículo 125 Bis. Se impondrán de un año a seis años de prisión y multa por el equivalente de doscientas a quinientas veces el valor diario de la Unidad de Medida y Actualización y de cien a quinientas jornadas de trabajo en favor de la comunidad al que organice, incite o promueva o participe en actividades que impliquen el cierre, bloqueo u obstaculización parcial o total de la vía pública de comunicación estatal o municipal, con la finalidad de hacer promoción personal por cualquier medio masivo o redes sociales; afectando la movilidad de terceros en contravención a las disposiciones legales y normativas aplicables.

Artículo 126. Se deroga.

CAPÍTULO II
REGLAS GENERALES

Artículo 127. Se deroga.

TÍTULO CUARTO
DELITOS CONTRA LA AUTORIDAD

CAPÍTULO I
DESOBEDIENCIA O RESISTENCIA DE PARTICULARES

Artículo 128. Se aplicarán de un mes a un año de prisión al que, agotados los medios de apremio, indebidamente se rehuse:

I. A prestar un servicio de interés público que la ley le imponga;

II. A comparecer o a declarar ante la autoridad rindiendo en este caso la protesta de ley; y

III. A cumplir un mandato legítimo de autoridad competente.

Artículo 129. Se le aplicará prisión de uno a cinco años, al que empleando la fuerza, el amago o la amenaza, se oponga a que la autoridad competente o sus agentes ejerzan alguna de sus funciones o resista el cumplimiento de un mandato legítimo ejecutado en forma legal.

Se aplicará de uno a cinco años de prisión al que incumpla, obstaculice, viole o infrinja órdenes de protección o de emergencia de las establecidas en la Ley de Acceso de las Mujeres a una Vida Libre de Violencia del Estado de Jalisco, así como las medidas y providencias precautorias establecidas en el Código Nacional de Procedimientos Penales.

Artículo 130. Se deroga.

CAPÍTULO II
OPOSICIÓN A QUE SE EJECUTE ALGUNA OBRA O TRABAJO PÚBLICO

Artículo 131. Se impondrán de diez a cincuenta jornadas de trabajo a favor de la comunidad o multa de veinte a cien veces el valor diario de la Unidad de Medida y Actualización, al que entorpezca o se oponga con actos materiales a la ejecución de obras o trabajos públicos, legalmente ordenados por la autoridad competente.

CAPÍTULO III
QUEBRANTAMIENTO DE SELLOS

Artículo 132. Se impondrán de tres meses a tres años de prisión y multa de cuarenta a trescientas veces el valor diario de la Unidad de Medida y Actualización al que quebrante indebidamente los sellos puestos por orden de la autoridad competente

La misma pena se impondrá al que:

I. Viole el acordonamiento y resguardo del lugar de los hechos materia del delito o la cadena de custodia;

II. Manipule, borre, oculte, sustraiga, altere, sustituya, dañe, contamine o realice cualquier acción relacionada con los indicios, huellas o vestigios encontrados en el lugar de los hecho materia del delito; y

III. Manipule, borre, oculte, sustraiga, altere, sustituya, dañe, contamine o realice acción relacionada con los instrumentos, objetos o productos del delito.

Se excluye de responsabilidad a quien con motivo de prestar servicios periciales, auxilio médico o de rescate a las personas o bienes tutelados por el derecho, modifique éstos con motivo de sus funciones legalmente establecidas.

CAPÍTULO IV
DELITOS COMETIDOS CONTRA REPRESENTANTES DE LA AUTORIDAD

Artículo 133. Al que cometa un delito en contra de un servidor público en el acto de ejercer sus funciones o con motivo de ellas, se le aplicará de seis meses a tres años de prisión, además de la que le corresponda por el delito cometido.

Cuando el delito se cometa en contra de persona que desarrolle funciones de seguridad pública, impartición o procuración de justicia, o defensores de derechos humanos se regirá por las agravantes señaladas para el delito en específico.

Artículo 134. Se deroga.

Artículo 134 Bis. Se impondrán de tres a seis años de prisión al que, con fines ilícitos, aceche o vigile o realice actividades de espionaje sobre la ubicación, las actividades, los operativos o, en general, las labores que realicen elementos de instituciones de seguridad pública de persecución o sanción o del delito o de ejecución de penas.

Cuando el sujeto activo del delito sea o haya sido servidor público de alguna institución de seguridad pública, la pena se aumentará hasta en una tercera parte más de la que corresponda, y se impondrán además destitución del empleo, cargo o comisión públicos, e inhabilitación para desempeñar otro.

TÍTULO QUINTO
DELITOS CONTRA LA MORAL PÚBLICA

CAPÍTULO I
ULTRAJES A LA MORAL O A LAS BUENAS COSTUMBRES E INCITACIÓN A LA PROSTITUCIÓN

Artículo 135. Se impondrán de tres meses a dos años de prisión:

I. Al que fabrique, reproduzca o publique libros, escritos, imágenes y objetos obscenos y al que los exponga o, a sabiendas los distribuya, haga circular o transporte;

II. Al que en sitio público y por cualquier medio ejecute, y haga ejecutar por otro u otros, exhibiciones obscenas o al que lo haga en privado, pero de manera que pueda ser visto por el público;

III. Al que invite, induzca, promueva, favorezca o facilite a otro a la explotación carnal de su cuerpo; o

IV. Al que utilice una persona en espectáculos exhibicionistas y pornográficos.

Cuando el delito se cometa valiéndose de alguna relación de parentesco o autoridad sobre el pasivo, la pena se aumentará en una tercera parte de la que corresponda.

Art. 135 Bis. Se deroga.

Artículo 136. Derogado.

Artículo 136 Bis. Derogado.

Artículo 137. Derogado.

Artículo 138. Derogado.

CAPÍTULO II
LENOCINIO

Artículo 139. El delito de lenocinio se sancionará de diez a quince años de prisión y multa por el importe de quinientos a dos mil veces el valor diario de la Unidad de Medida y Actualización y lo comete quien:

I. Explote el cuerpo ajeno por medio del comercio carnal, se mantenga de este comercio u obtenga de él un lucro cualquiera;

II. Induzca, promueva, facilite, medie, consiga, entregue o solicite a una persona para que con otra comercie sexualmente con su cuerpo o le facilite los medios para que se entregue a la prostitución; y

III. Regentee, administre o sostenga prostíbulos, casas de citas o lugares de concurrencia en donde se explote la prostitución u obtenga cualquier beneficio con sus productos.

En cualquiera de los casos anteriores, si el reo tuviere alguna autoridad sobre la persona explotada, se le impondrá la sanción que corresponda al delito, aumentada en una cuarta parte más, multa por el importe de cuatro a ciento noventa y seis veces el valor diario de la Unidad de Medida y Actualización y será privado de todo derecho a la sucesión de los bienes del ofendido, de la patria potestad y de la custodia sobre él o sus descendientes y se le inhabilitará para ser tutor o curador.

Si en las investigaciones o en cualquier etapa del procedimiento se desprende que existieron acciones u omisiones dolosas de una o varias personas para captar, enganchar, transportar, transferir, retener, entregar, recibir o alojar a una o varias personas con fines de explotación, se estará a lo previsto en la Ley General para Prevenir, Sancionar y Erradicar los delitos en Materia de Trata de Personas y para la Protección y Asistencia a las Víctimas de estos Delitos.

Artículo 140. Se deroga.

Artículo 141. Se impondrán de dos a cinco años de prisión y multa por el importe de cien a mil veces el valor diario de la Unidad de Medida y Actualización al que deliberadamente dedique o dé en comodato o arrendamiento cualquier bien mueble o inmueble para ser destinada al comercio carnal.

CAPÍTULO III
PROVOCACIÓN DE UN DELITO Y APOLOGÍA DE ÉSTE O DE ALGÚN VICIO

Artículo 142. Se impondrán de uno a seis meses de prisión al que provoque públicamente a cometer algún delito o haga apología de éste o de algún vicio, si el delito no se ejecutare; si se ejecuta se aplicará al provocador la sanción que le corresponda por su participación en el delito cometido.

TÍTULO QUINTO BIS
DELITOS CONTRA EL DESARROLLO DE LA PERSONALIDAD

CAPÍTULO I
CORRUPCIÓN DE MENORES

Artículo 142-A. Se impondrá de tres a diez años de prisión y multa de cien a quinientas veces el valor diario de la Unidad de Medida y Actualización a la persona que facilite, provoque, induzca o promueva en persona menor de edad o con quien no tenga capacidad para comprender el significado del hecho:

I. El hábito de la mendicidad;

II. El hábito de consumir alcohol, drogas o sustancias similares;

III. La iniciación o práctica de la actividad sexual, la realización de actividades sexuales explícitas, actos con connotación sexual, el envío de imagenes o sonidos de si misma con contenido sexual o a la aceptación de un encuentro sexual, o

IV. La comisión de cualquier delito.

Cuando se trate de los actos mencionados y el sujeto activo del delito empleare cualquier tipo de violencia, o se valiese de alguna situación de mando, poder, función pública o autoridad que tuviere, la pena será de cuatro a doce años de prisión y multa de doscientos a setecientas veces el valor diario de la Unidad de Medida y Actualización.

Cuando el acto de corrupción se realice a través de las tecnologías de la información y la comunicación, al responsable se le impondrá de seis a doce años de prisión y multa de doscientos cincuenta a quinientos cincuenta veces el valor diario de la Unidad de Medida y Actualización, sin perjuicio de las penas correspondientes a los demás delitos que en su caso se cometan.

Se aumentará en una tercera parte de la pena que corresponda, cuando la víctima u ofendido de los delitos de este capítulo, sea persona menor de doce años.

Cuando la corrupción de la víctima conlleve un beneficio económico para el corruptor se estará a lo previsto en la Ley General para Prevenir, Sancionar y Erradicar los Delitos en Materia de Trata de Personas y para la Protección y Asistencia a las Víctimas de estos Delitos.

Artículo 142-B. Se impondrán de un mes a tres años de prisión, multa por el importe de setenta a doscientas veces el valor diario de la Unidad de Medida y Actualización y cierre temporal o definitivo del establecimiento, al que por cualquier prestación en efectivo, especie o gratuitamente, utilice para beneficio propio o del establecimiento, los servicios con persona menor de dieciocho años de edad o con quien no tenga capacidad para comprender el significado del hecho o de resistirlo en cantinas, tabernas o centros de vicio.

Artículo 142-C. Derogado.

CAPÍTULO II
PORNOGRAFÍA INFANTIL

Artículo 142-D. Derogado.

CAPÍTULO III
ATENTADOS AL PUDOR

Artículo 142-E. Derogado.

Artículo 142-E Bis. Derogado.

CAPÍTULO IV
PROSTITUCIÓN INFANTIL

Artículo 142-F. Se impondrán de cuatro a siete años de prisión, y multa por el equivalente de doscientos a quinientas veces el valor diario de la Unidad de Medida y Actualización, a quien, a cambio de cualquier prestación en dinero, especie o servicios, tenga relaciones sexuales u obtenga la realización de cualquier acto erótico sexual con persona menor de dieciocho años de edad o quien no tenga capacidad para comprender el significado del hecho.

Artículo 142-G. Se impondrán de siete a catorce años de prisión y multa por el equivalente de quinientas veces el valor diario de la Unidad de Medida y Actualización, a quien administre, regentee, induzca, promueva, ofrezca, facilite o lleve a cabo actos tendientes a la utilización con persona menor de dieciocho años de edad o con quien no tenga capacidad para comprender el significado del hecho en prácticas de prostitución o pornografía.

Artículo 142-H. Derogado.

CAPÍTULO V
ESTUPRO

Artículo 142-I. Derogado.

CAPÍTULO VI
DE LA GESTIÓN DE LA ADOPCIÓN ILEGAL

Artículo 142-J. Derogado.

Artículo 142-K. Al que gestione para que una persona que ejerza la patria potestad o la tutela sobre un menor de dieciocho años de edad o persona que no tenga capacidad para comprender el significado del hecho, preste su consentimiento para la adopción del menor o de quien no tenga la capacidad para comprender el significado del hecho, sin que se cumplan las disposiciones legales o los tratados internacionales de los que México sea parte, se le impondrán de dos a seis años de prisión y de mil a mil quinientos días multa.

CAPÍTULO VII
ABUSO SEXUAL INFANTIL

Artículo 142-L. A quien ejecute en una persona menor de edad o en una persona que no tenga la capacidad de comprender el significado de las cosas o de resistir el hecho, un acto erótico-sexual, sin llegar a la cópula, se le impondrá una pena de:

I. De uno a cuatro años de prisión, cuando la víctima tenga entre doce y menos de dieciocho años de edad o cuando sea una persona que no tenga la capacidad de comprender el significado de las cosas o de resistir el hecho; y

II. De tres a seis años de prisión, cuando la víctima sea menor de doce años de edad.

Artículo 142-M. A quien tenga cópula o cópula equiparada, con una niña, niño o adolescente, se le impondrá una pena de:

I. Tres meses a cinco años de prisión, cuando la víctima tenga entre quince y menos de dieciocho años de edad y el acto se realice con su consentimiento obtenido por medio de engaño;

II. Ocho a veinte años de prisión, cuando la víctima tenga entre quince y menos de dieciocho años de edad y el acto se realice sin su consentimiento; y

III. Doce a veinticinco años de prisión, cuando la víctima sea menor de quince años de edad.

Los delitos contemplados en este artículo se perseguirán de oficio.

Se entiende por cópula, la introducción, total o parcial con o sin eyaculación del miembro viril en el cuerpo de la víctima de cualquier sexo, sea por vía vaginal, oral o anal.

Se entiende por cópula equiparada, la introducción total o parcial de cualquier objeto distinto al miembro viril, en el cuerpo de la víctima, por vía vaginal en su caso o anal, con fines eróticos sexuales.

CAPÍTULO VIII
MALTRATO INFANTIL

Artículo 142-N. Se impondrá una pena de 6 meses a 5 cinco años de prisión a quien, ejerciendo la patria potestad, tutela, custodia, cuidado o vigilancia, infiera maltrato físico o psicológico a una persona menor de edad, causándole a ésta una alteración a su salud, a su integridad física o psicológica.

Al responsable de este delito se le impondrán, a juicio del Juez, las penas conjuntas o separadas de la pérdida de la custodia que tenga respecto a la víctima, la prohibición de ir a lugar determinado o residir en él y tratamientos psicológicos, reeducativos, integrales, especializados y gratuitos que serán impartidos por instituciones públicas.

Los agravantes comunes a los delitos contra el desarrollo de la personalidad a que se refiere el artículo 142-Ñ, no son aplicables a este tipo penal.

CAPÍTULO IX
AGRAVANTES COMUNES A LOS DELITOS CONTRA EL DESARROLLO DE LA PERSONALIDAD

Artículo 142-Ñ. Se incrementarán en dos terceras partes las penas correspondientes a los delitos contra el desarrollo de la personalidad, cuando:

I. El sujeto pasivo sea una persona menor de doce años;

II. El sujeto pasivo sea descendiente o pariente consanguíneo hasta el cuarto grado del sujeto activo;

III. El sujeto activo tenga la patria potestad, tutela, guarda, custodia o habite ocasional o permanentemente en el mismo domicilio aunque éste no tenga parentesco con la víctima;

IV. El sujeto activo se aproveche de lazos afectivos, una posición de confianza, autoridad, respeto, influencia o de dependencia para cometer el delito;

V. El sujeto activo cometa algún delito contra el desarrollo de la personalidad sobre el mismo sujeto pasivo en más de una ocasión; y

VI. El sujeto activo utilice la violencia física o psicológica para cometer el delito.

VII. Cuando el delito sea cometido por más de una persona contra el mismo sujeto pasivo.

En los supuestos que establecen las fracciones II y III, de éste artículo, cuando el autor del delito tuviere derechos de tutela, patria potestad o a heredar bienes por sucesión legítima respecto de la víctima, además de la sanción señalada en el primer párrafo, perderá estos derechos; y en su caso el juez resolverá respecto a dar alimentos a la víctima en caso de que sea un acreedor alimenticio al que por ley esté obligado hasta que éste cumpla la mayoría de edad;

El autor del delito en cualquiera de las circunstancias en que lo haya estará obligado como una parte de la reparación del daño a cubrir los gastos por las terapias psicológicas que la víctima requiera por indicaciones del profesional en la materia.

Artículo 142-O. A quien tenga con la víctima lazos consanguíneos o de parentesco, lazos afectivos, una posición de confianza, de autoridad, respeto, influencia o de dependencia y tenga conocimiento y no acuda a la autoridad competente para denunciar cualquiera de los delitos señalados en este capítulo, será castigado de dos a cinco años de prisión. Además, el juez decretará la pérdida de la patria potestad en los términos del presente Código.

Artículo 142-P. Si en las investigaciones relacionadas con los delitos del presente Título en cualquier etapa del procedimiento se desprende que existieron acciones u omisiones dolosas de una o varias personas para captar, enganchar, transportar, transferir, retener, entregar, recibir o alojar a una o varias personas con fines de explotación, se estará a lo previsto en la Ley General para Prevenir, Sancionar y Erradicar los delitos en Materia de Trata de Personas y para la Protección y Asistencia a las Víctimas de estos Delitos.

TÍTULO SEXTO
REVELACIÓN DE SECRETOS Y LA OBTENCIÓN ILÍCITA DE INFORMACIÓN

CAPÍTULO I
REVELACIÓN DE SECRETOS

Artículo 143. Se impondrán de dos meses a un año de prisión al que sin justa causa, con perjuicio de alguien y sin consentimiento, revele algún secreto o comunicación reservada que conoce o ha recibido con motivo de la confianza en él depositada. Estos casos sólo se perseguirán por querella de la parte ofendida.

Cuando la revelación punible sea hecha por cualquier servidor público que preste servicios profesionales o técnicos, o cuando el secreto revelado o publicado sea de carácter industrial, se impondrán de uno a tres años de prisión y suspensión de profesión o cargo, de dos meses a un año.

CAPÍTULO II
LA OBTENCIÓN ILÍCITA DE INFORMACIÓN ELECTRÓNICA

Artículo 143 Bis. Al que sin autorización y de manera dolosa, copie, modifique, destruya o provoque pérdida de información contenida en sistemas o equipos de informática, se le impondrán de seis meses a cuatro años de prisión y de cien a seiscientos días de multa.

Las penas previstas en este artículo se incrementarán en una mitad cuando el sujeto pasivo del delito sea una entidad pública o institución que integre el sistema financiero.

CAPÍTULO III
UTILIZACIÓN ILÍCITA DE INFORMACIÓN CONFIDENCIAL

Artículo 143 Ter. Se impondrán de tres a seis años de prisión a la persona que, teniendo acceso a bases de datos con información confidencial de instituciones o personas, emplee esta información para fines ilícitos, o transmita esta información a terceros para ser empleada con fines ilícitos.

CAPÍTULO IV
SUPLANTACIÓN DE IDENTIDAD

Artículo 143 Quáter. Comete el delito de suplantación de identidad quien suplante con fines ilícitos o de lucro, se atribuya la identidad de otra persona por cualquier medio, u otorgue su consentimiento para llevar la suplantación de su identidad, produciendo con ello un daño moral o patrimonial, u obteniendo un lucro o un provecho indebido para sí o para otra persona. Este delito se sancionará con prisión de tres a ocho años y multa de mil a dos mil veces el valor diario de la Unidad de Medida y Actualización.

Serán equiparables al delito de suplantación de identidad y se impondrán las penas establecidas en este artículo:

I. Al que por algún uso de medio electrónico, telemático o electrónico obtenga algún lucro indebido para sí o para otro o genere un daño patrimonial a otro, valiéndose de alguna manipulación informática o intercepción de datos de envío, cuyo objeto sea el empleo no autorizado de datos personales o el acceso no autorizado a base de datos automatizados para suplantar identidades;

II. Al que transfiera, posea o utilice datos identificativos de otra persona con la intención de cometer, favorecer o intentar cualquier actividad ilícita; o

III. Al que asuma, suplante, se apropie o utilice, a través de internet, cualquier sistema informático o medio de comunicación, la identidad de una persona física o jurídica que no le pertenezca, produciendo con ello un daño moral o patrimonial, u obteniendo un lucro o un provecho indebido para sí o para otra persona.

Se aumentará hasta en una mitad las penas previstas en el presente artículo, a quien se valga de la homonimia, parecido físico o similitud de la voz para cometer el delito; así como en el supuesto en que el sujeto activo del delito tenga licenciatura, ingeniería o cualquier otro grado académico en el rubro de informática, computación o telemática.

TÍTULO SÉPTIMO
DELITOS POR HECHOS DE CORRUPCIÓN

CAPÍTULO I
REGLAS GENERALES

Artículo 144. Para los efectos de este título:

I. Son servidores públicos: los que se consideran de tal forma en términos de la ley estatal en materia de responsabilidades de los servidores públicos;

II. Para la individualización de las sanciones previstas en este título, el juez tomará en cuenta, en su caso, si el servidor público es trabajador de base o de confianza; el grado de responsabilidad del encargo; su antigüedad en el empleo; sus antecedentes de servicio; sus percepciones; su grado de instrucción; y las circunstancias especiales de los hechos constitutivos del delito. Sin perjuicio de lo anterior, la categoría de servidor público de confianza será una circunstancia que podrá dar lugar a una agravación de la pena;

III. Salvo los casos establecidos en el artículo 145, fracción II, excepto que se encuentre suspendido el servidor público, y la V, de este Código, en todos los demás casos, se impondrá al responsable la sanción de destitución de su empleo, cargo o comisión;

IV. A los responsables de alguno de los delitos a que se refiere este título, independientemente de otras sanciones, se les inhabilitará para trabajar en el servicio público y para participar en adquisiciones, arrendamientos, concesiones, servicios u obras públicas, notificando tal resolución a la Fiscalía Especializada en Combate a la Corrupción, como Órgano encargado del Registro Estatal de Inhabilitaciones, con motivo del dictado de sentencias penales ejecutoriadas de inhabilitación, de acuerdo a los siguientes criterios:

a) Será por un plazo de uno hasta diez años cuando no exista daño o perjuicio, ni exista beneficio o lucro alguno, para sí o para diversa persona o cuando el monto de la afectación o beneficio obtenido para sí o para diversa persona por la comisión del delito no exceda de doscientas veces el valor diario de la Unidad de Medida y Actualización; y

b) Cuando el monto de la afectación o beneficio obtenido por la comisión del delito exceda el límite señalado en el inciso anterior, se aplicará la inhabilitación será desde los treinta años hasta la inhabilitación perpetua.

Cuando los delitos a que se refieren los artículos 145, 147, 148, 152 y 153 sean cometidos por servidores públicos electos popularmente o cuyo cargo se encuentre sujeto a ratificación del Congreso del Estado, las penas previstas serán aumentas hasta en un tercio.

Cuando los delitos a los que se refiere el presente título, sean cometidos por servidores públicos miembros de alguna corporación policiaca, las penas previstas serán aumentadas hasta en una mitad;

V. Cuando el responsable tenga el carácter de particular, sea persona física o jurídica, el juez deberá imponer la sanción de inhabilitación perpetua bajo los términos establecidos en la fracción IV de este artículo.

CAPÍTULO II
EJERCICIO INDEBIDO Y ABANDONO DEL SERVICIO PÚBLICO

Artículo 145. Comete el delito de ejercicio indebido y abandono del servicio, el servidor público que incurra en alguno de los casos siguientes:

I. Que ejerza las funciones de su empleo cargo o comisión, sin haber tomado posesión legítima o sin satisfacer todos los requisitos legales;

II. Que continúen ejerciendo las funciones de su empleo, cargo o comisión, después de haber sido notificado sobre la revocación de su nombramiento o que se le ha suspendido o destituido, por quien tenga facultades para hacerlo;

III. Que nombrado por un tiempo determinado, continúe ejerciendo las funciones del empleo cargo o comisión, después de haber cumplido el término por el cual se le nombró;

IV. Que ejerza algún empleo, cargo o comisión, distinto al que realmente tuviese que ejercer;

V. Que sin habérsele admitido la renuncia de su empleo, cargo o comisión, lo abandone sin causa justificada;

VI. Que teniendo conocimiento por razón de su empleo, cargo o comisión que pueden resultar gravemente afectados el patrimonio o los intereses de alguna dependencia de los tres órdenes de Gobierno, por cualquier acto u omisión y no informe por escrito a su superior jerárquico o lo evite si está dentro de sus facultades;

VII. Que teniendo la obligación de estar presente, abandone intencionalmente los servicios de vigilancia, custodia, protección o de dar seguridad a personas, lugares, instalaciones u objetos, incumpliendo con su deber y con ello propiciar daño a las personas, lugares u objetos; o la pérdida o sustracción de objetos que se encuentren bajo su cuidado.

Al servidor público que cometa alguno de los delitos previstos en las fracciones I, II y III, se le impondrá de uno a tres años de prisión y multa de treinta a doscientas veces el valor diario de la Unidad de Medida de Actualización.

Al infractor de las fracciones IV, V, VI y VII se le impondrá de dos a seis años de prisión y multa de treinta a doscientos veces el valor diario de la Unidad de Medida de Actualización.

Además de las penas señaladas en los incisos anteriores se le inhabilitará de conformidad con lo establecido en la fracción IV del artículo 144 de este Código.

CAPÍTULO III
ABUSO DE AUTORIDAD

Artículo 146. Cometen el delito de abuso de autoridad los servidores públicos que incurran en alguno de los siguientes casos:

I. Cuando, para impedir la ejecución de una Ley, Decreto o Reglamento, el cobro de un impuesto o el cumplimiento de una resolución judicial, pide auxilio a la fuerza pública o la emplee con este objeto;

II. Cuando en el ejercicio de sus funciones, o con motivo de ellas, hiciere violencia a una persona, sin causa legítima, o la vejare;

III. Cuando, indebidamente, retarde o niegue a los particulares la protección o servicio que tenga obligación de prestarles, o impida la presentación o el curso de una solicitud;

IV. Cuando ejecute, autorice o permita cualquier acto atentatorio a los derechos garantizados por la Constitución Política de los Estados Unidos Mexicanos, y por la del Estado;

V. Cuando estando encargado de administrar justicia se niegue injustificadamente a despachar un asunto pendiente dentro de los términos establecidos por la ley, ya sea bajo cualquier pretexto o silencio de la Ley;

VI. Cuando el encargado o elemento operativo de una fuerza pública o perito, requerido legalmente por una autoridad competente para que preste auxilio, se niegue a dárselo o lo retrase injustificadamente;

VII. Cuando obtenga parte o todo el sueldo de un subalterno, o le exija dadivas u otro servicio indebido;

VIII. Cuando aproveche el poder y autoridad propios del empleo, cargo o comisión que desempeñe para satisfacer indebidamente algún interés propio o de cualquiera otra persona aún cuando no sea de orden económico;

IX. Cuando haga que se le entreguen fondos, valores u otras cosas, cuya guarda o administración no le corresponda. Si se los apropiara o dispusiera de ellos los responsables serán acreedores a las sanciones que les correspondan, por cualquier otro delito cometido;

X. Cuando, estando encargado de cualquier establecimiento destinado a la ejecución de las sanciones privativas de libertad, de instituciones de readaptación social o de custodia, de rehabilitación de menores, de reclusorios preventivos o administrativos, sin los requisitos legales, reciba como presa, detenida, arrestada o interna a una persona, o la mantenga privada de su libertad, sin dar parte del hecho a la autoridad correspondiente, niegue que está detenida, si lo estuviere; o no cumpla la orden de libertad girada por la autoridad competente;

XI. Cuando, en el ejercicio de sus funciones, tenga conocimiento de una privación ilegal de la libertad y no la denunciase inmediatamente a la autoridad competente o no la haga cesar, también inmediatamente si esto estuviere en sus atribuciones;

XII. Cuando, a sabiendas, autorice o contrate a quien se encuentre legalmente inhabilitado para desempeñar un empleo, cargo o comisión en el servicio público; o para participar en adquisiones, arrendamientos, concesiones, servicios u obras públicas.

XIII. Cuando otorgue cualquiera identificación que acredite, como servidor público, a quien no lo sea;

XIV. Cuando por sí, o por interpósita persona, intimide a otro para evitar a éste o a un tercero que denuncie, formule querella o aporte información relativa a la presunta comisión de una conducta sancionada por la ley; y

XV. Cuando se ejecute una orden judicial de aprehensión, sin poner al inculpado a disposición del juez sin dilación alguna;

XVI. No resolver la vinculación a proceso, dentro de las setenta y dos horas siguientes a que el imputado fue puesto a disposición del juez, salvo que se haya solicitado la ampliación del término constitucional, en cuyo caso deberá tomarse en consideración este último, con excepción de los casos en que suspenda el procedimiento;

XVII. Ejercer sobre los detenidos, imputados o acusados toda forma de incomunicación, intimidación o tortura;

XVIII. Cuando, con motivo de la querella, denuncia o información a que hace referencia la fracción anterior, realice una conducta ilícita u omita una lícita debida, que lesione los intereses de las personas que las presenten o aporten, o de algún tercero con quien dichas personas guarden algún vínculo familiar, de negocios o afectivo.

XIX. Cuando asigne o disponga para su protección o la de terceros, de elementos operativos para que realicen funciones de personal de protección, custodia, guardia o vigilancia personal, sin cumplir con los requisitos previstos en la ley aplicable;

XX. Cualquier servidor público que teniendo la obligación de ejecutar créditos fiscales a favor de la institución en que labore, no los ejecute o no realice trámites relativos para su ejecución.

XXI. A quien apruebe u otorgue un nombramiento supernumerario que trascienda el periodo constitucional del titular de la entidad pública, en el que se otorgó;

XXII. A quien apruebe u otorgue definitivita (sic) en el puesto, empleo, cargo o comisión al servidor público, tenga un nombramiento temporal de carácter interino, provisional o de obra determinada, sin observar lo dispuesto por la legislación y reglamentación relativa al escalafón, servicio civil o la aplicable;

XXIII. A quien apruebe u otorgue un nombramiento a un servidor público, cuando contravenga lo dispuesto por la Ley para los Servidores Públicos del Estado de Jalisco y sus Municipios; o

XXIV. A quien apruebe en los presupuestos de egresos, remuneraciones para los servidores públicos que contravengan lo dispuesto en el artículo 111 de la Constitución Política del Estado de Jalisco.

Al que cometa el delito de abuso de autoridad, se le impondrán las siguientes sanciones:

a) Si el monto del beneficio económico que reporte al responsable por los actos que aquí se señalan, no excede del importe de ciento noventa y seis veces el valor diario de la Unidad de Medida y Actualización, se le impondrán de uno a cinco años de prisión y multa de dos a veinte veces el valor diario de la Unidad de Medida y Actualización;

b) Si excede del monto a que se refiere el inciso anterior, se impondrán de tres a nueve años de prisión y multa hasta por el importe de ciento noventa y seis veces el valor diario de la Unidad de Medida y Actualización; o

c) Si la comisión del hecho no reporta beneficio económico, se impondrán al responsable, de uno a cinco años de prisión.

Además de las penas señaladas en los incisos anteriores se le inhabilitará de conformidad con lo establecido en la fracción IV del artículo 144 de este Código.

CAPÍTULO IV
COHECHO

Artículo 147. Comete el delito de cohecho:

I. El servidor público que por sí o por interpósita persona, en cualquier momento solicite o reciba indebidamente dinero o cualquier otra dádiva o servicio, ya sea para sí o para otro, o acepte una promesa para hacer o dejar de hacer algo relacionado a su empleo, cargo o comisión; y

II. La persona física o jurídica que dé, prometa o entregue cualquier beneficio a un servidor público, con la finalidad de que haga u omita un acto justo o injusto relacionado con el ejercicio de sus funciones en su empleo cargo o comisión.

Al que comete el delito de cohecho se le impondrán las siguientes sanciones:

a) Si el monto de lo solicitado o entregado no excede del importe de veinte veces el valor diario de la Unidad de Medida y Actualización, se le impondrá al responsable una pena de diez a cincuenta jornadas de trabajo a favor de la comunidad y multa por el importe de veinte a cien veces el valor diario de la Unidad de Medida y Actualización.

b) Si el monto de lo solicitado o recibido excede del importe señalado en el inciso anterior, pero no excede de doscientas veces el valor diario de la Unidad de Medida y Actualización, se le impondrá una pena de uno a seis años de prisión y multa por el importe de veinte a cien veces el valor diario de la Unidad de Medida y Actualización.

c) Si excede del monto a que se refiere el inciso anterior, se le impondrá de dos a doce años de prisión y multa hasta por el importe de cien a trescientas veces el valor diario de la Unidad de Medida y Actualización.

Además de las penas señaladas en los incisos anteriores se le inhabilitará de conformidad con lo establecido en la fracción IV del artículo 144 de este Código.

En ningún caso se devolverá a los responsables del delito de cohecho, el dinero o dádivas entregadas, las mismas se aplicarán en beneficio del Estado.

CAPÍTULO V
PECULADO

Artículo 148. Comete el delito de peculado:

I. Todo servidor público que para su beneficio o el de una tercera persona física o jurídica, distraiga de su objetivo dinero, valores, fincas o cualquier para cosa perteneciente al Estado o Municipio, Organismo Público o a un particular, si por razón de su cargo lo hubiere recibido en administración, en depósito, en custodia o por otra causa;

II. El servidor público que autorice o consienta el pago o la inclusión, en nóminas oficiales, de personas que, recibiendo un salario del Estado o de los Municipios, no desempeñe sus servicios, así como al que dolosamente autorice, ejecute el pago, o lo reciba; y

III. Cualquier persona física o jurídica que sin tener carácter de servidor público y estando obligada a la custodia, administración o aplicación de recursos públicos, los distraiga de su objetivo para sus usos propios o ajenos o les dé una aplicación diferente a las que se les destinó.

Al que cometa el delito de peculado se le impondrán las siguientes sanciones:

a) Si el monto de lo distraído no excede del equivalente a doscientas veces el valor diario de la Unidad de Medida y Actualización, se le impondrá al responsable una pena de tres meses a seis años de prisión; multa por el importe de veinte a cien veces el valor diario de la Unidad de Medida y Actualización.

b) Si excede el monto a que se refiere el inciso anterior, se impondrá al responsable de dos a doce años de prisión; multa hasta por el importe de cien a trescientas veces el valor diario de la Unidad de Medida y Actualización.

Además de las penas señaladas en los incisos anteriores se le inhabilitará de conformidad con lo establecido en la fracción IV del artículo 144 de este Código.

Artículo 149. Se deroga

CAPÍTULO VI
CONCUSIÓN

Artículo 150. Comete el delito de concusión todo servidor público que, en su carácter de tal y a título de impuesto, derecho o contribución, recargo, renta, rédito, salario, cooperación o emolumento, exija por sí o por medio de otro, dinero, valores, servicio o cualquier otra cosa indebida, o en mayor cantidad que la señalada por la ley.

Al que cometa el delito de concusión se le impondrán las siguientes sanciones:

a) Cuando la cantidad o el valor de lo exigido indebidamente no exceda del importe de ciento noventa y seis veces el valor diario de la Unidad de Medida y Actualización, se impondrá al responsable una pena de tres meses a dos años de prisión y multa por el importe de treinta a cien veces el valor diario de la Unidad de Medida y Actualización.

b) Si excede del monto a que se refiere el inciso anterior, se impondrá al responsable de dos a doce años de prisión y multa por el importe de cien a trescientas veces el valor diario de la Unidad de Medida y Actualización.

Además de las penas señaladas en los incisos anteriores se le inhabilitará de conformidad con lo establecido en la fracción IV del artículo 144 de este Código.

CAPÍTULO VII
DELITOS COMETIDOS EN LA CUSTODIA O GUARDA DE DOCUMENTOS

Artículo 151. Son delitos los cometidos en la custodia o guarda de documentos, por el servidor público que:

I. Sustraiga, destruya, oculte, utilice o inutilice ilícitamente documentos, papeles u objetos que les hayan sido confiados, o a los que tengan acceso por razón de su cargo;

II. Quebranten o consientan en quebrantar los sellos de documentos o efectos sellados por autoridad competente, que tengan bajo su custodia; y

III. Abran, o consientan que se abran sin la autorización correspondiente, papeles o documentos cerrados que tengan bajo su custodia.

Cuando se sustraigan, destruyan, alteren, oculten o se impida el acceso a la información financiera de las entidades fiscalizadas requerida por la Auditoría Superior del Estado de Jalisco para dictaminar las cuentas públicas, la pena se aumentará en una mitad.

Al que cometa el delito de custodia o guarda de documentos se le impondrán de uno a cuatro años de prisión.

Además de las penas señaladas en el párrafo anterior se le inhabilitará de conformidad con lo establecido en la fracción IV del artículo 144 de este Código.

CAPÍTULO VIII
USO ILÍCITO DE ATRIBUCIONES Y FACULTADES

Artículo 152. Comente el delito de uso ilícito de atribuciones y facultades:

1. El servidor público que ilícitamente:

I. Otorgue concesiones de prestación de servicio público o de explotación, aprovechamiento y uso de bienes de dominio del Estado y de los Municipios;

II. Otorgue permisos, licencias o autorizaciones de contenido económico;

III. Otorgue franquicias, exenciones, deducciones o subsidios sobre impuestos, derechos, productos, aprovechamientos o aportaciones y cuotas, de seguridad social, en general, sobre los ingresos fiscales, y sobre precios y tarifas de los bienes y servicios producidos o prestados en la Administración Pública Estatal o Municipal;

IV. Otorgue, realice o contrate obras públicas, deuda, adquisiciones, arrendamientos, enajenaciones de bienes o servicios, o colocaciones de fondos y valores, con recursos económicos públicos;

V. De los fondos recibidos por razón de su cargo, dolosamente, una aplicación pública distinta de aquélla a que estuvieren destinados, o hiciere un pago ilegal;

VI. Promueva o gestione por sí o por interpósita persona, la tramitación o resolución ilícita de negocios públicos, ajenos a los inherentes a su empleo, cargo o comisión;

VII. Otorgue por sí o por interpósita persona, en el desempeño de su empleo, cargo o comisión, contratos, concesiones, permisos, licencias, autorizaciones, franquicias, exenciones, deducciones o subsidios; efectúe compras o ventas o realice cualquier acto jurídico en beneficio propio, de su cónyuge, descendientes o ascendientes, parientes por consanguinidad o afinidad hasta el cuarto grado, a cualquier tercero con el que tenga vínculos afectivos, económicos o dependencia directa, socios o a sociedades de las que el servidor público o las personas antes referidas formen parte;

VIII. Se valga de la información que posea por razón de su empleo cargo o comisión sea o no materia de sus funciones y que no sea de conocimiento público, para hacer por sí, o por interpósita persona, inversiones, enajenaciones o adquisiciones, o cualquier otro acto que le produzca algún beneficio económico indebido, a o cualquiera de las personas mencionadas en la frac. VII.

Al que cometa el delito de desvío y aprovechamiento indebido de atribuciones y facultades, se le impondrán las siguientes sanciones:

Cuando el monto a que asciendan las operaciones a que hace referencia este artículo, no exceda del equivalente de quinientas veces el valor diario de la Unidad de Medida y Actualización, se impondrán de tres meses a dos años de prisión.

Cuando exceda del monto señalado en el párrafo anterior, se impondrán de dos a doce años de prisión.

En ambos casos se impondrá una multa de treinta a trescientas veces el valor diario de la Unidad de Medida y Actualización.

Se impondrán las mismas penas a quien, por sí o por interpósita persona, se beneficie del uso ilícito de las atribuciones o facultades.

IX. Siendo responsable de administrar o verificar directamente el cumplimiento de los términos de una concesión, permiso, asignación o contrato, se haya abstenido o sido omiso en cumplir con dicha obligación.

2. La persona física o jurídica que:

I. En perjuicio del patrimonio o del servicio público de otra persona, solicite, participe o promueva la perpetración de cualquiera de los delitos previstos en este artículo;

II. En su carácter de contratista, permisionario, asignatario, titular de una concesión de prestación de un servicio público de explotación, aprovechamiento o uso de bienes del dominio del Estado o sus Municipios, con la finalidad de obtener un beneficio para sí o para un tercero genere o utilice información falsa o alterada respecto de los rendimientos o beneficios que obtenga; o cuando estando legalmente obligado a entregar dicha información la oculte; y

III. Que en beneficio propio o de terceros, por sí o por interpósita persona intervenga valiéndose de su influencia afectiva, política, laboral, familiar o moral ante los servidores públicos facultados para tomar decisiones en negocios públicos, para promover la resolución de los mismos, a cambio de obtener un beneficio para sí o para otro.

Al que cometa el delito de uso ilícito de atribuciones y facultades se le impondrán las siguientes sanciones:

a) Cuando el monto a que asciendan las operaciones a que hace referencia este artículo, no exceda del equivalente de quinientas veces el valor diario de la Unidad de Medida y Actualización, se impondrán de tres meses a dos años de prisión y multa de treinta a trescientas veces el valor de la Unidad de Medida de Actualización.

b) Cuando exceda del monto señalado en el inciso anterior, se impondrán de dos a doce años de prisión y multa de treinta a trescientas veces el valor de la Unidad de Medida de Actualización.

Además de las penas señaladas en los incisos anteriores se le inhabilitará de conformidad con lo establecido en la fracción IV del artículo 144 de este Código.

CAPÍTULO IX
ENRIQUECIMIENTO ILÍCITO

Artículo 153. Existe enriquecimiento ilícito cuando el servidor público durante el tiempo de su encargo, o por motivos del mismo, por sí o por interpósita persona, aumente sustancialmente su patrimonio, adquiera bienes o se conduzca como dueño sobre ellos, cuando no pueda justificar su procedencia lícita; o de los que dispongan su cónyuge y sus dependientes económicos directos, salvo que el servidor público acredite que éstos los obtuvieron con recursos de procedencia lícita.

Al que cometa el delito de enriquecimiento ilícito se le impondrán las siguientes sanciones:

a) Cuando el monto no exceda del equivalente de quinientas veces el valor diario de la Unidad de Medida y Actualización, se impondrán de tres meses a dos años de prisión, y multa de treinta a cien veces el valor diario de la Unidad de Medida y Actualización;

b) Cuando el monto exceda de la cantidad que resulte en el inciso anterior, se impondrán de dos a catorce años de prisión y multa de cien a doscientas veces el valor diario de la Unidad de Medida y Actualización; y

En todos los casos, el decomiso de los bienes obtenidos con el ilícito, incluyendo dinero y los intereses que el capital hubiere devengado, será en beneficio del Estado.

Además de las penas señaladas en los incisos anteriores se le inhabilitará de conformidad con lo establecido en la fracción IV del artículo 144 de este Código.

CAPÍTULO X
DELITOS COMETIDOS EN LA ADMINISTRACIÓN DE JUSTICIA Y EN OTROS RAMOS DEL PODER PÚBLICO

Artículo 154. Son delitos cometidos en la administración pública y en otros Ramos del Poder Público, por el servidor público, los siguientes:

I. Conocer a sabiendas de negocios para los cuales tengan impedimento legal, o abstenerse de conocer de los que les corresponden sin tener impedimento para ello;

II. Desempeñar algún cargo particular que la ley les prohíba, u otro puesto o empleo oficial, una vez que tenga conocimiento de la resolución de incompatibilidad correspondiente, en los términos de la Ley Reglamentaria del artículo 62 de la Constitución del Estado;

III. Litigar, por sí o por interpósita persona, cuando tengan impedimento legal para hacerlo;

IV. Dirigir o aconsejar sistemáticamente a las personas que ante ellos litiguen, propiciando con ello alguna ventaja para las partes;

V. No cumplir, sin causa fundada para ello, una disposición que legalmente se le comunique por superior competente;

VI. Realizar la detención de un individuo durante la investigación fuera de los casos señalados por la ley, o no poner al detenido a disposición del juez dentro de los plazos señalados en la Constitución Política de los Estados Unidos Mexicanos;

VII. Ejecutar actos, o incurrir en omisiones, que produzcan un daño o concedan una ventaja indebida a los interesados en un negocio, o a cualquier otra persona;

VIII. Abstenerse injustificadamente el agente del Ministerio Público, de ejercer la acción penal que corresponda de una persona que se encuentre detenida a su disposición como imputado de algún delito, cuando esta sea procedente conforme a la Constitución y a las leyes de la materia, en los casos en que la ley les imponga esa obligación; o ejercitar la acción penal cuando no preceda denuncia, acusación o querella;

IX. Retardar o entorpecer dolosamente o por negligencia, la administración de justicia;

X. Concretarse a aceptar el cargo de defensor de oficio de un inculpado, o ya siéndolo, a solicitar la libertad caucional que menciona la fracción I del artículo 20 de la Constitución Política de los Estados Unidos Mexicanos, y no promover injustificadamente, las diligencias conducentes, o no interponer los recursos y medios de defensa procedentes contra las resoluciones en que se adviertan violaciones notorias a la ley;

XI. Dictar u omitir una resolución de trámite o de fondo o una sentencia definitiva, con violación de algún precepto terminante de la ley o manifiestamente contraria a las constancias de autos, cuando se obre por motivos injustificados y no por simple error de opinión;

XII. Procurar la impunidad de los delitos o faltas de que tenga conocimiento en el ejercicio de sus funciones, abstenerse de hacer denuncia de ellos o entorpecer su investigación;

XIII. Coaccione a la víctima de un delito a desistirse de procedimientos legales contra el generador o probable responsable de un delito;

XIV. No custodiar o dejar de custodiar injustificadamente el lugar de los hechos materia del delito, hasta su entrega a la autoridad competente o hasta recibir indicación expresa de ésta de dejar de custodiar;

XV. Manipule, borre, oculte, sustraiga, altere, sustituya, dañe, contamine, modifique los indicios, huellas, vestigios, instrumentos, objetos o productos del delito encontrados en el lugar de los hechos materia del delito;

XVI. A quien ejerciendo funciones de supervisor de libertad o con motivo de ellas hiciera amenazas, hostigue o ejerza violencia en contra de la persona procesada, sentenciada, su familia o sus posesiones;

XVII. A quien ejerciendo funciones de supervisor de libertad indebidamente requiera favores, acciones o cualquier transferencia de bienes de la persona procesada, sentenciada o su familia;

XVIII. A quien ejerciendo funciones de supervisor de libertad falsee informes o reportes al Juez de Ejecución;

XIX. Manipule, borre, oculte, sustraiga, altere, sustituya, dañe, contamine, modifique los indicios, huellas, vestigios, instrumentos, objetos o productos del delito encontrados en el lugar de los hechos materia del delito o interfiera de manera indebida en el procedimiento de cadena de custodia; o

XX. Viole o infrinja una orden de protección preventiva y/o de emergencia de las establecidas en la Ley de Acceso de las Mujeres a una Vida Libre de Violencia del Estado de Jalisco y/o en el Código Nacional de Procedimientos Penales.

En los casos en que con motivo de la comisión de estos delitos, se obtenga un beneficio económico que no exceda del importe de ciento noventa veces el valor diario de la Unidad de Medida y Actualización, se impondrán al responsable de uno a cuatro años de prisión y multa de treinta a cien veces el valor diario de la Unidad de Medida y Actualización.

Si el monto del beneficio obtenido excede del señalado en el párrafo anterior, se impondrá al responsable, de cuatro a diez años de prisión y multa hasta por el importe de cien a trescientas veces el valor diario de la Unidad de Medida y Actualización.

Al que incurra en las conductas de los delitos cometidos en la Administración de Justicia y en otros Ramos del Poder Público se le impondrán de uno a cuatro años de prisión y multa de treinta a cien veces el valor diario de la Unidad de Medida de Actualización.

Además de la pena señalada en el párrafo anterior se le inhabilitará de conformidad con lo establecido en la fracción IV del artículo 144 de este Código.

TÍTULO SÉPTIMO BIS
DE LOS DELITOS COMETIDOS POR SERVIDORES PÚBLICOS O PARTICULARES CONTRA LA INTEGRIDAD FÍSICA Y MENTAL DE LAS PERSONAS

CAPÍTULO I
DE LA DESAPARICIÓN FORZADA DE PERSONAS

Artículo 154-A. Comete el delito de desaparición forzada de personas el servidor público, ***el particular actuando por orden de autoridad*** o integrante de los cuerpos de seguridad pública que prive de la libertad a una o más personas, cualquiera que fuere su forma, seguido de la negativa de reconocer dicha privación de libertad o de informar ***sobre la suerte, destino o*** paradero de la persona. (Las porciones normativas resaltadas fueron reformadas mediante Decreto Número **27295/LXII/19**, publicado en el Periódico Oficial el Estado de Jalisco el once de Julio del 2019, y declaradas inválidas en resolutivo segundo de la sentencia derivada de la Acción de Inconstitucionalidad 86/2019, pronunciada por el Pleno de la Suprema Corte de Justicia de la Nación, surtiendo efectos retroactivos hasta el doce de Julio del 2019, fecha en que entró en vigor el Decreto que las contiene, contados a partir del día nueve de Junio del 2020, que fue notificado el Congreso del Estado de Jalisco, de conformidad con el Resolutivo tercero de la citada sentencia).

Es sujeto activo del delito de desaparición forzada de personas quien intervenga actuando con la autorización, la ayuda, la aquiescencia o tolerancia directa o indirecta de servidores públicos o de integrantes de seguridad pública.

Serán igualmente considerados como sujeto activo el particular que prive de la libertad a una o más personas, cualquiera que fuere su forma, seguido de la falta de información o de la negativa a reconocer dicha privación de libertad o de informar sobre el paradero de la persona aunque en ello no participen servidores públicos en ningún grado.

El delito de desaparición forzada se considera permanente e imprescriptible.

Artículo 154-B. Se impondrá una pena de cuarenta a sesenta años de prisión y multa de diez mil a veinte mil veces el valor diario de la Unidad de Medida y Actualización a quien cometa el delito de desaparición forzada de personas.

I. Se incrementará la pena hasta en una ***mitad*** cuando: (las porciones normativas resaltadas fueron reformadas mediante Decreto Número **27295/LXII/19**, publicado en el Periódico Oficial el Estado de Jalisco el once de Julio del 2019, y declaradas inválidas en resolutivo segundo de la sentencia derivada de la Acción de Inconstitucionalidad 86/2019, pronunciada por el Pleno de la Suprema Corte de Justicia de la Nación, surtiendo efectos retroactivos hasta el doce de Julio del 2019, fecha en que entró en vigor el Decreto que las contiene, contados a partir del día nueve de Junio del 2020, que fue notificado el Congreso del Estado de Jalisco, de conformidad con el Resolutivo tercero de la citada sentencia).

a) La víctima del delito sea menor de edad, mujer, persona con discapacidad, indígena, persona de la tercera edad, defensor de los derechos humanos o periodista, estos dos últimos con motivo de su actividad como tales; o

b) La víctima del delito sea persona que desarrolle funciones de seguridad pública, procuración o impartición de justicia, con motivo del cumplimiento de dichas funciones o por consecuencia del encargo.

II. Las penas previstas para el delito de desaparición forzada se aumentarán hasta el doble cuando la desaparición forzada sea perpetrada como parte de un ataque generalizado o sistemático contra una población civil; y

III. Si dentro de los cinco días siguientes a su detención se diera la liberación de la víctima, la pena aplicable será de seis a doce años de prisión, sin perjuicio del concurso de delitos.

Las penas podrán ser disminuidas hasta en cincuenta por ciento en beneficio de aquel que hubiere participado en la comisión del delito, cuando suministre información que permita esclarecer los hechos y cuando contribuya a lograr la aparición con vida de la víctima.

El Estado proporcionará medidas de protección y resguardará la identidad de la persona o personas que sirvan como testigos o que proporcionen información que conduzca a la efectiva localización de la víctima, con el fin de salvaguardar su integridad física. (Las fracciones, incisos y párrafos subrayados fueron declarados inválidos por extensión en resolutivo segundo de la sentencia derivada de la Acción de Inconstitucionalidad 86/2019, pronunciada por el Pleno de la Suprema Corte de Justicia de la Nación, cuyos efectos se retrotraen al veinticuatro de marzo del 2019, fecha en que entró en vigor el Decreto por las que se reformaron, contados a partir del día nueve de Junio del 2020, que fue notificado el Congreso del Estado de Jalisco, de conformidad con el Resolutivo tercero de la citada sentencia).

Artículo 154-C. Al servidor público o integrante de los cuerpos de seguridad pública que haya sido condenado por el delito de desaparición forzada de personas, además de las penas anteriores, se le destituirá del cargo y se le inhabilitará ***de manera perpetua*** para desempeñar cargo, comisión o empleo públicos. (La porción normativa resaltada fue reformada mediante Decreto Número **27295/LXII/19**, publicado en el Periódico Oficial el Estado de Jalisco el once de Julio del 2019, y declarada inválida en resolutivo segundo de la sentencia derivada de la Acción de Inconstitucionalidad 86/2019, pronunciada por el Pleno de la Suprema Corte de Justicia de la Nación, surtiendo efectos retroactivos hasta el doce de Julio del 2019, fecha en que entró en vigor el Decreto que las contiene, contados a partir del día nueve de Junio del 2020 que fue notificado el Congreso del Estado de Jalisco, de conformidad con el Resolutivo tercero de la citada sentencia).

Artículo 154-D. Se sancionará de cinco a diez años de prisión y multa de mil a cuatro mil veces el valor diario de la Unidad de Medida y Actualización, además de la inhabilitación para el desempeño de cualquier cargo, empleo o comisión públicos de cinco a diez años, al servidor público que teniendo conocimiento de la comisión del delito de desaparición forzada de personas, no adoptare las medidas necesarias y razonables para evitar su consumación. (Este artículo fue declarado inválido por extensión en resolutivo segundo de la sentencia derivada de la Acción de Inconstitucionalidad 86/2019, pronunciada por el Pleno de la Suprema Corte de Justicia de la Nación, cuyos efectos se retrotraen al doce de octubre del 2016, época en que entró en vigor el Decreto por las que se reformó y contados a partir del día nueve de Junio del 2020 que fue notificado el Congreso del Estado de Jalisco, de conformidad con el Resolutivo tercero de la citada sentencia).

Artículo 154-E. Se impondrá de dos a ocho años de prisión y de doscientos a mil días de multa, al que en relación con las conductas sancionadas por los artículos anteriores:

I. Obstruya la actuación de las autoridades;

II. Intimide a la víctima, a sus familiares o a sus representantes o gestores durante o después de la desaparición, para que no realicen la denuncia correspondiente o no colaboren con las autoridades competentes; o

III. Conociendo los planes para la comisión del delito de desaparición forzada de persona, sin ser partícipe, no diere aviso a la autoridad.

Artículo 154-F. En ningún caso y bajo ninguna circunstancia serán excluyentes o atenuantes de responsabilidad para cometer el delito de desaparición forzada de persona la obediencia por razones de jerarquía, así como las órdenes o instrucciones recibidas por superiores.

Artículo 154-G. Quien cometa el delito de desaparición forzada de persona no tendrá derecho a gozar de la sustitución de la pena, conmutación de sanciones, remisión parcial de la pena, amnistía, indulto, ni será sujeto a procesos alternativos de impartición de justicia.

El delito de desaparición forzada de personas no será considerado de carácter político para los efectos de la extradición.

CAPÍTULO II
DE LA TORTURA

Artículo 154-H. Comete el delito de tortura el servidor público que realice cualquier acto u omisión por el cual se inflija a una persona dolores o sufrimientos físicos o mentales u otros tratos crueles, inhumanos o degradantes ***con el fin de obtener información o una confesión***, con fines de investigación, como medio intimidatorio, como castigo personal, ***como medio de coacción***, como medida preventiva, ***por razones basadas en discriminación***, como pena o con cualquier otro fin.

Se entenderá también como tortura la aplicación sobre una persona de cualquier acto u omisión que persiga o conduzca a disminuir o anular la personalidad de la víctima, su capacidad física o mental, aunque no le cause dolor físico o angustia psíquica.

De igual modo, comete el delito de tortura:

I. El particular que ***con la autorización, apoyo, consentimiento***, por solicitud, instigación, inducción u orden de un servidor público, incurra en las conductas descritas en ***los párrafos anteriores***, indistintamente del grado de autoría o participación del particular en su comisión; y

II. El servidor público que autorice, instigue, induzca, compela, tolere o se sirva de un particular o de un servidor público para la realización de alguna de las conductas descritas en los párrafos anteriores de este artículo.

Al Servidor Público que incurra en alguna de las conductas previstas en este artículo se le impondrá una pena de diez a veinte años de prisión y multa de quinientos a mil veces el valor diario de la Unidad de Medida de Actualización, destitución de su cargo e inhabilitación para el desempeño de cualquier cargo, empleo o comisión públicos hasta por el ***mismo lapso*** de la pena ***impuesta, la cual empezará a correr una vez que ser haya cumplido la pena privativa de la libertad.***

Tratándose de particulares incurran en las conductas que señala la fracción I de este artículo, se le impondrá una pena de seis a doce años de prisión y multa de trescientos a seiscientos veces el valor diario de la Unidad de Medida de Actualización.

El delito de tortura se considera permanente e imprescriptible.

No podrá invocarse como causa de justificación en la comisión del delito de tortura, la orden de un superior jerárquico o de cualquier otra autoridad, la existencia de situaciones excepcionales como inestabilidad política interna, estado de guerra o amenaza de guerra, conmoción o conflicto interior, suspensión de garantías constitucionales, urgencia en las investigaciones, peligrosidad del indiciado, urgencia en las investigaciones o cualquier otra circunstancia análoga o de emergencia pública.

No se considera tortura, los sufrimientos físicos o mentales que sean consecuencia de sanciones penales, medidas incidentales a éstas o derivadas de un acto legítimo de autoridad, siempre que exista proporcionalidad en el uso de la fuerza y no se encuentren dentro de las prohibidas por la Constitución Política de los Estados Unidos Mexicanos, los tratados internacionales de los que el Estado mexicano sea parte, la legislación aplicable o los criterios emitidos por el Poder Judicial de la Federación.

(Las porciones normativas resaltadas fueron reformadas mediante Decreto Número **27295/LXII/19**, publicado en el Periódico Oficial el Estado de Jalisco el once de Julio del 2019, y declaradas inválidas en resolutivo segundo de la sentencia derivada de la Acción de Inconstitucionalidad 86/2019, pronunciada por el Pleno de la Suprema Corte de Justicia de la Nación, surtiendo efectos retroactivos hasta el doce de Julio del 2019, fecha en que entró en vigor el Decreto que las contiene, contados a partir del día nueve de Junio del 2020 que fue notificado el Congreso del Estado de Jalisco, de conformidad con el Resolutivo tercero de la citada sentencia).

Artículo 154-I. Las penas señaladas en el artículo anterior se aumentarán en una mitad cuando concurra cualquiera de las siguientes circunstancias:

I. Que en la comisión del hecho se incluyan actos que impliquen delitos contra la seguridad y la libertad sexual de cualquier especie;

II. Que la víctima sea una persona que pertenezca a un grupo de población en situación de vulnerabilidad en razón de su edad, género, preferencia u orientación sexual, etnia, condición de discapacidad; se trate de un migrante, indígena, mujer en estado de embarazo, defensor de los derechos humanos o periodista, estos dos últimos con motivo de su actividad como tal;

III. La víctima del delito sea persona que desarrolle funciones de seguridad pública, impartición o procuración de justicia, con motivo del cumplimiento de dichas funciones o por consecuencia del encargo; (las fracciones subrayadas fueron declaradas inválidas por extensión en resolutivo segundo de la sentencia derivada de la Acción de Inconstitucionalidad 86/2019, pronunciada por el Pleno de la Suprema Corte de Justicia de la Nación, cuyos efectos se retrotraen al veinticuatro de marzo del 2019, fecha en que entró en vigor el Decreto por las que se reformaron y contados a partir del día nueve de Junio del 2020, que fue notificado el Congreso del Estado de Jalisco, de conformidad con el Resolutivo tercero de la citada sentencia).

IV. Que la tortura sea ejecutada por más de una persona;

V. Que la conducta sea ejecutada con el propósito de ocultar o asegurar la impunidad de otro delito; o

VI. Cuando se cometa al interior de los centros de detención, encarcelamiento, internamiento o custodia de personas.

VII. Los autores o partícipes cometan el delito de tortura, con el propósito de ocultar información o impedir que las autoridades competentes tengan conocimiento sobre hechos que conduzcan a la investigación de otro delito. (Las porciones normativas resaltadas fueron reformadas mediante Decreto Número **27295/LXII/19**, publicado en el Periódico Oficial el Estado de Jalisco el once de Julio del 2019, y declaradas inválidas en resolutivo segundo de la sentencia derivada de la Acción de Inconstitucionalidad 86/2019, pronunciada por el Pleno de la Suprema Corte de Justicia de la Nación, surtiendo efectos retroactivos hasta el doce de Julio del 2019, fecha en que entró en vigor el Decreto que las contiene, contados a partir del día nueve de Junio del 2020 que fue notificado el Congreso del Estado de Jalisco, de conformidad con el Resolutivo tercero de la citada sentencia).

Artículo 154-J. El servidor público que en el ejercicio de sus funciones conozca de un hecho de tortura u otros tratos crueles, inhumanos o degradantes y no lo denuncie de inmediato ante la autoridad correspondiente, se le impondrán de tres a seis años de prisión, de ***doscientos cincuenta a*** quinientas ***veces el valor diario de la Unidad de Medida de Actualización*** de multa, e inhabilitación para el desempeño de cualquier empleo, cargo o comisión, hasta por dos tantos del lapso de pena de prisión impuesta, ***la cual empezará a correr una vez que ser haya cumplido la pena privativa de la libertad,*** sin perjuicio de lo que establezcan otras disposiciones aplicables. (Las porciones normativas resaltadas fueron reformadas mediante Decreto Número **27295/LXII/19**, publicado en el Periódico Oficial el Estado de Jalisco el once de Julio del 2019, y declaradas inválidas en resolutivo segundo de la sentencia derivada de la Acción de Inconstitucionalidad 86/2019, pronunciada por el Pleno de la Suprema Corte de Justicia de la Nación, surtiendo efectos retroactivos hasta el doce de Julio del 2019, fecha en que entró en vigor el Decreto que las contiene, contados a partir del día nueve de Junio del 2020 que fue notificado el Congreso del Estado de Jalisco, de conformidad con el Resolutivo tercero de la citada sentencia).

Artículo 154-K. Cuando la comisión de las conductas descritas en el artículo 154 H, sean parte de un ataque generalizado, sistemático, indiscriminado o desproporcionado contra un grupo o sector de la población civil, la pena se aumentará hasta en dos terceras partes.

CAPÍTULO XIII
DEL OCULTAMIENTO O FALSIFICACIÓN DE RENDIMIENTOS Y TRÁFICO DE INFLUENCIAS

Artículo 154 L. Derogado

Artículo 154 M. Derogado

TÍTULO SÉPTIMO TER
DELITOS COMETIDOS POR PARTICULARES EN CONTRA DE LA ADMINISTRACIÓN DE JUSTICIA Y EN OTROS RAMOS DEL PODER PÚBLICO

CAPÍTULO ÚNICO
FRAUDE PROCESAL

Artículo 154 Bis. Al que para obtener un beneficio indebido para sí o para otro, simule un acto jurídico, un acto o escrito judicial, o altere y presente elementos de prueba, u ofrezca y presente testigos o documentos falsos, o induzca a testigos, peritos, intérpretes o traductores a faltar a la verdad, o realice cualquier otro acto tendiente a inducir a error a la autoridad jurisdiccional o administrativa, con el fin de obtener sentencia, resolución, laudo o acto administrativo contrario a la ley, se le impondrán de tres años a seis años de prisión y multa de cien a quinientas veces el valor diario de la Unidad de Medida y Actualización.

Si el beneficio es de carácter económico, se impondrán las penas previstas para el delito de fraude.

TÍTULO OCTAVO
RESPONSABILIDAD PROFESIONAL

CAPÍTULO I
DELITO DE ABOGADOS, PATRONOS Y LITIGANTES

Artículo 155. Se impondrán de tres meses a tres años de prisión e inhabilitación para ejercer la profesión hasta por dos años y multa de veinte a cien veces el valor diario de la Unidad de Medida y Actualización, a los abogados patronos o litigantes que incurran en cualquiera de los casos siguientes:

I. Patrocinar dolosamente a diversos contendientes o partes con intereses opuestos en un mismo negocio o en negocios conexos, o cuando en iguales condiciones acepte el patrocinio de alguno y admita después el de la parte contraria;

II. Abandonar la defensa de un cliente o negocio sin motivo justificado y causando daño;

III. Se deroga;

IV. Destruir, sustraer, ocultar o poseer, aún en forma transitoria, en los casos no comprendidos por la ley, un expediente, actuaciones, documentos y objetos aportados en un procedimiento oficial de cualquier naturaleza y que, por tal motivo, deba estar en poder del tribunal o dependencia oficial; y

V. Se deroga

Artículo 156. Se impondrá de un mes a dos años de prisión y de uno a tres años de suspensión en el ejercicio profesional a los abogados, patronos o litigantes, cuando estos últimos no sean patrocinados por abogados, si incurren en alguno de los casos siguientes:

I. Alegar a sabiendas hechos falsos;

II. Alegar a sabiendas de no ser vigentes, normas legales inexistentes o derogadas;

III. Pedir dolosamente términos para probar lo que notoriamente no puede probarse o no ha de aprovechar a su parte; en igual forma, promover artículos o incidentes, con el fin de crear dilaciones o trámites innecesarios para el normal desarrollo del juicio, o recursos manifiestamente improcedentes, o de cualquier otra manera procurar dilaciones notoriamente ilegales; y

IV. Se deroga

CAPÍTULO II
RESPONSABILIDAD MÉDICA

Artículo 157. Se impondrán de uno a dos años de prisión y suspensión en el ejercicio de su profesión hasta por dos años, al médico o a quien válidamente haga sus veces, que, habiendo otorgado responsiva para hacerse cargo de algún lesionado o enfermo, lo abandone en su tratamiento sin causa justificada.

En caso de reincidencia, la pena será de dos a cuatro años de prisión y suspensión de uno a cinco años en el ejercicio profesional.

Cuando para el abandono se tenga causa justificada, deberá darse aviso a la autoridad competente para que esta provea lo relativo a la atención médica del lesionado y, mientras que ello suceda, el facultativo seguirá prestando sus servicios al lesionado, salvo el caso de impedimento personal de orden físico o psíquico. La infracción de esta disposición se castigará con pena de uno a tres años de prisión, aparte de las demás sanciones antes señaladas.

La sanción y suspensión a que se refieren los párrafos primero y segundo de este artículo serán duplicadas al médico o a quien válidamente haga sus veces, que practique una intervención quirúrgica innecesaria.

Artículo 158. Quienes ejerzan la medicina y, sin causa justificada, se nieguen a prestar servicios a un enfermo que lo solicite por notoria urgencia, poniendo en peligro la vida de dicho enfermo, serán sancionados con multa por el importe de veinte a doscientas veces el valor diario de la Unidad de Medida y Actualización.

Si se produjere daño en la salud por falta de intervención, se les impondrán además de seis meses a dos años de prisión e inhabilitación para el ejercicio profesional, por el término de un mes a dos años.

Artículo 159. Se impondrán de tres meses a dos años de prisión al médico, o a quien haga sus veces que reciba para atender de cualquier manera a un lesionado por un aparente hecho delictuoso y no de aviso inmediato al Ministerio Público.

Artículo 160. Se impondrá de un mes a dos años de suspensión en el ejercicio de la profesión y multa por el equivalente de quinientos a mil veces el valor diario de la Unidad de Medida y Actualización, a los médicos, cirujanos y demás profesionistas similares o auxiliares, por el daño físico o moral que causen por dolo o culpa en la práctica de su profesión.

Las penas señaladas en el párrafo anterior, se aplicarán además de las sanciones fijadas para los delitos que resulten consumados. En caso de reincidencia, la sanción deberá elevarse hasta dos tercios.

Artículo 161. Los directores, administradores, médicos de sanatorios y clínicas o quienes los substituyan, incurrirán en responsabilidad cuando, sin justificación rechacen la admisión y tratamiento médico de urgencia a una persona. En este caso, la pena será de uno a cinco años de prisión y multa por el importe de veinte a ciento noventa y seis veces el valor diario de la Unidad de Medida y Actualización.

CAPÍTULO III
RESPONSABILIDAD PROFESIONAL Y TÉCNICA

Artículo 161 Bis. Incurre en el delito de responsabilidad profesional o técnica, quien en el ejercicio de su profesión, oficio, disciplina o arte, cause daño corporal, patrimonial o moral al receptor del servicio por dolo o culpa.

Al responsable de este delito se le impondrán de tres meses a tres años de prisión e inhabilitación para ejercer la profesión, arte u oficio por el doble de la pena privativa de libertad impuesta.

TÍTULO NOVENO
FALSEDAD

CAPÍTULO I
FALSIFICACIÓN DE DOCUMENTOS EXPEDIDOS POR LOS PODERES DEL ESTADO, ORGANISMOS AUTÓNOMOS, AYUNTAMIENTOS O DE LOS DOCUMENTOS DE CRÉDITO

Artículo 162. Se impondrán de dos a seis años de prisión:

I. Al que falsifique cualquier clase de documento oficial de los Poderes del Estado, organismos autónomos, ayuntamientos y sus dependencias y entidades donde se haga constar alguna obligación a cargo de las propias dependencias o algún derecho o beneficio en favor del falsificador o de tercero. La misma pena sufrirá el que a sabiendas haga uso del o de los documentos falsos; y

II. Al que falsifique documentos de crédito, cupones de intereses o dividendos de los mismos, emitidos por personas físicas o jurídicas.

Las mismas sanciones se aplicarán al que, a sabiendas ponga en circulación los documentos falsos a que se refiere este artículo.

CAPÍTULO II
FALSIFICACIÓN Y USO INDEBIDO DE SELLOS, MARCAS, LLAVES Y TROQUELES

Artículo 163. Se impondrán de uno a cinco años de prisión y multa de doscientos a quinientas veces el valor diario de la Unidad de Medida y Actualización:

I. Al que falsifique cualquier molde, placas de circulación, sellos, credencial, contraseña o marca oficial;

II. Al que, a sabiendas de su falsedad, hiciere uso de los objetos señalados en la fracción anterior;

III. Al que fabrique cualquier instrumento, a sabiendas de que va a ser destinado para la falsificación de los objetos señalados en el presente capítulo; y

IV. Al que, procurándose los objetos verdaderos que señala el presente artículo, haga uso indebido de ellos.

Artículo 164. Se impondrán de tres meses a dos años de prisión y multa de cincuenta a doscientas veces el valor diario de la Unidad de Medida y Actualización:

I. Al que falsifique cualquier molde, sello, marca o contraseña, credencial, ficha o estampilla de un particular, establecimiento o persona jurídica;

II. Al que falsifique llaves para usarlas, en cualquier cerradura, sin el consentimiento del dueño o poseedor del bien en que esté instalada;

III. Al que altere alguno de los objetos verdaderos que se mencionan en este artículo y en el anterior;

IV. Al que, a sabiendas, enajene o haga uso indebido de los objetos expresados en las fracciones I y II de este artículo; y

V. Al que, procurándose los objetos verdaderos que señala el presente artículo, haga uso indebido de ellos.

CAPÍTULO III
FALSIFICACIÓN DE DOCUMENTOS EN GENERAL

Artículo 165. Se impondrán de seis meses a tres años de prisión y multa por el importe de cien a trescientas veces el valor diario de la Unidad de Medida y Actualización, al que incurra en alguno de los casos siguientes:

I. Ponga una firma o rúbrica falsa, aunque sea imaginaria o altere la verdadera;

II. Aproveche indebidamente una firma o rúbrica ajena en blanco, para extender una obligación, liberación o cualquier otro documento que pueda comprometer los bienes, la honra, la persona o la reputación de otro o causare un perjuicio a la sociedad, al estado o a un tercero;

III. Altere el contexto de un documento verdadero, después de concluido y firmado, si esto cambiase su sentido sobre alguna circunstancia o punto sustancial, ya se haga añadiendo, enmendando o borrando, en todo o en parte, una o más palabras o cláusulas o variando la puntuación;

IV. Varíe la fecha o cualquier otra circunstancia relativa al tiempo de ejecución del acto que se exprese en el documento;

V. Se atribuya al que extiende el documento o atribuya a la persona en cuyo nombre lo hace, un nombre o una investidura, calidad o circunstancia que no tenga y sea necesaria para la validez del acto;

VI. Redacte un documento en términos que cambien la convención celebrada en otra diversa, que varíe la declaración o disposición del otorgante, las obligaciones que se propuso contraer o los derechos que debió adquirir, si es que tales variaciones quedan inadvertidas por el que resulte o pueda resultar perjudicado con ellas;

VII. Añada o altere cláusulas o declaraciones, o asiente como ciertos hechos falsos, o como confesados los que no lo están, si el documento en que se asientan se extendiere para hacerlos constar como prueba de ellos;

VIII. Expida un testimonio supuesto de un documento que no existe, lo expida de otro documento existente que carezca de los requisitos legales, suponiendo falsamente que los tiene, o de otro que no carece de ellos, pero agregando o suprimiendo algo que implique una variación sustancial;

IX. Se deroga

X. Se deroga

XI. Se deroga

Artículo 166. Para que sea punible el delito a que se refiere el artículo anterior, se necesita que la persona que incurra en alguno de los casos previstos, se proponga obtener algún provecho para sí o para otro, o cause daño material o moral, a cualquier persona o a la sociedad.

CAPÍTULO IV
FALSIFICACIÓN DE CERTIFICACIONES

Artículo 167. Se impondrán de seis meses a cinco años de prisión y multa por el importe de doscientas a trescientas veces el valor diario de la Unidad de Medida y Actualización, al que incurra en cualquiera de los siguientes casos:

I. El servidor público que, por engaño o sorpresa hiciera que alguien firme un documento público que no hubiere firmado sabiendo su contenido;

II. El notario o cualquier otro servidor público que, en ejercicio de sus funciones, expida constancia, informes, o certificación de hechos que no sean ciertos o dé fe de lo que no aparezca en autos, registros, expedientes, protocolo o documentos;

III. El que, para eximirse de un servicio debido legalmente o de una obligación impuesta por la ley, formule una certificación de impedimento que no tenga, sea que la haga aparecer como expedida por un médico cirujano o por otra persona autorizada para expedirla;

IV. El médico u otra persona, cuya constancia fuere válida, que certifique falsamente que alguien tiene una enfermedad u otro impedimento bastante para dispensarla de prestar servicio que exige la ley, o de cumplir una obligación que ésta impone, o para adquirir algún derecho; y

V. El que haga uso de una certificación falsa, o de una verdadera expedida para otro como si hubiere sido expedida en su favor, o altere la que a él se le expidió.

CAPÍTULO V
FALSEDAD EN DECLARACIONES Y EN INFORMES DADOS A UNA AUTORIDAD

Artículo 168. Comete el delito de falsedad en declaraciones:

I. Quien al declarar o informar ante cualquier autoridad en ejercicio de sus funciones o con motivo de ellas, faltare dolosamente a la verdad en relación con los hechos que motivan la intervención de una autoridad, será sancionado con pena de uno a cinco años de prisión y multa por el importe de cien a trescientas veces el valor diario de la Unidad de Medida y Actualización;

II. A quien con el propósito de exculpar a alguien indebidamente en un proceso penal, simule pruebas o declare falsamente en calidad de testigo ante cualquier autoridad, se aplicará la pena de dos meses a dos años de prisión y multa por el importe de dos a ocho veces el valor diario de la Unidad de Medida y Actualización;

III. Al que examinado como perito por cualquier autoridad, en el ejercicio de sus funciones, faltare dolosamente a la verdad en su dictamen, se le impondrán de dos a seis años de prisión y multa por el importe de cien a trescientas veces el valor diario de la Unidad de Medida y Actualización; y

IV. Al que indebidamente y de manera reiterada denuncie o reporte situaciones falsas de emergencia a la autoridad por medio de línea telefónica o instrumentos tecnológicos, será sancionado de diez a veinte jornadas de trabajo en beneficio de la comunidad.

CAPÍTULO VI
VARIACIÓN DEL NOMBRE O DEL DOMICILIO

Artículo 169. Se impondrán de veinte a cincuenta jornadas de trabajo a favor de la comunidad y multa por el importe de cien a trescientas veces el valor diario de la Unidad de Medida y Actualización:

I. Al que, con un fin ilícito, oculte su verdadera identidad, modificando su nombre o apellido con el que sea conocido, o cualquiera de los atributos previstos en el Código Civil del Estado de Jalisco; tome otro ficticio, o asuma el de otra persona al declarar ante cualquier autoridad en el ejercicio de sus funciones;

II. Al que, para eludir la práctica de una diligencia judicial, ministerial o una notificación de cualquier clase, o citación de una autoridad, oculte su domicilio, o designe otro distinto o niegue de cualquier modo el verdadero; y

III. Al servidor público que, en los actos propios de su cargo, atribuyese a una persona, título o nombre a sabiendas de que no le pertenece.

Al reincidente se le impondrá además de las sanciones señaladas, una pena de seis meses a un año de prisión.

CAPÍTULO VII
USURPACIÓN DE FUNCIONES PÚBLICAS O DE PROFESIÓN Y USO INDEBIDO DE UNIFORMES O INSIGNIAS

Artículo 170. Se impondrán de un mes a tres años de prisión y multa de cien a trescientas veces el valor diario de la Unidad de Medida y Actualización:

I. Al que, sin ser servidor público, se atribuya ese carácter e intente ejercer alguna de las funciones correspondientes;

II. Al que, sin tener título profesional o autorización para ejercer alguna profesión reglamentada, expedidos por autoridad y organismos legalmente capacitados para ello, conforme a las disposiciones reglamentarias del artículo 5o. de la Constitución Política de los Estados Unidos Mexicanos, incurra en cualquiera de los casos siguientes:

a) Se atribuya el carácter de profesionista;

b) Realice actos propios de una actividad profesional;

c) Ofrezca públicamente sus servicios como profesionista; y

d) Use un título o autorización para ejercer alguna actividad profesional, sin tener derecho a ello; y

III. Al que use cualquier elemento de identificación oficial al que no tenga derecho, que sea exclusivo de servidores públicos o personas que tengan carácter de autoridad.

Al responsable de la comisión de alguno de los delitos señalados en este artículo que, con motivo de éstos, ponga en riesgo o peligro la vida o la salud de personas, se le impondrán de tres a ocho años de prisión, independientemente de las penas que correspondan en su caso por los delitos de lesiones u homicidio.

CAPÍTULO VIII
FALSIFICACIÓN DE MEDIOS ELECTRÓNICOS O MAGNÉTICOS

Artículo 170 Bis. Se impondrán de tres a nueve años de prisión y multa por el equivalente de doscientos a cuatrocientas veces el valor diario de la Unidad de Medida y Actualización vigente en la época y área geográfica en que se cometa el delito, al que, sin consentimiento de quien esté facultado para ello:

I. Produzca, imprima, enajene, distribuya, altere o falsifique, aún gratuitamente, adquiera, utilice, posea o detente, sin tener derecho a ello, boletos, contraseñas, fichas, tarjetas u otros documentos que no estén destinados a circular y sirvan exclusivamente para identificar a quien tiene derecho a exigir la prestación que en ellos se consigna, siempre que estos delitos no sean de competencia federal;

II. Altere, copie o reproduzca, indebidamente, los medios de identificación electrónica de boletos, contraseñas, fichas u otros documentos a los que se refiere la fracción I de este artículo;

III. Acceda, obtenga, posea o detente indebidamente información de los equipos electromagnéticos o sistemas de cómputo de las organizaciones emisoras de los boletos, contraseñas, fichas u otros documentos a los que se refiere la fracción I de este artículo, y los destine a alguno de los supuestos que contempla el presente artículo; y

IV. Adquiera, utilice, posea o detente equipos electromagnéticos o electrónicos para sustraer en forma indebida la información contenida en la cinta magnética de los boletos, contraseñas, fichas u otros documentos a los que se refiere la fracción I del artículo.

Las mismas penas se impondrán a quien utilice o revele indebidamente información confidencial o reservada de la persona física o jurídica que legalmente esté facultada para emitir los boletos, contraseñas, fichas u otros documentos a los que se refiere la fracción I de este artículo, con el propósito de realizar operaciones ilícitas y no autorizadas por la persona emisora, o bien, por los titulares de los boletos, contraseñas, fichas u otros documentos a los que se refiere este artículo. Si el sujeto activo es empleado o dependiente del ofendido, las penas aumentarán en una mitad.

CAPÍTULO IX
REGLAS GENERALES

Artículo 171. Para los efectos de este título, se entiende por falsedad toda alteración de la verdad, que se produzca con fines ilícitos.

TÍTULO DÉCIMO
DELITOS DE PELIGROSIDAD SOCIAL

CAPÍTULO ÚNICO
EXPLOTACIÓN E INDUCCIÓN A LA MENDICIDAD

Artículo 172. Este delito lo comete, quien obligue o induzca a una persona a pedir dinero, cosas o valores explotando la caridad pública.

Al autor de este delito se le impondrán de tres a siete años de prisión, y multa por el equivalente de cien a quinientas veces el valor diario de la Unidad de Medida y Actualización y de cien a quinientas jornadas de trabajo en favor de la comunidad.

La pena se aumentará al doble de la ya señalada, cuando el inculpado sea integrante de asociación delictuosa, sin perjuicio de la pena que le corresponda por ese ilícito, o cuando al pasivo se le obligue a fingir ante la sociedad ser menesteroso, desvalido o indigente.

TÍTULO DÉCIMO PRIMERO
DELITOS CONTRA LA SEGURIDAD Y LA LIBERTAD SEXUAL

CAPÍTULO I
ABUSO SEXUAL

Artículo 173. Se impondrán de seis meses a seis años de prisión al que ejecute actos erótico-sexuales, sin el consentimiento de una persona mayor de edad. Si se hiciere uso de violencia física o psicológica la pena aumentará en una mitad.

La misma pena se aplicará cuando el delito se cometa en un vehículo de transporte por el prestador del servicio de transporte público o privado, cuente o no con autorización y registro correspondiente, durante la prestación de este en los diversos modos de servicio de transporte público previstos en la Ley de Movilidad, Seguridad Vial y Transporte del Estado de Jalisco.

CAPÍTULO II
ESTUPRO Y PROSTITUCIÓN INFANTIL

Derogado

Artículo 174. Derogado.

Artículo 174 Bis. Derogado.

Artículo 174 Ter. Derogado.

CAPÍTULO III
VIOLACIÓN

Artículo 175. Se impondrán de ocho a veinte años de prisión al que, por medio de la violencia física o moral, tenga cópula con una persona cualquiera que sea su sexo. Se aplicará la misma sanción, a quien tenga cópula con una persona que carezca de capacidad para comprender el significado de las cosas o de resistir el hecho.

Para los efectos de éste capítulo, se entiende por cópula, la introducción, total o parcial con o sin eyaculación del miembro viril en el cuerpo de la víctima de cualquier sexo, sea por vía vaginal, oral o anal.

Cuando el autor del delito tuviere derechos de tutela, patria potestad o a heredar bienes por sucesión legítima respecto de la víctima, además de la sanción señalada en el primer párrafo, perderá estos derechos.

La violación del padrastro al hijastro y la ejecutada por éste a su padrastro, la del amasio al hijo de su amasia, la del tutor a su pupilo, la efectuada entre ascendientes o descendientes naturales o adoptivos o entre hermanos, la cometida entre cónyuges, concubinos o cualquier otra relación de pareja o persona con cualquier relación de parentesco, será sancionada de nueve a veinticinco años. En estos supuestos, se perderán los derechos de la patria potestad o tutela cuando la ejerciere sobre la víctima.

Se equipara a la violación, la introducción por vía vaginal o anal con fines eróticos sexuales de cualquier objeto o instrumento distinto del miembro viril, por medio de la violencia física o moral, o realice estos actos en una persona que carezca de capacidad para comprender el significado de las cosas o de resistir el hecho, sea cual fuere el sexo del ofendido. Al responsable de este delito se le impondrá la pena señalada en el primer párrafo de este artículo.

Las penas previstas para la violación se aumentarán hasta en una tercera parte cuando sea cometida con intervención de dos o más personas o en vehículo de transporte público o privado de personas pasajeras, cuente o no con autorización y registro correspondiente en cualquiera de los modos previstos en la Ley de Movilidad, Seguridad Vial y Transporte del Estado de Jalisco.

Artículo 176. Derogado.

CAPÍTULO IV
HOSTIGAMIENTO Y ACOSO SEXUAL

Artículo 176 Bis. Comete el delito de hostigamiento sexual el que con fines o móviles lascivos asedie u hostigue sexualmente a otra persona de cualquier sexo, valiéndose de su posición jerárquica o de poder, derivada de sus relaciones laborales, docentes, religiosas, domésticas, o cualquier otra, que implique subordinación de la víctima, al responsable se le impondrán de dos a cuatro años de prisión.

Comete el delito de acoso sexual el que con fines o móviles lascivos asedie o acose sexualmente a otra persona de cualquier sexo, al responsable se le impondrá sanción de uno a cuatro años de prisión.

Si el acosador u hostigador presta sus servicios en cualquier institución pública y utiliza medios o circunstancias que el encargo le proporcione, además de la pena prevista en el párrafo anterior, se le destituirá de su cargo y se le podrá inhabilitar hasta por el doble de la pena privativa de libertad impuesta.

Al responsable que cometa este delito en contra de servidores públicos que en el ejercicio de su funciones estén expuestos al contacto con la ciudadanía, se le podrá aumentar hasta en una mitad la pena prevista.

Estos delitos sólo serán perseguidos por querella del ofendido o de su legítimo representante, salvo que se trate de un incapaz o menor de edad en cuyo caso se procederá de oficio. Una vez presentada la denuncia el delito se seguirá de oficio.

CAPÍTULO V
DEL APROVECHAMIENTO SEXUAL

Artículo 176 Bis 1. Comete el delito de Aprovechamiento Sexual la persona que valiéndose de su superioridad, se aproveche de la necesidad o subordinación que tiene sobre otra persona, derivada de sus relaciones laborales, docentes, religiosas o domésticas, obtenga para él, o de un tercero vinculado a éste, la cópula como condición para el ingreso, la conservación, la promoción o la permanencia en una determinada circunstancia.

Al responsable se le impondrá sanción de ocho a quince años de prisión.

Se considera también como aprovechamiento sexual a quien valiéndose de las malas condiciones y necesidades de otra, obtenga para él o para un tercero, la cópula, a cambio de prestar ayuda o beneficio para su situación.

Cuando el delito fuere cometido por un servidor público, un profesionista o una persona prestadora del servicio de transporte público o privado, cuente o no con autorización y registro correspondiente en cualquiera de los modos previstos en la Ley de Movilidad, Seguridad Vial y Transporte del Estado de Jalisco, en ejercicio de sus funciones o con motivo de ellas, además de la pena de prisión antes señalada, será inhabilitada, destituida o suspendida, de su empleo público o profesión por un término igual a la pena impuesta, la cual empezará a correr una vez que se haya cumplido la pena privativa de la libertad.

CAPÍTULO VI
CIBERACOSO

Artículo 176 Bis 2. Comete el delito de ciberacoso la persona que por medio de las tecnologías de la información y comunicación, hostigue, acose, persiga, moleste o incomode a otra de forma tal que cause un daño en la integridad psicológica y/o en la dignidad personal.

Al responsable se le impondrá una sanción de cien días de trabajo a favor de la comunidad y asistencia a programas de reeducación integral con perspectiva de género.

Si la victima fuese persona defensora de derechos humanos, con discapacidad o con cualquier tipo de vulnerabilidad social, menor de edad o se causare algún daño o sufrimiento grave, a juicio del juez o el tribunal, en perjuicio de la víctima, la sanción será de uno a cuatro años de prisión.

Este delito se perseguirá por querella de la ofendida o de su legítimo representante, salvo que se trate de menor de edad en cuyo caso se procederá de oficio.

CAPÍTULO VII
VIOLACIÓN A LA INTIMIDAD SEXUAL

Artículo 176 Bis 3. Comete el delito de violación a la intimidad sexual quien, por cualquier medio difunda, exponga, divulgue, almacene, comparta, distribuya, compile, comercie, solicite, haga circular, oferte o publique, o amenace con difundir, imágenes, audios o videos de contenido real, manipulado y/o alterado de una persona desnuda parcial o totalmente o cualquier contenido erótico o sexual, ya sea impreso, grabado o digital, sin el consentimiento de la víctima, o que haya sido obtenido bajo engaño o manipulación.

Esta conducta se sancionará de uno a ocho años de prisión y multa de mil a dos mil Unidades de Medida y Actualización. Este delito se perseguirá por querella.

Las mismas penas se aumentarán hasta en una mitad cuando:

I. El delito sea cometido por el cónyuge o por persona con la que esté, o haya estado unida a la víctima por alguna relación de afectividad, aún sin convivencia;

II. Cuando el sujeto activo mantenga una relación familiar, religiosa, laboral, docente o educativa, o de carácter político;

III. Cuando aprovechando su condición de responsable o encargado de algún establecimiento de servicio público realice alguna de las conductas establecidas en el presente artículo;

IV. Cuando aprovechando su condición de responsable o encargado de algún medio de comunicación impreso, grabado, digital, radiofónico o televisión en cualquiera de sus modalidades, difunda, compile, publicite, o reproduzca material intimo sin su consentimiento;

V. El sujeto activo se desempeñe como servidor público o integrante de las instituciones de Seguridad Pública;

VI. Cuando se cometa contra persona menor de 18 años;

VII. Se cometa contra una persona en situación de vulnerabilidad social, por su condición cultural y/o indígena;

VIII. Cuando medie la violencia física o moral para fabricar el contenido íntimo, sexual o erótico publicado sin consentimiento, y

IX. Si por las características de los espacios de las tecnologías de la información donde se difundió, éste se distribuye masivamente por medios digitales.

En todos los casos la autoridad judicial, tratándose de sentencia condenatoria, ordenará al infractor a ofrecer disculpa pública, a realizar trabajo a favor de la comunidad, a asistir a programas de reeducación integral con perspectiva de género, y a borrar o eliminar el contenido audiovisual o electrónico cuando la conducta se haya cometido por medio de las tecnologías de la información.

Para los efectos de las disposiciones anteriores, el Ministerio Público o la autoridad judicial competente ordenará a la empresa de prestación de servicios digitales o informáticos, servidor de internet, red social, administrador o titular de la plataforma digital, medio de comunicación o cualquier otro donde sea publicado o compilado el contenido íntimo no autorizado, el retiro inmediato de la publicación que se realizó sin consentimiento de la víctima, o que este haya sido obtenido bajo engaño o manipulación.

Se estará a lo previsto en el Código Penal Federal cuando los hechos se adecuen al delito de pornografía de personas menores de dieciocho años de edad o de personas que no tienen capacidad para comprender el significado del hecho o de personas que no tienen capacidad para resistirlo.

TÍTULO DÉCIMO SEGUNDO
DELITOS CONTRA EL ORDEN DE LA FAMILIA

CAPÍTULO I
DE LA VIOLENCIA FAMILIAR

Artículo 176 Ter. Comete el delito de violencia familiar quien infiera maltrato en contra de una o varias personas con las que se encuentre unida por vínculo matrimonial, parentesco por consanguinidad o afinidad hasta cuarto grado o concubinato dentro o fuera del domicilio familiar.

Asimismo, comete el delito de violencia familiar quien infiera maltrato en contra de una persona, dentro o fuera del domicilio de la víctima, con la que se haya tenido una relación de matrimonio o de concubinato.

Para efectos del párrafo anterior, se entiende por maltrato los actos u omisiones que causen violencia patrimonial, económica o psicológica, o un deterioro a la integridad física, o que afecte la libertad sexual de alguna de las víctimas, independientemente de que se cometa o no otro delito.

Al responsable de este delito se le impondrán de seis meses a cuatro años de prisión, sin perjuicio de la sanción que corresponda por la comisión de cualquier otro delito previsto por este Código aplicándose para ello las reglas de concurso de delitos. Además, se impondrán, a juicio del Juez, las penas conjuntas o separadas de la pérdida de la custodia que tenga respecto de la víctima, la pérdida del derecho de pensión alimenticia, la prohibición de ir a lugar determinado o residir en él, tratamientos psicológicos, reeducativos, integrales, especializados y gratuitos que serán impartidos por instituciones públicas.

Se equipara a violencia familiar el maltrato que se infiera en contra del tutor, curador, pupilo, amasia o amasio, los hijos de éste o aquélla, de quien habite en el domicilio de la persona agresora o hubiera habitado en el mismo, o de la persona a quien la persona agresora le deba dar cuidado o protección; la misma pena se le impondrá a la persona agresora, si la víctima abandonó el domicilio al momento de la realización del hecho y que por dicha situación haya tenido que retirarse del mismo. Al responsable de este delito se le impondrá la pena señalada en el párrafo tercero de este artículo.

El maltrato que se infiera en contra de un hijo, adoptado, menor de edad, o a quien le deba dar cuidado y protección será considerado maltrato infantil el cual se encuentra previsto en el artículo 142-N del presente Código.

Artículo 176 Ter 1. Las penas previstas en el artículo 176 Ter aumentarán hasta en una tercera parte a quien cometa algún delito contemplado en ese artículo a través de interpósita persona.

Artículo 176 Ter 2. En los casos de violencia familia, violencia familiar equiparada y violencia a través de interpósita persona, el Ministerio Público exhortará a la persona imputada para que se abstenga de cualquier conducta que pudiere resultar ofensiva para la víctima, acordará las medidas preventivas y solicitará las medidas precautorias que considere pertinentes para salvaguardar la integridad física o psíquica de la misma y, solicitará las órdenes de protección que establece la Ley General de Acceso de las Mujeres a una Vida Libre de Violencia.

La autoridad administrativa vigilará el cumplimiento de estas medidas en términos de lo dispuesto por la legislación aplicable.

CAPÍTULO II
DE LA SUPOSICIÓN Y SUPRESIÓN DEL ESTADO CIVIL

Artículo 177. Se impondrán de uno a tres años de prisión al que, con el fin de alterar el estado civil, incurra en alguno de los casos siguientes:

I. Presentar ante el Registro Civil a un niño, señalándolo como hijo de quien no sea realmente su padre o madre;

II. Hacer inscribir en las oficinas del Registro Civil un nacimiento o un fallecimiento no ocurrido;

III. A los padres que no presenten a un hijo suyo al Registro Civil, con el propósito de hacerle perder su estado civil, o que declaren falsamente su fallecimiento, o lo presenten ocultando sus nombres o suponiendo que los padres son otras personas;

IV. A los que substituyan a un niño por otro, o lo oculten con la finalidad de alterar su estado civil; y

V. Al que usurpe el estado civil de otro, con el fin de adquirir derechos de familia que no le corresponden.

El responsable de alguno de los delitos señalados en este artículo perderá el derecho de heredar que tuviere, respecto de las personas a quienes por la comisión del delito perjudique en sus derechos de familia.

CAPÍTULO III
EXPOSICIÓN DE INFANTES

Artículo 178. Se impondrán de dos a seis años de prisión al que exponga en una casa de expósitos a un menor de siete años que se le hubiese confiado, o lo entregue a otro establecimiento de beneficencia o a cualquiera otra persona, sin anuencia de la que se lo confío o de la autoridad, en su defecto. Si el responsable es ascendiente o tutor, además, perderá los derechos que tenga sobre la persona y bienes del menor.

CAPÍTULO IV
SUBSTRACCIÓN Y ROBO DE MENORES

Artículo 179. Se impondrán de dos a seis años de prisión al que sustraiga a una persona menor de dieciocho años o mayor incapaz sin causa justificada o sin orden de autoridad competente, de la custodia o guarda de quien legítimamente la tenga, o bien que lo retenga u oculte sin voluntad de éste. Si la víctima de este delito es una persona menor de doce años de edad al responsable se le impondrá una pena de cuatro a doce años de prisión.

Cuando el delito lo efectúen los padres, abuelos o bisabuelos que no ejerzan la patria potestad, o terceros, por encargo de alguno de éstos, la sanción será de seis meses a dos años de prisión. En este caso el delito sólo se perseguirá a petición del legítimo representante de la parte ofendida.

En cualquier supuesto, si se pone espontáneamente en libertad a la persona menor de edad, o se devuelve antes de formuladas las conclusiones y sin causarle algún daño, se impondrá la sanción de tres meses a un año de prisión.

Se aumentará en una mitad las penas señaladas a quien habiendo perdido judicialmente la patria potestad o la guarda y custodia o ejerciendo éstas, se encuentre suspendido o limitado o bien éstas se encuentren por resolverse en procedimiento seguido ante autoridad judicial.

De igual forma se aumentará en dos terceras partes las penas a quien sustraiga, retenga u oculte a persona menor de edad o mayor incapaz que viva en el territorio del estado, en cualquier otra entidad federativa y se aumentará en un tanto la pena en caso de que la persona menor de edad sea trasladada al extranjero.

Si la persona menor de edad es restituida a su familia o a la autoridad, espontáneamente, dentro de los quince días a partir de la fecha de la substracción y sin causarle perjuicio, solamente se aplicará al responsable la sanción de seis meses a cuatro años de prisión.

Artículo 179 Bis. Al ascendiente que ejerza la patria potestad o al que tenga a su cargo la custodia de un menor de dieciocho años, aunque ésta no haya sido declarada, que ilegítimamente lo entregue a otro para su custodia a cambio de un beneficio económico, se le aplicará pena de prisión de cuatro a diez años y multa por el importe de cuarenta a ciento veinte veces el valor diario de la Unidad de Medida y Actualización.

La misma pena a que se refiere el párrafo anterior, se le impondrá a quien reciba al menor y también al tercero que lleve a cabo la entrega de éste a cambio de un beneficio económico. Si el tercero a que se hace mención tiene carácter de directivo de algún organismo a quien corresponda la custodia del menor, se le aplicarán además la pena de destitución y la inhabilitación definitiva para ocupar un cargo similar o en su caso suspensión en el ejercicio de su profesión u oficio hasta por diez años.

Si la entrega del menor se hace sin la finalidad de obtener un beneficio económico, la pena que se aplicará a los responsables, será de uno a tres años de prisión.

Si se acredita que quien recibió al menor, lo hizo para incorporarlo a su núcleo familiar y otorgarle los beneficios propios de tal incorporación, la pena se le reducirá hasta la cuarta parte de la prevista en el párrafo anterior. Tal reducción beneficiará a todos los que participaron en la comisión del delito, si no actuaron con la finalidad de obtener un beneficio económico. En este caso, sólo se procederá por querella o denuncia de parte interesada.

Cuando por consecuencia del tráfico del menor, éste resultare afectado en su integridad física, se aplicará como sanción una pena de ocho a doce años de prisión, independientemente de las que pudieren resultar por la comisión de cualquier otro delito.

Artículo 179 Ter. El robo de menores lo comete el que se apodere de una persona menor de dieciocho años de edad de cualquier sexo, sin derecho y sin consentimiento de sus padres o de quienes legítimamente lo tengan en su poder, con el fin de segregarla del medio familiar que le es propio. Este delito se castigará con pena de siete a veintidós años de prisión.

Cuando por consecuencia del robo del menor, éste resultare afectado en su integridad física, se aumentará la sanción hasta en una cuarta parte, independientemente de las que pudieren resultar por la comisión de cualquier otro delito.

Artículo 179 Quater. En caso de los delitos de substracción y robo de menores, si en las investigaciones o en cualquier etapa del procedimiento se desprende que existieron acciones u omisiones dolosas de una o varias personas para captar, enganchar, transportar, transferir, retener, entregar, recibir o alojar a una o varias personas con fines de explotación, se estará a lo previsto en la Ley General para Prevenir, Sancionar y Erradicar los delitos en Materia de Trata de Personas y para la Protección y Asistencia a las Víctimas de estos Delitos.

CAPÍTULO V
BIGAMIA

Artículo 180. Se impondrán de tres meses a tres años de prisión al que, estando unido a una persona en matrimonio, contraiga otro. La misma sanción se aplicará al otro contrayente, si conocía el impedimento al tiempo de celebrarse el matrimonio.

CAPÍTULO VI
INCESTO

Artículo 181. Cometen incesto, los parientes que copulan entre sí, siempre que se trate de ascendientes con descendientes, hermanos, medios hermanos, padre o madre adoptante con hija o hijo adoptivo, respectivamente, o los que estén ligados por vínculos de afinidad en primer grado.

El incesto entre ascendientes con descendientes se castigará con prisión de uno a cuatro años y los demás con prisión de seis meses a tres años.

CAPÍTULO VII
ADULTERIO

Artículo 182. Se deroga.

CAPÍTULO VIII
ABANDONO DE FAMILIARES

Artículo 183. A la persona que sin causa justificada incumpla con la obligación de dar alimentos a aquellos que tienen derecho a recibirlos, se le impondrá pena de seis meses a cuatro años de prisión y multa de cien a cuatrocientas veces el valor diario de la Unidad de Medida y Actualización, suspensión o pérdida de la tutela o custodia en caso de ser titular de este derecho respecto de su acreedor alimentario, y pago como reparación del daño de las cantidades no suministradas oportunamente, mismas que deberán ser garantizadas por medio del depósito en cualquiera de las formas señaladas por la ley.

Para los efectos de este artículo, se tendrá por consumado el delito aun cuando el o los acreedores alimentarios se dejen al cuidado o reciban la ayuda de un tercero.

Artículo 183-A. Al que renuncie a su empleo o solicite licencia sin goce de sueldo y éste sea el único medio para tener ingresos, o por cualquier otro medio se coloque de manera voluntaria en estado de insolvencia. Con el objeto de eludir el cumplimiento de sus obligaciones alimentarias, se le impondrá pena de prisión de uno a cuatro años, multa de doscientos a seiscientos días, suspensión o pérdida de la tutela o custodia en caso de ser titular de este derecho respecto de su acreedor alimentario y pago como reparación del daño, de las cantidades no suministradas oportunamente, mismas que deberán ser garantizadas por medio del depósito en cualquiera de las formas señaladas por la ley.

Artículo 183-B. Se impondrá pena de seis meses a cuatro años de prisión y multa de doscientos a seiscientas veces el valor diario de la Unidad de Medida y Actualización al responsable que, estando obligado a informar acerca de los ingresos de quienes deban cumplir con todas las obligaciones alimentarias, incumpla con la orden judicial de hacerlo, no lo haga dentro del término ordenado por el juez u omita realizar de inmediato el descuento al salario, una vez que haya sido realizada debidamente la notificación.

Artículo 183-C. Si la omisión en el cumplimiento de las obligaciones alimentarias, ocurre en incumplimiento de una resolución judicial ejecutoriada, las sanciones se incrementarán hasta en dos años de prisión y trescientos días de multa.

Artículo 184. Los delitos a que se refieren los artículos anteriores se perseguirán por querella de la parte ofendida, de sus familiares consanguíneos o de cualquier persona física o jurídica que de hecho tenga a su cuidado al ofendido.

Artículo 185. Para que el perdón concedido por el ofendido o su representante pueda producir efectos, el responsable deberá pagar todas las cantidades que hubiese dejado de ministrar por concepto de alimentos en los términos que señala el Código Civil del Estado de Jalisco.

Artículo 185-A. Derogado

TÍTULO DÉCIMO TERCERO
VIOLACIÓN A LAS LEYES SOBRE INHUMACIONES Y EXHUMACIONES

CAPÍTULO I
DELITOS EN MATERIA DE INHUMACIONES Y EXHUMACIONES

Artículo 186. Se impondrán de un mes a dos años de prisión al que incurra en alguno de los casos siguientes:

I. Que ilegalmente destruya, mutile, oculte o sepulte un cadáver o un feto humano, o parte de éstos;

II. Que ilegalmente exhume un cadáver; y

III. Que retenga o se apodere de un cadáver, sin la anuencia de los deudos del fallecido, entendiéndose por tales, en orden de preferencia, el cónyuge, descendientes, ascendientes, concubina o concubinario y demás parientes en los términos de ley.

Si la retención del cadáver ocurre en un hospital particular, la pena que se aplique al responsable será de seis meses a tres años de prisión y multa por el importe de cuatro a ochenta veces el valor diario de la Unidad de Medida y Actualización.

CAPÍTULO II
PROFANACIÓN DE SEPULCROS O CADÁVERES

Artículo 187. Se impondrán de seis meses a tres años de prisión al que incurra en alguno de los siguientes casos:

I. Que viole cualquier sepulcro, túmulo o féretro; y

II. Que profane un cadáver o restos humanos con actos de vilipendio, obscenidad o brutalidad.

TÍTULO DÉCIMO CUARTO
DELITOS CONTRA LA PAZ, LIBERTAD Y SEGURIDAD DE LAS PERSONAS

CAPÍTULO I
AMENAZAS

Artículo 188. Se impondrán de quince días a un año de prisión o multa por el importe de dos a ocho veces el valor diario de la Unidad de Medida y Actualización, al que de cualquier modo, anuncie a otro su intención de causarle un mal futuro en su persona, honor, prestigio, bienes o derechos, o en la persona, honor, prestigio, bienes o derechos de alguien con quien esté ligado el ofendido por algún vínculo.

Cuando las amenazas sean leves, se exigirá caución de no ofender, pero si el responsable se niega a otorgar la caución, se le impondrá la pena prevista en el párrafo anterior.

Si cumple la amenaza, se le impondrán además las penas que procedan por los delitos que resulten.

Cuando el delito a que se refiere el presente artículo se cometa en contra de un periodista o defensor de los derechos humanos con motivo de su actividad como tales, las penas aumentarán en un tercio.

Este delito se perseguirá por querella de la parte ofendida.

Artículo 188 Bis. A quien, una vez consumado un secuestro, sin ser partícipe del mismo, de modo persistente y mediante cualquier acción, amenace a la víctima, a sus familiares o representantes, para que no colaboren con las autoridades competentes, se le impondrá de seis meses a tres años de prisión y multa por el importe de trescientas a seiscientas veces el valor diario de la Unidad de Medida y Actualización.

CAPÍTULO II
EXTORSIÓN

Artículo 189. Comete el delito de extorsión, aquél que mediante coacción exija de otro la entrega, envío o depósito para sí o para un tercero, de cosas, dinero o documentos que produzcan efectos jurídicos. El mismo delito cometerá quien, bajo coacción, exija de otro la suscripción o destrucción de documentos que contengan obligaciones o créditos.

Si el extorsionador consigue su propósito, se le impondrán de uno a nueve años de prisión.

Si el extorsionador no logra el fin propuesto se le impondrán de seis meses a seis años de prisión.

Las penas contenidas en los párrafos anteriores serán incrementadas en una cuarta parte, cuando su realización sea ejecutada sobre menores o personas de la tercera edad, o el pasivo padezca de algún trastorno mental o incapacidad física; el activo se ostente como miembro de una organización criminal; o la obligue a reclutar a una u otras víctimas; o cuando incite a su víctima a realizar actos sexuales, o de pornografía o lo obligue a consumir substancias prohibidas, o psicotrópicas, videograbe, fotografíe o distribuya dicho contenido; o cuando el activo sea un servidor público.

Cuando el medio de coacción sea la retención temporal de una persona, para exigirle a ésta, la entrega de cosas, dinero, o documentos o la realización de cualquier transacción que afecte los derechos o el patrimonio del pasivo, se impondrá la pena de diez a treinta años de prisión y multa por el importe de quinientos a mil veces el valor diario de la Unidad de Medida y Actualización, aun cuando el extorsionador no logre el fin propuesto.

De igual forma, se impondrán de cinco a diez años de prisión cuando para la consumación del ilícito, el activo se valga de medios electrónicos, celulares, o aparatos de telefonía, aísle a su víctima, y le exija mediante amenazas, coacción psicológica, física o mental, depósitos, transferencias o entregas de dinero, bienes, documentos, o la realización de cualquier acto o transacción que afecte los derechos o el patrimonio del pasivo.

Artículo 189 Bis. Al agente del Ministerio Público, de la Policía Investigadora o de las policías preventivas, que practique la detención de una persona, con el ánimo de intimidarla, provocarle un daño o perjuicio de carácter patrimonial, o bien para obligarla a dar, hacer, dejar de hacer o tolerar algo obteniendo un beneficio para sí o para otro, se le sancionará con una pena de tres a ocho años de prisión, destitución e inhabilitación del cargo y multa de cien a quinientas veces el valor diario de la Unidad de Medida y Actualización. Si la intimidación constituye otro delito, se aplicarán las reglas del concurso.

Si se aplica la violencia en la detención, la pena se aumentará de uno a tres años de prisión.

CAPÍTULO III
CHANTAJE

Artículo 190. Se impondrán de seis meses a seis años de prisión al que exija para sí o para otro cualquier beneficio, o la ejecución u omisión de algún acto determinado bajo la amenaza de divulgar algún hecho cierto o falso, fotografías, contenido audiovisual o cualquier medio que afecte el honor, la tranquilidad familiar, negocios o patrimonio del amenazado o de alguien íntimamente ligado a éste.

Si lo que se exigió fue la entrega de numerario, uno o más objetos o documentos y ésta se realiza, se impondrá la pena del delito de extorsión.

Artículo 190 Bis. Derogado

CAPÍTULO IV
ALLANAMIENTO DE MORADA

Artículo 191. Se impondrán de seis meses a dos años de prisión al que, sin motivo justificado y sin orden de autoridad competente, se introduzca a un departamento, vivienda, aposento o casa habitada o a sus dependencias.

Si en el allanamiento media la furtividad, el engaño o la violencia, la pena aplicable será de uno a tres años de prisión.

Este delito se perseguirá por querella de la parte ofendida.

CAPÍTULO V
ASALTO

Artículo 192. Se impondrán de uno a ocho años de prisión y multa por el importe de cinco a cuarenta veces el valor diario de la Unidad de Medida y Actualización, al que en despoblado, en paraje solitario o en carretera o camino, ejerza violencia sobre una o más personas con el propósito de causarle daño, obtener cualquier beneficio o exigir su asentimiento para algún fin, cualesquiera que sean los medios y el grado de violencia que se emplee. Si el asalto se efectuare de noche o si fuesen dos o más los asaltantes la sanción será de seis a catorce años de prisión y multa por el importe de ocho a cincuenta veces el valor diario de la Unidad de Medida y Actualización.

Las sanciones a que se refiere este artículo se impondrán independientemente de las penas que procedan por los demás delitos que resulten.

CAPÍTULO VI
PRIVACIÓN ILEGAL DE LA LIBERTAD

Artículo 193. Se impondrán de seis meses a cuatro años de prisión al particular que ilegítimamente prive a otro de su libertad personal.

La pena de prisión se aumentará hasta el doble, cuando la privación de la libertad se realice en contra de personas que desarrollen funciones de seguridad pública, impartición o procuración de justicia, con motivo del cumplimiento de dichas funciones o por consecuencia del encargo.

CAPÍTULO VII
SECUESTRO

Artículo 194. Derogado.

Artículo 194 Bis. Derogado.
Derogado

CAPÍTULO VIII
RAPTO

Artículo 195. (Se deroga).

Artículo 196. (Se deroga).

TÍTULO DÉCIMO QUINTO
DELITOS CONTRA EL HONOR

CAPÍTULO I
GOLPES SIMPLES

Artículo 197. Se impondrá de diez a cincuenta jornadas de trabajo a favor de la comunidad o multa por el importe de cinco a veinte veces el valor diario de la Unidad de Medida y Actualización, al que públicamente diere a otro, fuera de riña, una bofetada, o cualquier otro golpe simple que no cause lesiones.

Derogado

CAPÍTULO II
INJURIAS

Artículo 198. Derogado.

Derogado

CAPÍTULO III
DIFAMACIÓN

Artículo 199. Derogado.

Artículo 200. Derogado.

Derogado

CAPÍTULO IV
CALUMNIA

Artículo 201. Derogado.

Artículo 202. Derogado.

CAPÍTULO IV BIS
DE LOS DELITOS CONTRA LA DIGNIDAD DE LAS PERSONAS

Artículo 202 Bis. Se impondrán de cincuenta a cien veces la unidad de medida de actualización o de treinta a cien jornadas de trabajo a favor de la comunidad, a quien al que por razones de origen étnico, edad, sexo, embarazo, estado civil, raza, nacionalidad, idioma, religión, ideología, preferencia sexual, condición social o económica, trabajo o profesión, discapacidad, características físicas, estado de salud o cualquier otra causa que atente contra la dignidad humana, limite, anule o genere un menoscabo a los derechos, libertades y seguridad de la persona.

La sanción aumentará al doble de la ya señalada en el párrafo anterior, cuando el delito fuere cometido en contra de personal del sistema de salud pública o privada, personal de atención de emergencias, personal de seguridad pública, personal de protección civil y bomberos con motivo del cumplimiento de sus funciones o por consecuencia del encargo.

Al reincidente, se le impondrá de uno a tres años de prisión.

Las mismas penas se impondrán a quien:

I. Provoque o incite a la discriminación, odio y a la violencia contra una persona o grupo de personas;

II. Niegue a una persona o grupo de personas una prestación o servicio al que tiene derecho el público en general;

III. Veje, humille, denigre o excluya a alguna persona o grupo de personas;

IV. Niegue o restrinja los derechos laborales adquiridos;

V. Niegue o restrinja los derechos educativos y de salud; o

VI. Agreda, obstruya, impida o trate de impedir el correcto desarrollo de sus actividades a personal del sistema de salud pública o privada, personal de atención de emergencias, personal de seguridad pública, personal de protección civil y bomberos, personal médico o que forma parte de instituciones de salud públicas o privadas. Si con motivo de la agresión se causaren lesiones, estas se sancionarán de conformidad a los artículos 207 y 208 de este código, independientemente de las penas previstas por este artículo.

No serán consideradas como discriminatorias todas aquellas medidas tendientes a la protección de los grupos vulnerables, de conformidad a la ley.

Al servidor público que, por las razones previstas en este artículo, niegue o retarde a una persona un trámite, servicio o prestación al que tenga derecho, se le aumentará en una mitad la pena prevista en el presente artículo y además se le impondrá destitución e inhabilitación para el desempeño de cualquier cargo, empleo o comisión públicos hasta por el mismo tiempo de la pena de prisión impuesta.

Artículo 202 Ter. Se impondrá una multa por el equivalente de cincuenta a trescientas veces el valor de la unidad de medida y actualización o de treinta a cien jornadas de trabajo a favor de la comunidad, a la persona que obligue a otra que tenga definida su identidad o expresión de género y orientación sexual, a someterse a tratamientos que pretenda modificar o imponer la expresión o identidad de género, o la orientación sexual de la persona a través de las llamadas terapias de conversión o ECOSIG (Esfuerzos para Corregir la Orientación Sexual y la Identidad de Género).

La sanción aumentará hasta una cuarta parte de la ya señalada en el párrafo anterior, en los casos en que esta conducta se realice en contra de personas que no cuenten con la capacidad de comprender el hecho.

CAPÍTULO V
REGLAS GENERALES

Artículo 203. No se procederá contra los autores de los delitos a que se refiere este título, sino por querella de los ofendidos o de sus legítimos representantes, excepto cuando sean cometidos en contra de algún representante o comisionado de alguno de los poderes o institución pública, personal del sistema de salud pública o privada, personal de atención de emergencias, personal de seguridad pública, personal de protección civil y bomberos.

Artículo 204. Derogado.

TÍTULO DÉCIMO SEXTO
DELITOS CONTRA LA VIDA E INTEGRIDAD CORPORAL

CAPÍTULO I
DISPARO DE ARMA DE FUEGO SOBRE PERSONA Y ATAQUE PELIGROSO

Artículo 205. Se impondrán de tres meses a dos años de prisión al que:
I. Dispare sobre alguna persona un arma de fuego; y

II. Ataque a alguien de tal manera, que, en razón del arma empleada, de la fuerza o destreza del agresor o de cualquiera otra circunstancia semejante, ponga en peligro la vida o la integridad física del agredido.

Cuando por el número de disparos o la prolongación del ataque grave haya base lógica para presumir que la intención del activo fue la de privar de la vida o salud al ofendido, se aplicarán las sanciones correspondientes a la tentativa de homicidio o de lesiones según el caso.

Artículo 205 Bis. Derogado.

CAPÍTULO II
LESIONES

Artículo 206. Comete el delito de lesiones, toda persona que por cualquier medio cause un menoscabo en la salud de otro.

Artículo 207. Al responsable del delito de lesiones que no pongan en peligro la vida, se le impondrán:

I. De diez días a siete meses de prisión o multa por el importe de veinte a cien veces el valor diario de la Unidad de Medida y Actualización, cuando las lesiones tarden en sanar un tiempo no mayor de quince días. Si tales lesiones son simples, sólo se perseguirán a querella del ofendido;

II. De tres meses a dos años de prisión, cuando las lesiones tarden en sanar más de quince días;

III. De seis meses a cinco años de prisión, cuando las lesiones dejen al ofendido cicatriz notable en la cara, cuello y pabellones auriculares;

IV. De uno a seis años de prisión, cuando las lesiones produzcan menoscabo de las funciones u órganos del ofendido;

V. De dos a ocho años de prisión, cuando las lesiones produzcan la pérdida de cualquier función orgánica o de un miembro, de un ojo, o causen una enfermedad probablemente incurable, deformidad incorregible o incapacidad permanente para trabajar, o cuando el ofendido quede sordo, ciego, impotente o pierda sus facultades mentales;

VI. De dos a cinco años de prisión, cuando las lesiones fueren producidas a una mujer embarazada causándole alteración en la salud o integridad física al producto de la concepción; o

VII. De dos a cinco años de prisión, cuando las lesiones fueren producidas contra personas que desarrollen funciones de seguridad pública, impartición o procuración de justicia con motivo del cumplimiento de dichas funciones o por consecuencia del encargo.

Artículo 208. Cuando se trata de lesiones que pongan en peligro la vida, se impondrán de dos a seis años de prisión.

Artículo 209. El provocador de una riña inesperada será sancionado por las lesiones que cause en esta, con pena privativa de la libertad de entre un mínimo de cinco días y un máximo de hasta cuatro años.

Los contendientes de una riña preconcertada serán sancionados por las lesiones que causen en esta, con pena privativa de la libertad de entre un mínimo de ocho días y máximo de hasta siete años.

Artículo 210. Si las lesiones fueren calificadas en los términos del artículo 219, se aumentará una tercera parte del mínimo y dos terceras partes del máximo de la sanción que le corresponderían si la lesión fuera simple.

Artículo 211. Si el ofendido fuese cónyuge, pariente consanguíneo hasta cuarto grado, pariente afín hasta cuarto grado, concubina o concubinario, adoptante o adoptado, tutor, curador, pupilo o quien habite en el domicilio del agresor o persona a quien el agresor le deba dar cuidado o protección, se aplicarán además las penas establecidas en el artículo 142-N ó 176 Ter, según se acredite aplicando las reglas del concurso de delitos.

En cualquier otro caso, se impondrá la sanción que corresponda con arreglo a las prevenciones anteriores y quedará, además, privado de la potestad, en virtud de la cual tenga derecho de corrección.

Artículo 212. Si en un mismo evento se producen varias de las lesiones previstas en los artículos anteriores, se aplicarán las sanciones correspondientes a la de mayor gravedad.

No es atribuible al acusado el aumento de gravedad en las lesiones, proveniente de circunstancias particulares del ofendido, si las ignoraba al cometer el delito.

CAPÍTULO II BIS
DE LOS ATAQUES CON ÁCIDO O SUSTANCIAS QUÍMICAS, CORROSIVAS, CÁUSTICAS O TÓXICAS

Artículo 212 Bis. Se impondrá de dos a quince años de prisión al que, por sí o por interpósita persona, ataque a otra utilizando para ello ácidos, sustancias químicas corrosivas o cáusticas, que genere lesiones internas, externas o ambas, sin perjuicio de las sanciones que se apliquen por la comisión de otros delitos.

Cuando el ataque se cometa por razones de género y entre el activo y la víctima exista o haya existido una relación de parentesco por consanguinidad, afinidad, civil, concubinato, noviazgo o cualquier tipo de relación sea de convivencia, laboral o docente, la pena se aumentará hasta un tercio.

CAPÍTULO III
HOMICIDIO

Artículo 213. Se impondrán de doce a dieciocho años de prisión a la persona que prive de la vida a otra. Pero, cuando el homicidio sea calificado, la sanción será de veinte a cuarenta años de prisión.

Cuando se cometa en contra personas que desarrollen funciones de seguridad pública, impartición o procuración de justicia, con motivo del cumplimiento de dichas funciones o por consecuencia del encargo, en este caso se impondrá de cuarenta a setenta años de prisión y multa de quinientos a mil veces el valor diario de la Unidad de Medida y Actualización.

Artículo 214. Para la aplicación de las sanciones que correspondan al que comete homicidio, se tendrá como mortal una lesión, cuando concurra la siguiente circunstancia:

I. Que la muerte se deba a las alteraciones causadas por la lesión en el órgano u órganos interesados, a alguna de sus consecuencias inmediatas o determinada por la misma lesión y que no pudo combatirse, ya sea por ser incurable, o por no tenerse al alcance los recursos necesarios; y

II. Que la muerte del ofendido ocurra dentro de trescientos días contados desde que fue lesionado, previo dictamen pericial.

Artículo 215. Siempre que concurran las circunstancias del artículo anterior, se tendrá como mortal una lesión, aunque se pruebe:

I. Que se habría evitado la muerte con auxilios oportunos;

II. Que la lesión no habría sido mortal en otra persona; y

III. Que la muerte fue a causa de la constitución física de la víctima o de las circunstancias en que recibió la lesión.

Artículo 216. No se tendrá como mortal una lesión, aunque muera el que la recibió, cuando la muerte sea resultado de una causa anterior a la lesión y sobre la cual ésta no haya influido, o cuando la lesión se hubiere agravado por causas posteriores, como la aplicación de medicamentos inadecuados o positivamente nocivos, por operaciones quirúrgicas innecesarias, por notoria imprudencia o ineptitud de quienes realicen las operaciones necesarias o por imprudencia del paciente o de los que lo acompañaron en su enfermedad.

Artículo 217. Cuando el homicidio se cometa en riña inesperada, al provocado se le impondrá una sanción privativa de la libertad de entre un mínimo de seis años y un máximo de hasta nueve años.

Cuando el homicidio se cometa en riña inesperada, al provocador de la misma, y a los contendientes de una riña preconcertada donde se cometa homicidio, se le impondrá una sanción privativa de la libertad de entre un mínimo de ocho años y un máximo de hasta doce años.

CAPÍTULO IV
REGLAS COMUNES PARA LOS DELITOS DE LESIONES Y HOMICIDIOS

Artículo 218. La riña es la contienda de obra entre dos o más personas que pretenden dañarse ilícitamente.

Artículo 219. Se entiende que el homicidio y las lesiones son calificados:

I. Cuando se cometan con premeditación, ventaja, alevosía o traición;

Hay premeditación, cuando el agente decide cometer un delito futuro y elige los medios adecuados para ejecutarlo.

Hay ventaja:

a) Cuando el delincuente es notoriamente superior en destreza o fuerza física al ofendido o éste no se halla armado;

b) Cuando es superior por las armas que emplea, por su mayor destreza en el manejo de ellas, o por el número de los que lo acompañan;

c) Cuando se vale de algún medio que debilita la defensa del ofendido;

d) Cuando éste se halla inerme o caído y aquél armado o de pie; y

e) Cuando por cualquiera circunstancia el delincuente no corre riesgo de ser muerto o lesionado por el ofendido al perpetrar el delito.

Hay alevosía, cuando se sorprende intencionalmente a alguien de improviso o empleando asechanza.

Hay traición, cuando se viola la fe o la seguridad que expresamente se había prometido a la víctima o a la tácita que ésta debía esperar en razón de parentesco, gratitud, amistad o relación de trabajo o cualquier otra circunstancia que inspire confianza;

II. Cuando se ejecuten por retribución dada o prometida;

III. Cuando se causen por motivos depravados;

IV. Cuando se cometan con brutal ferocidad o por el ataque provocado intencionalmente de cualquier animal;

V. Cuando se causen por inundación, incendio, minas, bombas o explosivos;

VI. Cuando se dé tormento al ofendido o se obre con ensañamiento o crueldad;

VII. Cuando se causen por envenenamiento, contagio intencional, asfixia, o uso de estupefacientes, psicotrópicos, gases, inhalantes o solventes;

VIII. Cuando se causen derivaciones de cualquiera de los delitos a que se refieren los artículos 124 Bis y 124 Ter de este Código;

IX. Cuando la víctima sea un periodista y el delito se cometa con motivo de su actividad como tal;

X. Cuando se cometan por odio hacia la víctima, motivado por:

a) su orientación sexual;

b) su identidad o expresión de género;

c) su condición social o económica;

d) su origen étnico o apariencia física;

e) su nacionalidad o lugar de origen;

f) su religión o creencias;

g) su ideología o militancia política;

h) su color de piel o cualquier otra característica genética o lingüística;

i) alguna discapacidad o condiciones de salud; o

j) su profesión u oficio.

Para los efectos de la fracción X, se presume que existen motivos de odio cuando el sujeto activo del delito se ha expresado de manera personal, por redes sociales o por algún otro medio de difusión, en rechazo, repudio, desprecio o intolerancia contra el colectivo de personas establecidos en los incisos de dicha fracción, al que pertenezca la víctima; o bien, cuando existan antecedentes o datos previos al hecho delictivo, que indicien que hubo amenazas o acoso contra la víctima por razón de su pertenencia a dichos colectivos; y

XI. Cuando se cometan por odio hacia la víctima en razón de género.

Se considera que hay razón de género, cuando exista situación de exclusión, subordinación, desventaja, marginación, discriminación, explotación, relación afectiva o expectativa de la misma, hacia el sujeto pasivo de parte del sujeto activo.

Artículo 220. Cuando el homicidio se ejecute por dos o más personas, se observarán las reglas siguientes:

I. Si se aprecia en la víctima pluralidad de lesiones, unas mortales y otras no y consta quien las infirió, respectivamente, se aplicarán al autor de ellas, la que corresponda de acuerdo con su encuadramiento legal;

II. Si se trata de lesiones que sólo son mortales por su número, se impondrán a todos los que las produzcan una sanción igual a la del homicidio en riña preconcertada; y

III. Si existen lesiones mortales y no mortales y no se puede precisar cual de los atacantes causó unas u otras, a todos se les impondrá la pena mencionada en la fracción que antecede, siempre que se pruebe no sólo el acto de la intervención en el ataque, sino además el de la causación de alguna de las lesiones de la víctima.

Artículo 221. Derogado.

Artículo 222. Si con motivo de un delito de tránsito, fallecen o resultan lesionados los ocupantes de un vehículo de servicio particular, o público en servicio particular, ligados al conductor por vínculos de consanguinidad, afinidad o civil, o por lazos de estrecha amistad o de trabajo o de gratitud, el delito se perseguirá por querella de parte, siempre que el conductor no se encuentre, al momento de cometer la infracción, bajo el influjo de bebidas embriagantes, de enervantes o psicotrópicos. Para los casos de homicidio, se tendrá como legítimo representante del ofendido, al que pudiera tener derecho a su sucesión legítima.

CAPÍTULO V
PARRICIDIO

Artículo 223. Se impondrán de veinticinco a cuarenta y cinco años de prisión al que dolosamente prive de la vida a la persona con quien tenga un parentesco consanguíneo en línea recta o colateral hasta en cuarto grado, o con quien tenga una relación conyugal o de concubinato, o se trate de su adoptante o adoptado, tutor o pupilo, sabiendo el sujeto activo del delito la existencia de esta relación.

CAPÍTULO VI
INSTIGACIÓN O AYUDA AL SUICIDIO

Artículo 224. Se impondrán de tres a diez años de prisión al que instigue, aliente o ayude a otro al suicidio, si éste se consumare. Si la ayuda se prestare hasta el punto de ejecutar el responsable la muerte, la sanción será la que corresponda al homicidio, parricidio o feminicidio, según las circunstancias y modos de ejecución.

Si el suicidio no se lleva a efecto, pero su intento produce lesiones, la sanción será de tres días a tres años de prisión, salvo que sean de las señaladas en las fracciones III, IV, V y VI del artículo 207, en cuyo caso se aplicarán las sanciones correspondientes a ellas.

Al responsable de este delito se le aplicará la misma pena que se prevé para el homicidio calificado o lesiones calificadas, según sea el caso, cuando:

I. El suicida sea menor de doce años o padeciera alguna enfermedad mental;

II. El instigador tenga vínculos de gratitud, amistad, trabajo o de cualquier otro tipo que inspiren ascendencia moral; y

III. El que auxilie o instigue al suicida, obtenga o pudiese obtener un provecho económico o de cualquier índole con la consumación del suicidio.

Se impondrá una pena de diez días a tres años de prisión a quien, sin causa justificada, incite a persona menor de edad o a quien no tenga capacidad para comprender el significado del hecho, a infligirse lesiones o a realizar actos peligrosos para su salud, si la víctima hubiere resultado ilesa.

Si el sujeto pasivo del delito fallece o sufre lesiones como consecuencia del delito señalado en el párrafo anterior, al incitador se le aplicarán las sanciones que correspondan conforme a las reglas de los párrafos del primero al tercero del presente artículo.

Se aumentará la pena privativa de la libertad en una cuarta parte cuando alguno de los delitos previstos en este artículo se cometa a través de las tecnologías de la información y la comunicación.

CAPÍTULO VI BIS
INDUCCIÓN O AYUDA AL SUICIDIO FEMINICIDA

Artículo 224 Bis. Quien indujere u obligue a una mujer al suicidio o le prestare ayuda para cometerlo, será sancionada con la pena prevista en el primer párrafo del artículo anterior aumentada de un tercio a la mitad cuando concurra cualquiera de las siguientes circunstancias:

I. Que el suicidio fuera precedido por cualquier forma de violencia de género del actor contra la víctima; y

II. Que el agresor se haya aprovechado de la superioridad generada por las relaciones preexistentes o existentes entre él y la víctima.

Si el suicidio no se lleva a efecto, pero su intento produce lesiones, éstas serán consideradas como lesiones calificadas.

Si la ayuda se prestare hasta el punto de ejecutar el responsable la muerte, la sanción será la que corresponda al delito de feminicidio, según las circunstancias y modos de ejecución.

CAPÍTULO VII
INFANTICIDIO

Artículo 225. Derogado

Artículo 226. Derogado

CAPÍTULO VIII
ABORTO

Artículo 227. Se deroga en cumplimiento a la sentencia de amparo en revisión 344/2023 del Segundo Tribunal Colegiado en Materia Penal del Tercer Circuito.

Artículo 228. Se impondrán de cuatro meses a un año de prisión a la mujer embarazada que, voluntariamente, procure la interrupción de un embarazo o consienta que otra persona la practique y que ésta se efectúe después de la decimosegunda semana del embarazo. En este caso, no será punible la tentativa.

Artículo 228 Bis. Se impondrán de tres a seis años de prisión a quien haga que una mujer embarazada interrumpa el embarazo, en cualquier momento de la gestación, sin su consentimiento o en contra de su voluntad. Si además mediare violencia física o psicológica, la sanción será de cuatro a seis años de prisión.

Si la interrupción del embarazo la causare personal médico, pasante o estudiante de medicina o de enfermería, profesional de partería o comadrona en los términos del párrafo anterior, además de las sanciones que le correspondan, se le suspenderá de uno a cinco años en el ejercicio de su profesión, oficio o respectiva actividad.

Artículo 228 Ter. Las sanciones a que se refiere este Capítulo aplicables a la mujer embarazada serán sustituidas por un proceso de atención integral siempre que ésta lo solicite.

El juez también podrá determinar la sustitución aun cuando no se solicite.

El proceso de atención integral será provisto por instituciones del estado.

Artículo 229. Son excluyentes de responsabilidad penal en el delito de aborto:

I. Cuando el aborto culposo sea causado por la mujer embarazada;

II. Cuando el embarazo sea resultado de una violación, un abuso sexual infantil o una inseminación artificial no consentida;

III. Cuando de no provocarse la interrupción del embarazo, la mujer embarazada corra peligro de muerte o riesgo de afectación a su salud, a juicio del médico que la asista; o

IV. Cuando a juicio de un médico exista razón suficiente para diagnosticar que el producto presenta alteraciones genéticas o congénitas que puedan dar como resultado daños físicos o mentales graves, siempre que se tenga el consentimiento de la mujer embarazada.

CAPÍTULO IX
ABANDONO DE PERSONAS

Artículo 230. Se impondrá de un mes a cuatro años de prisión, suspensión hasta por cinco años de los derechos de tutela, a quien abandone a persona enferma o que padezca enajenación mental, siempre que tuviera la obligación de cuidarlo.

Además de la pena privativa de libertad, señalada en el párrafo anterior, se impondrá al activo la pérdida definitiva del derecho de tutela y a heredar del ofendido, cuando el abandono ponga en peligro su vida.

A quien en el ejercicio de la patria potestad, tutela o custodia, abandone a un menor de edad sin causa justificada, además de la pena de prisión que establece el párrafo primero, se impondrá la pérdida de la patria potestad, tutela o custodia en forma definitiva; y si se pusiera intencionalmente en peligro la salud o la vida, podrá incrementarse la sanción hasta el doble de la pena máxima establecida en el primer párrafo de este artículo.

Artículo 231. Se impondrán de uno a cuatro meses de prisión o multa de veinte a cien veces el valor diario de la Unidad de Medida y Actualización, independientemente de las penas que correspondan por otros delitos que resulten, al que encuentre abandonado o abandone en cualquier sitio a un menor incapaz de cuidarse a sí mismo o a una persona lesionada, inválida o amenazada de un peligro cualquiera, si no diere aviso a la autoridad que corresponda u omitiere prestarle el auxilio necesario cuando pudiere hacerlo conforme a las circunstancias.

Artículo 232. Se impondrán de uno a cuatro meses de prisión, por la sola circunstancia de que un automovilista, motorista, conductor de un vehículo cualquiera, ciclista o jinete, deje en estado de abandono, sin prestarle o facilitarle asistencia, a una persona a quien atropelló.

CAPÍTULO X
FEMINICIDIO

Artículo 232 Bis. Se impondrán de cuarenta a setenta años de prisión y multa de quinientos a mil veces el valor diario de la Unidad de Medida y Actualización, a la persona que cometa el delito de feminicidio.

Comete el delito de feminicidio quien prive de la vida a una mujer por razones de género. Se considera que existen razones de género cuando concurra alguna de las siguientes conductas o circunstancias:

I. Cuando exista o haya existido entre el activo y la víctima una relación de parentesco por consanguinidad o afinidad, de matrimonio, concubinato, sociedad de convivencia, noviazgo, amistad o cualquier otra relación de hecho;

II. Cuando exista o haya existido entre el activo y la víctima una relación laboral, docente o cualquiera otra que implique confianza, subordinación o superioridad;

III. Cuando el sujeto activo haya cometido actos de odio o misogenia contra la víctima;

IV. Cuando el sujeto activo haya realizado actos de violencia familiar en contra de la víctima;

V. Cuando de la escena del hecho se desprendan indicios de humillación o denigración de parte del sujeto activo hacia la víctima;

VI. Cuando el sujeto activo haya infligido lesiones infamantes, degradantes o mutilaciones a la víctima, previas o posteriores a la privación de la vida;

VII. Cuando la víctima presente signos de violencia sexual de cualquier tipo, infligidos por el o los autores del fenimicidio;

VIII. Cuando el sujeto activo actúe por motivos de homofobia;

IX. Cuando existan antecedentes de amenazas, acoso o lesiones del sujeto activo contra la víctima;

X. Cuando el cuerpo de la víctima sea expuesto o arrojado en lugar público;

XI. Cuando la víctima haya sido incomunicada, cualquiera que sea el tiempo previo a la privación de la vida; o

XII. Cuando el sujeto activo actúe como prestador del servicio de transporte público o privado, cuente o no con autorización y registro correspondiente.

En caso de que no se acredite el feminicidio se aplicarán las reglas del homicidio o parricidio, según corresponda.

Además de las sanciones descritas en el presente artículo, el sujeto activo perderá todos los derechos con relación a la víctima.

TÍTULO DÉCIMO SÉPTIMO
DELITOS CONTRA EL PATRIMONIO

CAPÍTULO I
ROBO

Artículo 233. Comete el delito de robo el que se apodera de una cosa ajena mueble, sin derecho y sin consentimiento de la persona que pueda disponer de ella con arreglo a la ley. Se tendrá por consumado el robo, desde el momento en que el activo tenga en su poder lo robado, aún cuando lo abandone o lo desapoderen de él.

Para los efectos del delito de robo, se considerará cosa mueble todo objeto susceptible de ser trasladado de un lugar a otro, ya sea que se mueva por sí mismo o por efecto de una fuerza exterior, incluyendo los objetos que hayan estado adheridos a un bien inmueble.

Artículo 234. Se considerará como robo para los efectos de la sanción:

I. La disposición o destrucción de una cosa mueble, ejecutada intencionalmente por su dueño, si se halla en poder de otro legítimamente por orden de autoridad o mediante contrato público o privado;

II. El aprovechamiento de energía de cualquier tipo, agua o cualquier otro elemento, fluido o combustible, ejecutado sin derecho y sin consentimiento de quien legalmente puede autorizar o disponer de el;

III. Desmantelar, remarcar, alterar, transplantar los números originales de identificación de uno o más vehículos automotores robados o bien dadas las condiciones o características del vehículo o las autopartes, sean de procedencia ilícita, así como comercializar conjunta o separadamente sus partes;

IV. Enajenar o traficar de cualquier manera con vehículo o vehículos, robados, remarcados o transplantados en sus números originales de identificación;

V. Detentar, poseer, custodiar, falsificar, alterar, tramitar o efectuar actos tendientes a obtener la documentación con la que se pretenda acreditar la propiedad o identificación de uno o más vehículos robados;

VI. Trasladar el o los vehículos robados o remarcados de una entidad federativa a otra, o al extranjero;

VII. Utilizar el o los vehículos automotores robados;

VIII. La posesión, adquisición, transportación, comercialización o el almacenamiento de cosa mueble robada; y

IX. La sustracción, copia o almacenamiento de información de pago electrónico de servicios o productos a través de internet o aplicaciones móviles o electrónicas sin consentimiento y por cualquier medio proveniente de una transacción económica y que se reflejen como afectación en las tarjeta o cuentas de instituciones financieras de la víctima.

Para efectos de las fracciones I, II y VIII de este artículo, se aplicarán las sanciones establecidas en el artículo 235 de este Código.

Para efectos de las fracciones III, IV, V, VI y VII a que se refiere el presente artículo, se impondrán las penas señaladas en el artículo 236 Bis, inciso c) de este Código.

Si en los actos que se describen en las fracciones III, IV, V, VI, VII y VIII, participa algún servidor público, que tenga o haya tenido a su cargo en los tres últimos años, funciones de prevención, persecución o sanción del delito o de ejecución de penas, la sanción que le corresponde se le aumentará en una mitad más y se inhabilitará para desempeñar cualquier empleo, cargo o comisión público por un periodo de cinco años.

Artículo 234 Bis. Se equipara al delito de robo y se impondrán de cuatro a ocho años de prisión a quien tras arrendar un vehículo automotor desvíe el uso para el que le fue entregado por el arrendador para ejecutar alguna de las acciones siguientes:

I. Lo desmantele o comercialice conjunta o separadamente sus partes;

II. Lo enajene, trafique, permute o realice cualquier transacción de traslado de dominio;

III. Altere, modifique, elabore o reproduzca, de cualquier manera, la documentación que acredite la propiedad o datos de identificación o la documentación que acredite el pago de derechos hacendarios, sin la autorización de su propietario y/o de la autoridad competente para hacerlo;

IV. Traslade el vehículo automotor fuera de la región del occidente del país, sin la autorización del arrendador;

V. Utilice el vehículo en la comisión de uno o varios delitos dolosos;

VI. Utilice documentación y/o identidad falsa para llevar a cabo la renta del vehículo automotor; o

Se sancionará por ese delito en los términos de este artículo al empleado de la empresa arrendadora que a sabiendas participe o facilite cualquiera de las conductas anteriores.

Artículo 235. Al responsable del delito de robo simple se le impondrá como sanción:

I. De seis meses a tres años de prisión y multa por el importe de cinco a cien veces el valor diario de la Unidad de Medida y Actualización, cuando el valor de lo robado no exceda del importe de trescientas sesenta veces el valor diario de la Unidad de Medida y Actualización;

II. De dos a seis años de prisión y multa por el importe de cien a ciento cincuenta veces el valor diario de la Unidad de Medida y Actualización, cuando el valor de lo robado exceda del monto señalado, en la fracción anterior, pero no de mil veces el valor diario de la Unidad de Medida y Actualización;

III. De tres a diez años de prisión y multa por el importe de ciento cincuenta a doscientas veces el valor diario de la Unidad de Medida y Actualización, cuando el valor de lo robado exceda de mil veces el valor diario de la Unidad de Medida y Actualización; y

IV. De dos a cinco años de prisión, cuando no pudiera determinarse el valor de lo robado o, si por su naturaleza, no fuera estimable en dinero.

El delito de robo simple se perseguirá por querella de parte, cuando el monto de lo robado no exceda de doscientas veces el valor diario de la Unidad de Medida y Actualización.

Artículo 236. El delito de robo se considera calificado, cuando:

I. Se ejecute con violencia en las personas o en las cosas, aún cuando la violencia se haga a persona distinta de la robada, que se halle en compañía de ella, o a inmediaciones de donde ocurra la comisión del ilícito, o cuando el sujeto la ejecute después de consumado el robo para lograr la fuga o defender lo robado pero sin usar armas;

II. El objeto del robo sea un libro, un expediente o algún documento de una oficina o archivo público, o un documento que contenga obligación, liberación o transmisión de derechos;

III. Se cometa aprovechando alguna relación de servidumbre, trabajo, hospedaje, hospitalidad, confianza, amistad o parentesco;

IV. Se cometa en lugar cerrado o en edificio, vivienda, aposento o cuarto que estén destinados para habitación, comprendiéndose en esta denominación no sólo los que estén fijos en la tierra, sino también movibles, sea cual fuere la materia de que estén construidos;

V. Se cometa por medio de la acechanza o aprovechando la falta de vigilancia, la declaración de emergencia, evacuación, alarma, desorden o confusión que se produzca por incendio, naufragio, inundación, accidente o delito en el tránsito de vehículos o por cualquier siniestro o desastre;

VI. El objeto del robo sean tubos, conexiones, tapas de registro o cualquier otro implemento de un servicio público u otros que estén bajo la salvaguarda pública;

VII. Los responsables lleven armas, sin que en el caso hagan uso de ellas, aún cuando las mismas no funcionen o estén descargadas o aseguradas, o cuando utilicen objetos que por sus características tengan la apariencia de ser armas auténticas;

VIII. El objeto, del robo sean postes, alambres y otros materiales de las cercas de los sembradíos y potreros, dejando éstos desprotegidos en todo o en parte; sean bombas, motores, o partes de estos implementos, o cualquier objeto o aparato que esté usándose en la agricultura o en la ganadería;

IX. Recaiga sobre vehículos automotores;

X. Se cometa en edificio, vivienda, apartamiento o cuarto que, en el momento de ocurrir el delito, se encuentren ocupados, comprendiéndose en esta denominación no sólo los que estén fijos en la tierra, sino también los movibles, sea cual fuera la materia de que estén construidos;

XI. La violencia a que se refiere la fracción I de este artículo se ejerza valiéndose de armas o en el caso de que el sujeto activo fuere diestro en artes marciales o la víctima u ofendido fuere menor de edad tenga algún problema de discapacidad física o psíquica o los activos sean dos o más y generen una desproporción física del pasivo hacia los activos;

XII. Se cometa por tres sujetos o más, o el activo se finja servidor público o supongan una orden de alguna autoridad;

XIII. Se cometa valiéndose de la nocturnidad o llevándolo a cabo mediante fractura, o forzándolo de cualquier manera, horadación, excavación o escalamiento;

XIV. Los responsables sean miembros de un cuerpo de seguridad pública, aun cuando no estén en servicio;

XV. Se ejecute a bordo de un vehículo de transporte público en servicio;

XVI. Se cometa dentro de un establecimiento bancario, en una oficina recaudadora Estatal o Municipal, o en otras cuya función esté relacionada con la recepción, manejo y distribución de dinero en efectivo o en las inmediaciones de éstos sobre sus usuarios;

XVII. El objeto del robo sean productos agrícolas, siempre que el valor de lo robado sea por el equivalente a cincuenta veces el valor diario de la Unidad de Medida y Actualización o más;

XVIII. Recaiga sobre autopartes;

XIX. Se ejecute en la vía pública mediante la utilización de vehículos motorizados o no motorizados que otorgue ventaja al sujeto activo para cometer el delito o para huir;

XX. Se cometa dentro de un establecimiento bancario, en una oficina recaudadora Estatal o Municipal, o en otras cuya función esté relacionada con la recepción, manejo y distribución de dinero en efectivo o en las inmediaciones de éstos sobre sus usuarios, así como quien proporcionó información de retiros en efectivo realizado por cuentahabientes y sea robado trabaje o preste auxilio directa o indirectamente en el establecimiento; o

XXI. Cuando el robo a que se refiere la fracción IX se ejecute a través de aparatos programadores o dispositivos electrónicos que sirvan para escanear, configurar, maniobrar, manipular, alterar o decodificar su encendido y apagado, o inhiba la señal de rastreo que permita la ubicación del automotor.

Artículo 236 Bis. Al responsable del delito de robo calificado se le sancionará de acuerdo con las reglas que se consignan en los siguientes apartados:

a) Si interviene alguna de las calificativas que se consignan en las fracciones I, II, III, IV, VI y VIII del artículo anterior, la pena será:

b) Si interviene alguna de las calificativas que se consignan en las fracciones V, X, XII, XIII, XIV, XV, XVI, XVII, XIX y XX del artículo anterior, la pena será:

I. De dos a cinco años de prisión y multa por el importe de cinco a treinta veces el valor diario de la Unidad de Medida y Actualización, cuando el valor de lo robado no exceda de trescientas sesenta veces el valor diario de la Unidad de Medida y Actualización;

II. De tres a ocho años de prisión y multa por el importe de quince a sesenta veces el valor diario de la Unidad de Medida y Actualización, cuando el valor de lo robado exceda del monto señalado en la fracción anterior, pero no del que se establece en la siguiente;

III. De cuatro a once años de prisión y multa por el importe de veinte a noventa veces el valor diario de la Unidad de Medida y Actualización, cuando el valor de lo robado exceda del monto de mil veces el valor diario de la Unidad de Medida y Actualización; y

IV. De tres a seis años de prisión, cuando no pudiera determinarse el valor de lo robado o, si por su naturaleza, no fuere estimable en dinero.

b) Si interviene alguna de las calificativas que se consignan en las fracciones V, X, XII, XIII, XIV, XV, XVI, XVII y XIX del artículo anterior, la pena será:

I. De cinco a diez años de prisión y multa por el importe de quince a sesenta veces el valor diario de la Unidad de Medida y Actualización, cuando el valor de lo robado no exceda del importe de trescientos setenta veces el valor diario de la Unidad de Medida y Actualización;

II. De seis a doce años de prisión y multa por el importe de veinte a ochenta veces el valor diario de la Unidad de Medida y Actualización, cuando el valor de lo robado exceda del monto señalado en la fracción anterior, pero no del que se establece en la siguiente;

III. De ocho años seis meses a quince años de prisión y multa por el monto de treinta a cien veces el valor diario de la Unidad de Medida y Actualización, cuando el valor de lo robado exceda del importe de mil veces el valor diario de la Unidad de Medida y Actualización; y

IV. De cinco años seis meses a nueve años de prisión, cuando no pudiere determinarse el valor de lo robado, o si por su naturaleza, no fuere estimable en dinero.

c) Si intervienen alguna de las calificativas que se consignan en las fracciones VII y XI del artículo anterior, la pena será:

I. De seis a once años de prisión y multa por el importe de veinte a ochenta veces el valor diario de la Unidad de Medida y Actualización, cuando el valor de lo robado no exceda del monto de trescientos sesenta veces el valor diario de la Unidad de Medida y Actualización;

II. De siete años seis meses a trece años de prisión y multa por el importe de treinta a cien veces el valor diario de la Unidad de Medida y Actualización, cuando el valor de lo robado exceda del monto señalado en la fracción anterior, pero no del que se establece en la siguiente;

III. De nueve a quince años de prisión y multa por el importe de cuarenta a ciento veinte veces el valor diario de la Unidad de Medida y Actualización, cuando el valor de lo robado exceda del monto de mil veces el valor diario de la Unidad de Medida y Actualización;

IV. De seis a diez años de prisión, cuando no pudiere determinarse el valor de lo robado, o si por su naturaleza, no fuere estimable en dinero.

En todos los casos de robo para estimar su cuantía o determinar que no es estimable en dinero, se atenderá únicamente al valor intrínseco de la cosa robada, fijado primordialmente por Perito; y

V. De cinco a dieciocho años de prisión y hasta mil días de multa. También podrá aplicársele la prohibición de ir a lugar determinado o vigilancia de la autoridad, hasta por un término igual al de la sanción privativa de la libertad impuesta.

d) Si interviene la calificativa que se consigna en la fracción IX del artículo anterior, la pena será de nueve a veinte años de prisión y multa por el importe de sesenta a ciento cincuenta veces la Unidad de Medida y Actualización, sin importar el valor del robo.

e) Si interviene la calificativa que se consigna en la fracción XXI del artículo anterior, la pena será de diez a veintiún años de prisión y multa por el importe de setenta a ciento sesenta veces la Unidad de Medida y Actualización, sin importar el valor del robo.

Cuando concurran dos o más calificativas se sancionará con la calificativa que amerite sanción más alta.

Artículo 236 Ter. Al responsable del delito de robo de autopartes previsto en la fracción XVIII del artículo 236 se le sancionará de acuerdo con las siguientes reglas:

I. De 1 a 4 años de prisión y multa por el importe de cinco a treinta veces el valor diario de la Unidad de Medida y Actualización, cuando el valor de lo robado no exceda de 113 veces el valor diario de la Unidad de Medida y Actualización;

II. De 2 a 5 años de prisión y multa por el importe de quince a sesenta veces el valor diario de la Unidad de Medida y Actualización, cuando el valor de lo robado exceda del monto señalado en la fracción anterior, pero no del que se establece en la siguiente; y

III. De 3 a 8 años de prisión y multa por el importe de veinte a noventa veces el valor diario de la Unidad de Medida y Actualización, cuando el valor de lo robado exceda del monto de mil veces el valor diario de la Unidad de Medida y Actualización.

Artículo 237. Se impondrá de uno a seis meses de prisión a quien tome una cosa ajena, sin consentimiento del dueño o legítimo poseedor y acredite haberla tomado con carácter temporal y no para apropiársela o enajenarla, siempre que la devuelva espontáneamente antes del ejercicio de la acción penal. En todo caso, pagará al ofendido, como reparación del daño, el doble del alquiler, arrendamiento o interés de la cosa usada.

No quedan comprendidos en esta disposición, los que se apropien de vehículos que se encuentren en la vía pública, pues, en este caso, el robo de uso se castigará con pena de dos a ocho años de prisión y multa por el importe de cincuenta a cien veces el valor diario de la Unidad de Medida y Actualización, siempre que se paguen las indemnizaciones y se llenen los requisitos que señala el presente artículo. En caso contrario, se aplicarán las sanciones que correspondan al robo simple.

Artículo 238. El robo cometido por un ascendiente contra un descendiente o de éste contra aquél, o por un cónyuge contra el otro, si estuvieran casados bajo el régimen de separación de bienes, por una concubina o concubinario contra el otro, por un suegro contra su yerno o nuera, por éstos contra aquél, por un padrastro contra su hijastro o viceversa, por un hermano contra su hermano, produce responsabilidad penal, pero no se podrá proceder contra el responsable, sino a petición del agraviado.

Si además de las personas a que se refiere el párrafo anterior, tuviere intervención en el robo alguna otra, para sancionar a ésta se necesita querella del ofendido, pero, en este caso, se procederá contra todos los responsables, incluyendo a los que se mencionan en el párrafo anterior.

Artículo 239. El responsable del robo quedará excluido de toda sanción en los casos siguientes:

I. Cuando sin emplear engaño o medios violentos, se apodere de los objetos estrictamente indispensables para satisfacer imperiosas necesidades personales o familiares del momento; y

II. Cuando el valor de lo robado no pase del máximo establecido en la fracción I del artículo 235, sea restituido por el responsable espontáneamente y pague los daños y perjuicios dentro de los tres días siguientes al día en que la autoridad lo llame a la investigación y siempre que no se haya ejecutado el robo por medio de la violencia y se trate de personas que no haya sido condenada por el delito contra el patrimonio.

Si en el mismo caso, la restitución y reparación se verifican después de iniciadas las investigaciones, pero antes de formularse conclusiones en el proceso, la pena será solo la multa triple del valor de lo robado y especial amonestación. Sin perjuicio de que la víctima u ofendido se desista o renuncie a la restitución de lo robado o a los daños o perjuicios, en cuyo caso procederá la exoneración;

III. Cuando el adquiriente de un bien mueble, acredite su legítima propiedad o posesión, mediante nota de venta, factura, carta de responsiva u otro documento donde conste la identidad del transmisor, la descripción del objeto, la fecha y la dirección de quien transmite, adicionalmente cuando se trate de particulares o negocios no establecidos, el transmisor deberá agregar copia de su identificación oficial; y

IV. Tratándose del robo de vehículos o de cualquiera de sus partes será causa de inculpabilidad acreditar su legítima posesión, uso o custodia.

CAPÍTULO II
ABIGEATO Y ROBO DE ANIMALES

Artículo 240. Comete el delito de abigeato, el que se apodera de una o más cabezas de ganado, sin consentimiento de quien legalmente puede disponer de ellas, independientemente del lugar en que se encuentren y de que formen o no hato.

Se considera ganado para los efectos de este delito las especies relacionadas en ley de la materia.

Artículo 241. Si el daño previsto en el artículo 259 de este Código, se produce en las especies a que se refiere el artículo 240, se aplicará una sanción de dos a siete años de prisión y multa por el importe de seis a noventa veces el valor diario de la Unidad de Medida y Actualización.

Artículo 241 Bis. Derogado.

Artículo 242. Se considerará como abigeato para los efectos de la sanción:

I. Sacrificar intencionalmente ganado ajeno, sin consentimiento de su propietario;

II. Adquirir o negociar ganado robado, carne, pieles u otros derivados producto de abigeato, a sabiendas de esta circunstancia;

III. Proteger dolosamente ganado robado con documentación falsa;

IV. Autorizar en rastro oficial o en cualquier otro lugar de matanza, el sacrificio de ganado robado a sabiendas de esta circunstancia;

V. Expedir documentación que acredite la propiedad de animales producto de abigeato a favor de persona distinta de quien legalmente pueda disponer de ellos, o autorice su movilización, a sabiendas de su ilegal procedencia; y

VI. Transportar ganado, carnes o pieles a sabiendas de que se trata de carga producto de abigeato.

Artículo 242 A. Quien cometa alguno de los delitos previstos en los artículos 240 y 242 se le impondrá como sanción:

I. De seis meses a tres años de prisión y multa por el importe de ocho a treinta y cinco veces el valor diario de la Unidad de Medida y Actualización, cuando el valor del ganado producto del delito no exceda del importe de trescientos veces el valor diario de la Unidad de Medida y Actualización;

II. De dos a seis años de prisión y multa por el importe de ocho a cincuenta y cinco veces el valor diario de la Unidad de Medida y Actualización, cuando el valor exceda del monto señalado, en la fracción anterior, pero no de ochocientas veces el valor diario de la Unidad de Medida y Actualización; y

III. De cinco a once años de prisión y multa de treinta a cien veces el valor diario de la Unidad de Medida y Actualización, cuando el importe del ganado producto del delito exceda de ochocientas veces el valor diario de la Unidad de Medida y Actualización.

El delito de abigeato se perseguirá por querella de parte cuando su producto no exceda de ciento cincuenta veces el valor diario de la Unidad de Medida y Actualización y no se trate de abigeato calificado.

Artículo 242 B. El delito de abigeato se considera calificado, cuando:

I. Se cometa valiéndose de la nocturnidad;

II. Se cometa aprovechando alguna relación de trabajo, confianza o parentesco del activo con el pasivo;

III. Sea perpetrado por ganaderos inscritos como tales en cualquier unión o asociación ganadera;

IV. Se cometa por dos o más sujetos;

V. El abigeato se desarrolle en diferentes entidades federativas;

VI. Se ejecute con violencia física o moral en las personas ya sea al perpetrarse el hecho o después de consumado para lograr la fuga o defender el producto;

VII. El responsable sea, o simule ser, miembro de algún cuerpo de seguridad pública o alguna otra autoridad;

VIII. El responsable lleve algún arma, aun cuando no haga uso de ella; o

IX. Cuando el ganado fuere de registro para el mejoramiento genético.

Artículo 242 C. Al responsable del delito de abigeato calificado se le sancionará de acuerdo con las reglas que se consignan en los siguientes apartados:

a) Si interviene alguna de las calificativas que se consignan en las fracciones I, II, III y IV del artículo anterior, la pena será:

I. De dos a cinco años de prisión y multa por el importe de ocho a treinta y cinco veces el valor diario de la Unidad de Medida y Actualización, cuando el importe del producto del delito no exceda de trescientas veces el valor diario de la Unidad de Medida y Actualización;

II. De tres a ocho años de prisión y multa por el importe de veinte a sesenta y cinco veces el valor diario de la Unidad de Medida y Actualización, cuando el valor de lo robado exceda del monto señalado en la fracción anterior, pero no de ochocientas veces el valor diario de la Unidad de Medida y Actualización; y

III. De seis a once años de prisión y multa por el importe de treinta a cien veces el valor diario de la Unidad de Medida y Actualización, cuando el valor de lo robado exceda del monto de mil veces el valor diario de la Unidad de Medida y Actualización; y

b) Si interviene alguna de las calificativas que se consignan en las fracciones V, VI, VII, VIII y IX del artículo anterior, la pena será:

I. De dos años seis meses a cinco años seis meses de prisión y multa por el importe de diez a cuarenta veces el valor diario de la Unidad de Medida y Actualización, cuando el importe del producto del delito no exceda de trescientas veces el valor diario de la Unidad de Medida y Actualización;

II. De cuatro a ocho años seis meses de prisión y multa por el importe de veinticinco a setenta veces el valor diario de la Unidad de Medida y Actualización, cuando el valor de lo robado exceda del monto señalado en la fracción anterior, pero no de ochocientas veces el valor diario de la Unidad de Medida y Actualización; y

III. De seis años seis meses a once años de prisión y multa por el importe de treinta a cien veces el valor diario de la Unidad de Medida y Actualización, cuando el valor de lo robado exceda del monto de mil veces el valor diario de la Unidad de Medida y Actualización.

Artículo 242 D. Se sancionará con prisión de tres meses a dos años y multa de ocho a sesenta veces el valor diario de la Unidad de Medida y Actualización, independientemente de la pena que corresponda por el delito que llegare a cometerse a quien sin causa justificada:

I. Altere o elimine en cualquier forma las señales de sangre, marcas o fierros registrados; o

II. Marque o señale ganado orejano.

Artículo 243. El responsable de abigeato simple, que no cuente con antecedentes penales quedará exonerado de toda sanción cuando cuente con los documentos de trazabilidad a que se refiere la Ley Agroalimentaria del Estado de Jalisco.

Artículo 243 Bis. Al responsable de abigeato que comunique a la autoridad antes que sus copartícipes, información veraz con pormenores que hagan posible la identificación de todos o algunos de los partícipes del delito o la recuperación del ganado robado, será sujeto a los siguientes beneficios:

I. Si la información se proporcionara una vez consumado el delito, ante el Ministerio Público en la averiguación previa, la pena será de seis meses a dos años de prisión; y

II. Si la información aconteciere durante el proceso, el beneficio será de seis meses hasta una tercera parte de la pena que correspondiere, acorde a la información proporcionada y a los resultados obtenidos con esta.

Artículo 244. En todos los casos previstos en este capítulo será aplicable, en lo conducente, lo dispuesto en el artículo 238 de este Código.

CAPÍTULO III
ABUSO DE CONFIANZA

Artículo 245. Comete el delito de abuso de confianza, el que, con perjuicio de alguien, disponga para sí o para otro, de una cosa ajena mueble de la cual se le haya transmitido la tenencia y no el dominio.

Artículo 246. Al responsable del delito de abuso de confianza se le sancionará sólo por querella del ofendido y conforme a las reglas siguientes:

I. Con prisión de tres a seis meses y multa por el importe de dos o ocho veces el valor diario de la Unidad de Medida y Actualización, cuando el valor de lo dispuesto no exceda de cuatrocientos cincuenta veces el valor diario de la Unidad de Medida y Actualización;

II. Cuando el valor de lo abusado exceda del monto señalado en la fracción anterior, pero no del que se establece en la siguiente, la sanción será de seis meses a cuatro años de prisión y multa por el importe de dos a dieciséis veces el valor diario de la Unidad de Medida y Actualización. La misma sanción se aplicará en el caso de la fracción siguiente, cuando se restituya la cosa o su valor y se repare el daño o se repare éste hasta antes de dictarse sentencia en segunda instancia;

III. Si el valor de lo abusado excede del importe de dos mil quinientos veinte veces el valor diario de la Unidad de Medida y Actualización, la sanción será de cuatro a ocho años de prisión y multa por el importe de veinte a ciento noventa y seis veces el valor diario de la Unidad de Medida y Actualización; y

IV. Cuando no pudiera determinarse el valor de lo dispuesto o por su naturaleza no fuere estimable en dinero, la sanción será de seis meses a cinco años de prisión y multa por el importe de dos a doce veces el valor diario de la Unidad de Medida y Actualización.

Artículo 247. Se impondrán las mismas sanciones del abuso de confianza, a quien, requerido formalmente, retenga la cosa que estuviere obligado a entregar o devolver si la hubiere recibido por cualquier título que produzca tal obligación, o cuando la cosa deba entregarse a resultas de una resolución firme de autoridad competente.

Artículo 248. Es aplicable a este capítulo, en lo conducente, al artículo 238 de este Código.

CAPÍTULO IV
VIOLACIÓN DE DEPÓSITO

Artículo 249. Se comete el delito de violación de depósito por:

I. El hecho de sustraer o disponer de una cosa su dueño, si le ha sido embargada y la tiene en su poder, con el carácter de depositario judicial o por cualquiera otra causa que legalmente le impida disponer de ella;

II. El hecho de que el depositario, disponga de la cosa, fuera de sus obligaciones como tal; y

III. El hecho de que una persona disponga, como suyo, del depósito que garantice la libertad caucional de un inculpado y del cual no le corresponda la propiedad. Es aplicable a este capítulo en lo conducente el artículo 238 de este Código. Al responsable de los delitos previstos en este capítulo, se le aplicarán las sanciones contenidas en el artículo 246.

El hecho de que una persona disponga, como suyo, del depósito que garantice la libertad caucional de un inculpado y del cual no le corresponda la propiedad.

Es aplicable a este capítulo en lo conducente el artículo 238 de este Código. Al responsable de los delitos previstos en este artículo, se le aplicarán las sanciones contenidas en el artículo 246.

CAPÍTULO V
FRAUDE

Artículo 250. Comete el delito de fraude, el que, engañando a alguno o aprovechándose del error en que éste se halle, se haga ilícitamente de una cosa o alcance un lucro o beneficio indebido, para sí o para otro.

Artículo 251. Al responsable del delito de fraude, se le sancionará conforme a las siguientes reglas:

I. De seis meses a dos años de prisión y multa por el importe de dos a ocho veces el valor diario de la Unidad de Medida y Actualización, cuando el valor de lo defraudado no exceda del importe de cuatrocientos cincuenta veces el valor diario de la Unidad de Medida y Actualización;

II. Cuando el valor de lo defraudado exceda del monto señalado en la fracción anterior, pero no del que se establece en la siguiente, la sanción será de dos a siete años de prisión y multa por el importe de cuatro a cuarenta veces el valor diario de la Unidad de Medida y Actualización. La misma sanción se aplicará en el caso de la fracción siguiente, cuando se restituya la cosa o su valor y se repare el daño hasta antes de formular conclusiones en el proceso; y

III. De cuatro a diez años de prisión y multa por el importe de veinte a ochenta veces el valor diario de la Unidad de Medida y Actualización, cuando el valor de lo defraudado exceda del importe de dos mil quinientas veinte veces el valor diario de la Unidad de Medida y Actualización.

Artículo 252. Las mismas penas señaladas en el artículo anterior se impondrán:

I. Al que obtenga dinero, valores o cualquiera otra cosa, ofreciendo encargarse de la defensa o de gestionar algún beneficio de un indiciado, procesado o sentenciado, si no se realiza su encargo o gestión o porque renuncie o los abandone sin causa y sin motivo justificado;

II. Al que por título oneroso, con excepción de los casos previstos por el Art. 253, enajene, arriende, hipoteque, empeñe o grave de cualquier modo alguna cosa, sin tener derecho para ello, con independencia de que haya recibido o no, total o parcialmente el precio, el alquiler o la cantidad materia del contrato;

III. Al que obtenga de otro una cantidad de dinero o cualquier otro lucro, otorgándole o endosándole a nombre propio o de otro, un documento nominativo, a la orden, o al portador, expedido contra una persona física o moral, real o supuesta, que el otorgante sabe que no ha de pagarse a su vencimiento;

IV. Al que se haga servir alguna cosa o admita un servicio de un establecimiento comercial de cualquier clase y no pague el importe;

V. Al que compre una cosa mueble ofreciendo pagar el precio al contado y rehuse, después de recibirla, hacer el pago o devolver la cosa;

VI. Al que hubiese vendido una cosa mueble y recibido su precio, si no la entrega dentro del plazo convenido o no devuelva su importe en el mismo término, en caso de que se le exija esto último;

VII. Al que venda a dos o más personas una misma cosa, sea mueble o raíz y reciba el precio de alguna de las enajenaciones, o parte del mismo, o cualquier otro lucro con perjuicio de alguno de los compradores;

VIII. Al que simulare un juicio, un contrato, un acto o escrito judicial, con perjuicio de otro para obtener cualquier beneficio indebido;

IX. Al que por sorteos, rifas, loterías, promesas de venta, o por cualquier otro medio, se quede con todo o parte de las cantidades recibidas, sin entregar la mercancía u objeto ofrecido;

X. Al fabricante, empresario, contratista o constructor de una obra cualquiera que emplee, en la construcción de la misma, materiales en cantidad o calidad inferiores o (sic) las convenidas, o mano de obra inferior a la estipulada, siempre que haya recibido el precio o parte de él;

XI. Al que por cualquier medio se comprometa u ofrezca sus servicios a otro para construirle una casa habitación o cualquier obra, obteniendo con ello bienes o cantidades de dinero y no los aplique para tal objeto;

XII. A los fabricantes o comerciantes que en sus ofertas o publicidad de productos o servicios, hagan afirmaciones falsas o manifiesten características inciertas sobre los mismos, de modo que puedan causar un perjuicio grave y manifiesto a los consumidores, sin perjuicio de la pena que corresponda aplicar por la comisión de otros delitos;

XIII. Al que obtenga cualquier beneficio, explotando la superstición o la ignorancia de una persona por medio de supuesta evocación de espíritus, adivinaciones o curaciones;

XIV. A los constructores o vendedores de edificios en condominio o tiempo compartido, que obtengan dinero, títulos o valores por el importe de su precio o a cuenta de él o para mantenimiento, si no los destinaren, en todo o en parte, al objeto de la operación concertada, por su disposición en provecho propio o de otro;

XV. Al fiador judicial que enajene, hipoteque o grave, el bien con que acreditó su solvencia, sin que esté substituida previamente la garantía por otra, a satisfacción de las autoridades ante las que se otorgó la fianza, cuando a consecuencia del acto quede insolvente;

XVI. Al que, para ser admitido como fiador, acredite su solvencia con el mismo bien con que lo haya hecho en fianza anterior, sin poner esta circunstancia en conocimiento de ante quien la otorgue y siempre que el valor del bien resulte inferior al de las cantidades por las que el fiador fue admitido;

XVII. Al que grave dos o más veces la misma cosa en el mismo grado de preferencia;

XVIII. Al que afecte en fideicomiso una cosa que no le pertenece;

XIX. Al que en caso de secuestro y con motivo de su participación en las negociaciones de rescate obtenga un lucro indebido;

XX. Al que, tratándose del delito referido en la fracción anterior, preste o simule servicios de asesoría con fines de lucro indebido, con o sin el consentimiento del secuestrado o de su familia;

XXI. Al que, aprovechándose de la confusión anímica de la familia o de quien la represente en las negociaciones, en caso de secuestro, obtenga un lucro indebido prestando servicios con base en adivinaciones o facultades sin sustento científico, para el supuesto esclarecimiento de los hechos;

XXII. A quien simule la constitución de una sociedad, con el objeto de obtener dinero ofreciendo el pago de intereses superiores a los autorizados por el Banco de México;

XXIII. Al que suplantando al propietario de bienes o al titular de derechos de índole patrimonial utilizando medios de identificación o documentos apócrifos, transmita o grave dichos bienes o derechos. La misma pena se le impondrá al que a sabiendas de esta circunstancia, adquiera el bien o derecho o reciba el beneficio del gravamen;

XXIV. Al que enajene, comercialice o distribuya vales apócrifos utilizados para intercambiar o canjear bienes y servicios, a sabiendas de su falsedad; o

XXV. Al que con fines de lucro y a sabiendas de que un producto o servicio no cumple con las especificaciones técnicas de la normatividad correspondiente o de que sea de calidad inferior a la que se ofrece al público, intervenga de cualquier manera en su comercialización o producción.

CAPÍTULO VI
DELITOS CONTRA EL DESARROLLO URBANO

Artículo 253. Se impondrán de cuatro a diez años de prisión y multa por el importe de veinte a cuatrocientas veces el valor diario de la Unidad de Medida y Actualización, cuando el propietario de un inmueble por sí, o por interpósita persona, transmita bajo cualquier título en forma fraccionada, sin contar con la autorización correspondiente de la o las autoridades competentes, la propiedad o sus derechos sobre la misma, respecto de inmuebles, pactando precios de contado o a plazos reales o simulados, o mediante contratos señalados como "preparatorios", "preliminares", "promesa", o cualquier otro innominado, cuando se reciba la totalidad o parte del precio, o se pacten abonos periódicos a éste y se haga entrega de la posesión del inmueble, igualmente:

En la misma responsabilidad incurrirá el o los representantes del propietario transmisor o sus agentes que intervengan en las operaciones a que se refiere el párrafo anterior, a sabiendas de que se carece de la autorización mencionada en el mismo.

Cuando el objeto de la operación sean inmuebles ejidales o comunales se aplicará a los responsables la pena de cinco a trece años de prisión y la multa prevista en el párrafo primero.

I. A quien sin tener derecho de propiedad, efectúe los ilícitos previstos en el párrafo primero de este artículo, se le impondrán las mismas sanciones que establece dicho párrafo;

II. Se impondrán de uno a tres años de prisión al que a sabiendas ordene cualquier tipo de publicidad ofreciendo lotes sobre predios de un fraccionamiento no autorizado; y

III. Cuando al ofendido se le prive de la posesión, la reparación del daño consistirá, a su elección, en el pago del doble de las cantidades recibidas por el responsable, o el valor del inmueble con sus accesorios, según el avalúo bancario referido a la fecha en que sufrió la evicción.

No cometerá delito previsto en el párrafo primero de este artículo el propietario de un terreno de hasta mil metros cuadrados que lo divida y enajene en no más de tres fracciones, siempre y cuando hayan transcurrido más de cinco años entre la fecha comprobada de adquisición y la de división.

Artículo 253 Bis. Se impondrán de dos a cuatro años de prisión; destitución del empleo, cargo o comisión, e inhabilitación de uno, y hasta por tres años para desempeñar otro, y multa por el importe equivalente de mil a tres mil veces el valor diario de la Unidad de Medida y Actualización; a los servidores públicos que de manera dolosa, contraviniendo la zonificación primaria o índice de edificación contenida en los planes de desarrollo urbano:

I. Aprueben modificaciones de zonificación primaria señalada en los planes de desarrollo urbano de centro de población o los planes parciales de desarrollo urbano, respecto de inmuebles o en licencias de urbanización, construcción o edificación;

II. Emitan dictámenes que modifiquen o contravengan las determinaciones de zonificación primaria de los planes de desarrollo urbano de centro de población o los planes parciales de desarrollo urbano, aplicable de forma específica al inmueble para el que sea solicitado; o

III. Autoricen licencias o permisos que excedan o contravengan las determinaciones de número máximo de niveles, coeficientes de ocupación y utilización del suelo, áreas de restricción, unidades de vivienda o unidades comerciales y de servicios, señalados en los planes de desarrollo urbano de centro de población y los planes parciales de desarrollo urbano.

Artículo 253 Ter. Se impondrán de dos a cuatro años de prisión y multa por el importe equivalente de mil a tres mil veces el valor diario de la Unidad de Medida y Actualización; a los propietarios de inmuebles, sus promotores, representantes legales y constructores que de manera dolosa lleven a cabo acciones de urbanización, construcción o edificación, cuya autorización al momento de su ejecución viole la zonificación primaria o índice de edificación contenida en los planes de desarrollo urbano de centro de población y los planes parciales de desarrollo urbano.

Artículo 253 Quater. Se le impondrá de dos a cuatro años de prisión y multa por el importe equivalente de mil a tres mil veces el valor diario de la Unidad de Medida y Actualización, al Director Responsable de Obra o Corresponsable de Obra que de manera dolosa autorice el desarrollo de una construcción, de la que otorgó su responsiva sin apego a la licencia, autorización o permiso otorgado por la autoridad competente.

La misma sanción se impondrá al propietario del inmueble donde se desarrolla la construcción, a su representante legal y al constructor que, teniendo conocimiento de la ilegalidad del acto, no presente la denuncia correspondiente ante la autoridad competente, permita la edificación sin sujetarse a la licencia o permiso de construcción o urbanización.

Artículo 254. Se impondrán de seis meses a seis años de prisión multa por el importe de cuatro a cuarenta veces el valor diario de la Unidad de Medida y Actualización, al que habiendo recibido mercancía con subsidio o franquicia, concedidos por el estado, municipio u órgano descentralizado, estatal o municipal, para darles un destino determinado, desvirtúe en cualquier forma los fines perseguidos con el subsidio o franquicia.

CAPÍTULO VII
ADMINISTRACIÓN FRAUDULENTA

Artículo 254 Bis. Comete el delito de administración fraudulenta, el que teniendo una delegación parcial o total de facultades para el manejo, cuidado o administración de bienes ajenos, en todo o en parte, perjudique al titular de éstos, a terceros o genere menoscabo patrimonial, en los casos siguientes:

I. Altere la contabilidad, aparente contratos, altere precios o costos;

II. Simule operaciones, gastos o exagere los que hubiere hecho; y

III. Oculte, retenga, deprecie, desvíe o dilapide valores o bienes, los emplee indebidamente o realice actos diferentes al objeto o fines de la persona jurídica.

Este delito será perseguible por querella de la parte afectada.

Artículo 254 Ter. Al responsable por la comisión del delito de administración fraudulenta, se le sancionará con las siguientes penas:

I. De seis meses a dos años de prisión y multa por el importe de cien a doscientas veces el valor diario de la Unidad de Medida y Actualización, cuando el valor de lo defraudado no exceda del importe de cuatrocientos cincuenta veces el valor diario de la Unidad de Medida y Actualización;

II. Cuando el valor de lo defraudado exceda del monto señalado en la fracción anterior, pero no de dos mil quinientas veces el valor diario de la Unidad de Medida y Actualización, la sanción será de dos a siete años de prisión y multa por el importe de doscientos a quinientas veces el valor diario de la Unidad de Medida y Actualización. La misma sanción se aplicará en el caso de la fracción siguiente, cuando se restituya la cosa o su valor y se repare el daño hasta antes de formular conclusiones en el proceso; y

III. De cinco a diez años de prisión y multa por el importe de quinientas a mil veces el valor diario de la Unidad de Medida y Actualización, cuando el valor de lo defraudado exceda del importe de dos mil veces el valor diario de la Unidad de Medida y Actualización.

CAPÍTULO VIII
DELITOS RELACIONADOS CON LA CAPACIDAD PECUNIARIA DE LAS PERSONAS SUJETAS A CONCURSO DE ACREEDORES

Artículo 255. Se impondrán de uno a cinco años de prisión y multa por el importe de cuatro a cuarenta veces el valor diario de la Unidad de Medida y Actualización, a las personas sometidas a concurso de acreedores que, en el término de un año anterior a la declaración del concurso o después de ésta, incurran en alguno de los hechos siguientes:

Ocultar bienes, enajenarlos a precios inferiores a su valor comercial; simular embargos, gravámenes o deudas; celebrar convenios o contratos ruinosos con perjuicio del conjunto de los acreedores o en beneficio de uno o varios de ellos o de terceras personas. Se presume que esos hechos son simulados, si se realizan en favor de personas que se demuestre que carecen de la capacidad pecuniaria adecuada para intervenir en los propios hechos, o éstos se ejecutan en favor del cónyuge, de ascendientes, descendientes o parientes del concursado, en cualquier línea o grado, o de quien sea o haya sido su representante, administrador o empleado.

Artículo 256. Si el concursado fuere persona moral, la sanción será impuesta al o a los directores, gerentes o administradores que personalmente hubieren ejecutado el o los hechos previstos en el precepto anterior, o hubieren intervenido en el propio hecho.

Artículo 257. La reparación del daño proveniente de los delitos previstos en este capítulo será regulada en la sentencia de gradación del concurso.

CAPÍTULO IX
USURA

Artículo 258. Se impondrán de seis meses a cinco años de prisión y multa por el importe de ocho a cuarenta veces el valor diario de la Unidad de Medida y Actualización:

I. Al que, abusando de la apremiante necesidad de una persona, le otorgue un préstamo, aún encubierto en otra forma contractual, con intereses mayores de los que autorice el Banco de México. Las alzas o bajas del interés bancario, posteriores a la fecha de comisión del delito, no alterarán la situación jurídica de quienes deban ser o se encuentren procesados por tal ilícito; y

II. Al que, abusando de la apremiante necesidad del ofendido, cobre para sí o para otro una comisión evidentemente desproporcionada, por gestionarle o conseguirle un préstamo cualquiera.

CAPÍTULO X
DAÑO EN LAS COSAS

Artículo 259. Comete el delito de daño en las cosas el que, por cualquier medio, destruya o deteriore alguna cosa ajena o propia que conserve en su poder en garantía del crédito de un tercero.

Al responsable del delito de daño en las cosas, se le impondrán de un mes a cinco años de prisión y multa por el importe de dos a veinte veces el valor diario de la Unidad de Medida y Actualización. Este delito sólo se perseguirá a petición de la parte ofendida.

Se impondrán de seis meses a ocho años de prisión y multa por el importe de cuatro a cuarenta veces el valor diario de la Unidad de Medida y Actualización cuando se cometa contra cosas que estén destinadas a funciones de seguridad pública, impartición y procuración de justicia o se cometa contra cosas en posesión o propiedad de personas que desarrollen funciones de seguridad pública, impartición y procuración de justicia con motivo del cumplimiento de dichas funciones o por consecuencia del encargo.

No cometerá delito previsto en este artículo, las personas conductoras de vehículos motorizados que de manera culposa ocasionen daños exclusivamente de índole patrimonial a terceros, derivados de un siniestro de tránsito.

Artículo 260. Se impondrán de seis meses a ocho años de prisión y multa por el importe de cuatro a cuarenta veces el valor diario de la Unidad de Medida y Actualización, a los que causen incendio, inundación o explosión con daño o peligro de:

I. Un edificio, vivienda o cuarto donde se encuentre o suela encontrarse alguna persona;

II. Ropas, muebles u objetos, en tal forma, que pueda resultar daño inminente a las personas;

III. Registros y archivos públicos o privados, archivos notariales y religiosos; y

IV. Bibliotecas, museos, centros escolares, de investigación académica, edificios, monumentos o instalaciones de servicios públicos.

Artículo 261. Se impondrán de uno a cinco años de prisión y multa por el importe de dos a veinte veces el valor diario de la Unidad de Medida y Actualización al que introduzca o irrumpa con su ganado a un terreno cultivado y cause daño de cualquier especie.

CAPÍTULO XI
DAÑO AL PATRIMONIO URBANO

Artículo 261 Bis. A quien utilizando cualquier sustancia o por cualquier medio plasme signos, códigos, mensajes, figuras, dibujos o cualquier otra representación, en bienes muebles o inmuebles, sin consentimiento del dueño o de quien legítimamente posea la cosa, modificando su apariencia original, se le impondrá de diez a cincuenta jornadas de trabajo a favor de la comunidad y multa de cincuenta a doscientas veces el valor diario de la Unidad de Medida y Actualización.

La sanción se aumentará hasta en dos terceras partes de la señalada en el párrafo anterior, cuando este delito afecte bienes de dominio público, monumentos, edificios, o sitios de valor histórico o arquitectónico, o se perjudique bienes de cantera, piedra, o cualquier otro material de difícil o imposible reparación.

Al reincidente se le aplicará además, la pena de dos a cuatro años de prisión.

CAPÍTULO XII
DESPOJO DE INMUEBLES Y AGUAS

Artículo 262. Se impondrán de tres meses a tres años de prisión y multa por el importe de dos a doce veces el valor diario de la Unidad de Medida y Actualización:

I. Al que, de propia autoridad y haciendo violencia física o moral, o furtivamente, o empleando amenazas o engaño, ocupe o use un inmueble o un derecho real que no le pertenezca.

Siempre se entenderá como uso de violencia cuando el despojo se cometa por tres o más personas;

II. Al que, de propia autoridad y haciendo uso de cualquiera de los medios indicados en la fracción anterior, ocupe un bien inmueble de su propiedad, en los casos en que la ley no lo permita por hallarse en poder de otra persona, o ejerza actos de dominio que lesionen derechos legítimos del ocupante;

III. Al que, en los términos de las fracciones anteriores y en beneficio propio o ajeno, desviare o utilizare aguas a que no tenga derecho; y

IV. Cuando el despojo de inmuebles se realice por tres o más personas, además de la sanción señalada, se aplicarán a los autores intelectuales y a quienes dirijan la invasión, de dos a ocho años de prisión.

Las sanciones anteriores serán aplicables aun cuando la posesión de la cosa usurpada sea dudosa o esté en disputa.

CAPÍTULO XIII
DEL PILLAJE

Artículo 262 Bis. Comete el delito de pillaje el que valiéndose de su posición como funcionario de protección civil, coadyuvante, voluntario o cualquier otra que en el momento implique carácter de autoridad o mando en el lugar en donde se haya declarado emergencia, alarma u orden de evacuación, por el riesgo o temor fundado, ocasionado por un siniestro o desastre, realice cualquiera de las siguientes conductas:

I. En forma ilegítima se haga entregar, destruya, deteriore o arrebate del dominio ajeno las cosas pertenecientes a los habitantes del lugar;

II. Disponga para sí o para interpósita persona de los apoyos y donaciones que den los particulares y/o personas jurídicas privadas que estén depositados o destinados para ayuda a la población afectada por el siniestro o desastre; y

III. Estando a cargo de la vigilancia y administración de un centro de acopio, independientemente del cargo que detenten, vendan o usufructúen los recursos materiales que les haya otorgado el Gobierno del Estado, organismos públicos, privados o personas físicas.

Artículo 262 Ter. Al responsable del delito de pillaje se le sancionará de acuerdo con las reglas que se consignan en los siguientes apartados:

I. De dos a cinco años de prisión y multa por el importe de veinte a doscientas veces el valor diario de la Unidad de Medida y Actualización, cuando el valor de lo pillado no exceda del importe de trescientos sesenta veces el valor diario de la Unidad de Medida y Actualización;

II. De tres a ocho años de prisión y multa por el importe de sesenta a trescientas veces el valor diario de la Unidad de Medida y Actualización, cuando el valor de lo pillado exceda del monto señalado en la fracción anterior, pero no del que se establece en la siguiente fracción;

III. De cinco a diez años de prisión y multa por el importe de cien a quinientas veces el valor diario de la Unidad de Medida y Actualización, cuando el valor de lo pillado exceda del monto de mil veces el valor diario de la Unidad de Medida y Actualización; y

IV. Si la comisión del delito no reporta beneficio económico, se impondrá al responsable, de seis meses a tres años de prisión o multa de cincuenta a trescientas veces el valor diario de la Unidad de Medida y Actualización.

Si el responsable de este delito fuere servidor público se le destituirá además de su cargo, empleo o comisión y se le inhabilitará para desempeñar uno similar.

TÍTULO DÉCIMO OCTAVO
ENCUBRIMIENTO Y ADQUISICIÓN ILEGÍTIMA DE BIENES MATERIA DE UN DELITO

CAPÍTULO I
ENCUBRIMIENTO

Artículo 263. Se impondrán de un mes a tres años de prisión al que, después de la ejecución del delito y sin haber tenido en éste alguna de las intervenciones señaladas en el artículo 19, ayude en cualquiera forma al responsable a eludir las investigaciones de la autoridad correspondiente o a substraerse a la acción de ésta, u oculte, altere, destruya o haga desaparecer los rastros, pruebas, instrumentos u objetos del delito o asegure para sí, o para el inculpado, el producto del mismo.

Quedan exceptuados de esta disposición los parientes consanguíneos en línea ascendente o descendente, los hijos adoptivos, cónyuge y hermanos del inculpado, sus parientes por afinidad en primer grado, el tutor o quien ejerza la patria potestad y los que se encuentren ligados con el activo por vínculos de estrecha amistad, o secreto profesional, salvo que el encubrimiento se encamine al aprovechamiento del producto del delito.

Igual sanción se impondrá a quien no procure, por los medios lícitos que tenga a su alcance, impedir la consumación de los delitos que sepa van a cometerse o se están cometiendo, si son de los que se persiguen de oficio.

También quedarán exceptuados de sanción quienes no puedan cumplir con el deber a que se refiere este artículo, por correr peligro en su persona o en sus bienes, así como las personas señaladas en el artículo 22, fracción IV, inciso d), de este Código.

Artículo 264. En todo caso, la sanción que se imponga al encubridor, no podrá exceder de la impuesta al responsable del ilícito encubierto.

CAPÍTULO II
ADQUISICIÓN ILEGÍTIMA DE BIENES MATERIA DE UN DELITO O DE UNA INFRACCIÓN PENAL

Artículo 265. Se sancionará con pena de veinte a cincuenta jornadas de trabajo a favor de la comunidad y hasta quinientas veces el valor diario de la Unidad de Medida y Actualización de multa, al que con ánimo de lucro, después de la ejecución del robo y sin haber participado en éste, posea, enajene o trafique de cualquier manera, adquiera, reciba u oculte, los instrumentos, objetos o productos del robo, a sabiendas de esta circunstancia y el valor intrínseco de éstos, sea de hasta cien veces el valor diario de la Unidad de Medida y Actualización.

Se sancionará con pena de seis meses a diez años de prisión y hasta mil veces el valor diario de la Unidad de Medida y Actualización de multa, al que con ánimo de lucro, después de la ejecución del robo y sin haber participado en éste, posea, enajene o trafique de cualquier manera, adquiera, reciba u oculte, los instrumentos, objetos o productos del robo, a sabiendas de esta circunstancia y el valor intrínseco de éstos, sea superior a cien veces el valor diario de la Unidad de Medida y Actualización.

Al que se dedique en forma habitual a la comercialización de objetos robados, a sabiendas de esta circunstancia, se le sancionará con una pena de prisión de seis a trece años y de cien a mil días de multa.

TÍTULO DÉCIMO NOVENO
DE LOS DELITOS ELECTORALES

CAPÍTULO I
DE LAS DEFINICIONES

Artículo 266. Los delitos electorales, las sanciones, la distribución de competencias y las formas de coordinación entre los órganos de gobierno se estará a lo dispuesto por la Ley General en Materia de Delitos Electorales.

CAPÍTULO II
DE LOS DELITOS COMETIDOS POR LOS CIUDADANOS

Artículo 267. (Derogado)

CAPÍTULO III
DELITOS COMETIDOS POR LOS FUNCIONARIOS ELECTORALES

Artículo 268. (Derogado)

CAPÍTULO IV
DELITOS COMETIDOS POR REPRESENTANTES DE PARTIDO

Artículo 269. (Derogado)

CAPÍTULO V
DELITOS COMETIDOS POR LOS SERVIDORES PÚBLICOS

Artículo 270. (Derogado)

CAPÍTULO VI
DISPOSICIONES COMUNES

Artículo 271. (Derogado)

Artículo 272. (Derogado)

Artículo 273. (Derogado)

Artículo 274. (Derogado)

Artículo 275. (Derogado)

Artículo 276. (Derogado)

Artículo 277. (Derogado)

Artículo 278. (Derogado)

TÍTULO VIGÉSIMO
DE LOS DELITOS FISCALES

CAPÍTULO ÚNICO

Artículo 279. Para proceder penalmente por los delitos previstos en este capítulo, se requerirá querella de la Secretaría de Finanzas del Estado, salvo en los casos previstos en los artículos 282, 283 y 284 del presente Código.

Cuando los procesados por delitos a que se refiere este capítulo, paguen íntegramente el crédito fiscal originado por los hechos imputados, podrá solicitarse el sobreseimiento del proceso, antes de que el Ministerio Público formule conclusiones.

En los casos de delitos fiscales en que el daño patrimonial al erario Estatal sea cuantificable, la Secretaría de Finanzas del Estado acompañará la documentación que acredite su monto en la propia querella, o bien durante la tramitación del proceso respectivo, antes de que el Ministerio Público formule conclusiones.

Artículo 280. En los delitos fiscales la autoridad judicial no impondrá sanción pecuniaria; las autoridades administrativas con arreglo a las leyes fiscales, harán efectivos los gravámenes evadidos y las sanciones administrativas correspondientes.

Para que proceda la condena condicional cuando se incurra en delitos fiscales, además de los requisitos señalados en el Código Penal del Estado, será preciso acreditar que el interés fiscal esté pagado.

Artículo 281. Se impondrá prisión hasta de tres años a quien practique o pretenda practicar auditorías domiciliarias sin mandamiento escrito de la autoridad fiscal competente.

Artículo 282. Se impondrán de dos a seis años de prisión, a quien:

I. Grabe o manufacture, sin autorización del Congreso del Estado, matrices, clichés o negativos, semejantes a los que el Congreso del Estado apruebe para imprimir, grabar o troquelar formas valoradas numeradas, así como falsificar firmas y sellos;

II. Imprima, grabe o troquele formas valoradas numeradas, o cualquier comprobante de pago de contribuciones fiscales, sin la autorización del Congreso del Estado;

III. Altere en su valor, en el año de edición, en el resello, leyenda o clase, formas valoradas numeradas legalmente emitidas;

IV. Posea, venda o ponga en circulación formas valoradas numeradas de emisión ya fenecida;

V. Grabe o manufacture, sin autorización de la Secretaría de Finanzas del Estado, matrices, punzones, dados, clichés o negativos, semejantes a los que la propia Secretaría use para imprimir, grabar, resellar o troquelar calcomanías, hologramas, formas valoradas numeradas y placas; así como falsificar firmas, sellos, e impresión de máquina registradora;

VI. Imprima, grabe o troquele calcomanías, hologramas, formas valoradas numeradas, placas, o cualquier comprobante de pago de contribuciones fiscales, sin la autorización de la Secretaría de Finanzas del Estado;

VII. Altere en su valor, en el año de edición, en el resello, leyenda, impresión de máquina registradora, o clase, calcomanías, hologramas, formas valoradas numeradas, placas o cualquier comprobante de pago de contribuciones fiscales, legalmente emitidos; y

VIII. Posea, venda o ponga en circulación calcomanías, hologramas, formas valoradas numeradas y placas de emisión ya fenecida.

Artículo 283. Se sancionará con pena de prisión de uno a seis años, a quien cometa delito de uso de calcomanías, hologramas, formas valoradas numeradas, placas, o cualquier otro medio de control fiscal, falsificados, en cualquiera de los supuestos siguientes:

I. Quien a sabiendas de que fueron impresos o grabados, sin autorización de la autoridad competente, los posea, venda, ponga en circulación o, en su caso, los adhiera en objetos, documentos o libros, o use en cualquiera otra forma para ostentar el pago de alguna contribución fiscal;

II. Quien los posea, venda, ponga en circulación o los utilice, para el pago de alguna contribución fiscal, alterados en su valor, año de emisión, resello, leyenda o clase a sabiendas de esta circunstancia;

III. Quien posea, venda, ponga en circulación o en alguna otra forma comercie con dichos objetos, si son manufacturados con fragmentos, recortes de otros, o sobrepongan las operaciones de caja registradora para acreditar el pago de alguna contribución fiscal; y

IV. Quien utilice dichos objetos para pagar algún crédito fiscal a sabiendas de que se trata de los manufacturados con fragmentos, recortes de otros, o con la operación de caja registradora sobrepuesta.

Artículo 284. Al servidor público que en cualquier forma participe en el delito citado en el artículo anterior, se le impondrá de uno a cinco años de prisión.

Artículo 285. Comete el delito de defraudación fiscal, quien omita total o parcialmente el pago de un crédito fiscal, por medio de engaños o aprovechándose del error.

Artículo 286. La pena que corresponde al delito de defraudación fiscal, se impondrá también, a quien:

I. Mediante la simulación de actos jurídicos, omita total o parcialmente el pago de los impuestos a su cargo;

II. Proporcione con falsedad a las autoridades fiscales que lo requieran los datos que obren en su poder y que sean necesarios para determinar la producción, la base gravable o los impuestos que causen; oculte a las autoridades fiscales, total o parcialmente, la documentación que acredite el ingreso y egreso gravado por algún impuesto;

III. Para registrar sus operaciones contables, fiscales o sociales, lleve dos o más libros similares con distintos registros o datos;

IV. Destruya, ordene o permita la destrucción total o parcial, dejando ilegibles los libros de contabilidad que prevengan las leyes mercantiles o las leyes fiscales;

V. Utilice pastas o encuadernaciones de los libros a que se refiere la fracción anterior, para sustituir o cambiar las páginas foliadas; tenga doble juego de registros contables;

VI. Confeccione o utilice facturas, notas o comprobantes apócrifos; haga mal uso de los incentivos fiscales o los aplique para fines distintos, del que fueron otorgados; y

VII. Se beneficie sin tener derecho a ello de un estímulo fiscal.

Artículo 287. El delito de defraudación fiscal se sancionará con prisión de seis meses a seis años, si el monto de lo defraudado o lo que se intentó defraudar no excede de 4,700 veces el valor diario de la Unidad de Medida y Actualización. Cuando exceda de esta cantidad la pena será de seis meses a ocho años de prisión.

No se impondrá la sanción prevista en este artículo, si quien hubiere cometido el delito entera espontáneamente el impuesto omitido.

Artículo 288. Para los fines del artículo que antecede se tomará en cuenta el monto de lo defraudado o que se haya intentado defraudar dentro de un mismo período fiscal, aún cuando se trate de conceptos distintos y de diversas acciones u omisiones.

TÍTULO VIGÉSIMO PRIMERO
DE LOS DELITOS CONTRA EL AMBIENTE

CAPÍTULO ÚNICO

Artículo 289. Para los efectos del presente Título, se estará a las definiciones establecidas en la Ley General del Equilibrio Ecológico y la Protección al Ambiente y en Ley Estatal del Equilibrio Ecológico y la Protección al Ambiente para el Estado de Jalisco, así como las determinadas en los ordenamientos aplicables.

Inmediatamente que el Ministerio Público o el servidor público encargado de practicar diligencias de investigación tenga conocimiento de la probable existencia de uno de los delitos establecidos en el presente título, iniciará sus actuaciones atendiendo las reglas establecidas en el Código Nacional de Procedimientos Penales, con el objeto de evitar que se agraven los daños cometidos, dando intervención a la Secretaría de Medio Ambiente y Desarrollo Territorial, a la Procuraduría Estatal del Medio Ambiente o al ayuntamiento en cuyo territorio se den los hechos presuntamente constitutivos de delito, para que determinen la gravedad del daño ambiental y las acciones de su competencia.

Las penas previstas de multas en los delitos del presente capítulo, se aplicarán de manera directa a la restauración del ecosistema afectado.

A los servidores públicos responsables de los delitos contenidos en este capítulo se les aumentará en un tercio las penas establecidas para dichos delitos.

Artículo 289 Bis. Comete el delito de ecocidio quien:

I. Provoque la destrucción o pérdida total de un ecosistema que abarque una superficie de cuando menos diez hectáreas;

II. Provoque un daño irreparable a un ecosistema que abarque una superficie de cuando menos diez hectáreas; o

III. Provoque un daño a un ecosistema cuya afectación y sus impactos duren al menos cuatro meses.

Al responsable del delito de ecocidio se le impondrá una pena de tres a diez años de prisión y una multa de quinientas a cincuenta mil veces el valor diario de la Unidad de Medida y Actualización.

Las penas anteriores aumentaran en un tercio cuando el ecocidio sea en áreas naturales protegidas, así declaradas por la autoridad competente.

Artículo 290. Se impondrá pena de uno a ocho años de prisión y de trescientos a tres mil veces el valor diario de la Unidad de Medida y Actualización, al que ilícitamente, o sin aplicar las medidas de prevención o seguridad, realice actividades de producción, almacenamiento, transporte, abandono, desecho, descarga, lo ordene o autorice o realice cualquier otra actividad con sustancias, materiales o residuos no reservados a la Federación que por su clase, calidad o cantidad sean aptos para contaminar o alterar perjudicialmente la flora, fauna, ecosistemas, el suelo, la atmósfera o las aguas de jurisdicción estatal o que generen daños a la población.

En el caso de que las actividades a que se refiere el párrafo anterior, se lleven a cabo en un área natural protegida que se encuentre bajo la administración del Gobierno del Estado o de la autoridad municipal, la pena de prisión se incrementará hasta en tres años y la pena económica hasta en mil veces el valor diario de la Unidad de Medida y Actualización.

Artículo 291. Se impondrá pena de uno a seis años de prisión y de trescientos a tres mil veces el valor diario de la Unidad de Medida y Actualización, a quien sin aplicar las medidas de prevención o seguridad:

I. Emita, despida, descargue en la atmósfera, o lo autorice u ordene, gases, humos, polvos contaminantes que ocasionen daños a los recursos naturales, a la fauna, a la flora, a los ecosistemas o al ambiente, a la salud pública, siempre que dichas emisiones no provengan de fuentes fijas de competencia federal, conforme a lo previsto en la Ley General del Equilibrio Ecológico y la Protección al Ambiente; o

II. Genere emisiones de ruido, vibraciones, energía térmica o lumínica, provenientes de fuentes emisoras de competencia estatal o municipal, conforme al ordenamiento señalado en la fracción anterior, que ocasionen daños a los recursos naturales, a la flora, a la fauna, a los ecosistemas o al ambiente.

Las mismas sanciones se aplicarán a quien ilícitamente lleve a cabo las actividades descritas en las fracciones anteriores, que ocasionen un riesgo a los recursos naturales no reservados a la Federación.

En el caso de que las actividades a que se refiere el presente artículo se lleven a cabo en un área natural protegida que esté bajo la administración del Gobierno del Estado o de la autoridad municipal, la pena de prisión se incrementará hasta en tres años y la pena económica hasta en mil veces el valor diario de la Unidad de Medida y Actualización.

Artículo 292. Se impondrá pena de uno a nueve años de prisión y multa de quinientos a cincuenta mil veces el valor diario de la Unidad de Medida y Actualización, al que ilícitamente descargue, deposite, infiltre, lo autorice u ordene, aguas residuales, líquidos químicos o bioquímicos, desechos o contaminantes en aguas de jurisdicción estatal, que causen un riesgo de daño o dañe directa o indirectamente a los recursos naturales, a la flora, a la fauna, a la calidad del agua, a los ecosistemas o al ambiente.

Artículo 293. Se impondrá pena de un año a nueve años de prisión y multa por el equivalente de cien a tres mil veces el valor diario de la Unidad de Medida y Actualización, al que ilícitamente realice actividades de exploración, extracción y procesamiento de minerales y sustancias geológicas que constituyan depósitos de naturaleza cuyo control no esté reservado a la Federación, siempre y cuando se genere un daño grave o irreversible en el ecosistema.

Para efectos de este Título, un daño ambiental se considerará irreversible cuando con las tecnologías y conocimientos disponibles, no fuere posible recuperar el ambiente para volverlo al estado anterior al hecho punible.

La pena de prisión podrá aumentarse hasta en tres años más y la pena económica hasta en mil veces el valor diario de la Unidad de Medida y Actualización, para el caso en el que las conductas referidas afecten un área natural protegida.

Artículo 294. Se impondrá pena de tres meses a ocho años de prisión y multa por el equivalente de mil a doce mil veces el valor diario de la Unidad de Medida y Actualización, a quien sin tomar las debidas precauciones e informar previamente a las autoridades competentes, inicie o provoque un incendio que rebase los límites del terreno del que sea propietario o que posea y dé lugar a un daño generalizado.

Se impondrán pena de tres meses a tres años de prisión y multa por el equivalente de cien a mil veces el valor diario de la Unidad de Medida y Actualización, a quien por descuido o negligencia provoque un incendio forestal que cause un daño generalizado. Si el incendio es iniciado o provocado de manera dolosa, la perna será de cinco a quince años de prisión y multa por un equivalente de cinco mil a quince mil veces el valor diario de la Unidad de Medida y Actualización.

Si el daño es ocasionado a un área natural protegida, la pena se incrementará en una cuarta parte más.

Se considera que existe daño generalizado cuando por la superficie afectada o la gravedad del daño, tenga como consecuencia que se requiera un tiempo de recuperación de la flora y fauna mayor a un año, se dé una afectación grave o pérdidas de especies de flora o fauna, o se altere el ecosistema.

Artículo 295. Se impondrá pena de uno a ocho años de prisión y multa de cinco mil a cincuenta mil veces el valor diario de la Unidad de Medida y Actualización a las personas que promuevan, subsidien o dirijan algunos de los hechos punibles lesivos al ambiente descritos en este ordenamiento, según la gravedad del daño ambiental causado y la inhabilitación definitiva para contratar con la administración pública.

Artículo 296. Se impondrá pena de uno a ocho años de prisión y de trescientos a tres mil veces el valor diario de la Unidad de Medida y Actualización, a quien:

I. Transporte o consienta, autorice u ordene que se transporte cualquier residuo no reservado a la Federación que por su clase, calidad o cantidad sea apto para contaminar o alterar perjudicialmente el suelo, la atmósfera o las aguas de jurisdicción estatal o que genere daños a la población, a un destino para el que no se tenga autorización para recibirlo, almacenarlo, desecharlo o abandonarlo;

II. Asiente datos falsos en los registros, bitácoras o cualquier otro documento utilizado con el propósito de simular el cumplimiento de las obligaciones derivadas de la normatividad ambiental local;

III. Prestando sus servicios como auditor técnico, especialista o perito o especialista en materia ambiental, faltare a la verdad provocando que se cause un daño a los recursos naturales no reservados a la Federación; y

IV. No realice o cumpla las medidas técnicas, correctivas o de seguridad, necesarias para evitar un daño o riesgo ambiental que la autoridad administrativa o judicial le ordene o imponga.

Artículo 297. Al que sin autorización legal acopie, almacene, transforme, transporte, comercie o destruya en cantidades superiores de cuatro metros cúbicos de recursos forestales maderables, cualquiera que sea su régimen de propiedad, tenencia o posesión de la tierra, se le aplicará de uno a cinco años de prisión y multa por el importe de cien a mil veces el valor diario de la Unidad de Medida y Actualización.

La pena privativa de la libertad a la que se hace referencia en el párrafo anterior, se incrementará hasta en tres años más de prisión y la pena económica hasta en mil días multa, cuando los recursos forestales maderables provengan de un área natural protegida.

Cuando en la comisión de este delito se empleen los instrumentos conocidos como motosierras, sierras manuales o sus análogas, vehículos y demás objetos, se aumentará la pena de prisión hasta tres años.

Los instrumentos y efectos del delito se asegurarán de oficio por el Ministerio Público, quien los pondrá a disposición de la autoridad judicial para el decomiso correspondiente, independientemente de que puedan estar a disposición de otra autoridad.

No se aplicará pena alguna respecto a lo dispuesto por el párrafo primero del presente artículo, cuando se trate de leña o madera muerta, así como cuando el sujeto activo sea campesino o indígena y realice la actividad con fines de uso o consumo doméstico dentro de su comunidad y las cantidades no sean superiores a cuatro metros cúbicos o, en su caso, a su equivalente en madera aserrada.

TÍTULO VIGÉSIMO SEGUNDO
DE LOS DELITOS EN MATERIA DE INFORMACIÓN PÚBLICA

CAPÍTULO ÚNICO

Artículo 298. Se impondrán de uno a cinco años de prisión y multa por el importe equivalente de cincuenta a mil veces el valor diario de la Unidad de Medida y Actualización, a quien:

I. Incumpla las resoluciones definitivas del Instituto de Información Pública del Estado, dictadas en:

a) Los recursos de revisión de solicitudes de información;

b) Los recursos de transparencia denunciados por particulares;

c) Las revisiones oficiosas de las resoluciones de los procedimientos de protección de información confidencial; o

d) Los procedimientos de revisión de clasificación de información pública de los sujetos obligados;

II. Se deroga;

III. Se deroga;

IV. Se deroga;

V. Destruya de forma irrecuperable información pública, sin la autorización correspondiente; o

VI. Modifique de forma irrecuperable información pública, de manera dolosa y sin la autorización correspondiente.

Para efectos de la fracción I se considera que una resolución es incumplida, cuando el sujeto obligado persista en su incumplimiento una vez agotados los medios de apremio impuestos por el Instituto de Transparencia e Información Pública del Estado, en los términos que establece la ley estatal en materia de información pública.

TÍTULO VIGÉSIMO TERCERO
DE LOS DELITOS EN MATERIA DE SEGURIDAD SOCIAL DE LOS SERVIDORES PÚBLICOS

CAPÍTULO ÚNICO

Artículo 299. Los delitos previstos en este título sólo proceden por querella del Instituto de Pensiones del Estado. En el caso del delito señalado en el artículo 301, también procede por querella del servidor público afectado por no enterar sus retenciones.

Artículo 300. Cuando el daño, perjuicio o beneficio indebido por los delitos previstos en este título sea cuantificable, el Instituto de Pensiones del Estado lo hará en la querella.

Artículo 301. Se impondrán de tres a diez años de prisión a los funcionarios públicos de las entidades públicas patronales que no enteren las retenciones realizadas a los servidores públicos de sus entidades, dentro de los plazos que señala la Ley del Instituto de pensiones del Estado de Jalisco.

Artículo 302. Se impondrán de tres a diez años de prisión a los funcionarios públicos de las entidades públicas patronales que no enteren las aportaciones que les correspondan, dentro de los plazos que señala la Ley del Instituto de Pensiones del Estado de Jalisco, salvo que exista convenio con el Instituto de Pensiones del Estado que les otorgue alguna prórroga o establezca un mecanismo de pago alterno.

Artículo 303. A quienes obtengan del Instituto de pensiones del Estado, mediante el engaño o el aprovechamiento del error, para sí o para otro, en efectivo o en especie, una o más prestaciones a las que no tengan derecho, así como a los servidores públicos de las entidades públicas patronales que participen con las afiliados, pensionados y beneficiarios en la obtención de dichas prestaciones, se les impondrán las siguientes penas:

I. De uno a tres años de prisión y multa por el importe de cincuenta a quinientas veces el valor diario de la Unidad de Medida y Actualización, cuando el valor de lo defraudado no exceda del importe de quinientas veces el valor diario de la Unidad de Medida y Actualización;

II. De dos a diez años de prisión y multa por el importe de doscientos a tres mil veces el valor diario de la Unidad de Medida y Actualización, cuando el valor de lo defraudado exceda de quinientas veces el valor diario de la Unidad de Medida y Actualización, pero no exceda de tres mil; y

III. De cuatro a quince años de prisión y multa por el importe de mil a diez mil veces el valor diario de la Unidad de Medida y Actualización, cuando el valor de lo defraudado exceda de tres mil veces el valor diario de la Unidad de Medida y Actualización.

Cuando se restituya la cosa o se repare el daño hasta antes de formular conclusiones en el proceso, sin importar el valor de lo defraudado, se aplicarán las sanciones de la fracción I.

Artículo 304. Se impondrán de dos a seis años de prisión a quien:

I. Proporcione o presente documentos falsos ante el Instituto de Pensiones del Estado, con la finalidad de obtener, en efectivo o en especie, una o más prestaciones que en derecho no le correspondan, sin importar si obtiene el beneficio pretendido; o

II. Mienta intencionalmente sobre su antigüedad de servicio o de cotización ante el Instituto de Pensiones del Estado o ante cualquier otra autoridad administrativa o judicial, con la finalidad de obtener un beneficio con ello.

TÍTULO VIGÉSIMO CUARTO
DE LA VIOLENCIA CONTRA LOS ANIMALES

CAPÍTULO ÚNICO
CRUELDAD CONTRA LOS ANIMALES

Artículo 305. Se impondrán de ocho a dieciocho meses y multa de setenta a ciento cincuenta veces el valor diario de Unidad de Medida y Actualización, y trabajo en libertad en beneficio de la comunidad, a quien de manera intencional realice actos de maltrato y crueldad sin que ponga en peligro su vida, causando lesiones a cualquier animal y que de manera evidente se refleje un menoscabo en la salud del animal, sin afectar de manera permanente el desenvolvimiento y las funciones propias del animal.

Se impondrán de doce meses a dos años de prisión, multa por el equivalente de doscientas a seiscientas veces el valor diario de la Unidad de Medida y Actualización, y trabajo en libertad en beneficio de la comunidad, a quien, con la intención de causar un daño a un animal, realice actos de maltrato y crueldad que lesionen de forma evidente y afecten de manera permanente las funciones físicas de un animal o que pongan en riesgo la vida de este.

Cuando el delito se cometa en perjuicio de los animales que se encuentren bajo su resguardo, la pena se agravará en una mitad y se asegurará a los animales maltratados. Para los efectos del presente Capítulo, se consideran actos de crueldad y maltrato en perjuicio de un animal los siguientes:

II. El acto u omisión que ocasione dolor, afectación al bienestar, o lesión;

III. La omisión de brindar la atención médico veterinaria cuando así lo requiera el animal;

IV. Provocar o inducir a los animales para que se ataquen entre ellos o a las personas; y

V. La privación de aire, luz, alimento, agua, abrigo o espacio acorde a su especie, que cause o pueda causar un daño al animal.

En los casos de reincidencia o en el abandono de animales en la vía pública o la desatención por periodos prolongados en propiedad privada que pueda comprometer su bienestar, se impondrá una pena de doce meses a cuatro años de prisión y multa por el equivalente de doscientas a seiscientas veces el valor diario de la Unidad de Medida y Actualización.

Artículo 306. A quien cometa actos de maltrato o crueldad en contra de animales que le provoque la muerte a un animal, se le impondrán de tres a cinco años de prisión, multa de doscientos a mil veces el valor diario de la Unidad de Medida y Actualización, y trabajo en libertad en beneficio de la comunidad, la inhabilitación profesional en caso de ejercer profesión relacionada con el cuidado animal, así como el aseguramiento de los animales que estén bajo su resguardo.

Artículo 306 Bis. A quien no utilice los métodos establecidos en las Normas Oficiales Mexicanas en la materia y, en su caso, aquellas aplicables para inducir a la brevedad a un animal a sacrificar para abasto de alimentos a un estado de inconsciencia, y como resultado prolongue la agonía o la muerte del animal sacrificado, se le impondrán de uno a cuatro años de prisión y multa de cuatrocientos a mil veces el valor diario de la Unidad de Medida y Actualización.

Además de las sanciones señaladas en el párrafo anterior, se le impondrá inhabilitación del empleo, cargo, profesión por un lapso de uno a tres años; asimismo, se le revocará la licencia, permiso o cualquier autorización para el sacrificio de animales de abasto de alimentos por el mismo lapso de tiempo. En caso de reincidencia, la inhabilitación y revocación serán definitivas.

Las sanciones previstas en este artículo solo serán aplicables tratándose de conductas que se realicen en rastros, unidades de sacrificio y demás establecimientos dedicados expresamente al sacrificio animal para consumo humano.

Artículo 306 Ter. Si el delito de maltrato animal es cometido en presencia deliberada de un menor de edad, o ejecutadas por un menor de edad y ordenado o consentido por una persona mayor de edad, la pena, incluidos sus agravantes, serán aplicados a los adultos involucrados en estos hechos.

Artículo 307. El Ministerio Público asegurará de oficio los instrumentos y efectos, objetos o productos del delito, correspondiendo a la autoridad competente determinar el destino de éstos, así como el pago de la reparación del daño y multas.

Para lo dispuesto en el presente Título se entenderá por animal cualquier especie de mamíferos no humanos, aves, reptiles, anfibios o peces.

Artículo 308. Quedan exceptuados de los delitos previstos en el presente Título los sacrificios humanitarios de animales, las corridas de toros, novillos, rejones, jaripeos, charreadas, carrera de caballos o perros, pesca o caza deportiva, las peleas de gallos, investigación científica y de enseñanza, tratamientos e intervenciones veterinarias, el sacrificio de animales de abasto siempre y cuando se apeguen a lo dispuesto en las leyes, reglamentos, normas oficiales vigentes y demás ordenamientos jurídicos aplicables, así como el combate de plagas y aquellos que cuenten con licencia municipal o de autoridad competente.

Será excluyente de los delitos contemplados en el presente capítulo cuando prevalezca un riesgo inminente en la integridad física de las personas o los que se originen por accidentes sin que medie la intención de causar un daño al animal.

TÍTULO VIGÉSIMO CUARTO (SIC)
DE LOS DELITOS CONTRA LA LIBERTAD DE EXPRESIÓN

CAPÍTULO ÚNICO

Artículo 309. A quien, de forma intencional y mediante actos concretos, obstaculice, impida o reprima la producción, publicación, distribución, circulación o difusión de algún medio de comunicación masiva, se le impondrán de seis meses a tres años de prisión y multa de cincuenta a doscientas veces el valor diario de la Unidad de Medida y Actualización.

TÍTULO VIGÉSIMO SEXTO
DE LOS DELITOS DE OPERACIONES CON RECURSOS DE PROCEDENCIA ILÍCITA

CAPÍTULO ÚNICO

Artículo 310. Se impondrá de cinco a quince años de prisión y multa de mil a cinco mil veces el valor diario de la Unidad de Medida y Actualización a quien, por sí o por interpósita persona, realice cualquiera de las siguientes conductas:

I. Adquiera, enajene, administre, custodie, posea, cambie, convierta, deposite, retire, dé o reciba por cualquier motivo invierta, traspase, transporte o transfiera dentro del Estado, recursos, derechos o bienes de cualquier naturaleza cuando tenga conocimiento de que proceden o representan el producto de una actividad ilícita; u

II. Oculte, encubra o pretenda ocultar o encubrir la naturaleza, origen, ubicación, destino, movimiento, propiedad o titularidad de recursos, derechos o bienes, cuando tenga conocimiento de que proceden o representan el producto de una actividad ilícita.

Se entenderá que son producto de una actividad ilícita los recursos, derechos o bienes de cualquier naturaleza, cuando;

a) Existan indicios fundados o certeza de que los recursos, derechos o bienes, provienen directa o indirectamente, o representan ganancias derivadas de la comisión de algún delito y no pueda acreditarse su legítima procedencia.

b) Se realicen actos u operaciones a nombre de un tercero, sin el consentimiento de éste y no se actualice la gestión de negocios ante la legislación aplicable.

Cuando la autoridad competente en el ejercicio de sus facultades, encuentren elementos que permitan presumir la comisión de alguno de los delitos referidos en este Capítulo, deberá ejercer respecto de los mismos las facultades de comprobación que le confieren las leyes y denunciar los hechos que probablemente puedan constituir un delito.

Artículo 311. Las penas previstas en el artículo anterior se aumentarán hasta una mitad cuando el que realice las conductas previstas en este Capítulo tenga el carácter de administrador, funcionario, empleado, apoderado, consejero o prestador de servicios de cualquier persona sujeta al régimen de prevención de operaciones con recursos de procedencia ilícita o las realice dentro de los dos años siguientes de haberse separado de alguno de dichos cargos.

Las penas previstas en este Capítulo se duplicarán si la conducta es cometida por servidores públicos encargados de prevenir, detectar, denunciar, investigar o juzgar la comisión de delitos o ejecutar las sanciones penales, así como a los ex servidores públicos encargados de tales funciones que cometan dicha conductas en los dos años posteriores a su terminación.

Además de las penas previstas en este capítulo se le impondrá inhabilitación para desempeñar empleo, cargo o comisión de conformidad con lo establecido en el artículo 144 de este Código. La inhabilitación iniciará a partir de que se haya cumplido la pena de prisión.

TRANSITORIOS

Artículo Primero. Este Código empezará a regir sesenta días después de su publicación.

Artículo Segundo. En esa misma fecha, queda abrogado el Código Penal del cinco de julio de mil novecientos treinta y tres, así como todas las demás leyes que se opongan a la presente; pero el Código abrogado deberá continuar aplicándose a los hechos ejecutados durante su vigencia, a menos que los responsables manifiesten su voluntad de acogerse al ordenamiento que estimen más favorable entre el presente Código y el que regía en la época de la perpetración del delito.

Artículo Tercero. Se derogan los preceptos de cualquiera otra ley que establezcan delitos previstos en este Código.

Artículo Cuarto. Quedan vigentes las disposiciones de carácter penal contenidas en leyes especiales, en todo lo no previsto en este Código.

Código Nacional de Procedimientos Penales

Nuevo Código publicado en el Diario Oficial de la Federación el 5 de marzo de 2014

Última reforma publicada DOF 28-11-2025

Al margen un sello con el Escudo Nacional, que dice: Estados Unidos Mexicanos.- Presidencia de la República.

ENRIQUE PEÑA NIETO, Presidente de los Estados Unidos Mexicanos, a sus habitantes sabed:

Que el Honorable Congreso de la Unión, se ha servido dirigirme el siguiente

DECRETO

"EL CONGRESO GENERAL DE LOS ESTADOS UNIDOS MEXICANOS, D E C R E T A:

SE EXPIDE EL CÓDIGO NACIONAL DE PROCEDIMIENTOS PENALES

Artículo Único.- Se expide el Código Nacional de Procedimientos Penales.

CÓDIGO NACIONAL DE PROCEDIMIENTOS PENALES

LIBRO PRIMERO
DISPOSICIONES GENERALES

TÍTULO I
DISPOSICIONES PRELIMINARES

CAPÍTULO ÚNICO
ÁMBITO DE APLICACIÓN Y OBJETO

Artículo 1o. Ámbito de aplicación

Las disposiciones de este Código son de orden público y de observancia general en toda la República Mexicana, por los delitos que sean competencia de los órganos jurisdiccionales federales y locales en el marco de los principios y derechos consagrados en la Constitución Política de los Estados Unidos Mexicanos y en los Tratados Internacionales de los que el Estado mexicano sea parte.

Artículo 2o. Objeto del Código

Este Código tiene por objeto establecer las normas que han de observarse en la investigación, el procesamiento y la sanción de los delitos, para esclarecer los hechos, proteger al inocente, procurar que el culpable no quede impune y que se repare el daño, y así contribuir a asegurar el acceso a la justicia en la aplicación del derecho y resolver el conflicto que surja con motivo de la comisión del delito, en un marco de respeto a los derechos humanos reconocidos en la Constitución y en los Tratados Internacionales de los que el Estado mexicano sea parte.

Artículo 3o. Glosario

Para los efectos de este Código, según corresponda, se entenderá por:

I. Asesor jurídico: Los asesores jurídicos de las víctimas, federales y de las Entidades federativas;

II. Código: El Código Nacional de Procedimientos Penales;

III. Consejo: El Consejo de la Judicatura Federal, los Consejos de las Judicaturas de las Entidades federativas o el órgano judicial, con funciones propias del Consejo o su equivalente, que realice las funciones de administración, vigilancia y disciplina;

IV. Constitución: La Constitución Política de los Estados Unidos Mexicanos;

V. Defensor: El defensor público federal, defensor público o de oficio de las Entidades federativas, o defensor particular;

VI. Entidades federativas: Las partes integrantes de la Federación a que se refiere el artículo 43 de la Constitución;

VII. Juez de control: El Órgano jurisdiccional del fuero federal o del fuero común que interviene desde el principio del procedimiento y hasta el dictado del auto de apertura a juicio, ya sea local o federal;

VIII. Ley Orgánica: La Ley Orgánica del Poder Judicial de la Federación o la Ley Orgánica del Poder Judicial de cada Entidad federativa;

IX. Ministerio Público: El Ministerio Público de la Federación o al Ministerio Público de las Entidades federativas;

X. Órgano jurisdiccional: El Juez de control, el Tribunal de enjuiciamiento o el Tribunal de alzada ya sea del fuero federal o común;

XI. Perspectiva de Género: Concepto que se refiere a la metodología y los mecanismos que permiten identificar, cuestionar y valorar la discriminación, desigualdad y exclusión de las mujeres, que se pretende justificar con base en las diferencias biológicas entre mujeres y hombres, así como las acciones que deben emprenderse para actuar sobre los factores de género y crear las condiciones de cambio que permitan avanzar en la construcción de la igualdad de género;

Fracción adicionada DOF 25-04-2023

XII. Policía: Los cuerpos de Policía especializados en la investigación de delitos del fuero federal o del fuero común, así como los cuerpos de seguridad pública de los fueros federal o común, que en el ámbito de sus respectivas competencias actúan todos bajo el mando y la conducción del Ministerio Público para efectos de la investigación, en términos de lo que disponen la Constitución, este Código y demás disposiciones aplicables;

Fracción recorrida DOF 25-04-2023

XIII. Procurador: El titular del Ministerio Público de la Federación o del Ministerio Público de las Entidades federativas o los Fiscales Generales en las Entidades federativas;

Fracción recorrida DOF 25-04-2023

XIV. Procuraduría: La Procuraduría General de la República, las Procuradurías Generales de Justicia y Fiscalías Generales de las Entidades federativas;

Fracción recorrida DOF 25-04-2023

XV. Tratados: Los Tratados Internacionales en los que el Estado mexicano sea parte;

Fracción recorrida DOF 25-04-2023

XVI. Tribunal de enjuiciamiento: El Órgano jurisdiccional del fuero federal o del fuero común integrado por uno o tres juzgadores, que interviene después del auto de apertura a juicio oral, hasta el dictado y explicación de sentencia, y

Fracción recorrida DOF 25-04-2023

XVII. Tribunal de alzada: El Órgano jurisdiccional integrado por uno o tres magistrados, que resuelve la apelación, federal o de las Entidades federativas.

Fracción recorrida DOF 25-04-2023

TÍTULO II
PRINCIPIOS Y DERECHOS EN EL PROCEDIMIENTO

CAPÍTULO I
PRINCIPIOS EN EL PROCEDIMIENTO

Artículo 4o. Características y principios rectores

El proceso penal será acusatorio y oral, en él se observarán los principios de publicidad, contradicción, concentración, continuidad e inmediación y aquellos previstos en la Constitución, Tratados y demás leyes.

Este Código y la legislación aplicable establecerán las excepciones a los principios antes señalados, de conformidad con lo previsto en la Constitución. En todo momento, las autoridades deberán respetar y proteger tanto la dignidad de la víctima como la dignidad del imputado.

Artículo 5o. Principio de publicidad

Las audiencias serán públicas, con el fin de que a ellas accedan no sólo las partes que intervienen en el procedimiento sino también el público en general, con las excepciones previstas en este Código.

Los periodistas y los medios de comunicación podrán acceder al lugar en el que se desarrolle la audiencia en los casos y condiciones que determine el Órgano jurisdiccional conforme a lo dispuesto por la Constitución, este Código y los acuerdos generales que emita el Consejo.

Artículo 6o. Principio de contradicción

Las partes podrán conocer, controvertir o confrontar los medios de prueba, así como oponerse a las peticiones y alegatos de la otra parte, salvo lo previsto en este Código.

Artículo 7o. Principio de continuidad

Las audiencias se llevarán a cabo de forma continua, sucesiva y secuencial, salvo los casos excepcionales previstos en este Código.

Artículo 8o. Principio de concentración

Las audiencias se desarrollarán preferentemente en un mismo día o en días consecutivos hasta su conclusión, en los términos previstos en este Código, salvo los casos excepcionales establecidos en este ordenamiento.

Asimismo, las partes podrán solicitar la acumulación de procesos distintos en aquellos supuestos previstos en este Código.

Artículo 9o. Principio de inmediación

Toda audiencia se desarrollará íntegramente en presencia del Órgano jurisdiccional, así como de las partes que deban de intervenir en la misma, con las excepciones previstas en este Código. En ningún caso, el Órgano jurisdiccional podrá delegar en persona alguna la admisión, el desahogo o la valoración de las pruebas, ni la emisión y explicación de la sentencia respectiva.

Artículo 10. Principio de igualdad ante la ley

Todas las personas que intervengan en el procedimiento penal recibirán el mismo trato y tendrán las mismas oportunidades para sostener la acusación o la defensa. No se admitirá discriminación motivada por origen étnico o nacional, género, edad, discapacidad, condición social, condición de salud, religión, opinión, preferencia sexual, estado civil o cualquier otra que atente contra la dignidad humana y tenga por objeto anular o menoscabar los derechos y las libertades de las personas.

Las autoridades velarán por que las personas en las condiciones o circunstancias señaladas en el párrafo anterior, sean atendidas a fin de garantizar la igualdad sobre la base de la equidad en el ejercicio de sus derechos. En el caso de las personas con discapacidad, deberán preverse ajustes razonables al procedimiento cuando se requiera.

Artículo 11. Principio de igualdad entre las partes

Se garantiza a las partes, en condiciones de igualdad, el pleno e irrestricto ejercicio de los derechos previstos en la Constitución, los Tratados y las leyes que de ellos emanen.

Artículo 12. Principio de juicio previo y debido proceso

Ninguna persona podrá ser condenada a una pena ni sometida a una medida de seguridad, sino en virtud de resolución dictada por un Órgano jurisdiccional previamente establecido, conforme a leyes expedidas con anterioridad al hecho, en un proceso sustanciado de manera imparcial y con apego estricto a los derechos humanos previstos en la Constitución, los Tratados y las leyes que de ellos emanen.

Artículo 13. Principio de presunción de inocencia

Toda persona se presume inocente y será tratada como tal en todas las etapas del procedimiento, mientras no se declare su responsabilidad mediante sentencia emitida por el Órgano jurisdiccional, en los términos señalados en este Código.

Artículo 14. Principio de prohibición de doble enjuiciamiento

La persona condenada, absuelta o cuyo proceso haya sido sobreseído, no podrá ser sometida a otro proceso penal por los mismos hechos.

CAPÍTULO II
DERECHOS EN EL PROCEDIMIENTO

Artículo 15. Derecho a la intimidad y a la privacidad

En todo procedimiento penal se respetará el derecho a la intimidad de cualquier persona que intervenga en él, asimismo se protegerá la información que se refiere a la vida privada y los datos personales, en los términos y con las excepciones que fijan la Constitución, este Código y la legislación aplicable.

Artículo 16. Justicia pronta

Toda persona tendrá derecho a ser juzgada dentro de los plazos legalmente establecidos. Los servidores públicos de las instituciones de procuración e impartición de justicia deberán atender las solicitudes de las partes con prontitud, sin causar dilaciones injustificadas.

Artículo 17. Derecho a una defensa y asesoría jurídica adecuada e inmediata

La defensa es un derecho fundamental e irrenunciable que asiste a todo imputado, no obstante, deberá ejercerlo siempre con la asistencia de su Defensor o a través de éste. El Defensor deberá ser licenciado en derecho o abogado titulado, con cédula profesional.

Se entenderá por una defensa técnica, la que debe realizar el Defensor particular que el imputado elija libremente o el Defensor público que le corresponda, para que le asista desde su detención y a lo largo de todo el procedimiento, sin perjuicio de los actos de defensa material que el propio imputado pueda llevar a cabo.

La víctima u ofendido tendrá derecho a contar con un Asesor jurídico gratuito en cualquier etapa del procedimiento, en los términos de la legislación aplicable.

Corresponde al Órgano jurisdiccional velar sin preferencias ni desigualdades por la defensa adecuada y técnica del imputado.

Artículo 18. Garantía de ser informado de sus derechos

Todas las autoridades que intervengan en los actos iniciales del procedimiento deberán velar porque tanto el imputado como la víctima u ofendido conozcan los derechos que le reconocen en ese momento procedimental la Constitución, los Tratados y las leyes que de ellos emanen, en los términos establecidos en el presente Código.

Artículo 19. Derecho al respeto a la libertad personal

Toda persona tiene derecho a que se respete su libertad personal, por lo que nadie podrá ser privado de la misma, sino en virtud de mandamiento dictado por la autoridad judicial o de conformidad con las demás causas y condiciones que autorizan la Constitución y este Código.

La autoridad judicial sólo podrá autorizar como medidas cautelares, o providencias precautorias restrictivas de la libertad, las que estén establecidas en este Código y en las leyes especiales. La prisión preventiva será de carácter excepcional y su aplicación se regirá en los términos previstos en este Código.

TÍTULO III
COMPETENCIA

CAPÍTULO I
GENERALIDADES

Artículo 20. Reglas de competencia

Para determinar la competencia territorial de los Órganos jurisdiccionales federales o locales, según corresponda, se observarán las siguientes reglas:

I. Los Órganos jurisdiccionales del fuero común tendrán competencia sobre los hechos punibles cometidos dentro de la circunscripción judicial en la que ejerzan sus funciones, conforme a la distribución y las disposiciones establecidas por su Ley Orgánica, o en su defecto, conforme a los acuerdos expedidos por el Consejo;

II. Cuando el hecho punible sea del orden federal, conocerán los Órganos jurisdiccionales federales;

III. Cuando el hecho punible sea del orden federal pero exista competencia concurrente, deberán conocer los Órganos jurisdiccionales del fuero común, en los términos que dispongan las leyes;

IV. En caso de concurso de delitos, el Ministerio Público de la Federación podrá conocer de los delitos del fuero común que tengan conexidad con delitos federales cuando lo considere conveniente, asimismo los Órganos jurisdiccionales federales, en su caso, tendrán competencia para juzgarlos. Para la aplicación de sanciones y medidas de seguridad en delitos del fuero común, se atenderá a la legislación de su fuero de origen. En tanto la Federación no ejerza dicha facultad, las autoridades estatales estarán obligadas a asumir su competencia en términos de la fracción primera de este artículo;

V. Cuando el hecho punible haya sido cometido en los límites de dos circunscripciones judiciales, será competente el Órgano jurisdiccional del fuero común o federal, según sea el caso, que haya prevenido en el conocimiento de la causa;

VI. Cuando el lugar de comisión del hecho punible sea desconocido, será competente el Órgano jurisdiccional del fuero común o federal, según sea el caso, de la circunscripción judicial dentro de cuyo territorio haya sido detenido el imputado, a menos que haya prevenido el Órgano jurisdiccional de la circunscripción judicial donde resida. Si, posteriormente, se descubre el lugar de comisión del hecho punible, continuará la causa el Órgano jurisdiccional de este último lugar;

VII. Cuando el hecho punible haya iniciado su ejecución en un lugar y consumado en otro, el conocimiento corresponderá al Órgano jurisdiccional de cualquiera de los dos lugares, y

VIII. Cuando el hecho punible haya comenzado su ejecución o sea cometido en territorio extranjero y se siga cometiendo o produzca sus efectos en territorio nacional, en términos de la legislación aplicable, será competencia del Órgano jurisdiccional federal.

Artículo 21. Facultad de atracción de los delitos cometidos contra la libertad de expresión

En los casos de delitos del fuero común cometidos contra algún periodista, persona o instalación, que dolosamente afecten, limiten o menoscaben el derecho a la información o las libertades de expresión o imprenta, el Ministerio Público de la Federación podrá ejercer la facultad de atracción para conocerlos y perseguirlos, y los Órganos jurisdiccionales federales tendrán, asimismo, competencia para juzgarlos. Esta facultad se ejercerá cuando se presente alguna de las siguientes circunstancias:

I. Existan indicios de que en el hecho constitutivo de delito haya participado algún servidor público de los órdenes estatal o municipal;

II. En la denuncia o querella u otro requisito equivalente, la víctima u ofendido hubiere señalado como probable autor o partícipe a algún servidor público de los órdenes estatal o municipal;

III. Se trate de delitos graves así calificados por este Código y legislación aplicable para prisión preventiva oficiosa;

IV. La vida o integridad física de la víctima u ofendido se encuentre en riesgo real;

V. Lo solicite la autoridad competente de la Entidad federativa de que se trate;

VI. Los hechos constitutivos de delito impacten de manera trascendente al ejercicio del derecho a la información o a las libertades de expresión o imprenta;

VII. En la Entidad federativa en la que se hubiere realizado el hecho constitutivo de delito o se hubieren manifestado sus resultados, existan circunstancias objetivas y generalizadas de riesgo para el ejercicio del derecho a la información o las libertades de expresión o imprenta;

VIII. El hecho constitutivo de delito trascienda el ámbito de una o más Entidades federativas, o

IX. Por sentencia o resolución de un órgano previsto en cualquier Tratado, se hubiere determinado la responsabilidad internacional del Estado mexicano por defecto u omisión en la investigación, persecución o enjuiciamiento de delitos contra periodistas, personas o instalaciones que afecten, limiten o menoscaben el derecho a la información o las libertades de expresión o imprenta.

En cualquiera de los supuestos anteriores, la víctima u ofendido podrá solicitar al Ministerio Público de la Federación el ejercicio de la facultad de atracción.

Artículo 22. Competencia por razón de seguridad

Será competente para conocer de un asunto un Órgano jurisdiccional distinto al del lugar de la comisión del delito, o al que resultare competente con motivo de las reglas antes señaladas, cuando atendiendo a las características del hecho investigado, por razones de seguridad en las prisiones o por otras que impidan garantizar el desarrollo adecuado del proceso.

Lo anterior es igualmente aplicable para los casos en que por las mismas razones la autoridad judicial, a petición de parte, estime necesario trasladar a un imputado a algún centro de reclusión de máxima seguridad, en el que será competente el Órgano jurisdiccional del lugar en que se ubique dicho centro.

Con el objeto de que los procesados por delitos federales puedan cumplir su medida cautelar en los centros penitenciarios más cercanos al lugar en el que se desarrolla su procedimiento, las entidades federativas deberán aceptar internarlos en los centros penitenciarios locales con el fin de llevar a cabo su debido proceso, salvo la regla prevista en el párrafo anterior y en los casos en que sean procedentes medidas especiales de seguridad no disponibles en dichos centros.

Párrafo reformado DOF 17-06-2016

Artículo 23. Competencia auxiliar

Cuando el Ministerio Público o el Órgano jurisdiccional actúe en auxilio de otra jurisdicción en la práctica de diligencias urgentes, debe resolver conforme a lo dispuesto en este Código.

Artículo 24. Autorización judicial para diligencias urgentes

El Juez de control que resulte competente para conocer de los actos o cualquier otra medida que requiera de control judicial previo, se pronunciará al respecto durante el procedimiento correspondiente; sin embargo, cuando estas actuaciones debieran efectuarse fuera de su jurisdicción y se tratare de diligencias que requieran atención urgente, el Ministerio Público podrá pedir la autorización directamente al Juez de control competente en aquel lugar; en este caso, una vez realizada la diligencia, el Ministerio Público lo informará al Juez de control competente en el procedimiento correspondiente.

CAPÍTULO II
INCOMPETENCIA

Artículo 25. Tipos o formas de incompetencia

La incompetencia puede decretarse por declinatoria o por inhibitoria.

La parte que opte por uno de estos medios no lo podrá abandonar y recurrir al otro, ni tampoco los podrá emplear simultánea ni sucesivamente, debiendo sujetarse al resultado del que se hubiere elegido.

La incompetencia procederá a petición del Ministerio Público, el imputado o su Defensor, la víctima u ofendido o su Asesor jurídico y será resuelta en audiencia con las formalidades previstas en este Código.

Artículo 26. Reglas de incompetencia

Para la decisión de la incompetencia se observarán las siguientes reglas:

I. Las que se susciten entre Órganos jurisdiccionales de la Federación se decidirán a favor del que haya prevenido, conforme a las reglas previstas en este Código y en la Ley Orgánica del Poder Judicial de la Federación y si hay dos o más competentes, a favor del que haya prevenido;

II. Las que se susciten entre los Órganos jurisdiccionales de una misma Entidad federativa se decidirán conforme a las reglas previstas en este Código y en la Ley Orgánica aplicable, y si hay dos o más competentes a favor del que haya prevenido, o

III. Las que se susciten entre la Federación y una o más Entidades federativas o entre dos o más Entidades federativas entre sí, se decidirán por el Poder Judicial Federal en los términos de su Ley Orgánica.

El Órgano jurisdiccional que resulte competente podrá confirmar, modificar, revocar, o en su caso reponer bajo su criterio y responsabilidad, cualquier tipo de acto procesal que estime pertinente conforme a lo previsto en este Código.

Dirimida la incompetencia, el imputado, en su caso, será puesto inmediatamente a disposición del Órgano jurisdiccional que resulte competente, así como los antecedentes que obren en poder del Órgano jurisdiccional incompetente.

Artículo 27. Procedencia de incompetencia por declinatoria

En cualquier etapa del procedimiento, salvo las excepciones previstas en este Código, el Órgano jurisdiccional que reconozca su incompetencia remitirá los registros correspondientes al que considere competente y, en su caso, pondrá también a su disposición al imputado.

La declinatoria se podrá promover por escrito, o de forma oral, en cualquiera de las audiencias ante el Órgano jurisdiccional que conozca del asunto hasta antes del auto de apertura a juicio, pidiéndole que se abstenga del conocimiento del mismo y que remita el caso y sus registros al que estime competente.

Si la incompetencia es del Órgano jurisdiccional deberá promoverse dentro del plazo de tres días siguientes a que surta sus efectos la notificación de la resolución que fije la fecha para la realización de la audiencia de juicio. En este supuesto, se promoverá ante el Juez de control que fijó la competencia del Tribunal de enjuiciamiento, sin perjuicio de ser declarada de oficio.

No se podrá promover la declinatoria en los casos previstos de competencia en razón de seguridad.

Artículo 28. Procedencia de incompetencia por inhibitoria

En cualquier etapa del procedimiento, la inhibitoria se tramitará a petición de cualquiera de las partes ante el Órgano jurisdiccional que crea competente para que se avoque al conocimiento del asunto; en caso de ser procedente, el Órgano jurisdiccional que reconozca su incompetencia remitirá los registros correspondientes al que se determine competente y, en su caso, pondrá también a su disposición al imputado.

La inhibitoria se podrá promover por escrito, o de forma oral, en audiencia ante el Juez de control que se considere debe conocer del asunto hasta antes de que se dicte auto de apertura a juicio.

Si la incompetencia es del Tribunal de enjuiciamiento, deberá promover la incompetencia dentro del plazo de tres días siguientes a que surta sus efectos la notificación de la resolución que fije la fecha para la realización de la audiencia de juicio. En este supuesto, se promoverá ante el Tribunal de enjuiciamiento que se considere debe conocer del asunto.

No se podrá promover la inhibitoria en los casos previstos de competencia en razón de seguridad.

Artículo 29. Actuaciones urgentes ante Juez de control incompetente

La competencia por declinatoria o inhibitoria no podrá resolverse sino hasta después de que se practiquen las actuaciones que no admitan demora como las providencias precautorias y, en caso de que exista detenido, cuando se haya resuelto sobre la legalidad de la detención, formulado la imputación, resuelto la procedencia de las medidas cautelares solicitadas y la vinculación a proceso.

El Juez de control incompetente por declinatoria o inhibitoria enviará de oficio los registros y en su caso, pondrá a disposición al imputado del Juez de control competente después de haber practicado las diligencias urgentes enunciadas en el párrafo anterior.

Si la autoridad judicial a quien se remitan las actuaciones no admite la competencia, devolverá los registros al declinante; si éste insiste en rechazarla, elevará las diligencias practicadas ante el Órgano jurisdiccional competente, de conformidad con lo que establezca la Ley Orgánica respectiva, con el propósito de que se pronuncie sobre quién deba conocer. Ningún Órgano jurisdiccional puede promover competencia a favor de su superior en grado.

CAPÍTULO III
ACUMULACIÓN Y SEPARACIÓN DE PROCESOS

Artículo 30. Causas de acumulación y conexidad

Para los efectos de este Código, habrá acumulación de procesos cuando:

I. Se trate de concurso de delitos;

II. Se investiguen delitos conexos;

III. En aquellos casos seguidos contra los autores o partícipes de un mismo delito, o

IV. Se investigue un mismo delito cometido en contra de diversas personas.

Se entenderá que existe conexidad de delitos cuando se hayan cometido simultáneamente por varias personas reunidas, o por varias personas en diversos tiempos y lugares en virtud de concierto entre ellas, o para procurarse los medios para cometer otro, para facilitar su ejecución, para consumarlo o para asegurar la impunidad.

Existe concurso real cuando con pluralidad de conductas se cometen varios delitos. Existe concurso ideal cuando con una sola conducta se cometen varios delitos. No existirá concurso cuando se trate de delito continuado en términos de la legislación aplicable. En estos casos se harán saber los elementos indispensables de cada clasificación jurídica y la clase de concurso correspondiente.

Artículo 31. Competencia en la acumulación

Cuando dos o más procesos sean susceptibles de acumulación, y se sigan por diverso Órgano jurisdiccional, será competente el que corresponda, de conformidad con las reglas generales previstas en este Código, ponderando en todo momento la competencia en razón de seguridad; en caso de que persista la duda, será competente el que conozca del delito cuya punibilidad sea mayor. Si los delitos establecen la misma punibilidad, la competencia será del que conozca de los actos procesales más antiguos, y si éstos comenzaron en la misma fecha, el que previno primero. Para efectos de este artículo, se entenderá que previno quien dictó la primera resolución del procedimiento.

Artículo 32. Término para decretar la acumulación

La acumulación podrá decretarse hasta antes de que se dicte el auto de apertura a juicio.

Artículo 33. Sustanciación de la acumulación

Promovida la acumulación, el Juez de control citará a las partes a una audiencia que deberá tener lugar dentro de los tres días siguientes, en la que podrán manifestarse y hacer las observaciones que estimen pertinentes respecto de la cuestión debatida y sin más trámite se resolverá en la misma lo que corresponda.

Artículo 34. Efectos de la acumulación

Si se resuelve la acumulación, el Juez de control solicitará la remisión de los registros, y en su caso, que se ponga a su disposición inmediatamente al imputado o imputados.

El Juez de control notificará a aquellos que tienen una medida cautelar diversa a la prisión preventiva la obligación de presentarse en un término perentorio ante él, así como a la víctima u ofendido.

Artículo 35. Separación de los procesos

Podrá ordenarse la separación de procesos cuando concurran las siguientes circunstancias:

I. Cuando la solicite una de las partes antes del auto de apertura al juicio, y

II. Cuando el Juez de control estime que de continuar la acumulación el proceso se demoraría.

La separación de procesos se promoverá en la misma forma que la acumulación. La separación se podrá promover hasta antes de la audiencia de juicio.

Decretada la separación de procesos, conocerá de cada asunto el Juez de control que conocía antes de haberse efectuado la acumulación. Si dicho juzgador es diverso del que decretó la separación de procesos, no podrá rehusarse a conocer del caso, sin perjuicio de que pueda suscitarse una cuestión de competencia.

La resolución del Juez de control que declare improcedente la separación de procesos, no admitirá recurso alguno.

CAPÍTULO IV
EXCUSAS, RECUSACIONES E IMPEDIMENTOS

Artículo 36. Excusa o recusación

Los jueces y magistrados deberán excusarse o podrán ser recusados para conocer de los asuntos en que intervengan por cualquiera de las causas de impedimento que se establecen en este Código, mismas que no podrán dispensarse por voluntad de las partes.

Artículo 37. Causas de impedimento

Son causas de impedimento de los jueces y magistrados:

I. Haber intervenido en el mismo procedimiento como Ministerio Público, Defensor, Asesor jurídico, denunciante o querellante, o haber ejercido la acción penal particular; haber actuado como perito, consultor técnico, testigo o tener interés directo en el procedimiento;

II. Ser cónyuge, concubina o concubinario, conviviente, tener parentesco en línea recta sin limitación de grado, en línea colateral por consanguinidad y por afinidad hasta el segundo grado con alguno de los interesados, o que éste cohabite o haya cohabitado con alguno de ellos;

III. Ser o haber sido tutor, curador, haber estado bajo tutela o curatela de alguna de las partes, ser o haber sido administrador de sus bienes por cualquier título;

IV. Cuando él, su cónyuge, concubina, concubinario, conviviente, o cualquiera de sus parientes en los grados que expresa la fracción II de este artículo, tenga un juicio pendiente iniciado con anterioridad con alguna de las partes;

V. Cuando él, su cónyuge, concubina, concubinario, conviviente, o cualquiera de sus parientes en los grados que expresa la fracción II de este artículo, sea acreedor, deudor, arrendador, arrendatario o fiador de alguna de las partes, o tengan alguna sociedad con éstos;

VI. Cuando antes de comenzar el procedimiento o durante éste, haya presentado él, su cónyuge, concubina, concubinario, conviviente o cualquiera de sus parientes en los grados que expresa la fracción II de este artículo, querella, denuncia, demanda o haya entablado cualquier acción legal en contra de alguna de las partes, o cuando antes de comenzar el procedimiento hubiera sido denunciado o acusado por alguna de ellas;

VII. Haber dado consejos o manifestado extrajudicialmente su opinión sobre el procedimiento o haber hecho promesas que impliquen parcialidad a favor o en contra de alguna de las partes;

VIII. Cuando él, su cónyuge, concubina, concubinario, conviviente o cualquiera de sus parientes en los grados que expresa la fracción II de este artículo, hubiera recibido o reciba beneficios de alguna de las partes o si, después de iniciado el procedimiento, hubiera recibido presentes o dádivas independientemente de cuál haya sido su valor, o

IX. Para el caso de los jueces del Tribunal de enjuiciamiento, haber fungido como Juez de control en el mismo procedimiento.

Artículo 38. Excusa

Cuando un Juez o Magistrado advierta que se actualiza alguna de las causas de impedimento, se declarará separado del asunto sin audiencia de las partes y remitirá los registros al Órgano jurisdiccional competente, de conformidad con lo que establezca la Ley Orgánica, para que resuelva quién debe seguir conociendo del mismo.

Artículo 39. Recusación

Cuando el Juez o Magistrado no se excuse a pesar de tener algún impedimento, procederá la recusación.

Artículo 40. Tiempo y forma de recusar

La recusación debe interponerse ante el propio Juez o Magistrado recusado, por escrito y dentro de las cuarenta y ocho horas siguientes a que se tuvo conocimiento del impedimento. Se interpondrá oralmente si se conoce en el curso de una audiencia y en ella se indicará, bajo pena de inadmisibilidad, la causa en que se justifica y los medios de prueba pertinentes.

Toda recusación que sea notoriamente improcedente o sea promovida de forma extemporánea será desechada de plano.

Artículo 41. Trámite de recusación

Interpuesta la recusación, el recusado remitirá el registro de lo actuado y los medios de prueba ofrecidos al Órgano jurisdiccional competente, de conformidad con lo que establezca la Ley Orgánica para que la califique.

Recibido el escrito, se pedirá informe al juzgador recusado, quien lo rendirá dentro del plazo de veinticuatro horas, señalándosele fecha y hora para realizar la audiencia dentro de los tres días siguientes a que se recibió el informe, misma que se celebrará con las partes que comparezcan, las que podrán hacer uso de la palabra sin que se admitan réplicas.

Concluido el debate, el Órgano jurisdiccional competente resolverá de inmediato sobre la legalidad de la causa de recusación que se hubiere señalado y, contra la misma, no habrá recurso alguno.

Artículo 42. Efectos de la recusación y excusa

El Juez o Magistrado recusado se abstendrá de seguir conociendo de la audiencia correspondiente, ordenará la suspensión de la misma y sólo podrá realizar aquellos actos de mero trámite o urgentes que no admitan dilación.

La sustitución del Juez o Magistrado se determinará en los términos que señale la Ley Orgánica.

Artículo 43. Impedimentos del Ministerio Público y de peritos

El Ministerio Público y los peritos deberán excusarse o podrán ser recusados por las mismas causas previstas para los jueces o magistrados.

La excusa o la recusación será resuelta por la autoridad que resulte competente de acuerdo con las disposiciones aplicables, previa realización de la investigación que se estime conveniente.

TÍTULO IV
ACTOS PROCEDIMENTALES

CAPÍTULO I
FORMALIDADES

Artículo 44. Oralidad de las actuaciones procesales

Las audiencias se desarrollarán de forma oral, pudiendo auxiliarse las partes con documentos o con cualquier otro medio. En la práctica de las actuaciones procesales se utilizarán los medios técnicos disponibles que permitan darle mayor agilidad, exactitud y autenticidad a las mismas, sin perjuicio de conservar registro de lo acontecido.

El Órgano jurisdiccional propiciará que las partes se abstengan de leer documentos completos o apuntes de sus actuaciones que demuestren falta de argumentación y desconocimiento del asunto. Sólo se podrán leer registros de la investigación para apoyo de memoria, así como para demostrar o superar contradicciones; la parte interesada en dar lectura a algún documento o registro, solicitará al juzgador que presida la audiencia, autorización para proceder a ello indicando específicamente el motivo de su solicitud conforme lo establece este artículo, sin que ello sea motivo de que se reemplace la argumentación oral.

Artículo 45. Idioma

Los actos procesales deberán realizarse en idioma español.

Cuando las personas no hablen o no entiendan el idioma español, deberá proveerse traductor o intérprete, y se les permitirá hacer uso de su propia lengua o idioma, al igual que las personas que tengan algún impedimento para darse a entender. En el caso de que el imputado no hable o entienda el idioma español deberá ser asistido por traductor o intérprete para comunicarse con su Defensor en las entrevistas que con él mantenga. El imputado podrá nombrar traductor o intérprete de su confianza, por su cuenta.

Si se trata de una persona con algún tipo de discapacidad, tiene derecho a que se le facilite un intérprete o aquellos medios tecnológicos que le permitan obtener de forma comprensible la información solicitada o, a falta de éstos, a alguien que sepa comunicarse con ella. En los actos de comunicación, los Órganos jurisdiccionales deberán tener certeza de que la persona con discapacidad ha sido informada de las decisiones judiciales que deba conocer y de que comprende su alcance. Para ello deberá utilizarse el medio que, según el caso, garantice que tal comprensión exista.

Cuando a solicitud fundada de la persona con discapacidad, o a juicio de la autoridad competente, sea necesario adoptar otras medidas para salvaguardar su derecho a ser debidamente asistida, la persona con discapacidad podrá recibir asistencia en materia de estenografía proyectada, en los términos de la ley de la materia, por un intérprete de lengua de señas o a través de cualquier otro medio que permita un entendimiento cabal de todas y cada una de las actuaciones.

Los medios de prueba cuyo contenido se encuentra en un idioma distinto al español deberán ser traducidos y, a fin de dar certeza jurídica sobre las manifestaciones del declarante, se dejará registro de su declaración en el idioma de origen.

En el caso de los miembros de pueblos o comunidades indígenas, se les nombrará intérprete que tenga conocimiento de su lengua y cultura, aun cuando hablen el español, si así lo solicitan.

El Órgano jurisdiccional garantizará el acceso a traductores e intérpretes que coadyuvarán en el proceso según se requiera.

Artículo 46. Declaraciones e interrogatorios con intérpretes y traductores

Las personas serán interrogadas en idioma español, mediante la asistencia de un traductor o intérprete. En ningún caso las partes o los testigos podrán ser intérpretes.

Artículo 47. Lugar de audiencias

El Órgano jurisdiccional celebrará las audiencias en la sala que corresponda, excepto si ello puede provocar una grave alteración del orden público, no garantiza la defensa de alguno de los intereses comprometidos en el procedimiento u obstaculiza seriamente su realización, en cuyo caso se celebrarán en el lugar que para tal efecto designe el Órgano jurisdiccional y bajo las medidas de seguridad que éste determine, de conformidad con lo que establezca la legislación aplicable.

Artículo 48. Tiempo

Los actos procesales podrán ser realizados en cualquier día y a cualquier hora, sin necesidad de previa habilitación. Se registrará el lugar, la hora y la fecha en que se cumplan. La omisión de estos datos no hará nulo el acto, salvo que no pueda determinarse, de acuerdo con los datos del registro u otros conexos, la fecha en que se realizó.

Artículo 49. Protesta

Dentro de cualquier audiencia y antes de que toda persona mayor de dieciocho años de edad inicie su declaración, con excepción del imputado, se le informará de las sanciones penales que la ley establece a los que se conducen con falsedad, se nieguen a declarar o a otorgar la protesta de ley; acto seguido se le tomará protesta de decir verdad.

A quienes tengan entre doce años de edad y menos de dieciocho, se les informará que deben conducirse con verdad en sus manifestaciones ante el Órgano jurisdiccional, lo que se hará en presencia de la persona que ejerza la patria potestad o tutela y asistencia legal pública o privada, y se les explicará que, de conducirse con falsedad, incurrirán en una conducta tipificada como delito en la ley penal y se harán acreedores a una medida de conformidad con las disposiciones aplicables.

A las personas menores de doce años de edad y a los imputados que deseen declarar se les exhortará para que se conduzcan con verdad.

Artículo 50. Acceso a las carpetas digitales

Las partes siempre tendrán acceso al contenido de las carpetas digitales consistente en los registros de las audiencias y complementarios. Dichos registros también podrán ser consultados por terceros cuando dieren cuenta de actuaciones que fueren públicas, salvo que durante el proceso el Órgano jurisdiccional restrinja el acceso para evitar que se afecte su normal sustanciación, el principio de presunción de inocencia o los derechos a la privacidad o a la intimidad de las partes, o bien, se encuentre expresamente prohibido en la ley de la materia.

El Órgano jurisdiccional autorizará la expedición de copias de los contenidos de las carpetas digitales o de la parte de ellos que le fueren solicitados por las partes.

Artículo 51. Utilización de medios electrónicos

Durante todo el proceso penal, se podrán utilizar los medios electrónicos en todas las actuaciones para facilitar su operación, incluyendo el informe policial; así como también podrán instrumentar, para la presentación de denuncias o querellas en línea que permitan su seguimiento.

Párrafo adicionado DOF 17-06-2016

La videoconferencia en tiempo real u otras formas de comunicación que se produzcan con nuevas tecnologías podrán ser utilizadas para la recepción y transmisión de medios de prueba y la realización de actos procesales, siempre y cuando se garantice previamente la identidad de los sujetos que intervengan en dicho acto.

CAPÍTULO II
AUDIENCIAS

Artículo 52. Disposiciones comunes

Los actos procedimentales que deban ser resueltos por el Órgano jurisdiccional se llevarán a cabo mediante audiencias, salvo los casos de excepción que prevea este Código. Las cuestiones debatidas en una audiencia deberán ser resueltas en ella.

Artículo 53. Disciplina en las audiencias

El orden en las audiencias estará a cargo del Órgano jurisdiccional. Toda persona que altere el orden en éstas podrá ser acreedora a una medida de apremio sin perjuicio de que se pueda solicitar su retiro de la sala de audiencias y su puesta a disposición de la autoridad competente.

Antes y durante las audiencias, el imputado tendrá derecho a comunicarse con su Defensor, pero no con el público. Si infringe esa disposición, el Órgano jurisdiccional podrá imponerle una medida de apremio.

Si alguna persona del público se comunica o intenta comunicarse con alguna de las partes, el Órgano jurisdiccional podrá ordenar que sea retirada de la audiencia e imponerle una medida de apremio.

Artículo 54. Identificación de declarantes

Previo a cualquier audiencia, se llevará a cabo la identificación de toda persona que vaya a declarar, para lo cual deberá proporcionar su nombre, apellidos, edad y domicilio. Dicho registro lo llevará a cabo el personal auxiliar de la sala, dejando constancia de la manifestación expresa de la voluntad del declarante de hacer públicos, o no, sus datos personales.

Artículo 55. Restricciones de acceso a las audiencias

El Órgano jurisdiccional podrá, por razones de orden o seguridad en el desarrollo de la audiencia, prohibir el ingreso a:

I. Personas armadas, salvo que cumplan funciones de vigilancia o custodia;

II. Personas que porten distintivos gremiales o partidarios;

III. Personas que porten objetos peligrosos o prohibidos o que no observen las disposiciones que se establezcan, o

IV. Cualquier otra que el Órgano jurisdiccional considere como inapropiada para el orden o seguridad en el desarrollo de la audiencia.

El Órgano jurisdiccional podrá limitar el ingreso del público a una cantidad determinada de personas, según la capacidad de la sala de audiencia, así como de conformidad con las disposiciones aplicables.

Los periodistas, o los medios de comunicación acreditados, deberán informar de su presencia al Órgano jurisdiccional con el objeto de ubicarlos en un lugar adecuado para tal fin y deberán abstenerse de grabar y transmitir por cualquier medio la audiencia.

Artículo 56. Presencia del imputado en las audiencias

Las audiencias se realizarán con la presencia ininterrumpida de quien o quienes integren el Órgano jurisdiccional y de las partes que intervienen en el proceso, salvo disposición en contrario. El imputado no podrá retirarse de la audiencia sin autorización del Órgano jurisdiccional.

El imputado asistirá a la audiencia libre en su persona y ocupará un asiento a lado de su defensor. Sólo en casos excepcionales podrán disponerse medidas de seguridad que impliquen su confinamiento en un cubículo aislado en la sala de audiencia, cuando ello sea una medida indispensable para salvaguardar la integridad física de los intervinientes en la audiencia.

Si el imputado se rehúsa a permanecer en la audiencia, será custodiado en una sala próxima, desde la que pueda seguir la audiencia, y representado para todos los efectos por su Defensor. Cuando sea necesario para el desarrollo de la audiencia, se le hará comparecer para la realización de actos particulares en los cuales su presencia resulte imprescindible.

Artículo 57. Ausencia de las partes

En el caso de que estuvieren asignados varios Defensores o varios Ministerios Públicos, la presencia de cualquiera de ellos bastará para celebrar la audiencia respectiva.

El Defensor no podrá renunciar a su cargo conferido ni durante las audiencias ni una vez notificado de ellas.

Si el Defensor no comparece a la audiencia, o se ausenta de la misma sin causa justificada, se considerará abandonada la defensa y se procederá a su reemplazo con la mayor prontitud por el Defensor público que le sea designado, salvo que el imputado designe de inmediato otro Defensor.

Si el Ministerio Público no comparece a la audiencia o se ausenta de la misma, se procederá a su remplazo dentro de la misma audiencia. Para tal efecto se notificará por cualquier medio a su superior jerárquico para que lo designe de inmediato.

El Ministerio Público sustituto o el nuevo Defensor podrán solicitar al Órgano jurisdiccional que aplace el inicio de la audiencia o suspenda la misma por un plazo que no podrá exceder de diez días para la adecuada preparación de su intervención en el juicio. El Órgano jurisdiccional resolverá considerando la complejidad del caso, las circunstancias de la ausencia de la defensa o del Ministerio Público y las posibilidades de aplazamiento.

En el caso de que el Defensor, Asesor jurídico o el Ministerio Público se ausenten de la audiencia sin causa justificada, se les impondrá una multa de diez a cincuenta días de salario mínimo vigente, sin perjuicio de las sanciones administrativas o penales que correspondan.

Si la víctima u ofendido no concurren, o se retiran de la audiencia, la misma continuará sin su presencia, sin perjuicio de que pueda ser citado a comparecer en calidad de testigo.

En caso de que la víctima u ofendido constituido como coadyuvante se ausente, o se retire de la audiencia intermedia o de juicio, se le tendrá por desistido de sus pretensiones.

Si el Asesor jurídico de la víctima u ofendido abandona su asesoría, o ésta es deficiente, el Órgano jurisdiccional le informará a la víctima u ofendido su derecho a nombrar a otro Asesor jurídico. Si la víctima u ofendido no quiere o no puede nombrar un Asesor jurídico, el Órgano jurisdiccional lo informará a la instancia correspondiente para efecto de que se designe a otro, y en caso de ausencia, y de manera excepcional, lo representará el Ministerio Público.

El Órgano jurisdiccional deberá imponer las medidas de apremio necesarias para garantizar que las partes comparezcan en juicio.

Artículo 58. Deberes de los asistentes

Quienes asistan a la audiencia deberán permanecer en la misma respetuosamente, en silencio y no podrán introducir instrumentos que permitan grabar imágenes de video, sonidos o gráficas. Tampoco podrán portar armas ni adoptar un comportamiento intimidatorio, provocativo, contrario al decoro, ni alterar o afectar el desarrollo de la audiencia.

Artículo 59. De los medios de apremio

Para asegurar el orden en las audiencias o restablecerlo cuando hubiere sido alterado, así como para garantizar la observancia de sus decisiones en audiencia, el Órgano jurisdiccional podrá aplicar indistintamente cualquiera de los medios de apremio establecidos en este Código.

Artículo 60. Hechos delictivos surgidos en audiencia

Si durante la audiencia se advierte que existen elementos que hagan presumir la existencia de un hecho delictivo distinto del que constituye la materia del procedimiento, el Órgano jurisdiccional lo hará del conocimiento del Ministerio Público competente y le remitirá el registro correspondiente.

Artículo 61. Registro de las audiencias

Todas las audiencias previstas en este Código serán registradas por cualquier medio tecnológico que tenga a su disposición el Órgano jurisdiccional.

La grabación o reproducción de imágenes o sonidos se considerará como parte de las actuaciones y registros y se conservarán en resguardo del Poder Judicial para efectos del conocimiento de otros órganos distintos que conozcan del mismo procedimiento y de las partes, garantizando siempre su conservación.

Artículo 62. Asistencia del imputado a las audiencias

Si el imputado se encuentra privado de su libertad, el Órgano jurisdiccional determinará las medidas especiales de seguridad o los mecanismos necesarios para garantizar el adecuado desarrollo de la audiencia: impedir la fuga o la realización de actos de violencia de parte del imputado o en su contra.

Si la persona está en libertad, asistirá a la audiencia el día y hora en que se determine; en caso de no presentarse, el Órgano jurisdiccional podrá imponerle un medio de apremio y en su caso, previa solicitud del Ministerio Público, ordenar su comparecencia.

Cuando el imputado haya sido vinculado a proceso, se encuentre en libertad, deje de asistir a una audiencia, el Ministerio Público solicitará al Órgano jurisdiccional la imposición de una medida cautelar o la modificación de la ya impuesta.

Artículo 63. Notificación en audiencia

Las resoluciones del Órgano jurisdiccional serán dictadas en forma oral, con expresión de sus fundamentos y motivaciones, quedando los intervinientes en ellas y quienes estaban obligados a asistir formalmente notificados de su emisión, lo que constará en el registro correspondiente en los términos previstos en este Código.

Artículo 64. Excepciones al principio de publicidad

El debate será público, pero el Órgano jurisdiccional podrá resolver excepcionalmente, aun de oficio, que se desarrolle total o parcialmente a puerta cerrada, cuando:

I. Pueda afectar la integridad de alguna de las partes, o de alguna persona citada para participar en él;

II. La seguridad pública o la seguridad nacional puedan verse gravemente afectadas;

III. Peligre un secreto oficial, particular, comercial o industrial, cuya revelación indebida sea punible;

IV. El Órgano jurisdiccional estime conveniente;

V. Se afecte el Interés Superior del Niño y de la Niña en términos de lo establecido por los Tratados y las leyes en la materia, o

VI. Esté previsto en este Código o en otra ley.

La resolución que decrete alguna de estas excepciones será fundada y motivada constando en el registro de la audiencia.

Artículo 65. Continuación de audiencia pública

Una vez desaparecida la causa de excepción prevista en el artículo anterior, se permitirá ingresar nuevamente al público y, el juzgador que presida la audiencia de juicio, informará brevemente sobre el resultado esencial de los actos desarrollados a puerta cerrada.

Artículo 66. Intervención en la audiencia

En las audiencias, el imputado podrá defenderse por sí mismo y deberá estar asistido por un licenciado en derecho o abogado titulado que haya elegido o se le haya designado como Defensor.

El Ministerio Público, el imputado o su Defensor, así como la víctima u ofendido y su Asesor jurídico, podrán intervenir y replicar cuantas veces y en el orden que lo autorice el Órgano jurisdiccional.

El imputado o su Defensor podrán hacer uso de la palabra en último lugar, por lo que el Órgano jurisdiccional que preside la audiencia preguntará siempre al imputado o su Defensor, antes de cerrar el debate o la audiencia misma, si quieren hacer uso de la palabra, concediéndosela en caso afirmativo.

CAPÍTULO III
RESOLUCIONES JUDICIALES

Artículo 67. Resoluciones judiciales

La autoridad judicial pronunciará sus resoluciones en forma de sentencias y autos. Dictará sentencia para decidir en definitiva y poner término al procedimiento y autos en todos los demás casos. Las resoluciones judiciales deberán mencionar a la autoridad que resuelve, el lugar y la fecha en que se dictaron y demás requisitos que este Código prevea para cada caso.

Los autos y resoluciones del Órgano jurisdiccional serán emitidos oralmente y surtirán sus efectos a más tardar al día siguiente. Deberán constar por escrito, después de su emisión oral, los siguientes:

I. Las que resuelven sobre providencias precautorias;

II. Las órdenes de aprehensión y comparecencia;

III. La de control de la detención;

IV. La de vinculación a proceso;

V. La de medidas cautelares;

VI. La de apertura a juicio;

VII. Las que versen sobre sentencias definitivas de los procesos especiales y de juicio;

VIII. Las de sobreseimiento, y

IX. Las que autorizan técnicas de investigación con control judicial previo.

En ningún caso, la resolución escrita deberá exceder el alcance de la emitida oralmente, surtirá sus efectos inmediatamente y deberá dictarse de forma inmediata a su emisión en forma oral, sin exceder de veinticuatro horas, salvo disposición que establezca otro plazo.

Las resoluciones de los tribunales colegiados se tomarán por mayoría de votos. En el caso de que un Juez o Magistrado no esté de acuerdo con la decisión adoptada por la mayoría, deberá emitir su voto particular y podrá hacerlo en la propia audiencia, expresando sucintamente su opinión y deberá formular dentro de los tres días siguientes la versión escrita de su voto para ser integrado al fallo mayoritario.

Artículo 68. Congruencia y contenido de autos y sentencias

Los autos y las sentencias deberán ser congruentes con la petición o acusación formulada y contendrán de manera concisa los antecedentes, los puntos a resolver y que estén debidamente fundados y motivados; deberán ser claros, concisos y evitarán formulismos innecesarios, privilegiando el esclarecimiento de los hechos.

Artículo 69. Aclaración

En cualquier momento, el Órgano jurisdiccional, de oficio o a petición de parte, podrá aclarar los términos oscuros, ambiguos o contradictorios en que estén emitidas las resoluciones judiciales, siempre que tales aclaraciones no impliquen una modificación o alteración del sentido de la resolución.

En la misma audiencia, después de dictada la resolución y hasta dentro de los tres días posteriores a la notificación, las partes podrán solicitar su aclaración, la cual, si procede, deberá efectuarse dentro de las veinticuatro horas siguientes. La solicitud suspenderá el término para interponer los recursos que procedan.

Artículo 70. Firma

Las resoluciones escritas serán firmadas por los jueces o magistrados. No invalidará la resolución el hecho de que el juzgador no la haya firmado oportunamente, siempre que la falta sea suplida y no exista ninguna duda sobre su participación en el acto que debió suscribir, sin perjuicio de la responsabilidad disciplinaria a que haya lugar.

Artículo 71. Copia auténtica

Se considera copia auténtica al documento o registro del original de las sentencias, o de otros actos procesales, que haya sido certificado por la autoridad autorizada para tal efecto.

Cuando, por cualquier causa se destruya, se pierda o sea sustraído el original de las sentencias o de otros actos procesales, la copia auténtica tendrá el valor de aquéllos. Para tal fin, el Órgano jurisdiccional ordenará a quien tenga la copia entregarla, sin perjuicio del derecho de obtener otra en forma gratuita cuando así lo solicite. La reposición del original de la sentencia o de otros actos procesales también podrá efectuarse utilizando los archivos informáticos o electrónicos del juzgado.

Cuando la sentencia conste en medios informáticos, electrónicos, magnéticos o producidos por nuevas tecnologías, la autenticación de la autorización del fallo por el Órgano jurisdiccional, se hará constar a través del medio o forma más adecuada, de acuerdo con el propio sistema utilizado.

Artículo 72. Restitución y renovación

Si no existe copia de las sentencias o de otros actos procesales el Órgano jurisdiccional ordenará que se repongan, para lo cual recibirá de las partes los datos y medios de prueba que evidencien su preexistencia y su contenido. Cuando esto sea imposible, ordenará la renovación de los mismos, señalando el modo de realizarla.

CAPÍTULO IV
COMUNICACIÓN ENTRE AUTORIDADES

Artículo 73. Regla general de la comunicación entre autoridades

El Órgano jurisdiccional o el Ministerio Público, de manera fundada y motivada, podrán solicitar el auxilio a otra autoridad para la práctica de un acto procedimental. Dicha solicitud podrá realizarse por cualquier medio que garantice su autenticidad. La autoridad requerida colaborará y tramitará sin demora los requerimientos que reciba.

Artículo 74. Colaboración procesal

Los actos de colaboración entre el Ministerio Público o la Policía con autoridades federales o de alguna Entidad federativa, se sujetarán a lo previsto en la Constitución, en el presente Código, así como a las disposiciones contenidas en otras normas y convenios de colaboración que se hayan emitido o suscrito de conformidad con ésta.

Artículo 75. Exhortos y requisitorias

Cuando tengan que practicarse actos procesales fuera del ámbito territorial del Órgano jurisdiccional que conozca del asunto, éste solicitará su cumplimiento por medio de exhorto, si la autoridad requerida es de la misma jerarquía que la requirente, o por medio de requisitoria, si ésta es inferior. La comunicación que deba hacerse a autoridades no judiciales se hará por cualquier medio de comunicación expedito y seguro que garantice su autenticidad, siendo aplicable en lo conducente lo previsto en el artículo siguiente.

Artículo 76. Empleo de los medios de comunicación

Para el envío de oficios, exhortos o requisitorias, el Órgano jurisdiccional, el Ministerio Público, o la Policía, podrán emplear cualquier medio de comunicación idóneo y ágil que ofrezca las condiciones razonables de seguridad, de autenticidad y de confirmación posterior en caso de ser necesario, debiendo expresarse, con toda claridad, la actuación que ha de practicarse, el nombre del imputado si fuere posible, el delito de que se trate, el número único de causa, así como el fundamento de la providencia y, en caso necesario, el aviso de que se mandará la información: el oficio de colaboración y el exhorto o requisitoria que ratifique el mensaje. La autoridad requirente deberá cerciorarse de que el requerido recibió la comunicación que se le dirigió y el receptor resolverá lo conducente, acreditando el origen de la petición y la urgencia de su atención.

Artículo 77. Plazo para el cumplimiento de exhortos y requisitorias

Los exhortos o requisitorias se proveerán dentro de las veinticuatro horas siguientes a su recepción y se despacharán dentro de los tres días siguientes, a no ser que las actuaciones que se hayan de practicar exijan necesariamente mayor tiempo, en cuyo caso, el Juez de control fijará el que crea conveniente y lo notificará al requirente, indicando las razones existentes para la ampliación. Si el Juez de control requerido estima que no es procedente la práctica del acto solicitado, lo hará saber al requirente dentro de las veinticuatro horas siguientes a la recepción de la solicitud, con indicación expresa de las razones que tenga para abstenerse de darle cumplimiento.

Si el Juez de control exhortado o requerido estimare que no debe cumplimentarse el acto solicitado, porque el asunto no resulta ser de su competencia o si tuviere dudas sobre su procedencia, podrá comunicarse con el Órgano jurisdiccional exhortante o requirente, oirá al Ministerio Público y resolverá dentro de los tres días siguientes, promoviendo, en su caso, la competencia respectiva.

Cuando se cumpla una orden de aprehensión, el exhortado o requerido pondrá al detenido, sin dilación alguna, a disposición del Órgano jurisdiccional que libró aquella. Si no fuere posible poner al detenido inmediatamente a disposición del exhortante o requirente, el requerido dará vista al Ministerio Público para que formule la imputación; se decidirá sobre las medidas cautelares que se le soliciten y resolverá su vinculación a proceso, remitirá las actuaciones y, en su caso, al detenido, al Órgano jurisdiccional que haya librado el exhorto dentro de las veinticuatro horas siguientes a la determinación de fondo que adopte.

Cuando un Juez de control no pueda dar cumplimiento al exhorto o requisitoria, por hallarse en otra jurisdicción la persona o las cosas que sean objeto de la diligencia, lo remitirá al Juez de control del lugar en que aquélla o éstas se encuentren, y lo hará saber al exhortante o requirente dentro de las veinticuatro horas siguientes. Si el Juez de control que recibe el exhorto o requisitoria del juzgador originalmente exhortado, resuelve desahogarlo, una vez hecho lo devolverá directamente al exhortante.

Las autoridades exhortadas o requeridas remitirán las diligencias o actos procesales practicados o requeridos por cualquier medio que garantice su autenticidad.

Artículo 78. Exhortos de tribunales extranjeros

Las solicitudes que provengan de tribunales extranjeros, deberán ser tramitadas de conformidad con el Título XI del presente Código.

Párrafo reformado DOF 17-06-2016

Toda solicitud que se reciba del extranjero en idioma distinto del español deberá acompañarse de su traducción.

Artículo 79. Exhortos internacionales que requieran homologación

Los exhortos internacionales que se reciban sólo requerirán homologación cuando implique ejecución coactiva sobre personas, bienes o derechos. Los exhortos relativos a notificaciones, recepción de pruebas y a otros asuntos de mero trámite se diligenciarán sin formar incidente.

Artículo 80. Actos procesales en el extranjero

Los exhortos que se remitan al extranjero serán comunicaciones oficiales escritas que contendrán la petición de realización de las actuaciones necesarias en el procedimiento en que se expidan. Dichas comunicaciones contendrán los datos e información necesaria, las constancias y demás anexos procedentes según sea el caso.

Los exhortos serán transmitidos al Órgano jurisdiccional requerido a través de los funcionarios consulares o agentes diplomáticos, o por la autoridad competente del Estado requirente o requerido según sea el caso.

Podrá encomendarse la práctica de diligencias en países extranjeros a los funcionarios consulares de la República por medio de oficio.

Artículo 81. Demora o rechazo de requerimientos

Cuando la cumplimentación de un requerimiento de cualquier naturaleza fuere demorada o rechazada injustificadamente, la autoridad requirente podrá dirigirse al superior jerárquico de la autoridad que deba cumplimentar dicho requerimiento a fin de que, de considerarlo procedente, ordene o gestione su tramitación inmediata.

CAPÍTULO V
NOTIFICACIONES Y CITACIONES

Artículo 82. Formas de notificación

Las notificaciones se practicarán personalmente, por lista, estrado o boletín judicial según corresponda y por edictos:

I. Personalmente podrán ser:

a) En Audiencia;

b) Por alguno de los medios tecnológicos señalados por el interesado o su representante legal;

c) En las instalaciones del Órgano jurisdiccional, o

d) En el domicilio que éste establezca para tal efecto. Las realizadas en domicilio se harán de conformidad con las reglas siguientes:

1) El notificador deberá cerciorarse de que se trata del domicilio señalado. Acto seguido, se requerirá la presencia del interesado o su representante legal. Una vez que cualquiera de ellos se haya identificado, le entregará copia del auto o la resolución que deba notificarse y recabará su firma, asentando los datos del documento oficial con el que se identifique. Asimismo, se deberán asentar en el acta de notificación, los datos de identificación del servidor público que la practique;

2) De no encontrarse el interesado o su representante legal en la primera notificación, el notificador dejará citatorio con cualquier persona que se encuentre en el domicilio, para que el interesado espere a una hora fija del día hábil siguiente. Si la persona a quien haya de notificarse no atendiere el citatorio, la notificación se entenderá con cualquier persona que se encuentre en el domicilio en que se realice la diligencia y, de negarse ésta a recibirla o en caso de encontrarse cerrado el domicilio, se realizará por instructivo que se fijará en un lugar visible del domicilio, y

3) En todos los casos deberá levantarse acta circunstanciada de la diligencia que se practique;

II. Lista, Estrado o Boletín Judicial según corresponda, y

III. Por edictos, cuando se desconozca la identidad o domicilio del interesado, en cuyo caso se publicará por una sola ocasión en el medio de publicación oficial de la Federación o de las Entidades federativas y en un periódico de circulación nacional, los cuales deberán contener un resumen de la resolución que deba notificarse.

Las notificaciones previstas en la fracción I de este artículo surtirán efectos al día siguiente en que hubieren sido practicadas y las efectuadas en las fracciones II y III surtirán efectos el día siguiente de su publicación.

Artículo 83. Medios de notificación

Los actos que requieran una intervención de las partes se podrán notificar mediante fax y correo electrónico, debiendo imprimirse copia de envío y recibido, y agregarse al registro, o bien se guardará en el sistema electrónico existente para tal efecto; asimismo, podrá notificarse a las partes por teléfono o cualquier otro medio, de conformidad con las disposiciones previstas en las leyes orgánicas o, en su caso, los acuerdos emitidos por los órganos competentes, debiendo dejarse constancia de ello.

El uso de los medios a que hace referencia este artículo, deberá asegurar que las notificaciones se hagan en el tiempo establecido y se transmita con claridad, precisión y en forma completa el contenido de la resolución o de la diligencia ordenada.

En la notificación de las resoluciones judiciales se podrá aceptar el uso de la firma digital.

Artículo 84. Regla general sobre notificaciones

Las resoluciones deberán notificarse personalmente a quien corresponda, dentro de las veinticuatro horas siguientes a que se hayan dictado. Se tendrán por notificadas las personas que se presenten a la audiencia donde se dicte la resolución o se desahoguen las respectivas diligencias.

Cuando la notificación deba hacerse a una persona con discapacidad o cualquier otra circunstancia que le impida comprender el alcance de la notificación, deberá realizarse en los términos establecidos en el presente Código.

Artículo 85. Lugar para las notificaciones

Al comparecer en el procedimiento, las partes deberán señalar domicilio dentro del lugar en donde éste se sustancie y en su caso, manifestarse sobre la forma más conveniente para ser notificados conforme a los medios establecidos en este Código.

El Ministerio Público, Defensor y Asesor jurídico, cuando éstos últimos sean públicos, serán notificados en sus respectivas oficinas, siempre que éstas se encuentren dentro de la jurisdicción del Órgano jurisdiccional que ordene la notificación, salvo que hayan presentado solicitud de ser notificadas por fax, por correo electrónico, por teléfono o por cualquier otro medio. En caso de que las oficinas se encuentren fuera de la jurisdicción, deberán señalar domicilio dentro de dicha jurisdicción.

Si el imputado estuviere detenido, será notificado en el lugar de su detención.

Las partes que no señalaren domicilio o el medio para ser notificadas o no informen de su cambio, serán notificadas de conformidad con lo señalado en la fracción II del artículo 82 de este Código.

Artículo 86. Notificaciones a Defensores o Asesores jurídicos

Cuando se designe Defensor o Asesor jurídico y éstos sean particulares, las notificaciones deberán ser dirigidas a éstos, sin perjuicio de notificar al imputado y a la víctima u ofendido, según sea el caso, cuando la ley o la naturaleza del acto así lo exijan.

Cuando el imputado tenga varios Defensores, deberá notificarse al representante común, en caso de que lo hubiere, sin perjuicio de que otros acudan a la oficina del Ministerio Público o del Órgano jurisdiccional para ser notificados. La misma disposición se aplicará a los Asesores jurídicos.

Artículo 87. Forma especial de notificación

La notificación realizada por medios electrónicos surtirá efecto el mismo día a aquel en que por sistema se confirme que recibió el archivo electrónico correspondiente.

Asimismo, podrá notificarse mediante otros sistemas autorizados en la ley de la materia, siempre que no causen indefensión. También podrá notificarse por correo certificado y el plazo correrá a partir del día siguiente hábil en que fue recibida la notificación.

Artículo 88. Nulidad de la notificación

La notificación podrá ser nula cuando cause indefensión y no se cumplan las formalidades previstas en el presente Código.

Artículo 89. Validez de la notificación

Si a pesar de no haberse hecho la notificación en la forma prevista en este ordenamiento, la persona que deba ser notificada se muestra sabedora de la misma, ésta surtirá efectos legales.

Artículo 90. Citación

Toda persona está obligada a presentarse ante el Órgano jurisdiccional o ante el Ministerio Público, cuando sea citada. Quedan exceptuados de esa obligación el Presidente de la República y los servidores públicos a que se refieren los párrafos primero y quinto del artículo 111 de la Constitución, el Consejero Jurídico del Ejecutivo, los magistrados y jueces y las personas imposibilitadas físicamente ya sea por su edad, por enfermedad grave o alguna otra que dificulte su comparecencia.

Cuando haya que examinar a los servidores públicos o a las personas señaladas en el párrafo anterior, el Órgano jurisdiccional dispondrá que dicho testimonio sea desahogado en el juicio por sistemas de reproducción a distancia de imágenes y sonidos o cualquier otro medio que permita su trasmisión, en sesión privada.

La citación a quien desempeñe un empleo, cargo o comisión en el servicio público, distintos a los señalados en este artículo, se hará por conducto del superior jerárquico respectivo, a menos que para garantizar el éxito de la comparecencia se requiera que la citación se realice en forma distinta.

En el caso de cualquier persona que se haya desempeñado como servidor público y no sea posible su localización, el Órgano jurisdiccional solicitará a la institución donde haya prestado sus servicios la información del domicilio, número telefónico, y en su caso, los datos necesarios para su localización, a efecto de que comparezca a la audiencia respectiva.

Artículo 91. Forma de realizar las citaciones

Cuando sea necesaria la presencia de una persona para la realización de un acto procesal, la autoridad que conoce del asunto deberá ordenar su citación mediante oficio, correo certificado o telegrama con aviso de entrega en el domicilio proporcionado, cuando menos con cuarenta y ocho horas de anticipación a la celebración del acto.

También podrá citarse por teléfono al testigo o perito que haya manifestado expresamente su voluntad para que se le cite por este medio, siempre que haya proporcionado su número, sin perjuicio de que si no es posible realizar tal citación, se pueda realizar por alguno de los otros medios señalados en este Capítulo.

En caso de que las partes ofrezcan como prueba a un testigo o perito, deberán presentarlo el día y hora señalados, salvo que soliciten al Órgano jurisdiccional que por su conducto sea citado en virtud de que se encuentran imposibilitados para su comparecencia debido a la naturaleza de las circunstancias.

En caso de que las partes, estando obligadas a presentar a sus testigos o peritos, no cumplan con dicha comparecencia, se les tendrá por desistidos de la prueba, a menos que justifiquen la imposibilidad que se tuvo para presentarlos, dentro de las veinticuatro horas siguientes a la fecha fijada para la comparecencia de sus testigos o peritos.

La citación deberá contener:

I. La autoridad y el domicilio ante la que deberá presentarse;

II. El día y hora en que debe comparecer;

III. El objeto de la misma;

IV. El procedimiento del que se deriva;

V. La firma de la autoridad que la ordena, y

VI. El apercibimiento de la imposición de un medio de apremio en caso de incumplimiento.

Artículo 92. Citación al imputado

Siempre que sea requerida la presencia del imputado para realizar un acto procesal por el Órgano jurisdiccional, según corresponda, lo citará junto con su Defensor a comparecer.

La citación deberá contener, además de los requisitos señalados en el artículo anterior, el domicilio, el número telefónico y en su caso, los datos necesarios para comunicarse con la autoridad que ordene la citación.

Artículo 93. Comunicación de actuaciones del Ministerio Público

Cuando en el curso de una investigación el Ministerio Público deba comunicar alguna actuación a una persona, podrá hacerlo por cualquier medio que garantice la recepción del mensaje. Serán aplicables, en lo que corresponda, las disposiciones de este Código.

CAPÍTULO VI
PLAZOS

Artículo 94. Reglas generales

Los actos procedimentales serán cumplidos en los plazos establecidos, en los términos que este Código autorice.

Los plazos sujetos al arbitrio judicial serán determinados conforme a la naturaleza del procedimiento y a la importancia de la actividad que se deba de desarrollar, teniendo en cuenta los derechos de las partes.

No se computarán los días sábados, los domingos ni los días que sean determinados inhábiles por los ordenamientos legales aplicables, salvo que se trate de los actos relativos a providencias precautorias, puesta del imputado a disposición del Órgano jurisdiccional, resolver la legalidad de la detención, formulación de la imputación, resolver sobre la procedencia de las medidas cautelares en su caso y decidir sobre la procedencia de su vinculación a proceso, para tal efecto todos los días se computarán como hábiles.

Con la salvedad de la excepción prevista en el párrafo anterior, los demás plazos que venzan en día inhábil, se tendrán por prorrogados hasta el día hábil siguiente.

Los plazos establecidos en horas correrán de momento a momento y los establecidos en días a partir del día en que surte efectos la notificación.

Artículo 95. Renuncia o abreviación

Las partes en cuyo favor se haya establecido un plazo podrán renunciar a él o consentir su abreviación mediante manifestación expresa. En caso de que el plazo sea común para las partes, para proceder en los mismos términos, todos los interesados deberán expresar su voluntad en el mismo sentido.

Cuando sea el Ministerio Público el que renuncie a un plazo o consienta en su abreviación, deberá oírse a la víctima u ofendido para que manifieste lo que a su interés convenga.

Artículo 96. Reposición del plazo

La parte que no haya podido observar un plazo por causa no atribuible a él, podrá solicitar de manera fundada y motivada su reposición total o parcial, con el fin de realizar el acto omitido o ejercer la facultad concedida por la ley, dentro de las veinticuatro horas siguientes a aquel en que el perjudicado tenga conocimiento fehaciente del acto cuya reposición del plazo se pretenda. El Órgano jurisdiccional podrá ordenar la reposición una vez que haya escuchado a las partes.

CAPÍTULO VII
NULIDAD DE ACTOS PROCEDIMENTALES

Artículo 97. Principio general

Cualquier acto realizado con violación de derechos humanos será nulo y no podrá ser saneado, ni convalidado y su nulidad deberá ser declarada de oficio por el Órgano jurisdiccional al momento de advertirla o a petición de parte en cualquier momento.

Los actos ejecutados en contravención de las formalidades previstas en este Código podrán ser declarados nulos, salvo que el defecto haya sido saneado o convalidado, de acuerdo con lo señalado en el presente Capítulo.

Artículo 98. Solicitud de declaración de nulidad sobre actos ejecutados en contravención de las formalidades

La solicitud de declaración de nulidad deberá estar fundada y motivada y presentarse por escrito dentro de los dos días siguientes a aquel en que el perjudicado tenga conocimiento fehaciente del acto cuya invalidación se pretenda. Si el vicio se produjo en una actuación realizada en audiencia y el afectado estuvo presente, deberá presentarse verbalmente antes del término de la misma audiencia.

En caso de que el acto declarado nulo se encuentre en los supuestos establecidos en la parte final del artículo 101 de este Código, se ordenará su reposición.

Artículo 99. Saneamiento

Los actos ejecutados con inobservancia de las formalidades previstas en este Código podrán ser saneados, reponiendo el acto, rectificando el error o realizando el acto omitido a petición del interesado.

La autoridad judicial que constate un defecto formal saneable en cualquiera de sus actuaciones, lo comunicará al interesado y le otorgará un plazo para corregirlo, el cual no será mayor de tres días. Si el acto no quedare saneado en dicho plazo, el Órgano jurisdiccional resolverá lo conducente.

La autoridad judicial podrá corregir en cualquier momento de oficio, o a petición de parte, los errores puramente formales contenidos en sus actuaciones o resoluciones, respetando siempre los derechos y garantías de los intervinientes.

Se entenderá que el acto se ha saneado cuando, no obstante la irregularidad, ha conseguido su fin respecto de todos los interesados.

Artículo 100. Convalidación

Los actos ejecutados con inobservancia de las formalidades previstas en este Código que afectan al Ministerio Público, la víctima u ofendido o el imputado, quedarán convalidados cuando:

Párrafo reformado DOF 17-06-2016

I. Las partes hayan aceptado, expresa o tácitamente, los efectos del acto;

II. Ninguna de las partes hayan solicitado su saneamiento en los términos previstos en este Código, o

Fracción reformada DOF 17-06-2016

III. Dentro de las veinticuatro horas siguientes de haberse realizado el acto, la parte que no hubiere estado presente o participado en él no solicita su saneamiento. En caso de que por las especiales circunstancias del caso no hubiera sido posible advertir en forma oportuna el defecto en la realización del acto procesal, el interesado deberá solicitar en forma justificada el saneamiento del acto, dentro de las veinticuatro horas siguientes a que haya tenido conocimiento del mismo.

Lo anterior, siempre y cuando no se afecten derechos fundamentales del imputado o la víctima u ofendido.

Párrafo reformado DOF 17-06-2016

Artículo 101. Declaración de nulidad

Cuando haya sido imposible sanear o convalidar un acto, en cualquier momento el Órgano jurisdiccional, a petición de parte, en forma fundada y motivada, deberá declarar su nulidad, señalando en su resolución los efectos de la declaratoria de nulidad, debiendo especificar los actos a los que alcanza la nulidad por su relación con el acto anulado. El Tribunal de enjuiciamiento no podrá declarar la nulidad de actos realizados en las etapas previas al juicio, salvo las excepciones previstas en este Código.

Para decretar la nulidad de un acto y disponer su reposición, no basta la simple infracción de la norma, sino que se requiere, además, que:

I. Se haya ocasionado una afectación real a alguna de las partes, y

II. Que la reposición resulte esencial para garantizar el cumplimiento de los derechos o los intereses del sujeto afectado.

Artículo 102. Sujetos legitimados

Sólo podrá solicitar la declaración de nulidad el interviniente perjudicado por un vicio en el procedimiento, siempre que no hubiere contribuido a causarlo.

CAPÍTULO VIII
GASTOS DE PRODUCCIÓN DE PRUEBA

Artículo 103. Gastos de producción de prueba

Tratándose de la prueba pericial, el Órgano jurisdiccional ordenará, a petición de parte, la designación de peritos de instituciones públicas, las que estarán obligadas a practicar el peritaje correspondiente, siempre que no exista impedimento material para ello.

CAPÍTULO IX
MEDIOS DE APREMIO

Artículo 104. Imposición de medios de apremio

El Órgano jurisdiccional y el Ministerio Público podrán disponer de los siguientes medios de apremio para el cumplimiento de los actos que ordenen en el ejercicio de sus funciones:

I. El Ministerio Público contará con las siguientes medidas de apremio:

a) Amonestación;

b) Multa de veinte a mil días de salario mínimo vigente en el momento y lugar en que se cometa la falta que amerite una medida de apremio. Tratándose de jornaleros, obreros y trabajadores que perciban salario mínimo, la multa no deberá exceder de un día de salario y tratándose de trabajadores no asalariados, de un día de su ingreso;

c) Auxilio de la fuerza pública, o

d) Arresto hasta por treinta y seis horas;

II. El Órgano jurisdiccional contará con las siguientes medidas de apremio:

a) Amonestación;

b) Multa de veinte a cinco mil días de salario mínimo vigente en el momento y lugar en que se cometa la falta que amerite una medida de apremio. Tratándose de jornaleros, obreros y trabajadores que perciban salario mínimo, la multa no deberá exceder de un día de salario y tratándose de trabajadores no asalariados, de un día de su ingreso;

c) Auxilio de la fuerza pública, o

d) Arresto hasta por treinta y seis horas.

El Órgano jurisdiccional también podrá ordenar la expulsión de las personas de las instalaciones donde se lleve a cabo la diligencia.

La resolución que determine la imposición de medidas de apremio deberá estar fundada y motivada.

La imposición del arresto sólo será procedente cuando haya mediado apercibimiento del mismo y éste sea debidamente notificado a la parte afectada.

El Órgano jurisdiccional y el Ministerio Público podrán dar vista a las autoridades competentes para que se determinen las responsabilidades que en su caso procedan en los términos de la legislación aplicable.

TÍTULO V
SUJETOS DEL PROCEDIMIENTO Y SUS AUXILIARES

CAPÍTULO I
DISPOSICIONES COMUNES

Artículo 105. Sujetos de procedimiento penal

Son sujetos del procedimiento penal los siguientes:

I. La víctima u ofendido;

II. El Asesor jurídico;

III. El imputado;

IV. El Defensor;

V. El Ministerio Público;

VI. La Policía;

VII. El Órgano jurisdiccional, y

VIII. La autoridad de supervisión de medidas cautelares y de la suspensión condicional del proceso.

Los sujetos del procedimiento que tendrán la calidad de parte en los procedimientos previstos en este Código, son el imputado y su Defensor, el Ministerio Público, la víctima u ofendido y su Asesor jurídico.

Artículo 106. Reserva sobre la identidad

En ningún caso se podrá hacer referencia o comunicar a terceros no legitimados la información confidencial relativa a los datos personales de los sujetos del procedimiento penal o de cualquier persona relacionada o mencionada en éste.

Toda violación al deber de reserva por parte de los servidores públicos, será sancionada por la legislación aplicable.

En los casos de personas sustraídas de la acción de la justicia, se admitirá la publicación de los datos que permitan la identificación del imputado para ejecutar la orden judicial de aprehensión o de comparecencia.

Artículo 107. Probidad

Los sujetos del procedimiento que intervengan en calidad de parte, deberán conducirse con probidad, evitando los planteamientos dilatorios de carácter formal o cualquier abuso en el ejercicio de las facultades o derechos que este Código les concede.

El Órgano jurisdiccional procurará que en todo momento se respete la regularidad del procedimiento, el ejercicio de las facultades o derechos en términos de ley y la buena fé.

CAPÍTULO II
VÍCTIMA U OFENDIDO

Artículo 108. Víctima u ofendido

Para los efectos de este Código, se considera víctima del delito al sujeto pasivo que resiente directamente sobre su persona la afectación producida por la conducta delictiva. Asimismo, se considerará ofendido a la persona física o moral titular del bien jurídico lesionado o puesto en peligro por la acción u omisión prevista en la ley penal como delito.

En los delitos cuya consecuencia fuera la muerte de la víctima o en el caso en que ésta no pudiera ejercer personalmente los derechos que este Código le otorga, se considerarán como ofendidos, en el siguiente orden, el o la cónyuge, la concubina o concubinario, el conviviente, los parientes por consanguinidad en la línea recta ascendente o descendente sin limitación de grado, por afinidad y civil, o cualquier otra persona que tenga relación afectiva con la víctima.

La víctima u ofendido, en términos de la Constitución y demás ordenamientos aplicables, tendrá todos los derechos y prerrogativas que en éstas se le reconocen.

Artículo 109. Derechos de la víctima u ofendido

En los procedimientos previstos en este Código, la víctima u ofendido tendrán los siguientes derechos:

I. A ser informado de los derechos que en su favor le reconoce la Constitución;

II. A que el Ministerio Público y sus auxiliares así como el Órgano jurisdiccional les faciliten el acceso a la justicia y les presten los servicios que constitucionalmente tienen encomendados con legalidad, honradez, lealtad, imparcialidad, profesionalismo, eficiencia, perspectiva de género y eficacia y con la debida diligencia;

Fracción reformada DOF 25-04-2023

III. A contar con información sobre los derechos que en su beneficio existan, como ser atendidos por personal del mismo sexo, o del sexo que la víctima elija, cuando así lo requieran y recibir desde la comisión del delito atención médica y psicológica de urgencia, así como asistencia jurídica a través de un Asesor jurídico;

IV. A comunicarse, inmediatamente después de haberse cometido el delito con un familiar, e incluso con su Asesor jurídico;

V. A ser informado, cuando así lo solicite, del desarrollo del procedimiento penal por su Asesor jurídico, el Ministerio Público y/o, en su caso, por el Juez o Tribunal;

VI. A ser tratado con respeto y dignidad;

VII. A contar con un Asesor jurídico gratuito en cualquier etapa del procedimiento, en los términos de la legislación aplicable;

VIII. A recibir trato sin discriminación a fin de evitar que se atente contra la dignidad humana y se anulen o menoscaben sus derechos y libertades, por lo que la protección de sus derechos se hará sin distinción alguna;

IX. A acceder a la justicia de manera pronta, gratuita e imparcial respecto de sus denuncias o querellas;

X. A participar en los mecanismos alternativos de solución de controversias;

XI. A recibir gratuitamente la asistencia de un intérprete o traductor desde la denuncia hasta la conclusión del procedimiento penal, cuando la víctima u ofendido pertenezca a un grupo étnico o pueblo indígena o no conozca o no comprenda el idioma español;

XII. En caso de tener alguna discapacidad, a que se realicen los ajustes al procedimiento penal que sean necesarios para salvaguardar sus derechos.

De igual forma, se adaptarán las condiciones que sean necesarias para garantizar el acceso de las personas adultas mayores, cuando así lo requieran;

Fracción reformada DOF 03-01-2024

XIII. A que se le proporcione asistencia migratoria cuando tenga otra nacionalidad;

XIV. A que se le reciban todos los datos o elementos de prueba pertinentes con los que cuente, tanto en la investigación como en el proceso, a que se desahoguen las diligencias correspondientes, y a intervenir en el juicio e interponer los recursos en los términos que establece este Código;

XV. A intervenir en todo el procedimiento por sí o a través de su Asesor jurídico, conforme lo dispuesto en este Código;

XVI. A que se le provea protección cuando exista riesgo para su vida o integridad personal;

XVII. A solicitar la realización de actos de investigación que en su caso correspondan, salvo que el Ministerio Público considere que no es necesario, debiendo fundar y motivar su negativa;

XVIII. A recibir atención médica y psicológica o a ser canalizado a instituciones que le proporcionen estos servicios, así como a recibir protección especial de su integridad física y psíquica cuando así lo solicite, o cuando se trate de delitos que así lo requieran;

XIX. A solicitar medidas de protección, providencias precautorias y medidas cautelares;

XX. A solicitar el traslado de la autoridad al lugar en donde se encuentre, para ser interrogada o participar en el acto para el cual fue citada, cuando por su edad, enfermedad grave o por alguna otra imposibilidad física o psicológica se dificulte su comparecencia, a cuyo fin deberá requerir la dispensa, por sí o por un tercero, con anticipación;

XXI. A impugnar por sí o por medio de su representante, las omisiones o negligencia que cometa el Ministerio Público en el desempeño de sus funciones de investigación, en los términos previstos en este Código y en las demás disposiciones legales aplicables;

XXII. A tener acceso a los registros de la investigación durante el procedimiento, así como a obtener copia gratuita de éstos, salvo que la información esté sujeta a reserva así determinada por el Órgano jurisdiccional;

XXIII. A ser restituido en sus derechos, cuando éstos estén acreditados;

XXIV. A que se le garantice la reparación del daño durante el procedimiento en cualquiera de las formas previstas en este Código;

XXV. A que se le repare el daño causado por la comisión del delito, pudiendo solicitarlo directamente al Órgano jurisdiccional, sin perjuicio de que el Ministerio Público lo solicite;

XXVI. Al resguardo de su identidad y demás datos personales cuando sean menores de edad, se trate de delitos de violación contra la libertad y el normal desarrollo psicosexual, violencia familiar, secuestro, trata de personas o cuando a juicio del Órgano jurisdiccional sea necesario para su protección, salvaguardando en todo caso los derechos de la defensa;

XXVII. A ser notificado del desistimiento de la acción penal y de todas las resoluciones que finalicen el procedimiento, de conformidad con las reglas que establece este Código;

XXVIII. A solicitar la reapertura del proceso cuando se haya decretado su suspensión, y

XXIX. Los demás que establezcan este Código y otras leyes aplicables.

En el caso de que las víctimas sean personas menores de dieciocho años, el Órgano jurisdiccional o el Ministerio Público tendrán en cuenta los principios del interés superior de los niños o adolescentes, la prevalencia de sus derechos, su protección integral y los derechos consagrados en la Constitución, en los Tratados, así como los previstos en el presente Código.

Para los delitos que impliquen violencia contra las mujeres, se deberán observar todos los derechos que en su favor establece la Ley General de Acceso de las Mujeres a una Vida Libre de Violencia y demás disposiciones aplicables.

Artículo 110. Designación de Asesor jurídico

En cualquier etapa del procedimiento, las víctimas u ofendidos podrán designar a un Asesor jurídico, el cual deberá ser licenciado en derecho o abogado titulado, quien deberá acreditar su profesión desde el inicio de su intervención mediante cédula profesional. Si la víctima u ofendido no puede designar uno particular, tendrá derecho a uno de oficio.

Cuando la víctima u ofendido perteneciere a un pueblo o comunidad indígena, el Asesor jurídico deberá tener conocimiento de su lengua y cultura y, en caso de que no fuere posible, deberá actuar asistido de un intérprete que tenga dicho conocimiento.

La intervención del Asesor jurídico será para orientar, asesorar o intervenir legalmente en el procedimiento penal en representación de la víctima u ofendido.

En cualquier etapa del procedimiento, las víctimas podrán actuar por sí o a través de su Asesor jurídico, quien sólo promoverá lo que previamente informe a su representado. El Asesor jurídico intervendrá en representación de la víctima u ofendido en igualdad de condiciones que el Defensor.

Artículo 111. Restablecimiento de las cosas al estado previo

En cualquier estado del procedimiento, la víctima u ofendido podrá solicitar al Órgano jurisdiccional, ordene como medida provisional, cuando la naturaleza del hecho lo permita, la restitución de sus bienes, objetos, instrumentos o productos del delito, o la reposición o restablecimiento de las cosas al estado que tenían antes del hecho, siempre que haya suficientes elementos para decidirlo.

CAPÍTULO III
IMPUTADO

Artículo 112. Denominación

Se denominará genéricamente imputado a quien sea señalado por el Ministerio Público como posible autor o partícipe de un hecho que la ley señale como delito.

Además, se denominará acusado a la persona contra quien se ha formulado acusación y sentenciado a aquel sobre quien ha recaído una sentencia aunque no haya sido declarada firme.

Artículo 113. Derechos del Imputado

El imputado tendrá los siguientes derechos:

I. A ser considerado y tratado como inocente hasta que se demuestre su responsabilidad;

II. A comunicarse con un familiar y con su Defensor cuando sea detenido, debiendo brindarle el Ministerio Público todas las facilidades para lograrlo;

III. A declarar o a guardar silencio, en el entendido que su silencio no podrá ser utilizado en su perjuicio;

IV. A estar asistido de su Defensor al momento de rendir su declaración, así como en cualquier otra actuación y a entrevistarse en privado previamente con él;

V. A que se le informe, tanto en el momento de su detención como en su comparecencia ante el Ministerio Público o el Juez de control, los hechos que se le imputan y los derechos que le asisten, así como, en su caso, el motivo de la privación de su libertad y el servidor público que la ordenó, exhibiéndosele, según corresponda, la orden emitida en su contra;

VI. A no ser sometido en ningún momento del procedimiento a técnicas ni métodos que atenten contra su dignidad, induzcan o alteren su libre voluntad;

VII. A solicitar ante la autoridad judicial la modificación de la medida cautelar que se le haya impuesto, en los casos en que se encuentre en prisión preventiva, en los supuestos señalados por este Código;

VIII. A tener acceso él y su defensa, salvo las excepciones previstas en la ley, a los registros de la investigación, así como a obtener copia gratuita, registro fotográfico o electrónico de los mismos, en términos de los artículos 218 y 219 de este Código.

Fracción reformada DOF 17-06-2016

IX. A que se le reciban los medios pertinentes de prueba que ofrezca, concediéndosele el tiempo necesario para tal efecto y auxiliándosele para obtener la comparecencia de las personas cuyo testimonio solicite y que no pueda presentar directamente, en términos de lo establecido por este Código;

X. A ser juzgado en audiencia por un Tribunal de enjuiciamiento, antes de cuatro meses si se tratare de delitos cuya pena máxima no exceda de dos años de prisión, y antes de un año si la pena excediere de ese tiempo, salvo que solicite mayor plazo para su defensa;

XI. A tener una defensa adecuada por parte de un licenciado en derecho o abogado titulado, con cédula profesional, al cual elegirá libremente incluso desde el momento de su detención y, a falta de éste, por el Defensor público que le corresponda, así como a reunirse o entrevistarse con él en estricta confidencialidad;

XII. A ser asistido gratuitamente por un traductor o intérprete en el caso de que no comprenda o hable el idioma español; cuando el imputado perteneciere a un pueblo o comunidad indígena, el Defensor deberá tener conocimiento de su lengua y cultura y, en caso de que no fuere posible, deberá actuar asistido de un intérprete de la cultura y lengua de que se trate;

XIII. A ser presentado ante el Ministerio Público o ante el Juez de control, según el caso, inmediatamente después de ser detenido o aprehendido;

XIV. A no ser expuesto a los medios de comunicación;

XV. A no ser presentado ante la comunidad como culpable;

XVI. A solicitar desde el momento de su detención, asistencia social para los menores de edad o personas con discapacidad o personas adultas mayores cuyo cuidado personal tenga a su cargo;

Fracción reformada DOF 03-01-2024

XVII. A obtener su libertad en el caso de que haya sido detenido, cuando no se ordene la prisión preventiva, u otra medida cautelar restrictiva de su libertad;

XVIII. A que se informe a la embajada o consulado que corresponda cuando sea detenido, y se le proporcione asistencia migratoria cuando tenga nacionalidad extranjera, y

XIX. Los demás que establezca este Código y otras disposiciones aplicables.

Los plazos a que se refiere la fracción X de este artículo, se contarán a partir de la audiencia inicial hasta el momento en que sea dictada la sentencia emitida por el Órgano jurisdiccional competente.

Cuando el imputado tenga a su cuidado menores de edad, personas con discapacidad, o adultos mayores que dependan de él, y no haya otra persona que pueda ejercer ese cuidado, el Ministerio Público deberá canalizarlos a instituciones de asistencia social que correspondan, a efecto de recibir la protección.

Artículo 114. Declaración del imputado

El imputado tendrá derecho a declarar durante cualquier etapa del procedimiento. En este caso, podrá hacerlo ante el Ministerio Público o ante el Órgano jurisdiccional, con pleno respeto a los derechos que lo amparan y en presencia de su Defensor.

En caso que el imputado manifieste a la Policía su deseo de declarar sobre los hechos que se investigan, ésta deberá comunicar dicha situación al Ministerio Público para que se reciban sus manifestaciones con las formalidades previstas en este Código.

CAPÍTULO IV
DEFENSOR

Artículo 115. Designación de Defensor

El Defensor podrá ser designado por el imputado desde el momento de su detención, mismo que deberá ser licenciado en derecho o abogado titulado con cédula profesional. A falta de éste o ante la omisión de su designación, será nombrado el Defensor público que corresponda.

La intervención del Defensor no menoscabará el derecho del imputado de intervenir, formular peticiones y hacer las manifestaciones que estime pertinentes.

Artículo 116. Acreditación

Los Defensores designados deberán acreditar su profesión ante el Órgano jurisdiccional desde el inicio de su intervención en el procedimiento, mediante cédula profesional legalmente expedida por la autoridad competente.

Artículo 117. Obligaciones del Defensor

Son obligaciones del Defensor:

I. Entrevistar al imputado para conocer directamente su versión de los hechos que motivan la investigación, a fin de ofrecer los datos y medios de prueba pertinentes que sean necesarios para llevar a cabo una adecuada defensa;

II. Asesorar al imputado sobre la naturaleza y las consecuencias jurídicas de los hechos punibles que se le atribuyen;

III. Comparecer y asistir jurídicamente al imputado en el momento en que rinda su declaración, así como en cualquier diligencia o audiencia que establezca la ley;

IV. Analizar las constancias que obren en la carpeta de investigación, a fin de contar con mayores elementos para la defensa;

V. Comunicarse directa y personalmente con el imputado, cuando lo estime conveniente, siempre y cuando esto no altere el desarrollo normal de las audiencias;

VI. Recabar y ofrecer los medios de prueba necesarios para la defensa;

VII. Presentar los argumentos y datos de prueba que desvirtúen la existencia del hecho que la ley señala como delito, o aquellos que permitan hacer valer la procedencia de alguna causal de inimputabilidad, sobreseimiento o excluyente de responsabilidad a favor del imputado y la prescripción de la acción penal o cualquier otra causal legal que sea en beneficio del imputado;

VIII. Solicitar el no ejercicio de la acción penal;

IX. Ofrecer los datos o medios de prueba en la audiencia correspondientes y promover la exclusión de los ofrecidos por el Ministerio Público o la víctima u ofendido cuando no se ajusten a la ley;

X. Promover a favor del imputado la aplicación de mecanismos alternativos de solución de controversias o formas anticipadas de terminación del proceso penal, de conformidad con las disposiciones aplicables;

XI. Participar en la audiencia de juicio, en la que podrá exponer sus alegatos de apertura, desahogar las pruebas ofrecidas, controvertir las de los otros intervinientes, hacer las objeciones que procedan y formular sus alegatos finales;

XII. Mantener informado al imputado sobre el desarrollo y seguimiento del procedimiento o juicio;

XIII. En los casos en que proceda, formular solicitudes de procedimientos especiales;

XIV. Guardar el secreto profesional en el desempeño de sus funciones;

XV. Interponer los recursos e incidentes en términos de este Código y de la legislación aplicable y, en su caso, promover el juicio de Amparo;

XVI. Informar a los imputados y a sus familiares la situación jurídica en que se encuentre su defensa, y

XVII. Las demás que señalen las leyes.

Artículo 118. Nombramiento posterior

Durante el transcurso del procedimiento el imputado podrá designar a un nuevo Defensor, sin embargo, hasta en tanto el nuevo Defensor no comparezca a aceptar el cargo conferido, el Órgano jurisdiccional o el Ministerio Público le designarán al imputado un Defensor público, a fin de no dejarlo en estado de indefensión.

Artículo 119. Inadmisibilidad y apartamiento

En ningún caso podrá nombrarse como Defensor del imputado a cualquier persona que sea coimputada del acusado, haya sido sentenciada por el mismo hecho o imputada por ser autor o partícipe del encubrimiento o favorecimiento del mismo hecho.

Artículo 120. Renuncia y abandono

Cuando el Defensor renuncie o abandone la defensa, el Ministerio Público o el Órgano jurisdiccional le harán saber al imputado que tiene derecho a designar a otro Defensor; sin embargo, en tanto no lo designe o no quiera o no pueda nombrarlo, se le designará un Defensor público.

Artículo 121. Garantía de la Defensa técnica

Siempre que el Órgano jurisdiccional advierta que existe una manifiesta y sistemática incapacidad técnica del Defensor, prevendrá al imputado para que designe otro.

Si se trata de un Defensor privado, el imputado contará con tres días para designar un nuevo Defensor. Si prevenido el imputado, no se designa otro, un Defensor público será asignado para colaborar en su defensa.

Si se trata de un Defensor público, con independencia de la responsabilidad en que incurriere, se dará vista al superior jerárquico para los efectos de sustitución.

En ambos casos se otorgará un término que no excederá de diez días para que se desarrolle una defensa adecuada a partir del acto que suscitó el cambio.

Artículo 122. Nombramiento del Defensor público

Cuando el imputado no pueda o se niegue a designar un Defensor particular, el Ministerio Público solicitará a la autoridad competente se nombre un Defensor público; si es ante el Órgano jurisdiccional éste designará al defensor público, que lleve la representación de la defensa desde el primer acto en que intervenga. Será responsabilidad del defensor la oportuna comparecencia.

Artículo reformado DOF 17-06-2016

Artículo 123. Número de Defensores

El imputado podrá designar el número de Defensores que considere conveniente, los cuales, en las audiencias, tomarán la palabra en orden y deberán actuar en todo caso con respeto.

Artículo 124. Defensor común

La defensa de varios imputados en un mismo proceso por un Defensor común no será admisible, a menos que se acredite que no existe incompatibilidad ni conflicto de intereses de las defensas de los imputados. Si se autoriza el Defensor común y la incompatibilidad se advierte en el curso del proceso, será corregida de oficio y se proveerá lo necesario para reemplazar al Defensor.

Artículo 125. Entrevista con los detenidos

El imputado que se encuentre detenido por cualquier circunstancia, antes de rendir declaración tendrá derecho a entrevistarse oportunamente y en forma privada con su Defensor, cuando así lo solicite, en el lugar que para tal efecto se designe. La autoridad del conocimiento tiene la obligación de implementar todo lo necesario para el libre ejercicio de este derecho.

Artículo 126. Entrevista con otras personas

Si antes de una audiencia, con motivo de su preparación, el Defensor tuviera necesidad de entrevistar a una persona o interviniente del procedimiento que se niega a recibirlo, podrá solicitar el auxilio judicial, explicándole las razones por las que se hace necesaria la entrevista. El Órgano jurisdiccional, en caso de considerar fundada la solicitud, expedirá la orden para que dicha persona sea entrevistada por el Defensor en el lugar y tiempo que aquélla establezca o el propio Órgano jurisdiccional determine. Esta autorización no se concederá en aquellos casos en que, a solicitud del Ministerio Público, el Órgano jurisdiccional estime que la víctima o los testigos deben estar sujetos a protocolos especiales de protección.

CAPÍTULO V
MINISTERIO PÚBLICO

Artículo 127. Competencia del Ministerio Público

Compete al Ministerio Público conducir la investigación, coordinar a las Policías y a los servicios periciales durante la investigación, resolver sobre el ejercicio de la acción penal en la forma establecida por la ley y, en su caso, ordenar las diligencias pertinentes y útiles para demostrar, o no, la existencia del delito y la responsabilidad de quien lo cometió o participó en su comisión.

Artículo 128. Deber de lealtad

El Ministerio Público deberá actuar durante todas las etapas del procedimiento en las que intervenga con absoluto apego a lo previsto en la Constitución, en este Código y en la demás legislación aplicable.

El Ministerio Público deberá proporcionar información veraz sobre los hechos, sobre los hallazgos en la investigación y tendrá el deber de no ocultar a los intervinientes elemento alguno que pudiera resultar favorable para la posición que ellos asumen, sobre todo cuando resuelva no incorporar alguno de esos elementos al procedimiento, salvo la reserva que en determinados casos la ley autorice en las investigaciones.

Artículo 129. Deber de objetividad y debida diligencia

La investigación debe ser objetiva y referirse tanto a los elementos de cargo como de descargo y conducida con la debida diligencia, a efecto de garantizar el respeto de los derechos de las partes y el debido proceso.

Al concluir la investigación complementaria puede solicitar el sobreseimiento del proceso, o bien, en la audiencia de juicio podrá concluir solicitando la absolución o una condena más leve que aquella que sugiere la acusación, cuando en ésta surjan elementos que conduzcan a esa conclusión, de conformidad con lo previsto en este Código.

Durante la investigación, tanto el imputado como su Defensor, así como la víctima o el ofendido, podrán solicitar al Ministerio Público todos aquellos actos de investigación que consideraren pertinentes y útiles para el esclarecimiento de los hechos. El Ministerio Público dentro del plazo de tres días resolverá sobre dicha solicitud. Para tal efecto, podrá disponer que se lleven a cabo las diligencias que se estimen conducentes para efectos de la investigación.

El Ministerio Público podrá, con pleno respeto a los derechos que lo amparan y en presencia del Defensor, solicitar la comparecencia del imputado y/u ordenar su declaración, cuando considere que es relevante para esclarecer la existencia del hecho delictivo y la probable participación o intervención.

Artículo 130. Carga de la prueba

La carga de la prueba para demostrar la culpabilidad corresponde a la parte acusadora, conforme lo establezca el tipo penal.

Artículo 131. Obligaciones del Ministerio Público

Para los efectos del presente Código, el Ministerio Público tendrá las siguientes obligaciones:

I. Vigilar que en toda investigación de los delitos se cumpla estrictamente con los derechos humanos reconocidos en la Constitución y en los Tratados;

II. Recibir las denuncias o querellas que le presenten en forma oral, por escrito, o a través de medios digitales, incluso mediante denuncias anónimas en términos de las disposiciones legales aplicables, sobre hechos que puedan constituir algún delito;

III. Ejercer la conducción y el mando de la investigación de los delitos, para lo cual deberá coordinar a las Policías y a los peritos durante la misma;

IV. Ordenar o supervisar, según sea el caso, la aplicación y ejecución de las medidas necesarias para impedir que se pierdan, destruyan o alteren los indicios, una vez que tenga noticia del mismo, así como cerciorarse de que se han seguido las reglas y protocolos para su preservación y procesamiento;

V. Iniciar la investigación correspondiente cuando así proceda y, en su caso, ordenar la recolección de indicios y medios de prueba que deberán servir para sus respectivas resoluciones y las del Órgano jurisdiccional, así como recabar los elementos necesarios que determinen el daño causado por el delito y la cuantificación del mismo para los efectos de su reparación. Cuando se trate del delito de feminicidio se deberán aplicar los protocolos previstos para tales efectos;

Fracción reformada DOF 25-04-2023

VI. Ejercer funciones de investigación respecto de los delitos en materias concurrentes, cuando ejerza la facultad de atracción y en los demás casos que las leyes lo establezcan;

VII. Ordenar a la Policía y a sus auxiliares, en el ámbito de su competencia, la práctica de actos de investigación conducentes para el esclarecimiento del hecho delictivo, así como analizar las que dichas autoridades hubieren practicado;

VIII. Instruir a las Policías sobre la legalidad, pertinencia, suficiencia y contundencia de los indicios recolectados o por recolectar, así como las demás actividades y diligencias que deben ser llevadas a cabo dentro de la investigación;

IX. Requerir informes o documentación a otras autoridades y a particulares, así como solicitar la práctica de peritajes y diligencias para la obtención de otros medios de prueba;

X. Solicitar al Órgano jurisdiccional la autorización de actos de investigación y demás actuaciones que sean necesarias dentro de la misma;

XI. Ordenar la detención y la retención de los imputados cuando resulte procedente en los términos que establece este Código;

XII. Brindar las medidas de seguridad necesarias, a efecto de garantizar que las víctimas u ofendidos o testigos del delito puedan llevar a cabo la identificación del imputado sin riesgo para ellos;

XIII. Determinar el archivo temporal y el no ejercicio de la acción penal, así como ejercer la facultad de no investigar en los casos autorizados por este Código;

XIV. Decidir la aplicación de criterios de oportunidad en los casos previstos en este Código;

XV. Promover las acciones necesarias para que se provea la seguridad y proporcionar el auxilio a víctimas, ofendidos, testigos, jueces, magistrados, agentes del Ministerio Público, Policías, peritos y, en general, a todos los sujetos que con motivo de su intervención en el procedimiento, cuya vida o integridad corporal se encuentren en riesgo inminente;

XVI. Ejercer la acción penal cuando proceda;

XVII. Poner a disposición del Órgano jurisdiccional a las personas detenidas dentro de los plazos establecidos en el presente Código;

XVIII. Promover la aplicación de mecanismos alternativos de solución de controversias o formas anticipadas de terminación del proceso penal, de conformidad con las disposiciones aplicables;

XIX. Solicitar las medidas cautelares aplicables al imputado en el proceso, en atención a las disposiciones conducentes y promover su cumplimiento;

XX. Comunicar al Órgano jurisdiccional y al imputado los hechos, así como los datos de prueba que los sustentan y la fundamentación jurídica, atendiendo al objetivo o finalidad de cada etapa del procedimiento;

XXI. Solicitar a la autoridad judicial la imposición de las penas o medidas de seguridad que correspondan;

XXII. Solicitar el pago de la reparación del daño a favor de la víctima u ofendido del delito, sin perjuicio de que éstos lo pudieran solicitar directamente;

XXIII. Actuar en estricto apego a los principios de legalidad, objetividad, eficiencia, profesionalismo, honradez, perspectiva de género y respeto a los derechos humanos reconocidos en la Constitución;

Fracción reformada DOF 25-04-2023

XXIII Bis. Tratándose de delitos por razón de género, se deberá investigar con perspectiva de género, y

Fracción adicionada DOF 25-04-2023

XXIV. Las demás que señale este Código y otras disposiciones aplicables.

CAPÍTULO VI
POLICÍA

Artículo 132. Obligaciones de las y los Policías

El Policía actuará bajo la conducción y mando del Ministerio Público en la investigación de los delitos en estricto apego a los principios de legalidad, objetividad, eficiencia, profesionalismo, honradez, perspectiva de género y respeto a los derechos humanos reconocidos en la Constitución.

Epígrafe reformado DOF 16-12-2024

Para los efectos del presente Código, el Policía tendrá las siguientes obligaciones:

Párrafo reformado DOF 25-04-2023

I. Recibir las denuncias sobre hechos que puedan ser constitutivos de delito e informar al Ministerio Público por cualquier medio y de forma inmediata de las diligencias practicadas;

II. Recibir denuncias anónimas e inmediatamente hacerlo del conocimiento del Ministerio Público a efecto de que éste coordine la investigación;

III. Realizar detenciones en los casos que autoriza la Constitución, haciendo saber a la persona detenida los derechos que ésta le otorga;

IV. Impedir que se consumen los delitos o que los hechos produzcan consecuencias ulteriores. Especialmente estará obligada a realizar todos los actos necesarios para evitar una agresión real, actual o inminente y sin derecho en protección de bienes jurídicos de los gobernados a quienes tiene la obligación de proteger;

V. Actuar bajo el mando del Ministerio Público en el aseguramiento de bienes relacionados con la investigación de los delitos;

VI. Informar sin dilación por cualquier medio al Ministerio Público sobre la detención de cualquier persona, e inscribir inmediatamente las detenciones en el registro que al efecto establezcan las disposiciones aplicables;

VII. Practicar las inspecciones y otros actos de investigación, así como reportar sus resultados al Ministerio Público. En aquellos que se requiera autorización judicial, deberá solicitarla a través del Ministerio Público;

VIII. Preservar el lugar de los hechos o del hallazgo y en general, realizar todos los actos necesarios para garantizar la integridad de los indicios. En su caso deberá dar aviso a la Policía con capacidades para procesar la escena del hecho y al Ministerio Público conforme a las disposiciones previstas en este Código y en la legislación aplicable;

IX. Recolectar y resguardar objetos relacionados con la investigación de los delitos, en los términos de la fracción anterior;

X. Entrevistar a las personas que pudieran aportar algún dato o elemento para la investigación;

XI. Requerir a las autoridades competentes y solicitar a las personas físicas o morales, informes y documentos para fines de la investigación. En caso de negativa, informará al Ministerio Público para que determine lo conducente;

XII. Proporcionar atención a víctimas u ofendidos o testigos del delito. Para tal efecto, deberá:

a) Prestar protección y auxilio inmediato, de conformidad con las disposiciones aplicables;

b) Informar a la víctima u ofendido sobre los derechos que en su favor se establecen;

c) Procurar que reciban atención médica y psicológica cuando sea necesaria;

Inciso reformado DOF 25-04-2023

d) Adoptar las medidas que se consideren necesarias, en el ámbito de su competencia, tendientes a evitar que se ponga en peligro su integridad física y psicológica, y

Inciso reformado DOF 25-04-2023

e) Tratándose de delitos por razón de género, deberá actuar con perspectiva de género.

Inciso adicionado DOF 25-04-2023

XII Bis. Cuando se trate de delitos por motivo de género se deberán aplicar los protocolos previstos para tales efectos;

Fracción adicionada DOF 25-04-2023

XIII. Dar cumplimiento a los mandamientos ministeriales y jurisdiccionales que les sean instruidos, tratándose del cumplimiento de las medidas u órdenes de protección deberán estar a lo previsto en la Ley General de Acceso de las Mujeres a una Vida Libre de Violencia;

Fracción reformada DOF 16-12-2024

XIV. Emitir el informe policial y demás documentos, de conformidad con las disposiciones aplicables. Para tal efecto se podrá apoyar en los conocimientos que resulten necesarios, sin que ello tenga el carácter de informes periciales, y

XV. Las demás que le confieran este Código y otras disposiciones aplicables.

CAPÍTULO VII
JUECES Y MAGISTRADOS

Artículo 133. Competencia jurisdiccional

Para los efectos de este Código, la competencia jurisdiccional comprende a los siguientes órganos:

I. Juez de control, con competencia para ejercer las atribuciones que este Código le reconoce desde el inicio de la etapa de investigación hasta el dictado del auto de apertura a juicio;

II. Tribunal de enjuiciamiento, que preside la audiencia de juicio y dictará la sentencia, y

III. Tribunal de alzada, que conocerá de los medios de impugnación y demás asuntos que prevé este Código.

Artículo 134. Deberes comunes de los jueces

En el ámbito de sus respectivas competencias y atribuciones, son deberes comunes de los jueces y magistrados, los siguientes:

I. Resolver los asuntos sometidos a su consideración con la debida diligencia, dentro de los términos previstos en la ley y con sujeción a los principios que deben regir el ejercicio de la función jurisdiccional;

II. Respetar, garantizar y velar por la salvaguarda de los derechos de quienes intervienen en el procedimiento;

III. Guardar reserva sobre los asuntos relacionados con su función, aun después de haber cesado en el ejercicio del cargo;

IV. Atender oportuna y debidamente las peticiones dirigidas por los sujetos que intervienen dentro del procedimiento penal;

V. Abstenerse de presentar en público al imputado o acusado como culpable si no existiera condena;

VI. Mantener el orden en las salas de audiencias;

Fracción reformada DOF 25-04-2023

VI Bis. Tratándose de delitos por razón de género, se deberá juzgar con perspectiva de género;

Fracción adicionada DOF 25-04-2023

VI Ter. Cuando se trate de delitos por motivo de género se deberán aplicar los protocolos para juzgar con perspectiva de género, y

Fracción adicionada DOF 25-04-2023

VII. Los demás establecidos en la Ley Orgánica, en este Código y otras disposiciones aplicables.

Artículo 135. La queja y su procedencia

Procederá queja en contra del juzgador de primera instancia por no realizar un acto procesal dentro del plazo señalado por este Código. La queja podrá ser promovida por cualquier parte del procedimiento y se tramitará sin perjuicio de las otras consecuencias legales que tenga la omisión del juzgador.

La queja será interpuesta ante el Órgano jurisdiccional omiso; éste tiene un plazo de veinticuatro horas para subsanar dicha omisión, o bien, realizar un informe breve y conciso sobre las razones por las cuales no se ha verificado el acto procesal o la formalidad exigidos por la norma omitida y remitir el recurso y dicho informe al Órgano jurisdiccional competente.

Párrafo reformado DOF 17-06-2016

La autoridad jurisdiccional competente tramitará y resolverá en un plazo no mayor a tres días en los términos de las disposiciones aplicables.

Párrafo reformado DOF 17-06-2016

En ningún caso, el Órgano jurisdiccional competente para resolver la queja podrá ordenar al Órgano Jurisdiccional omiso los términos y las condiciones en que deberá subsanarse la omisión, debiéndose limitar su resolución a que se realice el acto omitido.

Párrafo reformado DOF 17-06-2016

CAPÍTULO VIII
AUXILIARES DE LAS PARTES

Artículo 136. Consultores técnicos

Si por las circunstancias del caso, las partes que intervienen en el procedimiento consideran necesaria la asistencia de un consultor en una ciencia, arte o técnica, así lo plantearán al Órgano jurisdiccional. El consultor técnico podrá acompañar en las audiencias a la parte con quien colabora, para apoyarla técnicamente.

TÍTULO VI
MEDIDAS DE PROTECCIÓN DURANTE LA INVESTIGACIÓN, FORMAS DE CONDUCCIÓN DEL IMPUTADO AL PROCESO Y MEDIDAS CAUTELARES

CAPÍTULO I
MEDIDAS DE PROTECCIÓN Y PROVIDENCIAS PRECAUTORIAS

Artículo 137. Medidas u Órdenes de protección

El Ministerio Público, bajo su más estricta responsabilidad, ordenará fundada y motivadamente la aplicación de las medidas de protección idóneas cuando estime que el imputado representa un riesgo inminente en contra de la seguridad de la víctima u ofendido. Son medidas de protección las siguientes:

I. Prohibición de acercarse o comunicarse con la víctima u ofendido;

II. Limitación para asistir o acercarse al domicilio de la víctima u ofendido o al lugar donde se encuentre;

III. Separación inmediata del domicilio;

IV. La entrega inmediata de objetos de uso personal y documentos de identidad de la víctima que tuviera en su posesión el probable responsable;

V. La prohibición de realizar conductas de intimidación o molestia a la víctima u ofendido o a personas relacionados con ellos;

VI. Vigilancia en el domicilio de la víctima u ofendido;

VII. Protección policial de la víctima u ofendido;

VIII. Auxilio inmediato por integrantes de instituciones policiales, al domicilio en donde se localice o se encuentre la víctima u ofendido en el momento de solicitarlo;

IX. Traslado de la víctima u ofendido a refugios o albergues temporales, así como de sus descendientes, y

X. El reingreso de la víctima u ofendido a su domicilio, una vez que se salvaguarde su seguridad.

Dentro de los cinco días siguientes a la imposición de las medidas de protección previstas en las fracciones I, II y III deberá celebrarse audiencia en la que el juez podrá cancelarlas, o bien, ratificarlas o modificarlas mediante la imposición de las medidas cautelares correspondientes.

En caso de incumplimiento de las medidas de protección, el Ministerio Público podrá imponer alguna de las medidas de apremio previstas en este Código.

Tratándose de delitos relacionados con las violencias de género contra las mujeres se aplicará de manera supletoria la Ley General de Acceso de las Mujeres a una Vida Libre de Violencia.

Párrafo reformado DOF 16-12-2024

Artículo 138. Providencias precautorias para la restitución de derechos de la víctima

Para garantizar la reparación del daño, la víctima, el ofendido o el Ministerio Público, podrán solicitar al juez las siguientes providencias precautorias:

I. El embargo de bienes, y

II. La inmovilización de cuentas y demás valores que se encuentren dentro del sistema financiero.

El juez decretará las providencias precautorias, siempre y cuando, de los datos de prueba expuestos por el Ministerio Público y la víctima u ofendido, se desprenda la posible reparación del daño y la probabilidad de que el imputado será responsable de repararlo.

Decretada la providencia precautoria, podrá revisarse, modificarse, sustituirse o cancelarse a petición del imputado o de terceros interesados, debiéndose escuchar a la víctima u ofendido y al Ministerio Público.

Las providencias precautorias serán canceladas si el imputado garantiza o paga la reparación del daño; si fueron decretadas antes de la audiencia inicial y el Ministerio Público no las promueve, o no solicita orden de aprehensión en el término que señala este Código; si se declara fundada la solicitud de cancelación de embargo planteada por la persona en contra de la cual se decretó o de un tercero, o si se dicta sentencia absolutoria, se decreta el sobreseimiento o se absuelve de la reparación del daño.

La providencia precautoria se hará efectiva a favor de la víctima u ofendido cuando la sentencia que condene a reparar el daño cause ejecutoria. El embargo se regirá en lo conducente por las reglas generales del embargo previstas en el Código Nacional de Procedimientos Civiles y Familiares.

Artículo 139. Duración de las medidas u órdenes de protección y providencias precautorias

Epígrafe reformado DOF 16-12-2024

La imposición de las medidas de protección y de las providencias precautorias tendrá una duración máxima de sesenta días naturales, prorrogables hasta por treinta días.

Cuando hubiere desaparecido la causa que dio origen a la medida decretada, el imputado, su Defensor o en su caso el Ministerio Público, podrán solicitar al Juez de control que la deje sin efectos.

Tratándose de delitos relacionados con las violencias de género contra las mujeres, adolescentes y niñas, se aplicará de manera supletoria la Ley General de Acceso de las Mujeres a una Vida Libre de Violencia.

Párrafo adicionado DOF 16-12-2024

CAPÍTULO II
LIBERTAD DURANTE LA INVESTIGACIÓN

Artículo 140. Libertad durante la investigación

En los casos de detención por flagrancia, cuando se trate de delitos que no merezcan prisión preventiva oficiosa y el Ministerio Público determine que no solicitará prisión preventiva como medida cautelar, podrá disponer la libertad del imputado o imponerle una medida de protección en los términos de lo dispuesto por este Código.

Cuando el Ministerio Público decrete la libertad del imputado, lo prevendrá a fin de que se abstenga de molestar o afectar a la víctima u ofendido y a los testigos del hecho, a no obstaculizar la investigación y comparecer cuantas veces sea citado para la práctica de diligencias de investigación, apercibiéndolo con imponerle medidas de apremio en caso de desobediencia injustificada.

CAPÍTULO III
FORMAS DE CONDUCCIÓN DEL IMPUTADO AL PROCESO

SECCIÓN I
CITATORIO, ÓRDENES DE COMPARECENCIA Y APREHENSIÓN

Artículo 141. Citatorio, orden de comparecencia y aprehensión

Cuando se haya presentado denuncia o querella de un hecho que la ley señale como delito, el Ministerio Público anuncie que obran en la carpeta de investigación datos que establezcan que se ha cometido ese hecho y exista la probabilidad de que el imputado lo haya cometido o participado en su comisión, el Juez de control, a solicitud del Ministerio Público, podrá ordenar:

I. Citatorio al imputado para la audiencia inicial;

II. Orden de comparecencia, a través de la fuerza pública, en contra del imputado que habiendo sido citado previamente a una audiencia no haya comparecido, sin justificación alguna, y

III. Orden de aprehensión en contra de una persona cuando el Ministerio Público advierta que existe la necesidad de cautela.

En la clasificación jurídica que realice el Ministerio Público se especificará el tipo penal que se atribuye, el grado de ejecución del hecho, la forma de intervención y la naturaleza dolosa o culposa de la conducta, sin perjuicio de que con posterioridad proceda la reclasificación correspondiente.

También podrá ordenarse la aprehensión de una persona cuando resista o evada la orden de comparecencia judicial y el delito que se le impute merezca pena privativa de la libertad.

La autoridad judicial declarará sustraído a la acción de la justicia al imputado que, sin causa justificada, no comparezca a una citación judicial, se fugue del establecimiento o lugar donde esté detenido o se ausente de su domicilio sin aviso, teniendo la obligación de darlo. En cualquier caso, la declaración dará lugar a la emisión de una orden de aprehensión en contra del imputado que se haya sustraído de la acción de la justicia.

El Juez podrá dictar orden de reaprehensión en caso de que el Ministerio Público lo solicite para detener a un imputado cuya extradición a otro país hubiera dado lugar a la suspensión de un procedimiento penal, cuando en el Estado requirente el procedimiento para el cual fue extraditado haya concluido.

El Ministerio Público podrá solicitar una orden de aprehensión en el caso de que se incumpla una medida cautelar, en los términos del artículo 174, y el Juez de control la podrá dictar en el caso de que lo estime estrictamente necesario.

Artículo 142. Solicitud de las órdenes de comparecencia o de aprehensión

En la solicitud de orden de comparecencia o de aprehensión se hará una relación de los hechos atribuidos al imputado, sustentada en forma precisa en los registros correspondientes y se expondrán las razones por las que considera que se actualizaron las exigencias señaladas en el artículo anterior.

Las solicitudes se formularán por cualquier medio que garantice su autenticidad, o en audiencia privada con el Juez de control.

Artículo 143. Resolución sobre solicitud de orden de aprehensión o comparecencia

El Juez de control resolverá la solicitud de orden de aprehensión o comparecencia en audiencia, o a través del sistema informático; en ambos casos con la debida secrecía, y se pronunciará sobre cada uno de los elementos planteados en la solicitud.

Párrafo reformado DOF 17-06-2016

En el primer supuesto, la solicitud deberá ser resuelta en la misma audiencia, que se fijará dentro de las veinticuatro horas a partir de la solicitud, exclusivamente con la presencia del Ministerio Público.

Párrafo adicionado DOF 17-06-2016

En el segundo supuesto, dentro de un plazo máximo de veinticuatro horas, siguientes al momento en que se haya recibido la solicitud.

Párrafo adicionado DOF 17-06-2016

En caso de que la solicitud de orden de aprehensión o comparecencia no reúna alguno de los requisitos exigibles, el Juez de control prevendrá en la misma audiencia o por el sistema informático al Ministerio Público para que haga las precisiones o aclaraciones correspondientes, ante lo cual el Juez de control podrá dar una clasificación jurídica distinta a los hechos que se planteen o a la participación que tuvo el imputado en los mismos. No se concederá la orden de aprehensión cuando el Juez de control considere que los hechos que señale el Ministerio Público en su solicitud resulten no constitutivos de delito.

Si la resolución se registra por medios diversos al escrito, los puntos resolutivos de la orden de aprehensión deberán transcribirse y entregarse al Ministerio Público.

Artículo 144. Desistimiento de la acción penal

El Ministerio Público podrá solicitar el desistimiento de la acción penal en cualquier etapa del procedimiento, hasta antes de dictada la resolución de segunda instancia.

La solicitud de desistimiento debe contar con la autorización del Titular de la Procuraduría o del funcionario que en él delegue esa facultad.

El Ministerio Público expondrá brevemente en audiencia ante el Juez de control, Tribunal de enjuiciamiento o Tribunal de alzada, los motivos del desistimiento de la acción penal. La autoridad judicial resolverá de manera inmediata y decretará el sobreseimiento.

En caso de desistimiento de la acción penal, la victima u ofendido podrán impugnar la resolución emitida por el Juez de control, Tribunal de enjuiciamiento o Tribunal de alzada.

Artículo 145. Ejecución y cancelación de la orden de comparecencia y aprehensión

La orden de aprehensión se entregará física o electrónicamente al Ministerio Público, quien la ejecutará por conducto de la Policía. Los agentes policiales que ejecuten una orden judicial de aprehensión pondrán al detenido inmediatamente a disposición del Juez de control que hubiere expedido la orden, en área distinta a la destinada para el cumplimiento de la prisión preventiva o de sanciones privativas de libertad, informando a éste acerca de la fecha, hora y lugar en que ésta se efectuó, debiendo a su vez, entregar al imputado una copia de la misma.

Los agentes policiales deberán informar de inmediato al Ministerio Público sobre la ejecución de la orden de aprehensión para efectos de que éste solicite la celebración de la audiencia inicial a partir de la formulación de imputación.

Los agentes policiales que ejecuten una orden judicial de comparecencia pondrán al imputado inmediatamente a disposición del Juez de control que hubiere expedido la orden, en la sala donde ha de formularse la imputación, en la fecha y hora señalada para tales efectos. La Policía deberá informar al Ministerio Público acerca de la fecha, hora y lugar en que se cumplió la orden, debiendo a su vez, entregar al imputado una copia de la misma.

Cuando por cualquier razón la Policía no pudiera ejecutar la orden de comparecencia, deberá informarlo al Juez de control y al Ministerio Público, en la fecha y hora señaladas para celebración de la audiencia inicial.

El Ministerio Público podrá solicitar la cancelación de una orden de aprehensión o la reclasificación de la conducta o hecho por los cuales hubiese ejercido la acción penal, cuando estime su improcedencia por la aparición de nuevos datos.

La solicitud de cancelación deberá contar con la autorización del titular de la Procuraduría o del funcionario que en él delegue esta facultad.

El Ministerio Público solicitará audiencia privada ante el Juez de control en la que formulará su petición exponiendo los nuevos datos; el Juez de control resolverá de manera inmediata.

La cancelación no impide que continúe la investigación y que posteriormente vuelva a solicitarse orden de aprehensión, salvo que por la naturaleza del hecho en que se funde la cancelación, deba sobreseerse el proceso.

La cancelación de la orden de aprehensión podrá ser apelada por la víctima o el ofendido.

SECCIÓN II
FLAGRANCIA Y CASO URGENTE

Artículo 146. Supuestos de flagrancia

Se podrá detener a una persona sin orden judicial en caso de flagrancia. Se entiende que hay flagrancia cuando:

I. La persona es detenida en el momento de estar cometiendo un delito, o

II. Inmediatamente después de cometerlo es detenida, en virtud de que:

a) Es sorprendida cometiendo el delito y es perseguida material e ininterrumpidamente, o

b) Cuando la persona sea señalada por la víctima u ofendido, algún testigo presencial de los hechos o quien hubiere intervenido con ella en la comisión del delito y cuando tenga en su poder instrumentos, objetos, productos del delito o se cuente con información o indicios que hagan presumir fundadamente que intervino en el mismo.

Para los efectos de la fracción II, inciso b), de este precepto, se considera que la persona ha sido detenida en flagrancia por señalamiento, siempre y cuando, inmediatamente después de cometer el delito no se haya interrumpido su búsqueda o localización.

Artículo 147. Detención en caso de flagrancia

Cualquier persona podrá detener a otra en la comisión de un delito flagrante, debiendo entregar inmediatamente al detenido a la autoridad más próxima y ésta con la misma prontitud al Ministerio Público.

Los cuerpos de seguridad pública estarán obligados a detener a quienes cometan un delito flagrante y realizarán el registro de la detención.

La inspección realizada por los cuerpos de seguridad al imputado deberá conducirse conforme a los lineamientos establecidos para tal efecto en el presente Código.

En este caso o cuando reciban de cualquier persona o autoridad a una persona detenida, deberán ponerla de inmediato ante el Ministerio Público, quien realizará el registro de la hora a la cual lo están poniendo a disposición.

Artículo 148. Detención en flagrancia por delitos que requieran querella

Cuando se detenga a una persona por un hecho que pudiera constituir un delito que requiera querella de la parte ofendida, será informado inmediatamente quien pueda presentarla. Se le concederá para tal efecto un plazo razonable, de acuerdo con las circunstancias del caso, que en ningún supuesto podrá ser mayor de doce horas, contadas a partir de que la víctima u ofendido fue notificado o de veinticuatro horas a partir de su detención en caso de que no fuera posible su localización. Si transcurridos estos plazos no se presenta la querella, el detenido será puesto en libertad de inmediato.

En caso de que la víctima u ofendido tenga imposibilidad física de presentar su querella, se agotará el plazo legal de detención del imputado. En este caso serán los parientes por consanguinidad hasta el tercer grado o por afinidad en primer grado, quienes podrán legitimar la querella, con independencia de que la víctima u ofendido la ratifique o no con posterioridad.

Artículo 149. Verificación de flagrancia del Ministerio Público

En los casos de flagrancia, el Ministerio Público deberá examinar las condiciones en las que se realizó la detención inmediatamente después de que la persona sea puesta a su disposición. Si la detención no fue realizada conforme a lo previsto en la Constitución y en este Código, dispondrá la libertad inmediata de la persona y, en su caso, velará por la aplicación de las sanciones disciplinarias o penales que correspondan.

Así también, durante el plazo de retención el Ministerio Público analizará la necesidad de dicha medida y realizará los actos de investigación que considere necesarios para, en su caso, ejercer la acción penal.

Artículo 150. Supuesto de caso urgente

Sólo en casos urgentes el Ministerio Público podrá, bajo su responsabilidad y fundando y expresando los datos de prueba que motiven su proceder, ordenar la detención de una persona, siempre y cuando concurran los siguientes supuestos:

I. Existan datos que establezcan la existencia de un hecho señalado como delito grave y que exista la probabilidad de que la persona lo cometió o participó en su comisión. Se califican como graves, para los efectos de la detención por caso urgente, los delitos señalados como de prisión preventiva oficiosa en este Código o en la legislación aplicable así como aquellos cuyo término medio aritmético sea mayor de cinco años de prisión;

II. Exista riesgo fundado de que el imputado pueda sustraerse de la acción de la justicia, y

III. Por razón de la hora, lugar o cualquier otra circunstancia, no pueda ocurrir ante la autoridad judicial, o que de hacerlo, el imputado pueda evadirse.

Los delitos previstos en la fracción I de este artículo, se considerarán graves, aún tratándose de tentativa punible.

Los oficiales de la Policía que ejecuten una orden de detención por caso urgente, deberán hacer el registro de la detención y presentar inmediatamente al imputado ante el Ministerio Público que haya emitido dicha orden, quien procurará que el imputado sea presentado sin demora ante el Juez de control.

El Juez de control determinará la legalidad del mandato del Ministerio Público y su cumplimiento al realizar el control de la detención. La violación de esta disposición será sancionada conforme a las disposiciones aplicables y la persona detenida será puesta en inmediata libertad.

Para los efectos de este artículo, el término medio aritmético es el cociente que se obtiene de sumar la pena de prisión mínima y la máxima del delito consumado que se trate y dividirlo entre dos.

Artículo 151. Asistencia consular

En el caso de que el detenido sea extranjero, el Ministerio Público le hará saber sin demora y le garantizará su derecho a recibir asistencia consular, por lo que se le permitirá comunicarse a las Embajadas o Consulados del país respecto de los que sea nacional; y deberá notificar a las propias Embajadas o Consulados la detención de dicha persona, registrando constancia de ello, salvo que el imputado acompañado de su Defensor expresamente solicite que no se realice esta notificación.

Párrafo reformado DOF 17-06-2016

El Ministerio Público y la Policía deberán informar a quien lo solicite, previa identificación, si un extranjero está detenido y, en su caso, la autoridad a cuya disposición se encuentre y el motivo.

Artículo 152. Derechos que asisten al detenido

Las autoridades que ejecuten una detención por flagrancia o caso urgente deberán asegurarse de que la persona tenga pleno y claro conocimiento del ejercicio de los derechos citados a continuación, en cualquier etapa del período de custodia:

I. El derecho a informar a alguien de su detención;

II. El derecho a consultar en privado con su Defensor;

III. El derecho a recibir una notificación escrita que establezca los derechos establecidos en las fracciones anteriores y las medidas que debe tomar para la obtención de asesoría legal;

IV. El derecho a ser colocado en una celda en condiciones dignas y con acceso a aseo personal;

V. El derecho a no estar detenido desnudo o en prendas íntimas;

VI. Cuando, para los fines de la investigación sea necesario que el detenido entregue su ropa, se le proveerán prendas de vestir, y

VII. El derecho a recibir atención clínica si padece una enfermedad física, se lesiona o parece estar sufriendo de un trastorno mental.

CAPÍTULO IV
MEDIDAS CAUTELARES

SECCIÓN I
DISPOSICIONES GENERALES

Artículo 153. Reglas generales de las medidas cautelares

Las medidas cautelares serán impuestas mediante resolución judicial, por el tiempo indispensable para asegurar la presencia del imputado en el procedimiento, garantizar la seguridad de la víctima u ofendido o del testigo, o evitar la obstaculización del procedimiento.

Corresponderá a las autoridades competentes de la Federación y de las entidades federativas, para medidas cautelares, vigilar que el mandato de la autoridad judicial sea debidamente cumplido.

Artículo 154. Procedencia de medidas cautelares

El Juez podrá imponer medidas cautelares a petición del Ministerio Público o de la víctima u ofendido, en los casos previstos por este Código, cuando ocurran las circunstancias siguientes:

I. Formulada la imputación, el propio imputado se acoja al término constitucional, ya sea éste de una duración de setenta y dos horas o de ciento cuarenta y cuatro, según sea el caso, o

II. Se haya vinculado a proceso al imputado.

En caso de que el Ministerio Público, la víctima, el asesor jurídico, u ofendido, solicite una medida cautelar durante el plazo constitucional, dicha cuestión deberá resolverse inmediatamente después de formulada la imputación. Para tal efecto, las partes podrán ofrecer aquellos medios de prueba pertinentes para analizar la procedencia de la medida solicitada, siempre y cuando la misma sea susceptible de ser desahogada en las siguientes veinticuatro horas.

Párrafo reformado DOF 17-06-2016

Artículo 155. Tipos de medidas cautelares

A solicitud del Ministerio Público o de la víctima u ofendido, el juez podrá imponer al imputado una o varias de las siguientes medidas cautelares:

I. La presentación periódica ante el juez o ante autoridad distinta que aquél designe;

II. La exhibición de una garantía económica;

III. El embargo de bienes;

IV. La inmovilización de cuentas y demás valores que se encuentren dentro del sistema financiero;

V. La prohibición de salir sin autorización del país, de la localidad en la cual reside o del ámbito territorial que fije el juez;

VI. El sometimiento al cuidado o vigilancia de una persona o institución determinada o internamiento a institución determinada;

VII. La prohibición de concurrir a determinadas reuniones o acercarse o ciertos lugares;

VIII. La prohibición de convivir, acercarse o comunicarse con determinadas personas, con las víctimas u ofendidos o testigos, siempre que no se afecte el derecho de defensa;

IX. La separación inmediata del domicilio;

X. La suspensión temporal en el ejercicio del cargo cuando se le atribuye un delito cometido por servidores públicos;

XI. La suspensión temporal en el ejercicio de una determinada actividad profesional o laboral;

XII. La colocación de localizadores electrónicos;

XIII. El resguardo en su propio domicilio con las modalidades que el juez disponga, o

XIV. La prisión preventiva.

Las medidas cautelares no podrán ser usadas como medio para obtener un reconocimiento de culpabilidad o como sanción penal anticipada.

Artículo 156. Proporcionalidad

El Juez de control, al imponer una o varias de las medidas cautelares previstas en este Código, deberá tomar en consideración los argumentos que las partes ofrezcan o la justificación que el Ministerio Público realice, aplicando el criterio de mínima intervención según las circunstancias particulares de cada persona, en términos de lo dispuesto en el artículo 19 de la Constitución.

Para determinar la idoneidad y proporcionalidad de la medida, se podrá tomar en consideración el análisis de evaluación de riesgo realizado por personal especializado en la materia, de manera objetiva, imparcial y neutral en términos de la legislación aplicable.

En la resolución respectiva, el Juez de control deberá justificar las razones por las que la medida cautelar impuesta es la que resulta menos lesiva para el imputado.

Artículo 157. Imposición de medidas cautelares

Las solicitudes de medidas cautelares serán resueltas por el Juez de control, en audiencia y con presencia de las partes.

El Juez de control podrá imponer una de las medidas cautelares previstas en este Código, o combinar varias de ellas según resulte adecuado al caso, o imponer una diversa a la solicitada siempre que no sea más grave. Sólo el Ministerio Público podrá solicitar la prisión preventiva, la cual no podrá combinarse con otras medidas cautelares previstas en este Código, salvo el embargo precautorio o la inmovilización de cuentas y demás valores que se encuentren en el sistema financiero.

En ningún caso el Juez de control está autorizado a aplicar medidas cautelares sin tomar en cuenta el objeto o la finalidad de las mismas ni a aplicar medidas más graves que las previstas en el presente Código.

Artículo 158. Debate de medidas cautelares

Formulada la imputación, en su caso, o dictado el auto de vinculación a proceso a solicitud del Ministerio Público, de la víctima o de la defensa, se discutirá lo relativo a la necesidad de imposición o modificación de medidas cautelares.

Artículo 159. Contenido de la resolución

La resolución que establezca una medida cautelar deberá contener al menos lo siguiente:

I. La imposición de la medida cautelar y la justificación que motivó el establecimiento de la misma;

II. Los lineamientos para la aplicación de la medida, y

III. La vigencia de la medida.

Artículo 160. Impugnación de las decisiones judiciales

Todas las decisiones judiciales relativas a las medidas cautelares reguladas por este Código son apelables.

Artículo 161. Revisión de la medida

Cuando hayan variado de manera objetiva las condiciones que justificaron la imposición de una medida cautelar, las partes podrán solicitar al Órgano jurisdiccional, la revocación, sustitución o modificación de la misma, para lo cual el Órgano jurisdiccional citará a todos los intervinientes a una audiencia con el fin de abrir debate sobre la subsistencia de las condiciones o circunstancias que se tomaron en cuenta para imponer la medida y la necesidad, en su caso, de mantenerla y resolver en consecuencia.

Artículo 162. Audiencia de revisión de las medidas cautelares

De no ser desechada de plano la solicitud de revisión, la audiencia se llevará a cabo dentro de las cuarenta y ocho horas siguientes contadas a partir de la presentación de la solicitud.

Artículo 163. Medios de prueba para la imposición y revisión de la medida

Las partes pueden invocar datos u ofrecer medios de prueba para que se imponga, confirme, modifique o revoque, según el caso, la medida cautelar.

Artículo 164. Evaluación y supervisión de medidas cautelares

La evaluación y supervisión de medidas cautelares distintas a la prisión preventiva corresponderá a la autoridad de supervisión de medidas cautelares y de la suspensión condicional del proceso que se regirá por los principios de neutralidad, objetividad, imparcialidad y confidencialidad.

La información que se recabe con motivo de la evaluación de riesgo no puede ser usada para la investigación del delito y no podrá ser proporcionada al Ministerio Público. Lo anterior, salvo que se trate de un delito que está en curso o sea inminente su comisión, y peligre la integridad personal o la vida de una persona, el entrevistador quedará relevado del deber de confidencialidad y podrá darlo a conocer a los agentes encargados de la persecución penal.

Para decidir sobre la necesidad de la imposición o revisión de las medidas cautelares, la autoridad de supervisión de medidas cautelares y de la suspensión condicional del proceso proporcionará a las partes la información necesaria para ello, de modo que puedan hacer la solicitud correspondiente al Órgano jurisdiccional.

Para tal efecto, la autoridad de supervisión de medidas cautelares y de la suspensión condicional del proceso, tendrá acceso a los sistemas y bases de datos del Sistema Nacional de Información y demás de carácter público, y contará con una base de datos para dar seguimiento al cumplimiento de las medidas cautelares distintas a la prisión preventiva.

Las partes podrán obtener la información disponible de la autoridad competente cuando así lo solicite, previo a la audiencia para debatir la solicitud de medida cautelar.

La supervisión de la prisión preventiva quedará a cargo de la autoridad penitenciaria en los términos de la ley de la materia.

Artículo 165. Aplicación de la prisión preventiva

Sólo por delito que merezca pena privativa de libertad habrá lugar a prisión preventiva. La prisión preventiva será ordenada conforme a los términos y las condiciones de este Código.

La prisión preventiva no podrá exceder del tiempo que como máximo de pena fije la ley al delito que motivare el proceso y en ningún caso será superior a dos años, salvo que su prolongación se deba al ejercicio del derecho de defensa del imputado. Si cumplido este término no se ha pronunciado sentencia, el imputado será puesto en libertad de inmediato mientras se sigue el proceso, sin que ello obste para imponer otras medidas cautelares.

Párrafo reformado DOF 17-06-2016

Artículo 166. Excepciones

En el caso de que el imputado sea una persona mayor de setenta años de edad o afectada por una enfermedad grave o terminal, el Órgano jurisdiccional podrá ordenar que la prisión preventiva se ejecute en el domicilio de la persona imputada o, de ser el caso, en un centro médico o geriátrico, bajo las medidas cautelares que procedan.

De igual forma, procederá lo previsto en el párrafo anterior, cuando se trate de mujeres embarazadas, o de madres durante la lactancia.

No gozarán de la prerrogativa prevista en los dos párrafos anteriores, quienes a criterio del Juez de control puedan sustraerse de la acción de la justicia o manifiesten una conducta que haga presumible su riesgo social.

Artículo 167. Causas de procedencia

El Ministerio Público sólo podrá solicitar al Juez de control la prisión preventiva o el resguardo domiciliario cuando otras medidas cautelares no sean suficientes para garantizar la comparecencia del imputado en el juicio, el desarrollo de la investigación, la protección de la víctima, de los testigos o de la comunidad así como cuando el imputado esté siendo procesado o haya sido sentenciado previamente por la comisión de un delito doloso, siempre y cuando la causa diversa no sea acumulable o conexa en los términos del presente Código.

En el supuesto de que el imputado esté siendo procesado por otro delito distinto de aquel en el que se solicite la prisión preventiva, deberá analizarse si ambos procesos son susceptibles de acumulación, en cuyo caso la existencia de proceso previo no dará lugar por si sola a la procedencia de la prisión preventiva.

La Persona Juzgadora de control en el ámbito de su competencia, ordenará la prisión preventiva oficiosamente en los casos de abuso o violencia sexual contra menores, delincuencia organizada, extorsión, delitos previstos en las leyes aplicables cometidos para la ilegal introducción y desvío, producción, preparación, enajenación, adquisición, importación, exportación, transportación, almacenamiento y distribución de precursores químicos y sustancias químicas esenciales, drogas sintéticas, fentanilo y derivados, homicidio doloso, feminicidio, violación, secuestro, trata de personas, robo de casa habitación, uso de programas sociales con fines electorales, corrupción tratándose de los delitos de enriquecimiento ilícito y ejercicio abusivo de funciones, robo al transporte de carga en cualquiera de sus modalidades, delitos en materia de hidrocarburos, petrolíferos o petroquímicos, delitos en materia de desaparición forzada de personas y desaparición cometida por particulares, delitos cometidos con medios violentos como armas y explosivos, delitos en materia de armas de fuego y explosivos de uso exclusivo del Ejército, la Armada y la Fuerza Aérea, así como los delitos graves que determine la ley en contra de la seguridad de la nación, el libre desarrollo de la personalidad y de la salud, así como contrabando y cualquier actividad relacionada con falsos comprobantes fiscales.

Párrafo reformado DOF 19-02-2021, 28-11-2025

Las leyes generales de salud, secuestro, trata de personas, extorsión, delitos electorales y desaparición forzada de personas y desaparición cometida por particulares, así como las leyes federales para prevenir y sancionar los delitos cometidos en materia de hidrocarburos, armas de fuego y explosivos, para el control de precursores químicos, productos químicos esenciales y máquinas para elaborar cápsulas, tabletas y/o comprimidos, y contra la delincuencia organizada; y el Código Fiscal de la Federación, establecerán los supuestos que ameriten prisión preventiva oficiosa de conformidad con lo dispuesto por el párrafo segundo del artículo 19 de la Constitución Política de los Estados Unidos Mexicanos.

Párrafo reformado DOF 19-02-2021, 28-11-2025

Se consideran delitos que ameritan prisión preventiva oficiosa, los previstos en el Código Penal Federal, de la manera siguiente:

Párrafo reformado DOF 08-11-2019

I. Homicidio doloso previsto en los artículos 302 en relación al 307, 313, 315, 315 Bis, 320 y 323;

II. Genocidio, previsto en el artículo 149 Bis;

III. Violación prevista en los artículos 265, 266 y 266 Bis;

IV. Traición a la patria, previsto en los artículos 123, 124, 125 y 126;

V. Espionaje, previsto en los artículos 127 y 128;

VI. Terrorismo, previsto en los artículos 139 al 139 Ter y terrorismo internacional previsto en los artículos 148 Bis al 148 Quáter;

VII. Sabotaje, previsto en el artículo 140, párrafo primero;

VIII. Los previstos en los artículos 142, párrafo segundo y 145;

IX. Corrupción de personas menores de dieciocho años de edad o de personas que no tienen capacidad para comprender el significado del hecho o de personas que no tienen capacidad para resistirlo, previsto en el artículo 201; Pornografía de personas menores de dieciocho años de edad o de personas que no tienen capacidad para comprender el significado del hecho o de personas que no tienen capacidad para resistirlo, previsto en el artículo 202; Turismo sexual en contra de personas menores de dieciocho años de edad o de personas que no tienen capacidad para comprender el significado del hecho o de personas que no tienen capacidad para resistirlo, previsto en los artículos 203 y 203 Bis; Lenocinio de personas menores de dieciocho años de edad o de personas que no tienen capacidad para comprender el significado del hecho o de personas que no tienen capacidad para resistirlo, previsto en el artículo 204 y Pederastia, previsto en el artículo 209 Bis;

X. Tráfico de menores, previsto en el artículo 366 Ter;

XI. Contra la salud, previsto en los artículos 194, 195, 196 Ter, 197, párrafo primero y 198, parte primera del párrafo tercero;

Fracción reformada DOF 19-02-2021

XII. Abuso o violencia sexual contra menores, previsto en los artículos 261 en relación con el 260;

Fracción adicionada DOF 19-02-2021

XIII. Feminicidio, previsto en el artículo 325;

Fracción adicionada DOF 19-02-2021

XIV. Robo a casa habitación, previsto en el artículo 381 Bis;

Fracción adicionada DOF 19-02-2021

XV. Ejercicio abusivo de funciones, previsto en las fracciones I y II del primer párrafo del artículo 220, en relación con su cuarto párrafo;

Fracción adicionada DOF 19-02-2021

XVI. Enriquecimiento ilícito previsto en el artículo 224, en relación con su séptimo párrafo, y

Fracción adicionada DOF 19-02-2021

XVII. Robo al transporte de carga, en cualquiera de sus modalidades, previsto en los artículos 376 Ter y 381, fracción XVII.

Fracción adicionada DOF 19-02-2021

[Se consideran delitos que ameritan prisión preventiva oficiosa, los previstos en el Código Fiscal de la Federación, de la siguiente manera:

I. Contrabando y su equiparable, de conformidad con lo dispuesto en los artículos 102 y 105, fracciones I y IV, cuando estén a las sanciones previstas en las fracciones II o III, párrafo segundo, del artículo 104, exclusivamente cuando sean calificados;

II. Defraudación fiscal y su equiparable, de conformidad con lo dispuesto en los artículos 108 y 109, cuando el monto de lo defraudado supere 3 veces lo dispuesto en la fracción III del artículo 108 del Código Fiscal de la Federación, exclusivamente cuando sean calificados, y

III. La expedición, venta, enajenación, compra o adquisición de comprobantes fiscales que amparen operaciones inexistentes, falsas o actos jurídicos simulados, de conformidad con lo dispuesto en el artículo 113 Bis del Código Fiscal de la Federación, exclusivamente cuando las cifras, cantidad o valor de los comprobantes fiscales, superen 3 veces lo establecido en la fracción III del artículo 108 del Código Fiscal de la Federación.]

Párrafo con fracciones adicionado DOF 08-11-2019

Párrafo con fracciones declarado inválido por sentencia de la SCJN a Acción de Inconstitucionalidad notificada para efectos legales 25-11-2022

El juez no impondrá la prisión preventiva oficiosa y la sustituirá por otra medida cautelar, únicamente cuando lo solicite el Ministerio Público por no resultar proporcional para garantizar la comparecencia del imputado en el proceso, el desarrollo de la investigación, la protección de la víctima y de los testigos o de la comunidad o bien, cuando exista voluntad de las partes para celebrar un acuerdo reparatorio de cumplimiento inmediato, siempre que se trate de alguno de los delitos en los que sea procedente dicha forma de solución alterna del procedimiento. La solicitud deberá contar con la autorización del titular de la Fiscalía o de la persona funcionaria en la cual delegue esa facultad.

Párrafo reformado DOF 19-02-2021

Si la prisión preventiva oficiosa ya hubiere sido impuesta, pero las partes manifiestan la voluntad de celebrar un acuerdo reparatorio de cumplimiento inmediato, el Ministerio Público solicitará al juez la sustitución de la medida cautelar para que las partes concreten el acuerdo con el apoyo del Órgano especializado en la materia.

Párrafo adicionado DOF 19-02-2021

En los casos en los que la víctima u ofendido y la persona imputada deseen participar en un Mecanismo Alternativo de Solución de Controversias, y no sea factible modificar la medida cautelar de prisión preventiva, por existir riesgo de que el imputado se sustraiga del procedimiento o lo obstaculice, el o la Juez de Control podrá derivar el asunto al Órgano especializado en la materia, para promover la reparación del daño y concretar el acuerdo correspondiente.

Párrafo adicionado DOF 19-02-2021

Reforma DOF 19-02-2021: Suprimió del artículo el entonces párrafo quinto

Artículo 168. Peligro de sustracción del imputado

Para decidir si está garantizada o no la comparecencia del imputado en el proceso, el Juez de control tomará en cuenta, especialmente, las siguientes circunstancias:

I. El arraigo que tenga en el lugar donde deba ser juzgado determinado por el domicilio, residencia habitual, asiento de la familia y las facilidades para abandonar el lugar o permanecer oculto. La falsedad sobre el domicilio del imputado constituye presunción de riesgo de fuga;

II. El máximo de la pena que en su caso pudiera llegar a imponerse de acuerdo al delito de que se trate y la actitud que voluntariamente adopta el imputado ante éste;

III. El comportamiento del imputado posterior al hecho cometido durante el procedimiento o en otro anterior, en la medida que indique su voluntad de someterse o no a la persecución penal;

IV. La inobservancia de medidas cautelares previamente impuestas, o

V. El desacato de citaciones para actos procesales y que, conforme a derecho, le hubieran realizado las autoridades investigadoras o jurisdiccionales.

Artículo 169. Peligro de obstaculización del desarrollo de la investigación

Para decidir acerca del peligro de obstaculización del desarrollo de la investigación, el Juez de control tomará en cuenta la circunstancia del hecho imputado y los elementos aportados por el Ministerio Público para estimar como probable que, de recuperar su libertad, el imputado:

I. Destruirá, modificará, ocultará o falsificará elementos de prueba;

II. Influirá para que coimputados, testigos o peritos informen falsamente o se comporten de manera reticente o inducirá a otros a realizar tales comportamientos, o

III. Intimidará, amenazará u obstaculizará la labor de los servidores públicos que participan en la investigación.

Artículo 170. Riesgo para la víctima u ofendido, testigos o para la comunidad

La protección que deba proporcionarse a la víctima u ofendido, a los testigos o a la comunidad, se establecerá a partir de la valoración que haga el Juez de control respecto de las circunstancias del hecho y de las condiciones particulares en que se encuentren dichos sujetos, de las que puedan derivarse la existencia de un riesgo fundado de que se cometa contra dichas personas un acto que afecte su integridad personal o ponga en riesgo su vida.

Artículo 171. Pruebas para la imposición, revisión, sustitución, modificación o cese de la prisión preventiva

Las partes podrán invocar datos u ofrecer medios de prueba con el fin de solicitar la imposición, revisión, sustitución, modificación o cese de la prisión preventiva.

En todos los casos se estará a lo dispuesto por este Código en lo relativo a la admisión y desahogo de medios de prueba.

Los medios de convicción allegados tendrán eficacia únicamente para la resolución de las cuestiones que se hubieren planteado.

Artículo 172. Presentación de la garantía

Al decidir sobre la medida cautelar consistente en garantía económica, el Juez de control previamente tomará en consideración la idoneidad de la medida solicitada por el Ministerio Público. Para resolver sobre dicho monto, el Juez de control deberá tomar en cuenta el peligro de sustracción del imputado a juicio, el peligro de obstaculización del desarrollo de la investigación y el riesgo para la víctima u ofendido, para los testigos o para la comunidad. Adicionalmente deberá considerar las características del imputado, su capacidad económica, la posibilidad de cumplimiento de las obligaciones procesales a su cargo.

El Juez de control hará la estimación de modo que constituya un motivo eficaz para que el imputado se abstenga de incumplir sus obligaciones y deberá fijar un plazo razonable para exhibir la garantía.

Artículo 173. Tipo de garantía

La garantía económica podrá constituirse de las siguientes maneras:

I. Depósito en efectivo;

II. Fianza de institución autorizada;

III. Hipoteca;

IV. Prenda;

V. Fideicomiso, o

VI. Cualquier otra que a criterio del Juez de control cumpla suficientemente con esta finalidad.

El Juez de control podrá autorizar la sustitución de la garantía impuesta al imputado por otra equivalente previa audiencia del Ministerio Público, la víctima u ofendido, si estuviese presente.

Las garantías económicas se regirán por las reglas generales previstas en el Código Civil Federal o de las Entidades federativas, según corresponda y demás legislaciones aplicables.

El depósito en efectivo será equivalente a la cantidad señalada como garantía económica y se hará en la institución de crédito autorizada para ello; sin embargo, cuando por razones de la hora o por tratarse de día inhábil no pueda constituirse el depósito, el Juez de control recibirá la cantidad en efectivo, asentará registro de ella y la ingresará el primer día hábil a la institución de crédito autorizada.

Artículo 174. Incumplimiento del imputado de las medidas cautelares

Cuando el supervisor de la medida cautelar detecte un incumplimiento de una medida cautelar distinta a la garantía económica o de prisión preventiva, deberá informar a las partes de forma inmediata a efecto de que en su caso puedan solicitar la revisión de la medida cautelar.

El Ministerio Público que reciba el reporte de la autoridad de supervisión de medidas cautelares y de la suspensión condicional del proceso, deberá solicitar audiencia para revisión de la medida cautelar impuesta en el plazo más breve posible y en su caso, solicite la comparecencia del imputado o una orden de aprehensión.

Párrafo reformado DOF 17-06-2016

En caso que el imputado notificado por cualquier medio no comparezca injustificadamente a la audiencia a la que fue citado, el Ministerio Público deberá solicitar la orden de aprehensión o comparecencia.

Párrafo adicionado DOF 17-06-2016

La justificación de la inasistencia por parte del imputado deberá presentarse a más tardar al momento de la audiencia.

Párrafo adicionado DOF 17-06-2016

En el caso de que al imputado se le haya impuesto como medida cautelar una garantía económica y, exhibida ésta sea citado para comparecer ante el juez e incumpla la cita, se requerirá al garante para que presente al imputado en un plazo no mayor a ocho días, advertidos, el garante y el imputado, de que si no lo hicieren o no justificaren la incomparecencia, se hará efectiva la garantía a favor del Fondo de Ayuda, Asistencia y Reparación Integral o sus equivalentes en las entidades federativas, previstos en la Ley General de Víctimas.

Párrafo reformado DOF 17-06-2016

Si el imputado es sorprendido infringiendo una medida cautelar de las establecidas en las fracciones V, VII, VIII, IX, XII y XIII del artículo 155 de este Código, el supervisor de la medida cautelar deberá dar aviso inmediatamente y por cualquier medio, al Juez de control quien con la misma inmediatez ordenará su arresto con fundamento en el inciso d), fracción II del artículo 104 de este Código, para que dentro de la duración de este sea llevado ante él en audiencia con las partes, con el fin de que se revise la medida cautelar; siempre y cuando se le haya apercibido que de incumplir con la medida cautelar se le impondría dicha medida de apremio.

Párrafo reformado DOF 17-06-2016

Artículo 175. Cancelación de la garantía

La garantía se cancelará y se devolverán los bienes afectados por ella, cuando:

I. Se revoque la decisión que la decreta;

II. Se dicte el sobreseimiento o la sentencia absolutoria, o

III. El imputado se someta a la ejecución de la pena o la garantía no deba ejecutarse.

CAPÍTULO V
DE LA SUPERVISIÓN DE LAS MEDIDAS CAUTELARES

SECCIÓN I
DE LA AUTORIDAD DE SUPERVISIÓN DE MEDIDAS CAUTELARES Y DE LA SUSPENSIÓN CONDICIONAL DEL PROCESO

Artículo 176. Naturaleza y objeto

La Autoridad de supervisión de medidas cautelares y de la suspensión condicional del proceso, tendrá por objeto realizar la evaluación de riesgo del imputado, así como llevar a cabo el seguimiento de las medidas cautelares y de la suspensión condicional del proceso, en caso de que no sea una institución de seguridad pública se podrá auxiliar de la instancia policial correspondiente para el desarrollo de sus funciones.

Esta autoridad deberá proporcionar a las partes información sobre la evaluación de riesgos que representa el imputado y el seguimiento de las medidas cautelares y de la suspensión condicional del proceso que le soliciten.

Artículo reformado DOF 17-06-2016

Artículo 177. Obligaciones de la autoridad de supervisión de medidas cautelares y de la suspensión condicional del proceso

La autoridad de supervisión de medidas cautelares y de la suspensión condicional del proceso tendrá las siguientes obligaciones:

I. Supervisar y dar seguimiento a las medidas cautelares impuestas, distintas a la prisión preventiva, y las condiciones a cargo del imputado en caso de suspensión condicional del proceso, así como hacer sugerencias sobre cualquier cambio que amerite alguna modificación de las medidas u obligaciones impuestas;

II. Entrevistar periódicamente a la víctima o testigo del delito, con el objeto de dar seguimiento al cumplimiento de la medida cautelar impuesta o las condiciones de la suspensión condicional del proceso y canalizarlos, en su caso, a la autoridad correspondiente;

III. Realizar entrevistas así como visitas no anunciadas en el domicilio o en el lugar en donde se encuentre el imputado;

IV. Verificar la localización del imputado en su domicilio o en el lugar en donde se encuentre, cuando la modalidad de la medida cautelar o de la suspensión condicional del proceso impuesta por la autoridad judicial así lo requiera;

V. Requerir que el imputado proporcione muestras, sin previo aviso, para detectar el posible uso de alcohol o drogas prohibidas, o el resultado del examen de las mismas en su caso, cuando la modalidad de la suspensión condicional del proceso impuesta por la autoridad judicial así lo requiera;

VI. Supervisar que las personas e instituciones públicas y privadas a las que la autoridad judicial encargue el cuidado del imputado, cumplan las obligaciones contraídas;

VII. Solicitar al imputado la información que sea necesaria para verificar el cumplimiento de las medidas y obligaciones impuestas;

VIII. Revisar y sugerir el cambio de las condiciones de las medidas impuestas al imputado, de oficio o a solicitud de parte, cuando cambien las circunstancias originales que sirvieron de base para imponer la medida;

IX. Informar a las partes aquellas violaciones a las medidas y obligaciones impuestas que estén debidamente verificadas, y puedan implicar la modificación o revocación de la medida o suspensión y sugerir las modificaciones que estime pertinentes;

X. Conservar actualizada una base de datos sobre las medidas cautelares y obligaciones impuestas, su seguimiento y conclusión;

XI. Solicitar y proporcionar información a las oficinas con funciones similares de la Federación o de Entidades federativas dentro de sus respectivos ámbitos de competencia;

XII. Ejecutar las solicitudes de apoyo para la obtención de información que le requieran las oficinas con funciones similares de la Federación o de las Entidades federativas en sus respectivos ámbitos de competencia;

XIII. Canalizar al imputado a servicios sociales de asistencia, públicos o privados, en materias de salud, empleo, educación, vivienda y apoyo jurídico, cuando la modalidad de la medida cautelar o de la suspensión condicional del proceso impuesta por la autoridad judicial así lo requiera, y

XIV. Las demás que establezca la legislación aplicable.

Artículo 178. Riesgo de incumplimiento de medida cautelar distinta a la prisión preventiva

En el supuesto de que la autoridad de supervisión de medidas cautelares y de la suspensión condicional del proceso, advierta que existe un riesgo objetivo en inminente de fuga o de afectación a la integridad personal de los intervinientes, deberá informar a las partes de forma inmediata a efecto de que en su caso puedan solicitar al Juez de control la revisión de la medida cautelar.

Artículo 179. Suspensión de la medida cautelar

Cuando se determine la suspensión condicional de proceso, la autoridad judicial deberá suspender las medidas cautelares impuestas, las que podrán continuar en los mismos términos o modificarse, si el proceso se reanuda, de acuerdo con las peticiones de las partes y la determinación judicial.

Artículo 180. Continuación de la medida cautelar en caso de sentencia condenatoria recurrida

Cuando el sentenciado recurra la sentencia condenatoria, continuará el seguimiento de las medidas cautelares impuestas hasta que cause estado la sentencia, sin perjuicio de que puedan ser sujetas de revisión de conformidad con las reglas de este Código.

Artículo 181. Seguimiento de medidas cautelares en caso de suspensión del proceso

Cuando el proceso sea suspendido en virtud de que la autoridad judicial haya determinado la sustracción de la acción de la justicia, las medidas cautelares continuarán vigentes, salvo las que resulten de imposible cumplimiento.

En caso de que el proceso se suspenda por la falta de un requisito de procedibilidad, las medidas cautelares continuarán vigentes por el plazo que determine la autoridad judicial que no podrá exceder de cuarenta y ocho horas.

Si el imputado es declarado inimputable, se citará a una audiencia de revisión de la medida cautelar proveyendo, en su caso, la aplicación de ajustes razonables solicitados por las partes.

Artículo 182. Registro de actividades de supervisión

Se llevará un registro, por cualquier medio fidedigno, de las actividades necesarias que permitan a la autoridad de supervisión de medidas cautelares y de la suspensión condicional del proceso tener certeza del cumplimiento o incumplimiento de las obligaciones impuestas.

LIBRO SEGUNDO
DEL PROCEDIMIENTO

TÍTULO I
SOLUCIONES ALTERNAS Y FORMAS DE TERMINACIÓN ANTICIPADA

CAPÍTULO I
DISPOSICIONES COMUNES

Artículo 183. Principio general

En los asuntos sujetos a procedimiento abreviado se aplicarán las disposiciones establecidas en este Título.

En todo lo no previsto en este Título, y siempre que no se opongan al mismo, se aplicarán las reglas del proceso ordinario.

Para las salidas alternas y formas de terminación anticipada, la autoridad competente contará con un registro para dar seguimiento al cumplimiento de los acuerdos reparatorios, los procesos de suspensión condicional del proceso, y el procedimiento abreviado, dicho registro deberá ser consultado por el Ministerio Público y la autoridad judicial antes de solicitar y conceder, respectivamente, alguna forma de solución alterna del procedimiento o de terminación anticipada del proceso.

Artículo reformado DOF 29-12-2014

Artículo 184. Soluciones alternas

Son formas de solución alterna del procedimiento:

I. El acuerdo reparatorio, y

II. La suspensión condicional del proceso.

Artículo 185. Formas de terminación anticipada del proceso

El procedimiento abreviado será considerado una forma de terminación anticipada del proceso.

CAPÍTULO II
ACUERDOS REPARATORIOS

Artículo 186. Definición

Los acuerdos reparatorios son aquéllos celebrados entre la víctima u ofendido y el imputado que, una vez aprobados por el Ministerio Público o el Juez de control y cumplidos en sus términos, tienen como efecto la extinción de la acción penal.

Artículo reformado DOF 29-12-2014

Artículo 187. Control sobre los acuerdos reparatorios

Procederán los acuerdos reparatorios únicamente en los casos siguientes:

I. Delitos que se persiguen por querella, por requisito equivalente de parte ofendida o que admiten el perdón de la víctima o el ofendido;

Fracción reformada DOF 29-12-2014

II. Delitos culposos, o

III. Delitos patrimoniales cometidos sin violencia sobre las personas.

No procederán los acuerdos reparatorios en los casos en que el imputado haya celebrado anteriormente otros acuerdos por hechos que correspondan a los mismos delitos dolosos, tampoco procederán cuando se trate de delitos de violencia familiar o sus equivalentes en las Entidades federativas. [Tampoco serán procedentes los acuerdos reparatorios para las hipótesis previstas en las fracciones I, II y III del párrafo séptimo del artículo 167 del presente Código.]

Párrafo reformado DOF 29-12-2014, 17-06-2016, 08-11-2019

Párrafo declarado inválido por sentencia de la SCJN a Acción de Inconstitucionalidad notificada para efectos legales 25-11-2022 (En la porción normativa "Tampoco serán procedentes los acuerdos reparatorios para las hipótesis previstas en las fracciones I, II y III del párrafo séptimo del artículo 167 del presente Código")

Tampoco serán procedentes en caso de que el imputado haya incumplido previamente un acuerdo reparatorio, salvo que haya sido absuelto.

Párrafo adicionado DOF 29-12-2014. Reformado DOF 17-06-2016

Artículo 188. Procedencia

Los acuerdos reparatorios procederán desde la presentación de la denuncia o querella hasta antes de decretarse el auto de apertura de juicio. En el caso de que se haya dictado el auto de vinculación a proceso y hasta antes de que se haya dictado el auto de apertura a juicio, el Juez de control, a petición de las partes, podrá suspender el proceso penal hasta por treinta días para que las partes puedan concretar el acuerdo con el apoyo de la autoridad competente especializada en la materia.

En caso de que la concertación se interrumpa, cualquiera de las partes podrá solicitar la continuación del proceso.

Artículo reformado DOF 29-12-2014

Artículo 189. Oportunidad

Desde su primera intervención, el Ministerio Público o en su caso, el Juez de control, podrán invitar a los interesados a que suscriban un acuerdo reparatorio en los casos en que proceda, de conformidad con lo dispuesto en el presente Código, debiendo explicarles a las partes los efectos del acuerdo.

Las partes podrán acordar acuerdos reparatorios de cumplimiento inmediato o diferido. En caso de señalar que el cumplimiento debe ser diferido y no señalar plazo específico, se entenderá que el plazo será por un año. El plazo para el cumplimiento de las obligaciones suspenderá el trámite del proceso y la prescripción de la acción penal.

Si el imputado incumple sin justa causa las obligaciones pactadas, la investigación o el proceso, según corresponda, continuará como si no se hubiera celebrado acuerdo alguno.

Párrafo reformado DOF 29-12-2014

La información que se genere como producto de los acuerdos reparatorios no podrá ser utilizada en perjuicio de las partes dentro del proceso penal.

El juez decretará la extinción de la acción una vez aprobado el cumplimiento pleno de las obligaciones pactadas en un acuerdo reparatorio, haciendo las veces de sentencia ejecutoriada.

Artículo 190. Trámite

Los acuerdos reparatorios deberán ser aprobados por el Juez de control a partir de la etapa de investigación complementaria y por el Ministerio Publico en la etapa de investigación inicial. En este último supuesto, las partes tendrán derecho a acudir ante el Juez de control, dentro de los cinco días siguientes a que se haya aprobado el acuerdo reparatorio, cuando estimen que el mecanismo alternativo de solución de controversias no se desarrolló conforme a las disposiciones previstas en la ley de la materia. Si el Juez de control determina como válidas las pretensiones de las partes, podrá declarar como no celebrado el acuerdo reparatorio y, en su caso, aprobar la modificación acordada entre las partes.

Párrafo reformado DOF 29-12-2014

Previo a la aprobación del acuerdo reparatorio, el Juez de control o el Ministerio Público verificarán que las obligaciones que se contraen no resulten notoriamente desproporcionadas y que los intervinientes estuvieron en condiciones de igualdad para negociar y que no hayan actuado bajo condiciones de intimidación, amenaza o coacción.

CAPÍTULO III
SUSPENSIÓN CONDICIONAL DEL PROCESO

Artículo 191. Definición

Por suspensión condicional del proceso deberá entenderse el planteamiento formulado por el Ministerio Público o por el imputado, el cual contendrá un plan detallado sobre el pago de la reparación del daño y el sometimiento del imputado a una o varias de las condiciones que refiere este Capítulo, que garanticen una efectiva tutela de los derechos de la víctima u ofendido y que en caso de cumplirse, pueda dar lugar a la extinción de la acción penal.

Artículo 192. Procedencia

La suspensión condicional del proceso, a solicitud del imputado o del Ministerio Público con acuerdo de aquél, procederá en los casos en que se cubran los requisitos siguientes:

I. Que el auto de vinculación a proceso del imputado se haya dictado por un delito cuya media aritmética de la pena de prisión no exceda de cinco años;

Fracción reformada DOF 17-06-2016

II. Que no exista oposición fundada de la víctima y ofendido, y

Fracción reformada DOF 17-06-2016

III. Que hayan transcurrido dos años desde el cumplimiento o cinco años desde el incumplimiento, de una suspensión condicional anterior, en su caso.

Fracción adicionada DOF 17-06-2016

Lo señalado en la fracción III del presente artículo, no procederá cuando el imputado haya sido absuelto en dicho procedimiento.

Párrafo reformado DOF 17-06-2016

[La suspensión condicional será improcedente para las hipótesis previstas en las fracciones I, II y III del párrafo séptimo del artículo 167 del presente Código.]

Párrafo adicionado DOF 08-11-2019

Párrafo declarado inválido por sentencia de la SCJN a Acción de Inconstitucionalidad notificada para efectos legales 25-11-2022

Artículo 193. Oportunidad

Una vez dictado el auto de vinculación a proceso, la suspensión condicional del proceso podrá solicitarse en cualquier momento hasta antes de acordarse la apertura de juicio, y no impedirá el ejercicio de la acción civil ante los tribunales respectivos.

Artículo 194. Plan de reparación

En la audiencia en donde se resuelva sobre la solicitud de suspensión condicional del proceso, el imputado deberá plantear, un plan de reparación del daño causado por el delito y plazos para cumplirlo.

Artículo 195. Condiciones por cumplir durante el periodo de suspensión condicional del proceso

El Juez de control fijará el plazo de suspensión condicional del proceso, que no podrá ser inferior a seis meses ni superior a tres años, y determinará imponer al imputado una o varias de las condiciones que deberá cumplir, las cuales en forma enunciativa más no limitativa se señalan:

I. Residir en un lugar determinado;

II. Frecuentar o dejar de frecuentar determinados lugares o personas;

III. Abstenerse de consumir drogas o estupefacientes o de abusar de las bebidas alcohólicas;

IV. Participar en programas especiales para la prevención y el tratamiento de adicciones;

V. Aprender una profesión u oficio o seguir cursos de capacitación en el lugar o la institución que determine el Juez de control;

VI. Prestar servicio social a favor del Estado o de instituciones de beneficencia pública;

VII. Someterse a tratamiento médico o psicológico, de preferencia en instituciones públicas;

VIII. Tener un trabajo o empleo, o adquirir, en el plazo que el Juez de control determine, un oficio, arte, industria o profesión, si no tiene medios propios de subsistencia;

IX. Someterse a la vigilancia que determine el Juez de control;

X. No poseer ni portar armas;

XI. No conducir vehículos;

XII. Abstenerse de viajar al extranjero;

XIII. Cumplir con los deberes de deudor alimentario, o

XIV. Cualquier otra condición que, a juicio del Juez de control, logre una efectiva tutela de los derechos de la víctima.

Para fijar las condiciones, el Juez de control podrá disponer que el imputado sea sometido a una evaluación previa. El Ministerio Público, la víctima u ofendido, podrán proponer al Juez de control condiciones a las que consideran debe someterse el imputado.

El Juez de control preguntará al imputado si se obliga a cumplir con las condiciones impuestas y, en su caso, lo prevendrá sobre las consecuencias de su inobservancia.

Artículo 196. Trámite

La víctima u ofendido serán citados a la audiencia en la fecha que señale el Juez de control. La incomparecencia de éstos no impedirá que el Juez resuelva sobre la procedencia y términos de la solicitud.

En su resolución, el Juez de control fijará las condiciones bajo las cuales se suspende el proceso o se rechaza la solicitud y aprobará el plan de reparación propuesto, mismo que podrá ser modificado por el Juez de control en la audiencia. La sola falta de recursos del imputado no podrá ser utilizada como razón suficiente para rechazar la suspensión condicional del proceso.

La información que se genere como producto de la suspensión condicional del proceso no podrá ser utilizada en caso de continuar el proceso penal.

Párrafo reformado DOF 17-06-2016

Artículo 197. Conservación de los registros de investigación y medios de prueba

En los procesos suspendidos de conformidad con las disposiciones establecidas en el presente Capítulo, el Ministerio Público tomará las medidas necesarias para evitar la pérdida, destrucción o ineficacia de los registros y medios de prueba conocidos y los que soliciten los sujetos que intervienen en el proceso.

Artículo 198. Revocación de la suspensión condicional del proceso

Si el imputado dejara de cumplir injustificadamente las condiciones impuestas, no cumpliera con el plan de reparación, o posteriormente fuera condenado por sentencia ejecutoriada por delito doloso o culposo, siempre que el proceso suspendido se refiera a delito de esta naturaleza, el Juez de control, previa petición del agente del Ministerio Público o de la víctima u ofendido, convocará a las partes a una audiencia en la que se debatirá sobre la procedencia de la revocación de la suspensión condicional del proceso, debiendo resolver de inmediato lo que proceda.

El Juez de control también podrá ampliar el plazo de la suspensión condicional del proceso hasta por dos años más. Esta extensión del término podrá imponerse por una sola vez.

Si la víctima u ofendido hubiese recibido pagos durante la suspensión condicional del proceso y ésta en forma posterior fuera revocada, el monto total a que ascendieran dichos pagos deberán ser destinados al pago de la indemnización por daños y perjuicios que en su caso corresponda a la víctima u ofendido.

La obligación de cumplir con las condiciones derivadas de la suspensión condicional del proceso, así como el plazo otorgado para tal efecto se interrumpirán mientras el imputado esté privado de su libertad por otro proceso. Una vez que el imputado obtenga su libertad, éstos se reanudarán.

Si el imputado estuviera sometido a otro proceso y goza de libertad, la obligación de cumplir con las condiciones establecidas para la suspensión condicional del proceso así como el plazo otorgado para tal efecto, continuarán vigentes; sin embargo, no podrá decretarse la extinción de la acción penal hasta en tanto quede firme la resolución que lo exime de responsabilidad dentro del otro proceso.

Artículo 199. Cesación provisional de los efectos de la suspensión condicional del proceso

La suspensión condicional del proceso interrumpirá los plazos para la prescripción de la acción penal del delito de que se trate.

Cuando las condiciones establecidas por el Juez de control para la suspensión condicional del proceso, así como el plan de reparación hayan sido cumplidas por el imputado dentro del plazo establecido para tal efecto sin que se hubiese revocado dicha suspensión condicional del proceso, se extinguirá la acción penal, para lo cual el Juez de control deberá decretar de oficio o a petición de parte el sobreseimiento.

Artículo 200. Verificación de la existencia de un acuerdo previo

Previo al comienzo de la audiencia de suspensión condicional del proceso, el Ministerio Público deberá consultar en los registros respectivos si el imputado en forma previa fue parte de algún mecanismo de solución alterna o suscribió acuerdos reparatorios, debiendo incorporar en los registros de investigación el resultado de la consulta e informar en la audiencia de los mismos.

CAPÍTULO IV
PROCEDIMIENTO ABREVIADO

Artículo 201. Requisitos de procedencia y verificación del Juez

Para autorizar el procedimiento abreviado, el Juez de control verificará en audiencia los siguientes requisitos:

I. Que el Ministerio Público solicite el procedimiento, para lo cual se deberá formular la acusación y exponer los datos de prueba que la sustentan. La acusación deberá contener la enunciación de los hechos que se atribuyen al acusado, su clasificación jurídica y grado de intervención, así como las penas y el monto de reparación del daño;

II. Que la víctima u ofendido no presente oposición. Sólo será vinculante para el juez la oposición que se encuentre fundada, y

III. Que el imputado:

a) Reconozca estar debidamente informado de su derecho a un juicio oral y de los alcances del procedimiento abreviado;

b) Expresamente renuncie al juicio oral;

c) Consienta la aplicación del procedimiento abreviado;

d) Admita su responsabilidad por el delito que se le imputa;

e) Acepte ser sentenciado con base en los medios de convicción que exponga el Ministerio Público al formular la acusación.

Artículo 202. Oportunidad

El Ministerio Público podrá solicitar la apertura del procedimiento abreviado después de que se dicte el auto de vinculación a proceso y hasta antes de la emisión del auto de apertura a juicio oral.

A la audiencia se deberá citar a todas las partes. La incomparecencia de la víctima u ofendido debidamente citados no impedirá que el Juez de control se pronuncie al respecto.

Cuando el acusado no haya sido condenado previamente por delito doloso y el delito por el cual se lleva a cabo el procedimiento abreviado es sancionado con pena de prisión cuya media aritmética no exceda de cinco años, incluidas sus calificativas atenuantes o agravantes, el Ministerio Público podrá solicitar la reducción de hasta una mitad de la pena mínima en los casos de delitos dolosos y hasta dos terceras partes de la pena mínima en el caso de delitos culposos, de la pena de prisión que le correspondiere al delito por el cual acusa.

En cualquier caso, el Ministerio Público podrá solicitar la reducción de hasta un tercio de la mínima en los casos de delitos dolosos y hasta en una mitad de la mínima en el caso de delitos culposos, de la pena de prisión. Si al momento de esta solicitud, ya existiere acusación formulada por escrito, el Ministerio Público podrá modificarla oralmente en la audiencia donde se resuelva sobre el procedimiento abreviado y en su caso solicitar la reducción de las penas, para el efecto de permitir la tramitación del caso conforme a las reglas previstas en el presente Capítulo.

El Ministerio Público al solicitar la pena en los términos previstos en el presente artículo, deberá observar el Acuerdo que al efecto emita el Procurador.

Artículo 203. Admisibilidad

En la misma audiencia, el Juez de control admitirá la solicitud del Ministerio Público cuando verifique que concurran los medios de convicción que corroboren la imputación, en términos de la fracción VII, del apartado A del artículo 20 de la Constitución. Serán medios de convicción los datos de prueba que se desprendan de los registros contenidos en la carpeta de investigación.

Si el procedimiento abreviado no fuere admitido por el Juez de control, se tendrá por no formulada la acusación oral que hubiere realizado el Ministerio Público, lo mismo que las modificaciones que, en su caso, hubiera realizado a su respectivo escrito y se continuará de acuerdo con las disposiciones previstas para el procedimiento ordinario. Asimismo, el Juez de control ordenará que todos los antecedentes relativos al planteamiento, discusión y resolución de la solicitud de procedimiento abreviado sean eliminados del registro.

Si no se admite la solicitud por inconsistencias o incongruencias en los planteamientos del Ministerio Público, éste podrá presentar nuevamente la solicitud una vez subsanados los defectos advertidos.

Artículo 204. Oposición de la víctima u ofendido

La oposición de la víctima u ofendido sólo será procedente cuando se acredite ante el Juez de control que no se encuentra debidamente garantizada la reparación del daño.

Artículo 205. Trámite del procedimiento

Una vez que el Ministerio Público ha realizado la solicitud del procedimiento abreviado y expuesto la acusación con los datos de prueba respectivos, el Juez de control resolverá la oposición que hubiere expresado la víctima u ofendido, observará el cumplimiento de los requisitos establecidos en el artículo 201, fracción III, correspondientes al imputado y verificará que los elementos de convicción que sustenten la acusación se encuentren debidamente integrados en la carpeta de investigación, previo a resolver sobre la autorización del procedimiento abreviado.

Una vez que el Juez de control haya autorizado dar trámite al procedimiento abreviado, escuchará al Ministerio Público, a la víctima u ofendido o a su Asesor jurídico, de estar presentes y después a la defensa; en todo caso, la exposición final corresponderá siempre al acusado.

Artículo 206. Sentencia

Concluido el debate, el Juez de control emitirá su fallo en la misma audiencia, para lo cual deberá dar lectura y explicación pública a la sentencia, dentro del plazo de cuarenta y ocho horas, explicando de forma concisa los fundamentos y motivos que tomó en consideración.

No podrá imponerse una pena distinta o de mayor alcance a la que fue solicitada por el Ministerio Público y aceptada por el acusado.

El juez deberá fijar el monto de la reparación del daño, para lo cual deberá expresar las razones para aceptar o rechazar las objeciones que en su caso haya formulado la víctima u ofendido.

Artículo 207. Reglas generales

La existencia de varios coimputados no impide la aplicación de estas reglas en forma individual.

CAPÍTULO V
DE LA SUPERVISIÓN DE LAS CONDICIONES IMPUESTAS EN LA SUSPENSIÓN CONDICIONAL DEL PROCESO

Artículo 208. Reglas para las obligaciones de la suspensión condicional del proceso

Para el seguimiento de las obligaciones previstas en el artículo 195, fracciones III, IV, V, VI, VIII y XIII las instituciones públicas y privadas designadas por la autoridad judicial, informarán a la autoridad de supervisión de medidas cautelares y de la suspensión condicional del proceso sobre su cumplimiento.

Artículo 209. Notificación de las obligaciones de la suspensión condicional del proceso

Concluida la audiencia y aprobada la suspensión condicional del proceso y las obligaciones que deberá cumplir el imputado, se notificará a la autoridad de supervisión de medidas cautelares y de la suspensión condicional del proceso, con el objeto de que ésta dé inicio al proceso de supervisión. Para tal efecto, se le deberá proporcionar la información de las condiciones impuestas.

Artículo 210. Notificación del incumplimiento

Cuando considere que se ha actualizado un incumplimiento injustificado, la autoridad de supervisión de medidas cautelares y de la suspensión condicional del proceso enviará el reporte de incumplimiento a las partes para que soliciten la audiencia de revocación de la suspensión ante el juez competente.

Si el juez determina la revocación de la suspensión condicional del proceso, concluirá la supervisión de la autoridad de supervisión de medidas cautelares y de la suspensión condicional del proceso.

El Ministerio Público que reciba el reporte de la autoridad de supervisión de medidas cautelares y de la suspensión condicional del proceso, deberá solicitar audiencia para pedir la revisión de las condiciones u obligaciones impuestas a la brevedad posible.

TÍTULO II
PROCEDIMIENTO ORDINARIO

CAPÍTULO ÚNICO
ETAPAS DEL PROCEDIMIENTO

Artículo 211. Etapas del procedimiento penal

El procedimiento penal comprende las siguientes etapas:

I. La de investigación, que comprende las siguientes fases:

a) Investigación inicial, que comienza con la presentación de la denuncia, querella u otro requisito equivalente y concluye cuando el imputado queda a disposición del Juez de control para que se le formule imputación, e

b) Investigación complementaria, que comprende desde la formulación de la imputación y se agota una vez que se haya cerrado la investigación;

II. La intermedia o de preparación del juicio, que comprende desde la formulación de la acusación hasta el auto de apertura del juicio, y

III. La de juicio, que comprende desde que se recibe el auto de apertura a juicio hasta la sentencia emitida por el Tribunal de enjuiciamiento.

La investigación no se interrumpe ni se suspende durante el tiempo en que se lleve a cabo la audiencia inicial hasta su conclusión o durante la víspera de la ejecución de una orden de aprehensión. El ejercicio de la acción inicia con la solicitud de citatorio a audiencia inicial, puesta a disposición del detenido ante la autoridad judicial o cuando se solicita la orden de aprehensión o comparecencia, con lo cual el Ministerio Público no perderá la dirección de la investigación.

El proceso dará inicio con la audiencia inicial, y terminará con la sentencia firme.

TÍTULO III
ETAPA DE INVESTIGACIÓN

CAPÍTULO I
DISPOSICIONES COMUNES A LA INVESTIGACIÓN

Artículo 212. Deber de investigación penal

Cuando el Ministerio Público tenga conocimiento de la existencia de un hecho que la ley señale como delito, dirigirá la investigación penal, sin que pueda suspender, interrumpir o hacer cesar su curso, salvo en los casos autorizados en la misma.

La investigación deberá realizarse de manera inmediata, eficiente, exhaustiva, profesional e imparcial, libre de estereotipos y discriminación, orientada a explorar todas las líneas de investigación posibles que permitan allegarse de datos para el esclarecimiento del hecho que la ley señala como delito, así como la identificación de quien lo cometió o participó en su comisión.

Artículo 213. Objeto de la investigación

La investigación tiene por objeto que el Ministerio Público reúna indicios para el esclarecimiento de los hechos y, en su caso, los datos de prueba para sustentar el ejercicio de la acción penal, la acusación contra el imputado y la reparación del daño.

Artículo 214. Principios que rigen a las autoridades de la investigación

Las autoridades encargadas de desarrollar la investigación de los delitos se regirán por los principios de legalidad, objetividad, eficiencia, profesionalismo, honradez, lealtad y respeto a los derechos humanos reconocidos en la Constitución y en los Tratados.

Artículo 215. Obligación de suministrar información

Toda persona o servidor público está obligado a proporcionar oportunamente la información que requieran el Ministerio Público y la Policía en el ejercicio de sus funciones de investigación de un hecho delictivo concreto. En caso de ser citados para ser entrevistados por el Ministerio Público o la Policía, tienen obligación de comparecer y sólo podrán excusarse en los casos expresamente previstos en la ley. En caso de incumplimiento, se incurrirá en responsabilidad y será sancionado de conformidad con las leyes aplicables.

Artículo 216. Proposición de actos de investigación

Durante la investigación, tanto el imputado cuando haya comparecido o haya sido entrevistado, como su Defensor, así como la víctima u ofendido, podrán solicitar al Ministerio Público todos aquellos actos de investigación que consideraren pertinentes y útiles para el esclarecimiento de los hechos. El Ministerio Público ordenará que se lleven a cabo aquellos que sean conducentes. La solicitud deberá resolverse en un plazo máximo de tres días siguientes a la fecha en que se haya formulado la petición al Ministerio Público.

Artículo 217. Registro de los actos de investigación

El Ministerio Público y la Policía deberán dejar registro de todas las actuaciones que se realicen durante la investigación de los delitos, utilizando al efecto cualquier medio que permita garantizar que la información recabada sea completa, íntegra y exacta, así como el acceso a la misma por parte de los sujetos que de acuerdo con la ley tuvieren derecho a exigirlo.

Cada acto de investigación se registrará por separado, y será firmado por quienes hayan intervenido. Si no quisieren o no pudieren firmar, se imprimirá su huella digital. En caso de que esto no sea posible o la persona se niegue a imprimir su huella, se hará constar el motivo.

El registro de cada actuación deberá contener por lo menos la indicación de la fecha, hora y lugar en que se haya efectuado, identificación de los servidores públicos y demás personas que hayan intervenido y una breve descripción de la actuación y, en su caso, de sus resultados.

Artículo 218. Reserva de los actos de investigación

Los registros de la investigación, así como todos los documentos, independientemente de su contenido o naturaleza, los objetos, los registros de voz e imágenes o cosas que le estén relacionados, son estrictamente reservados, por lo que únicamente las partes, podrán tener acceso a los mismos, con las limitaciones establecidas en este Código y demás disposiciones aplicables.

La víctima u ofendido y su Asesor Jurídico podrán tener acceso a los registros de la investigación en cualquier momento.

El imputado y su defensor podrán tener acceso a ellos cuando se encuentre detenido, sea citado para comparecer como imputado o sea sujeto de un acto de molestia y se pretenda recibir su entrevista, a partir de este momento ya no podrán mantenerse en reserva los registros para el imputado o su Defensor a fin de no afectar su derecho de defensa. Para los efectos de este párrafo, se entenderá como acto de molestia lo dispuesto en el artículo 266 de este Código.

En ningún caso la reserva de los registros podrá hacerse valer en perjuicio del imputado y su Defensor, una vez dictado el auto de vinculación a proceso, salvo lo previsto en este Código o en las leyes especiales.

Para efectos de acceso a la información pública gubernamental, el Ministerio Público únicamente deberá proporcionar una versión pública de las determinaciones de no ejercicio de la acción penal, archivo temporal o de aplicación de un criterio de oportunidad, siempre que haya transcurrido un plazo igual al de prescripción de los delitos de que se trate, de conformidad con lo dispuesto en el Código Penal Federal o estatal correspondiente, sin que pueda ser menor de tres años, ni mayor de doce años, contado a partir de que dicha determinación haya quedado firme.

Artículo reformado DOF 17-06-2016

Artículo 219. Acceso a los registros y la audiencia inicial

Una vez convocados a la audiencia inicial, el imputado y su Defensor tienen derecho a consultar los registros de la investigación y a obtener copia, con la oportunidad debida para preparar la defensa. En caso que el Ministerio Público se niegue a permitir el acceso a los registros o a la obtención de las copias, podrán acudir ante el Juez de control para que resuelva lo conducente.

Artículo 220. Excepciones para el acceso a la información

El Ministerio Público podrá solicitar excepcionalmente al Juez de control que determinada información se mantenga bajo reserva aún después de la vinculación a proceso, cuando sea necesario para evitar la destrucción, alteración u ocultamiento de pruebas, la intimidación, amenaza o influencia a los testigos del hecho, para asegurar el éxito de la investigación, o para garantizar la protección de personas o bienes jurídicos.

Si el Juez de control considera procedente la solicitud, así lo resolverá y determinará el plazo de la reserva, siempre que la información que se solicita sea reservada, sea oportunamente revelada para no afectar el derecho de defensa. La reserva podrá ser prorrogada cuando sea estrictamente necesario, pero no podrá prolongarse hasta después de la formulación de la acusación.

CAPÍTULO II
INICIO DE LA INVESTIGACIÓN

Artículo 221. Formas de inicio

La investigación de los hechos que revistan características de un delito podrá iniciarse por denuncia, por querella o por su equivalente cuando la ley lo exija. El Ministerio Público y la Policía están obligados a proceder sin mayores requisitos a la investigación de los hechos de los que tengan noticia.

Tratándose de delitos que deban perseguirse de oficio, bastará para el inicio de la investigación la comunicación que haga cualquier persona, en la que se haga del conocimiento de la autoridad investigadora los hechos que pudieran ser constitutivos de un delito.

Tratándose de informaciones anónimas, la Policía constatará la veracidad de los datos aportados mediante los actos de investigación que consideren conducentes para este efecto. De confirmarse la información, se iniciará la investigación correspondiente.

Cuando el Ministerio Público tenga conocimiento de la probable comisión de un hecho delictivo cuya persecución dependa de querella o de cualquier otro requisito equivalente que deba formular alguna autoridad, lo comunicará por escrito y de inmediato a ésta, a fin de que resuelva lo que a sus facultades o atribuciones corresponda. Las autoridades harán saber por escrito al Ministerio Público la determinación que adopten.

El Ministerio Público podrá aplicar el criterio de oportunidad en los casos previstos por las disposiciones legales aplicables o no iniciar investigación cuando resulte evidente que no hay delito que perseguir. Las decisiones del Ministerio Público serán impugnables en los términos que prevé este Código.

Artículo 222. Deber de denunciar

Toda persona a quien le conste que se ha cometido un hecho probablemente constitutivo de un delito está obligada a denunciarlo ante el Ministerio Público y en caso de urgencia ante cualquier agente de la Policía.

Quien en ejercicio de funciones públicas tenga conocimiento de la probable existencia de un hecho que la ley señale como delito, está obligado a denunciarlo inmediatamente al Ministerio Público, proporcionándole todos los datos que tuviere, poniendo a su disposición a los imputados, si hubieren sido detenidos en flagrancia. Quien tenga el deber jurídico de denunciar y no lo haga, será acreedor a las sanciones correspondientes.

Cuando el ejercicio de las funciones públicas a que se refiere el párrafo anterior, correspondan a la coadyuvancia con las autoridades responsables de la seguridad pública, además de cumplir con lo previsto en dicho párrafo, la intervención de los servidores públicos respectivos deberá limitarse a preservar el lugar de los hechos hasta el arribo de las autoridades competentes y, en su caso, adoptar las medidas a su alcance para que se brinde atención médica de urgencia a los heridos si los hubiere, así como poner a disposición de la autoridad a los detenidos por conducto o en coordinación con la policía.

Párrafo adicionado DOF 17-06-2016

No estarán obligados a denunciar quienes al momento de la comisión del delito detenten el carácter de tutor, curador, pupilo, cónyuge, concubina o concubinario, conviviente del imputado, los parientes por consanguinidad o por afinidad en la línea recta ascendente o descendente hasta el cuarto grado y en la colateral por consanguinidad o afinidad, hasta el segundo grado inclusive.

Artículo 223. Forma y contenido de la denuncia

La denuncia podrá formularse por cualquier medio y deberá contener, salvo los casos de denuncia anónima o reserva de identidad, la identificación del denunciante, su domicilio, la narración circunstanciada del hecho, la indicación de quién o quiénes lo habrían cometido y de las personas que lo hayan presenciado o que tengan noticia de él y todo cuanto le constare al denunciante.

En el caso de que la denuncia se haga en forma oral, se levantará un registro en presencia del denunciante, quien previa lectura que se haga de la misma, lo firmará junto con el servidor público que la reciba. La denuncia escrita será firmada por el denunciante.

En ambos casos, si el denunciante no pudiere firmar, estampará su huella digital, previa lectura que se le haga de la misma.

Artículo 224. Trámite de la denuncia

Cuando la denuncia sea presentada directamente ante el Ministerio Público, éste iniciará la investigación conforme a las reglas previstas en este Código.

Cuando la denuncia sea presentada ante la Policía, ésta informará de dicha circunstancia al Ministerio Público en forma inmediata y por cualquier medio, sin perjuicio de realizar las diligencias urgentes que se requieran dando cuenta de ello en forma posterior al Ministerio Público.

Artículo 225. Querella u otro requisito equivalente

La querella es la expresión de la voluntad de la víctima u ofendido o de quien legalmente se encuentre facultado para ello, mediante la cual manifiesta expresamente ante el Ministerio Público su pretensión de que se inicie la investigación de uno o varios hechos que la ley señale como delitos y que requieran de este requisito de procedibilidad para ser investigados y, en su caso, se ejerza la acción penal correspondiente.

La querella deberá contener, en lo conducente, los mismos requisitos que los previstos para la denuncia. El Ministerio Público deberá cerciorarse que éstos se encuentren debidamente satisfechos para, en su caso, proceder en los términos que prevé el presente Código. Tratándose de requisitos de procedibilidad equivalentes, el Ministerio Público deberá realizar la misma verificación.

Artículo 226. Querella de personas menores de edad o que no tienen capacidad para comprender el significado del hecho

Tratándose de personas menores de dieciocho años, o de personas que no tengan la capacidad de comprender el significado del hecho, la querella podrá ser presentada por quienes ejerzan la patria potestad o la tutela o sus representantes legales, sin perjuicio de que puedan hacerlo por sí mismos, por sus hermanos o un tercero, cuando se trate de delitos cometidos en su contra por quienes ejerzan la patria potestad, la tutela o sus propios representantes.

CAPÍTULO III
TÉCNICAS DE INVESTIGACIÓN

Artículo 227. Cadena de custodia

La cadena de custodia es el sistema de control y registro que se aplica al indicio, evidencia, objeto, instrumento o producto del hecho delictivo, desde su localización, descubrimiento o aportación, en el lugar de los hechos o del hallazgo, hasta que la autoridad competente ordene su conclusión.

Con el fin de corroborar los elementos materiales probatorios y la evidencia física, la cadena de custodia se aplicará teniendo en cuenta los siguientes factores: identidad, estado original, condiciones de recolección, preservación, empaque y traslado; lugares y fechas de permanencia y los cambios que en cada custodia se hayan realizado; igualmente se registrará el nombre y la identificación de todas las personas que hayan estado en contacto con esos elementos.

Artículo 228. Responsables de cadena de custodia

La aplicación de la cadena de custodia es responsabilidad de quienes en cumplimiento de las funciones propias de su encargo o actividad, en los términos de ley, tengan contacto con los indicios, vestigios, evidencias, objetos, instrumentos o productos del hecho delictivo.

Cuando durante el procedimiento de cadena de custodia los indicios, huellas o vestigios del hecho delictivo, así como los instrumentos, objetos o productos del delito se alteren, no perderán su valor probatorio, a menos que la autoridad competente verifique que han sido modificados de tal forma que hayan perdido su eficacia para acreditar el hecho o circunstancia de que se trate. Los indicios, huellas o vestigios del hecho delictivo, así como los instrumentos, objetos o productos del delito deberán concatenarse con otros medios probatorios para tal fin. Lo anterior, con independencia de la responsabilidad en que pudieran incurrir los servidores públicos por la inobservancia de este procedimiento.

Artículo 229. Aseguramiento de bienes, instrumentos, objetos o productos del delito

Los instrumentos, objetos o productos del delito, así como los bienes en que existan huellas o pudieran tener relación con éste, siempre que guarden relación directa con el lugar de los hechos o del hallazgo, serán asegurados durante el desarrollo de la investigación, a fin de que no se alteren, destruyan o desaparezcan. Para tales efectos se establecerán controles específicos para su resguardo, que atenderán como mínimo a la naturaleza del bien y a la peligrosidad de su conservación.

Artículo 230. Reglas sobre el aseguramiento de bienes

El aseguramiento de bienes se realizará conforme a lo siguiente:

I. El Ministerio Público, o la Policía en auxilio de éste, deberá elaborar un inventario de todos y cada uno de los bienes que se pretendan asegurar, firmado por el imputado o la persona con quien se atienda el acto de investigación. Ante su ausencia o negativa, la relación deberá ser firmada por dos testigos presenciales que preferentemente no sean miembros de la Policía y cuando ello suceda, que no hayan participado materialmente en la ejecución del acto;

II. La Policía deberá tomar las providencias necesarias para la debida preservación del lugar de los hechos o del hallazgo y de los indicios, huellas, o vestigios del hecho delictivo, así como de los instrumentos, objetos o productos del delito asegurados, y

III. Los bienes asegurados y el inventario correspondiente se pondrán a la brevedad a disposición de la autoridad competente, de conformidad con las disposiciones aplicables. Se deberá informar si los bienes asegurados son indicio, evidencia física, objeto, instrumento o producto del hecho delictivo.

Fracción reformada DOF 09-08-2019

Artículo 231. Notificación del aseguramiento y abandono

El Ministerio Público deberá notificar al interesado o a su representante legal el aseguramiento del objeto, instrumento o producto del delito, dentro de los sesenta días naturales siguientes a su ejecución, entregando o poniendo a su disposición, según sea el caso, una copia del registro de aseguramiento, para que manifieste lo que a su derecho convenga.

Cuando se desconozca la identidad o domicilio del interesado, la notificación se hará por dos edictos que se publicarán en el Diario Oficial de la Federación o su equivalente, en el medio de difusión oficial en la Entidad federativa que corresponda y en un periódico de circulación nacional o estatal, según corresponda, con un intervalo de diez días hábiles entre cada publicación. En la notificación se apercibirá al interesado o a su representante legal para que se abstenga de ejercer actos de dominio sobre los bienes asegurados y se le apercibirá que de no manifestar lo que a su derecho convenga, en un término de noventa días naturales siguientes al de la notificación, los bienes causarán abandono a favor del Gobierno Federal o de la Entidad federativa de que se trate, según corresponda.

Párrafo reformado DOF 09-08-2019

Transcurrido dicho plazo sin que ninguna persona se haya presentado a deducir derechos sobre los bienes asegurados, el Ministerio Público solicitará al Juez de control que declare el abandono de los bienes y éste citará al interesado, a la víctima u ofendido y al Ministerio Público a una audiencia dentro de los diez días siguientes a la solicitud a que se refiere el párrafo anterior.

La citación a la audiencia se realizará como sigue:

I. Al Ministerio Público, conforme a las reglas generales establecidas en este Código;

II. A la víctima u ofendido, de manera personal y cuando se desconozca su domicilio o identidad, por estrados y boletín judicial, y

III. Al interesado de manera personal y cuando se desconozca su domicilio o identidad, de conformidad con las reglas de la notificación previstas en el presente Código.

El Juez de control, al resolver sobre el abandono, verificará que la notificación realizada al interesado haya cumplido con las formalidades que prevé este Código; que haya transcurrido el plazo correspondiente y que no se haya presentado persona alguna ante el Ministerio Público a deducir derechos sobre los bienes asegurados o que éstos no hayan sido reconocidos o que no se hubieren cubierto los requerimientos legales.

La declaratoria de abandono será notificada, en su caso, a la autoridad competente que tenga los bienes bajo su administración para efecto de que sean destinados al Gobierno Federal o de la Entidad federativa que corresponda, en términos de las disposiciones aplicables.

Párrafo reformado DOF 09-08-2019

Artículo 232. Custodia y disposición de los bienes asegurados

Cuando los bienes que se aseguren hayan sido previamente embargados, intervenidos, secuestrados o asegurados, se notificará el nuevo aseguramiento a las autoridades que hayan ordenado dichos actos. Los bienes continuarán en custodia de quien se haya designado para ese fin, y a disposición de la autoridad judicial o del Ministerio Público para los efectos del procedimiento penal. De levantarse el embargo, intervención, secuestro o aseguramiento previos, quien los tenga bajo su custodia, los entregará a la autoridad competente para efectos de su administración.

Sobre los bienes asegurados no podrán ejercerse actos de dominio por sus propietarios, depositarios, interventores o administradores, durante el tiempo que dure el aseguramiento en el procedimiento penal, salvo los casos expresamente señalados por las disposiciones aplicables.

El aseguramiento no implica modificación alguna a los gravámenes o limitaciones de dominio existentes con anterioridad sobre los bienes.

Artículo 233. Registro de los bienes asegurados

Se hará constar en los registros públicos que correspondan, de conformidad con las disposiciones aplicables:

I. El aseguramiento de bienes inmuebles, derechos reales, aeronaves, embarcaciones, empresas, negociaciones, establecimientos, acciones, partes sociales, títulos bursátiles y cualquier otro bien o derecho susceptible de registro o constancia, y

II. El nombramiento del depositario, interventor o administrador, de los bienes a que se refiere la fracción anterior.

El registro o su cancelación se realizarán sin más requisito que el oficio que para tal efecto emita la autoridad judicial o el Ministerio Público.

Artículo 234. Frutos de los bienes asegurados

A los frutos o rendimientos de los bienes durante el tiempo del aseguramiento, se les dará el mismo tratamiento que a los bienes asegurados que los generen.

Ni el aseguramiento de bienes ni su conversión a numerario implican que éstos entren al erario público.

Artículo 235. Aseguramiento de narcóticos y productos relacionados con delitos de propiedad intelectual, derechos de autor e hidrocarburos.

Encabezado del artículo reformado DOF 12-01-2016

Cuando se aseguren narcóticos previstos en cualquier disposición, productos relacionados con delitos de propiedad intelectual y derechos de autor o bienes que impliquen un alto costo o peligrosidad por su conservación, si esta medida es procedente, el Ministerio Público ordenará su destrucción, previa autorización o intervención de las autoridades correspondientes, debiendo previamente fotografiarlos o videograbarlos, así como levantar un acta en la que se haga constar la naturaleza, peso, cantidad o volumen y demás características de éstos, debiéndose recabar muestras del mismo para que obren en los registros de la investigación que al efecto se inicie.

Cuando se aseguren hidrocarburos, petrolíferos o petroquímicos y demás activos, se pondrán a disposición del Ministerio Público de la Federación, quien sin dilación alguna procederá a su entrega a los asignatarios, contratistas o permisionarios, o a quien resulte procedente, quienes estarán obligados a recibirlos en los mismos términos, para su destino final, previa inspección en la que se determinará la naturaleza, volumen y demás características de éstos; conservando muestras representativas para la elaboración de los dictámenes periciales que hayan de producirse en la carpeta de investigación y en proceso, según sea el caso.

Párrafo adicionado DOF 12-01-2016

Artículo 236. Objetos de gran tamaño

Los objetos de gran tamaño, como naves, aeronaves, vehículos automotores, máquinas, grúas y otros similares, después de ser examinados por peritos para recoger indicios que se hallen en ellos, podrán ser videograbados o fotografiados en su totalidad y se registrarán del mismo modo los sitios en donde se hallaron huellas, rastros, narcóticos, armas, explosivos o similares que puedan ser objeto o producto de delito.

Artículo 237. Aseguramiento de objetos de gran tamaño

Los objetos mencionados en el artículo precedente, después de que sean examinados, fotografiados, o videograbados podrán ser devueltos, con o sin reservas, al propietario, poseedor o al tenedor legítimo según el caso, previa demostración de la calidad invocada, siempre y cuando no hayan sido medios eficaces para la comisión del delito.

Artículo 238. Aseguramiento de flora y fauna

Las especies de flora y fauna de reserva ecológica que se aseguren, serán provistas de los cuidados necesarios y depositados en zoológicos, viveros o en instituciones análogas, considerando la opinión de la dependencia competente o institución de educación superior o de investigación científica.

Artículo 239. Requisitos para el aseguramiento de vehículos

Tratándose de delitos culposos ocasionados con motivo del tránsito de vehículos, estos se entregarán en depósito a quien se legitime como su propietario o poseedor.

Previo a la entrega del vehículo, el Ministerio Público debe cerciorarse:

I. Que el vehículo no tenga reporte de robo;

II. Que el vehículo no se encuentre relacionado con otro hecho delictivo;

III. Que se haya dado oportunidad a la otra parte de solicitar y practicar los peritajes necesarios, y

IV. Que no exista oposición fundada para la devolución por parte de terceros, o de la aseguradora.

Artículo 240. Aseguramiento de vehículos

En caso de que se presente alguno de los supuestos anteriores, el Ministerio Público podrá ordenar el aseguramiento y resguardo del vehículo hasta en tanto se esclarecen los hechos, sujeto a la aprobación judicial en términos de lo previsto por este Código.

En la aprobación judicial se determinará si los bienes asegurados son indicio, evidencia física, objeto, instrumento o producto del hecho delictivo, determinando su conservación o su administración, en términos de las disposiciones aplicables.

Párrafo adicionado DOF 09-08-2019

Artículo 241. Aseguramiento de armas de fuego o explosivos

Cuando se aseguren armas de fuego o explosivos se hará del conocimiento de la Secretaría de la Defensa Nacional, así como de las demás autoridades que establezcan las disposiciones legales aplicables.

Artículo 242. Aseguramiento de bienes o derechos relacionados con operaciones financieras

[El Ministerio Público o a solicitud de la Policía podrá ordenar la suspensión, o el aseguramiento de cuentas, títulos de crédito y en general cualquier bien o derecho relativos a operaciones que las instituciones financieras establecidas en el país celebren con sus clientes y dará aviso inmediato a la autoridad encargada de la administración de los bienes asegurados y a las autoridades competentes, quienes tomarán las medidas necesarias para evitar que los titulares respectivos realicen cualquier acto contrario al aseguramiento.]

Artículo declarado inválido por sentencia de la SCJN a Acción de Inconstitucionalidad DOF 25-06-2018

Artículo 243. Efectos del aseguramiento en actividades lícitas

El aseguramiento no será causa para el cierre o suspensión de actividades de empresas, negociaciones o establecimientos con actividades lícitas.

Tratándose de los delitos que refiere la Ley Federal para Prevenir y Sancionar los Delitos Cometidos en Materia de Hidrocarburos, el Ministerio Público de la Federación, asegurará el establecimiento mercantil o empresa prestadora del servicio e inmediatamente notificará al Servicio de Administración y Enajenación de Bienes con la finalidad de que el establecimiento mercantil o empresa asegurada le sea transferida.

Párrafo adicionado DOF 12-01-2016

Previo a que la empresa sea transferida al Servicio de Administración y Enajenación de Bienes, se retirará el producto ilícito de los contenedores del establecimiento o empresa y se suministrarán los hidrocarburos lícitos con el objeto de continuar las actividades, siempre y cuando la empresa cuente con los recursos para la compra del producto; suministro que se llevará a cabo una vez que la empresa haya sido transferida al Servicio de Administración y Enajenación de Bienes para su administración.

Párrafo adicionado DOF 12-01-2016

En caso de que el establecimiento o empresa prestadora del servicio corresponda a un franquiciatario o permisionario, el aseguramiento constituirá causa justa para que el franquiciante pueda dar por terminados los contratos respectivos en términos de la Ley de la Propiedad Industrial, y tratándose del permisionario, el otorgante del permiso pueda revocarlo. Para lo anterior, previamente la autoridad ministerial o judicial deberá determinar su destino.

Párrafo adicionado DOF 12-01-2016

Artículo 244. Cosas no asegurables

No estarán sujetas al aseguramiento las comunicaciones y cualquier información que se genere o intercambie entre el imputado y las personas que no están obligadas a declarar como testigos por razón de parentesco, secreto profesional o cualquiera otra establecida en la ley. En todo caso, serán inadmisibles como fuente de información o medio de prueba.

No habrá lugar a estas excepciones cuando existan indicios de que las personas mencionadas en este artículo, distintas al imputado, estén involucradas como autoras o partícipes del hecho punible o existan indicios fundados de que están encubriéndolo ilegalmente.

Artículo 245. Causales de procedencia para la devolución de bienes asegurados

La devolución de bienes asegurados procede en los casos siguientes:

I. Cuando el Ministerio Público resuelva el no ejercicio de la acción penal, la aplicación de un criterio de oportunidad, la reserva o archivo temporal, se abstenga de acusar, o levante el aseguramiento de conformidad con las disposiciones aplicables, o

II. Cuando la autoridad judicial levante el aseguramiento o no decrete el decomiso, de conformidad con las disposiciones aplicables.

La devolución se realizará en el estado físico de conservación que conforme a su naturaleza adquiera el bien, o el valor del mismo.

Párrafo adicionado DOF 09-08-2019

Artículo 246. Entrega de bienes

Las autoridades deberán devolver a la persona que acredite o demuestre derechos sobre los bienes que no estén sometidos a decomiso, aseguramiento, restitución o embargo, inmediatamente después de realizar las diligencias conducentes. En todo caso, se dejará constancia mediante fotografías u otros medios que resulten idóneos de estos bienes.

Esta devolución podrá ordenarse en depósito provisional y al poseedor se le podrá imponer la obligación de exhibirlos cuando se le requiera.

Dentro de los treinta días siguientes a la notificación del acuerdo de devolución, la autoridad judicial o el Ministerio Público notificarán su resolución al interesado o al representante legal, para que dentro de los diez días siguientes a dicha notificación se presente a recogerlos, bajo el apercibimiento que de no hacerlo, los bienes causarán abandono a favor del Gobierno Federal o de la Entidad federativa de que se trate, según corresponda y se procederá en los términos previstos en este Código.

Párrafo reformado DOF 09-08-2019

Cuando se haya hecho constar el aseguramiento de los bienes en los registros públicos, la autoridad que haya ordenado su devolución ordenará su cancelación.

Artículo 247. Devolución de bienes asegurados

La devolución de los bienes asegurados incluirá la entrega de los frutos que, en su caso, hubieren generado.

Previo a la instrucción de devolución, el Ministerio Público deberá revisar que los bienes no hayan causado abandono en los términos establecidos por este Código.

Párrafo adicionado DOF 09-08-2019

La devolución de numerario comprenderá la entrega del principal y, en su caso, de sus rendimientos durante el tiempo en que haya sido administrado, a la tasa que cubra la Tesorería de la Federación o la instancia correspondiente en las Entidades federativas por los depósitos a la vista que reciba.

La autoridad que haya administrado empresas, negociaciones o establecimientos, al devolverlas rendirá cuentas de la administración que hubiere realizado a la persona que tenga derecho a ello, y le entregará los documentos, objetos, numerario y, en general, todo aquello que haya comprendido la administración.

Previo a la recepción de los bienes por parte del interesado, se dará oportunidad a éste para que revise e inspeccione las condiciones en que se encuentren los mismos, a efecto de que verifique el inventario correspondiente.

Artículo 248. Bienes que hubieren sido convertidos a numerario o sobre los que exista imposibilidad de devolver

Cuando se determine por la autoridad competente la devolución de los bienes que hubieren sido convertidos a numerario o haya imposibilidad para devolverlos, deberá cubrirse a la persona que tenga la titularidad del derecho de devolución el valor de los mismos, de conformidad con la legislación aplicable.

Artículo reformado DOF 09-08-2019

Artículo 249. Aseguramiento por valor equivalente

En caso de que el producto, los instrumentos u objetos del hecho delictivo hayan desaparecido o no se localicen por causa atribuible al imputado, el Ministerio Público [decretará o] solicitará al Órgano jurisdiccional correspondiente el embargo precautorio, el aseguramiento y, en su caso, el decomiso de bienes propiedad del o de los imputados, así como de aquellos respecto de los cuales se conduzcan como dueños, cuyo valor equivalga a dicho producto, sin menoscabo de las disposiciones aplicables en materia de extinción de dominio.

Artículo declarado inválido por sentencia de la SCJN a Acción de Inconstitucionalidad DOF 25-06-2018 (En la porción normativa que indica "decretará o")

Artículo 250. Decomiso

La autoridad judicial mediante sentencia en el proceso penal correspondiente, podrá decretar el decomiso de bienes, con excepción de los que hayan causado abandono en los términos de este Código o respecto de aquellos sobre los cuales haya resuelto la declaratoria de extinción de dominio.

Cuando se haya hecho constar el aseguramiento de los bienes en los registros públicos, la autoridad que haya ordenado su decomiso solicitará la inscripción de la sentencia.

Párrafo adicionado DOF 09-08-2019

El numerario decomisado y los recursos que se obtengan por la enajenación de los bienes decomisados, una vez satisfecha la reparación a la víctima, y descontado el porcentaje por concepto de gastos indirectos de operación a que refiere la Ley de Ingresos de la Federación, del ejercicio fiscal que corresponda, a favor del Instituto de Administración de Bienes y Activos, serán entregados en partes iguales al Poder Judicial de la Federación, a la Fiscalía General de la República, al fondo previsto en la Ley General de Víctimas y al financiamiento de programas sociales conforme a los objetivos establecidos en el Plan Nacional de Desarrollo, u otras políticas públicas prioritarias, conforme lo determine el Gabinete Social de la Presidencia de la República a que se refiere la Ley Orgánica de la Administración Pública Federal a través de la instancia designada para tal efecto. Para el caso del reparto del producto de la extinción de dominio en el fuero común, serán entregados en las mismas proporciones a las instancias equivalentes existentes en cada Entidad federativa.

Párrafo reformado DOF 09-08-2019

Artículo 251. Actuaciones en la investigación que no requieren autorización previa del Juez de control

No requieren autorización del Juez de control los siguientes actos de investigación:

I. La inspección del lugar del hecho o del hallazgo;

II. La inspección de lugar distinto al de los hechos o del hallazgo;

III. La inspección de personas;

IV. La revisión corporal;

V. La inspección de vehículos;

VI. El levantamiento e identificación de cadáver;

VII. La aportación de comunicaciones entre particulares;

VIII. El reconocimiento de personas;

IX. La entrega vigilada y las operaciones encubiertas, en el marco de una investigación y en los términos que establezcan los protocolos emitidos para tal efecto por el Procurador;

X. La entrevista de testigos;

Fracción reformada DOF 17-06-2016

XI. Recompensas, en términos de los acuerdos que para tal efecto emite el Procurador, y

Fracción adicionada DOF 17-06-2016

XII. Las demás en las que expresamente no se prevea control judicial.

Fracción recorrida DOF 17-06-2016

En los casos de la fracción IX, dichas actuaciones deberán ser autorizadas por el Procurador o por el servidor público en quien éste delegue dicha facultad.

Para los efectos de la fracción X de este artículo, cuando un testigo se niegue a ser entrevistado, será citado por el Ministerio Público o en su caso por el Juez de control en los términos que prevé el presente Código.

Artículo 252. Actos de investigación que requieren autorización previa del Juez de control

Con excepción de los actos de investigación previstos en el artículo anterior, requieren de autorización previa del Juez de control todos los actos de investigación que impliquen afectación a derechos establecidos en la Constitución, así como los siguientes:

I. La exhumación de cadáveres;

II. Las órdenes de cateo;

III. La intervención de comunicaciones privadas y correspondencia;

IV. La toma de muestras de fluido corporal, vello o cabello, extracciones de sangre u otros análogos, cuando la persona requerida, excepto la víctima u ofendido, se niegue a proporcionar la misma;

V. El reconocimiento o examen físico de una persona cuando aquélla se niegue a ser examinada, y

VI. Las demás que señalen las leyes aplicables.

CAPÍTULO IV
FORMAS DE TERMINACIÓN DE LA INVESTIGACIÓN

Artículo 253. Facultad de abstenerse de investigar

El Ministerio Público podrá abstenerse de investigar, cuando los hechos relatados en la denuncia, querella o acto equivalente, no fueren constitutivos de delito o cuando los antecedentes y datos suministrados permitan establecer que se encuentra extinguida la acción penal o la responsabilidad penal del imputado. Esta decisión será siempre fundada y motivada.

Artículo 254. Archivo temporal

El Ministerio Público podrá archivar temporalmente aquellas investigaciones en fase inicial en las que no se encuentren antecedentes, datos suficientes o elementos de los que se puedan establecer líneas de investigación que permitan realizar diligencias tendentes a esclarecer los hechos que dieron origen a la investigación. El archivo subsistirá en tanto se obtengan datos que permitan continuarla a fin de ejercitar la acción penal.

Artículo 255. No ejercicio de la acción

Antes de la audiencia inicial, el Ministerio Público previa autorización del Procurador o del servidor público en quien se delegue la facultad, podrá decretar el no ejercicio de la acción penal cuando de los antecedentes del caso le permitan concluir que en el caso concreto se actualiza alguna de las causales de sobreseimiento previstas en este Código.

La determinación de no ejercicio de la acción penal, para los casos del artículo 327 del presente Código, inhibe una nueva persecución penal por los mismos hechos respecto del indiciado, salvo que sea por diversos hechos o en contra de diferente persona.

Artículo reformado DOF 17-06-2016

Artículo 256. Casos en que operan los criterios de oportunidad

Iniciada la investigación y previo análisis objetivo de los datos que consten en la misma, conforme a las disposiciones normativas de cada Procuraduría, el Ministerio Público, podrá abstenerse de ejercer la acción penal con base en la aplicación de criterios de oportunidad, siempre que, en su caso, se hayan reparado o garantizado los daños causados a la víctima u ofendido.

Párrafo reformado DOF 17-06-2016

La aplicación de los criterios de oportunidad será procedente en cualquiera de los siguientes supuestos:

I. Se trate de un delito que no tenga pena privativa de libertad, tenga pena alternativa o tenga pena privativa de libertad cuya punibilidad máxima sea de cinco años de prisión, siempre que el delito no se haya cometido con violencia;

II. Se trate de delitos de contenido patrimonial cometidos sin violencia sobre las personas o de delitos culposos, siempre que el imputado no hubiere actuado en estado de ebriedad, bajo el influjo de narcóticos o de cualquier otra sustancia que produzca efectos similares;

III. Cuando el imputado haya sufrido como consecuencia directa del hecho delictivo un daño físico o psicoemocional grave, o cuando el imputado haya contraído una enfermedad terminal que torne notoriamente innecesaria o desproporcional la aplicación de una pena;

IV. La pena o medida de seguridad que pudiera imponerse por el hecho delictivo que carezca de importancia en consideración a la pena o medida de seguridad ya impuesta o a la que podría imponerse por otro delito por el que esté siendo procesado con independencia del fuero;

Fracción reformada DOF 17-06-2016

V. Cuando el imputado aporte información esencial y eficaz para la persecución de un delito más grave del que se le imputa, y se comprometa a comparecer en juicio;

Fracción reformada DOF 17-06-2016

VI. Cuando, a razón de las causas o circunstancias que rodean la comisión de la conducta punible, resulte desproporcionada o irrazonable la persecución penal.

Fracción reformada DOF 17-06-2016

VII. Se deroga.

Fracción derogada DOF 17-06-2016

No podrá aplicarse el criterio de oportunidad en los casos de delitos contra el libre desarrollo de la personalidad, de violencia familiar ni en los casos de delitos fiscales o aquellos que afecten gravemente el interés público. Para el caso de delitos fiscales y financieros, previa autorización de la Secretaría de Hacienda y Crédito Público, a través de la Procuraduría Fiscal de la Federación, únicamente podrá ser aplicado el supuesto de la fracción V, en el caso de que el imputado aporte información fidedigna que coadyuve para la investigación y persecución del beneficiario final del mismo delito, tomando en consideración que será este último quien estará obligado a reparar el daño.

Párrafo reformado DOF 08-11-2019

El Ministerio Público aplicará los criterios de oportunidad sobre la base de razones objetivas y sin discriminación, valorando las circunstancias especiales en cada caso, de conformidad con lo dispuesto en el presente Código así como en los criterios generales que al efecto emita el Procurador o equivalente.

La aplicación de los criterios de oportunidad podrán ordenarse en cualquier momento y hasta antes de que se dicte el auto de apertura a juicio.

La aplicación de los criterios de oportunidad deberá ser autorizada por el Procurador o por el servidor público en quien se delegue esta facultad, en términos de la normatividad aplicable.

Artículo 257. Efectos del criterio de oportunidad

La aplicación de los criterios de oportunidad extinguirá la acción penal con respecto al autor o partícipe en cuyo beneficio se dispuso la aplicación de dicho criterio. Si la decisión del Ministerio Público se sustentara en alguno de los supuestos de procedibilidad establecidos en las fracciones I y II del artículo anterior, sus efectos se extenderán a todos los imputados que reúnan las mismas condiciones.

En el caso de la fracción V del artículo anterior, se suspenderá el ejercicio de la acción penal, así como el plazo de la prescripción de la acción penal, hasta en tanto el imputado comparezca a rendir su testimonio en el procedimiento respecto del que aportó información, momento a partir del cual, el agente del Ministerio Público contará con quince días para resolver definitivamente sobre la procedencia de la extinción de la acción penal.

Párrafo reformado DOF 17-06-2016

En el supuesto a que se refiere la fracción V del artículo anterior, se suspenderá el plazo de la prescripción de la acción penal.

Párrafo reformado DOF 17-06-2016

Artículo 258. Notificaciones y control judicial

Las determinaciones del Ministerio Público sobre la abstención de investigar, el archivo temporal, la aplicación de un criterio de oportunidad y el no ejercicio de la acción penal deberán ser notificadas a la víctima u ofendido quienes las podrán impugnar ante el Juez de control dentro de los diez días posteriores a que sean notificadas de dicha resolución. En estos casos, el Juez de control convocará a una audiencia para decidir en definitiva, citando al efecto a la víctima u ofendido, al Ministerio Público y, en su caso, al imputado y a su Defensor. En caso de que la víctima, el ofendido o sus representantes legales no comparezcan a la audiencia a pesar de haber sido debidamente citados, el Juez de control declarará sin materia la impugnación.

La resolución que el Juez de control dicte en estos casos no admitirá recurso alguno, con excepción de aquella en que el órgano jurisdiccional se pronuncie sobre el no ejercicio de la acción penal, en cuyo caso, se suspenderán los efectos de la determinación ministerial hasta en tanto cause ejecutoria la decisión definitiva emitida.

Párrafo reformado DOF 26-01-2024

TÍTULO IV
DE LOS DATOS DE PRUEBA, MEDIOS DE PRUEBA Y PRUEBAS

CAPÍTULO ÚNICO
DISPOSICIONES COMUNES

Artículo 259. Generalidades

Cualquier hecho puede ser probado por cualquier medio, siempre y cuando sea lícito.

Las pruebas serán valoradas por el Órgano jurisdiccional de manera libre y lógica.

Los antecedentes de la investigación recabados con anterioridad al juicio carecen de valor probatorio para fundar la sentencia definitiva, salvo las excepciones expresas previstas por este Código y en la legislación aplicable.

Para efectos del dictado de la sentencia definitiva, sólo serán valoradas aquellas pruebas que hayan sido desahogadas en la audiencia de juicio, salvo las excepciones previstas en este Código.

Artículo 260. Antecedente de investigación

El antecedente de investigación es todo registro incorporado en la carpeta de investigación que sirve de sustento para aportar datos de prueba.

Artículo 261. Datos de prueba, medios de prueba y pruebas

El dato de prueba es la referencia al contenido de un determinado medio de convicción aún no desahogado ante el Órgano jurisdiccional, que se advierta idóneo y pertinente para establecer razonablemente la existencia de un hecho delictivo y la probable participación del imputado.

Los medios o elementos de prueba son toda fuente de información que permite reconstruir los hechos, respetando las formalidades procedimentales previstas para cada uno de ellos.

Se denomina prueba a todo conocimiento cierto o probable sobre un hecho, que ingresando al proceso como medio de prueba en una audiencia y desahogada bajo los principios de inmediación y contradicción, sirve al Tribunal de enjuiciamiento como elemento de juicio para llegar a una conclusión cierta sobre los hechos materia de la acusación.

Artículo 262. Derecho a ofrecer medios de prueba

Las partes tendrán el derecho de ofrecer medios de prueba para sostener sus planteamientos en los términos previstos en este Código.

Artículo 263. Licitud probatoria

Los datos y las pruebas deberán ser obtenidos, producidos y reproducidos lícitamente y deberán ser admitidos y desahogados en el proceso en los términos que establece este Código.

Artículo 264. Nulidad de la prueba

Se considera prueba ilícita cualquier dato o prueba obtenidos con violación de los derechos fundamentales, lo que será motivo de exclusión o nulidad.

Las partes harán valer la nulidad del medio de prueba en cualquier etapa del proceso y el juez o Tribunal deberá pronunciarse al respecto.

Artículo 265. Valoración de los datos y prueba

El Órgano jurisdiccional asignará libremente el valor correspondiente a cada uno de los datos y pruebas, de manera libre y lógica, debiendo justificar adecuadamente el valor otorgado a las pruebas y explicará y justificará su valoración con base en la apreciación conjunta, integral y armónica de todos los elementos probatorios.

TÍTULO V
ACTOS DE INVESTIGACIÓN

CAPÍTULO I
DISPOSICIONES GENERALES SOBRE ACTOS DE MOLESTIA

Artículo 266. Actos de molestia

Todo acto de molestia deberá llevarse a cabo con respeto a la dignidad de la persona en cuestión. Antes de que el procedimiento se lleve a cabo, la autoridad deberá informarle sobre los derechos que le asisten y solicitar su cooperación. Se realizará un registro forzoso sólo si la persona no está dispuesta a cooperar o se resiste. Si la persona sujeta al procedimiento no habla español, la autoridad deberá tomar medidas razonables para brindar a la persona información sobre sus derechos y para solicitar su cooperación.

CAPÍTULO II
ACTOS DE INVESTIGACIÓN

Artículo 267. Inspección

La inspección es un acto de investigación sobre el estado que guardan lugares, objetos, instrumentos o productos del delito.

Será materia de la inspección todo aquello que pueda ser directamente apreciado por los sentidos. Si se considera necesario, la Policía se hará asistir de peritos.

Al practicarse una inspección podrá entrevistarse a las personas que se encuentren presentes en el lugar de la inspección que puedan proporcionar algún dato útil para el esclarecimiento de los hechos. Toda inspección deberá constar en un registro.

Artículo 268. Inspección de personas

En la investigación de los delitos, la Policía podrá realizar la inspección sobre una persona y sus posesiones en caso de flagrancia, o cuando existan indicios de que oculta entre sus ropas o que lleva adheridos a su cuerpo instrumentos, objetos o productos relacionados con el hecho considerado como delito que se investiga. La revisión consistirá en una exploración externa de la persona y sus posesiones. Cualquier inspección que implique una exposición de partes íntimas del cuerpo requerirá autorización judicial. Antes de cualquier inspección, la Policía deberá informar a la persona del motivo de dicha revisión, respetando en todo momento su dignidad.

Artículo 269. Revisión corporal

Durante la investigación, la Policía o, en su caso el Ministerio Público, podrá solicitar a cualquier persona la aportación voluntaria de muestras de fluido corporal, vello o cabello, exámenes corporales de carácter biológico, extracciones de sangre u otros análogos, así como que se le permita obtener imágenes internas o externas de alguna parte del cuerpo, siempre que no implique riesgos para la salud y la dignidad de la persona.

Se deberá informar previamente a la persona el motivo de la aportación y del derecho que tiene a negarse a proporcionar dichas muestras. En los casos de delitos que impliquen violencia contra las mujeres, en los términos de la Ley General de Acceso de las Mujeres a una Vida Libre de Violencia, la inspección corporal deberá ser llevada a cabo en pleno cumplimiento del consentimiento informado de la víctima y con respeto de sus derechos.

Las muestras o imágenes deberán ser obtenidas por personal especializado, mismo que en todo caso deberá de ser del mismo sexo, o del sexo que la persona elija, con estricto apego al respeto a la dignidad y a los derechos humanos y de conformidad con los protocolos que al efecto expida la Procuraduría. Las muestras o imágenes obtenidas serán analizadas y dictaminadas por los peritos en la materia.

Artículo 270. Toma de muestras cuando la persona requerida se niegue a proporcionarlas

Si la persona a la que se le hubiere solicitado la aportación voluntaria de las muestras referidas en el artículo anterior se negara a hacerlo, el Ministerio Público por sí o a solicitud de la Policía podrá solicitar al Órgano jurisdiccional, por cualquier medio, la inmediata autorización de la práctica de dicho acto de investigación, justificando la necesidad de la medida y expresando la persona o personas en quienes haya de practicarse, el tipo y extensión de muestra o imagen a obtener. De concederse la autorización requerida, el Órgano jurisdiccional deberá facultar al Ministerio Público para que, en el caso de que la persona a inspeccionar ya no se encuentre ante él, ordene su localización y comparecencia a efecto de que tenga verificativo el acto correspondiente.

El Órgano jurisdiccional al resolver respecto de la solicitud del Ministerio Público, deberá tomar en consideración el principio de proporcionalidad y motivar la necesidad de la aplicación de dicha medida, en el sentido de que no existe otra menos gravosa para la persona que habrá de ser examinada o para el imputado, que resulte igualmente eficaz e idónea para el fin que se persigue, justificando la misma en atención a la gravedad del hecho que se investiga.

En la toma de muestras podrá estar presente una persona de confianza del examinado o el abogado Defensor en caso de que se trate del imputado, quien será advertido previamente de tal derecho. Tratándose de menores de edad estará presente quien ejerza la patria potestad, la tutela o curatela del sujeto. A falta de alguno de éstos deberá estar presente el Ministerio Público en su calidad de representante social.

En caso de personas inimputables que tengan alguna discapacidad se proveerá de los apoyos necesarios para que puedan tomar la decisión correspondiente.

Cuando exista peligro de desvanecimiento del medio de la prueba, la solicitud se hará por cualquier medio expedito y el Órgano jurisdiccional deberá autorizar inmediatamente la práctica del acto de investigación, siempre que se cumpla con las condiciones señaladas en este artículo.

Artículo 271. Levantamiento e identificación de cadáveres

En los casos en que se presuma muerte por causas no naturales, además de otras diligencias que sean procedentes, se practicará:

I. La inspección del cadáver, la ubicación del mismo y el lugar de los hechos;

II. El levantamiento del cadáver;

III. El traslado del cadáver;

IV. La descripción y peritajes correspondientes, o

V. La exhumación en los términos previstos en este Código y demás disposiciones aplicables.

Cuando de la investigación no resulten datos relacionados con la existencia de algún delito, el Ministerio Público podrá autorizar la dispensa de la necropsia.

Si el cadáver hubiere sido inhumado, se procederá a exhumarlo en los términos previstos en este Código y demás disposiciones aplicables. En todo caso, practicada la inspección o la necropsia correspondiente, se procederá a la sepultura inmediata, pero no podrá incinerarse el cadáver.

Cuando se desconozca la identidad del cadáver, se efectuarán los peritajes idóneos para proceder a su identificación. Una vez identificado, se entregará a los parientes o a quienes invoquen título o motivo suficiente, previa autorización del Ministerio Público, tan pronto la necropsia se hubiere practicado o, en su caso, dispensado.

Artículo 272. Peritajes

Durante la investigación, el Ministerio Público o la Policía con conocimiento de éste, podrá disponer la práctica de los peritajes que sean necesarios para la investigación del hecho. El dictamen escrito no exime al perito del deber de concurrir a declarar en la audiencia de juicio.

Artículo 273. Acceso a los indicios

Los peritos que elaboren los dictámenes tendrán en todo momento acceso a los indicios sobre los que versarán los mismos, o a los que se hará referencia en el interrogatorio.

Artículo 274. Peritaje irreproducible

Cuando se realice un peritaje sobre objetos que se consuman al ser analizados, no se permitirá que se verifique el primer análisis sino sobre la cantidad estrictamente necesaria para ello, a no ser que su existencia sea escasa y los peritos no puedan emitir su opinión sin consumirla por completo. Éste último supuesto o cualquier otro semejante que impida que con posterioridad se practique un peritaje independiente, deberá ser notificado por el Ministerio Público al Defensor del imputado, si éste ya se hubiere designado o al Defensor público, para que si lo estima necesario, los peritos de ambas partes, y de manera conjunta practiquen el examen, o bien, para que el perito de la defensa acuda a presenciar la realización de peritaje.

La pericial deberá ser admitida como medio de prueba, no obstante que el perito designado por el Defensor del imputado no compareciere a la realización del peritaje, o éste omita designar uno para tal efecto.

Artículo 275. Peritajes especiales

Cuando deban realizarse diferentes peritajes a personas agredidas sexualmente o cuando la naturaleza del hecho delictivo lo amerite, deberá integrarse un equipo interdisciplinario con profesionales capacitados en atención a víctimas, con el fin de concentrar en una misma sesión las entrevistas que ésta requiera, para la elaboración del dictamen respectivo.

Artículo 276. Aportación de comunicaciones entre particulares

Las comunicaciones entre particulares podrán ser aportadas voluntariamente a la investigación o al proceso penal, cuando hayan sido obtenidas directamente por alguno de los participantes en la misma.

Las comunicaciones aportadas por los particulares deberán estar estrechamente vinculadas con el delito que se investiga, por lo que en ningún caso el juez admitirá comunicaciones que violen el deber de confidencialidad respecto de los sujetos a que se refiere este Código, ni la autoridad prestará el apoyo a que se refiere el párrafo anterior cuando se viole dicho deber.

No se viola el deber de confidencialidad cuando se cuente con el consentimiento expreso de la persona con quien se guarda dicho deber.

Artículo 277. Procedimiento para reconocer personas

El reconocimiento de personas deberá practicarse con la mayor reserva posible.

El reconocimiento procederá aún sin consentimiento del imputado, pero siempre en presencia de su Defensor. Quien sea citado para efectuar un reconocimiento deberá ser ubicado en un lugar desde el cual no sea visto por las personas susceptibles de ser reconocidas. Se adoptarán las previsiones necesarias para que el imputado no altere u oculte su apariencia.

El reconocimiento deberá presentar al imputado en conjunto con otras personas con características físicas similares salvo que las condiciones de la investigación no lo permitan, lo que deberá quedar asentado en el registro correspondiente de la diligencia. En todos los procedimientos de reconocimiento, el acto deberá realizarse por una autoridad ministerial distinta a la que dirige la investigación. La práctica de filas de identificación se deberá realizar de manera secuencial.

Tratándose de personas menores de edad o tratándose de víctimas o personas ofendidas por los delitos de extorsión, secuestro, trata de personas o violación que deban participar en el reconocimiento de personas, el Ministerio Público dispondrá medidas especiales para su participación, con el propósito de salvaguardar su identidad e integridad emocional. En la práctica de tales actos, el Ministerio Público deberá contar, en su caso, con el auxilio de personas peritas y con la asistencia del representante del menor de edad.

Párrafo reformado DOF 28-11-2025

Todos los procedimientos de identificación deberán registrarse y en dicho registro deberá constar el nombre de la autoridad que estuvo a cargo, del testigo ocular, de las personas que participaron en la fila de identificación y, en su caso, del Defensor.

Artículo 278. Pluralidad de reconocimientos

Cuando varias personas deban reconocer a una sola, cada reconocimiento se practicará por separado sin que se comuniquen entre ellas. Si una persona debe reconocer a varias, el reconocimiento de todas podrá efectuarse en un solo acto, siempre que no perjudique la investigación o la defensa.

Artículo 279. Identificación por fotografía

Cuando sea necesario reconocer a una persona que no esté presente, podrá exhibirse su fotografía legalmente obtenida a quien deba efectuar el reconocimiento junto con la de otras personas con características semejantes, observando en lo conducente las reglas de reconocimiento de personas, con excepción de la presencia del Defensor. Se deberá guardar registro de las fotografías exhibidas.

En ningún caso se deberán mostrar al testigo fotografías, retratos computarizados o hechos a mano, o imágenes de identificación facial electrónica si la identidad del imputado es conocida por la Policía y está disponible para participar en una identificación en video, fila de identificación o identificación fotográfica.

Artículo 280. Reconocimiento de objeto

Antes del reconocimiento de un objeto, quien realice la diligencia deberá proceder a su descripción. Acto seguido se presentará el objeto o el registro del mismo para llevar a cabo el reconocimiento.

Artículo 281. Otros reconocimientos

Cuando se deban reconocer voces, sonidos y cuanto pueda ser objeto de percepción sensorial, se observarán, en lo aplicable, las disposiciones previstas para el reconocimiento de personas.

Artículo 282. Solicitud de orden de cateo

Cuando en la investigación el Ministerio Público estime necesaria la práctica de un cateo, en razón de que el lugar a inspeccionar es un domicilio o una propiedad privada, solicitará por cualquier medio la autorización judicial para practicar el acto de investigación correspondiente. En la solicitud, que contará con un registro, se expresará el lugar que ha de inspeccionarse, la persona o personas que han de aprehenderse y los objetos que se buscan, señalando los motivos e indicios que sustentan la necesidad de la orden, así como los servidores públicos que podrán practicar o intervenir en dicho acto de investigación.

Si el lugar a inspeccionar es de acceso público y forma parte del domicilio particular, este último no será sujeto de cateo, a menos que así se haya ordenado.

Artículo 283. Resolución que ordena el cateo

La resolución judicial que ordena el cateo deberá contener cuando menos:

I. El nombre y cargo del Juez de control que lo autoriza y la identificación del proceso en el cual se ordena;

II. La determinación concreta del lugar o los lugares que habrán de ser cateados y lo que se espera encontrar en éstos;

III. El motivo del cateo, debiéndose indicar o expresar los indicios de los que se desprenda la posibilidad de encontrar en el lugar la persona o personas que hayan de aprehenderse o los objetos que se buscan;

IV. El día y la hora en que deba practicarse el cateo o la determinación que de no ejecutarse dentro de los tres días siguientes a su autorización, quedará sin efecto cuando no se precise fecha exacta de realización, y

V. Los servidores públicos autorizados para practicar e intervenir en el cateo.

La petición de orden de cateo deberá ser resuelta por la autoridad judicial de manera inmediata por cualquier medio que garantice su autenticidad, o en audiencia privada con la sola comparecencia del Ministerio Público, en un plazo que no exceda de las seis horas siguientes a que se haya recibido.

Si la resolución se emite o registra por medios diversos al escrito, los puntos resolutivos de la orden de cateo deberán transcribirse y entregarse al Ministerio Público.

Artículo 284. Negativa del cateo

En caso de que el Juez de control niegue la orden, el Ministerio Público podrá subsanar las deficiencias y solicitar nuevamente la orden o podrá apelar la decisión. En este caso la apelación debe ser resuelta en un plazo no mayor de doce horas a partir de que se interponga.

Artículo 285. Medidas de vigilancia

Aún antes de que el Juez de control competente dicte la orden de cateo, el Ministerio Público podrá disponer las medidas de vigilancia o cualquiera otra que no requiera control judicial, que estime conveniente para evitar la fuga del imputado o la sustracción, alteración, ocultamiento o destrucción de documentos o cosas que constituyen el objeto del cateo.

Artículo 286. Cateo en residencia u oficinas públicas

Para la práctica de un cateo en la residencia u oficina de cualquiera de los Poderes Ejecutivo, Legislativo o Judicial de los tres órdenes de gobierno o en su caso organismos constitucionales autónomos, la Policía o el Ministerio Público recabarán la autorización correspondiente en los términos previstos en este Código.

Artículo 287. Cateo en buques, embarcaciones, aeronaves o cualquier medio de transporte extranjero en territorio mexicano

Cuando tenga que practicarse un cateo en buques, embarcaciones, aeronaves o cualquier medio de transporte extranjero en territorio mexicano se observarán además las disposiciones previstas en los Tratados, las leyes y reglamentos aplicables.

Artículo 288. Formalidades del cateo

Será entregada una copia de los puntos resolutivos de la orden de cateo a quien habite o esté en posesión del lugar donde se efectúe, o cuando esté ausente, a su encargado y, a falta de éste, a cualquier persona mayor de edad que se halle en el lugar.

Cuando no se encuentre persona alguna, se fijará la copia de los puntos resolutivos que autorizan el cateo a la entrada del inmueble, debiendo hacerse constar en el acta y se hará uso de la fuerza pública para ingresar.

Al concluir el cateo se levantará acta circunstanciada en presencia de dos testigos propuestos por el ocupante del lugar cateado, o en su ausencia o negativa, por la autoridad que practique el cateo, pero la designación no podrá recaer sobre los elementos que pertenezcan a la autoridad que lo practicó, salvo que no hayan participado en el mismo. Cuando no se cumplan estos requisitos, los elementos encontrados en el cateo carecerán de todo valor probatorio, sin que sirva de excusa el consentimiento de los ocupantes del lugar.

Al terminar el cateo se cuidará que los lugares queden cerrados, y de no ser posible inmediatamente, se asegurará que otras personas no ingresen en el lugar hasta lograr el cierre.

Si para la práctica del cateo es necesaria la presencia de alguna persona diferente a los servidores públicos propuestos para ello, el Ministerio Público, deberá incluir los datos de aquellos así como la motivación correspondiente en la solicitud del acto de investigación.

En caso de autorizarse la presencia de particulares en el cateo, éstos deberán omitir cualquier intervención material en la misma y sólo podrán tener comunicación con el servidor público que dirija la práctica del cateo.

Artículo 289. Descubrimiento de un delito diverso

Si al practicarse un cateo resultare el descubrimiento de un delito distinto del que lo haya motivado, se formará un inventario de aquello que se recoja relacionado con el nuevo delito, observándose en este caso lo relativo a la cadena de custodia y se hará constar esta circunstancia en el registro para dar inicio a una nueva investigación.

Artículo 290. Ingreso de una autoridad a lugar sin autorización judicial

Estará justificado el ingreso a un lugar cerrado sin orden judicial cuando:

I. Sea necesario para repeler una agresión real, actual o inminente y sin derecho que ponga en riesgo la vida, la integridad o la libertad personal de una o más personas, o

II. Se realiza con consentimiento de quien se encuentre facultado para otorgarlo.

En los casos de la fracción II, la autoridad que practique el ingreso deberá informarlo dentro de los cinco días siguientes, ante el Órgano jurisdiccional. A dicha audiencia deberá asistir la persona que otorgó su consentimiento a efectos de ratificarla.

Los motivos que determinaron la inspección sin orden judicial constarán detalladamente en el acta que al efecto se levante.

Artículo 291. Intervención de las comunicaciones privadas

Cuando en la investigación el Ministerio Público considere necesaria la intervención de comunicaciones privadas, el Titular de la Procuraduría General de la República, o en quienes éste delegue esta facultad, así como los Procuradores de las entidades federativas, podrán solicitar al Juez federal de control competente, por cualquier medio, la autorización para practicar la intervención, expresando el objeto y necesidad de la misma.

Párrafo reformado DOF 17-06-2016

La intervención de comunicaciones privadas, abarca todo sistema de comunicación, o programas que sean resultado de la evolución tecnológica, que permitan el intercambio de datos, informaciones, audio, video, mensajes, así como archivos electrónicos que graben, conserven el contenido de las conversaciones o registren datos que identifiquen la comunicación, los cuales se pueden presentar en tiempo real.

Párrafo reformado DOF 17-06-2016

La solicitud deberá ser resuelta por la autoridad judicial de manera inmediata, por cualquier medio que garantice su autenticidad, o en audiencia privada con la sola comparecencia del Ministerio Público, en un plazo que no exceda de las seis horas siguientes a que la haya recibido.

También se requerirá autorización judicial en los casos de extracción de información, la cual consiste en la obtención de comunicaciones privadas, datos de identificación de las comunicaciones; así como la información, documentos, archivos de texto, audio, imagen o video contenidos en cualquier dispositivo, accesorio, aparato electrónico, equipo informático, aparato de almacenamiento y todo aquello que pueda contener información, incluyendo la almacenada en las plataformas o centros de datos remotos vinculados con éstos.

Párrafo adicionado DOF 17-06-2016

Si la resolución se registra por medios diversos al escrito, los puntos resolutivos de la autorización deberán transcribirse y entregarse al Ministerio Público.

Los servidores públicos autorizados para la ejecución de la medida serán responsables de que se realice en los términos de la resolución judicial.

Artículo 292. Requisitos de la solicitud

La solicitud de intervención deberá estar fundada y motivada, precisar la persona o personas que serán sujetas a la medida; la identificación del lugar o lugares donde se realizará, si fuere posible; el tipo de comunicación a ser intervenida; su duración; el proceso que se llevará a cabo y las líneas, números o aparatos que serán intervenidos, y en su caso, la denominación de la empresa concesionada del servicio de telecomunicaciones a través del cual se realiza la comunicación objeto de la intervención.

El plazo de la intervención, incluyendo sus prórrogas, no podrá exceder de seis meses. Después de dicho plazo, sólo podrán autorizarse nuevas intervenciones cuando el Ministerio Público acredite nuevos elementos que así lo justifiquen.

Artículo 293. Contenido de la resolución judicial que autoriza la intervención de las comunicaciones privadas

En la autorización, el Juez de control determinará las características de la intervención, sus modalidades, límites y en su caso, ordenará a instituciones públicas o privadas modos específicos de colaboración.

Artículo 294. Objeto de la intervención

Podrán ser objeto de intervención las comunicaciones privadas que se realicen de forma oral, escrita, por signos, señales o mediante el empleo de aparatos eléctricos, electrónicos, mecánicos, alámbricos o inalámbricos, sistemas o equipos informáticos, así como por cualquier otro medio o forma que permita la comunicación entre uno o varios emisores y uno o varios receptores.

En ningún caso se podrán autorizar intervenciones cuando se trate de materias de carácter electoral, fiscal, mercantil, civil, laboral o administrativo, ni en el caso de las comunicaciones del detenido con su Defensor.

El Juez podrá en cualquier momento verificar que las intervenciones sean realizadas en los términos autorizados y, en caso de incumplimiento, decretar su revocación parcial o total.

Artículo 295. Conocimiento de delito diverso

Si en la práctica de una intervención de comunicaciones privadas se tuviera conocimiento de la comisión de un delito diverso de aquellos que motivan la medida, se hará constar esta circunstancia en el registro para dar inicio a una nueva investigación.

Artículo 296. Ampliación de la intervención a otros sujetos

Cuando de la intervención de comunicaciones privadas se advierta la necesidad de ampliar a otros sujetos o lugares la intervención, el Ministerio Público competente presentará al propio Juez de control la solicitud respectiva.

Artículo 297. Registro de las intervenciones

Las intervenciones de comunicación deberán ser registradas por cualquier medio que no altere la fidelidad, autenticidad y contenido de las mismas, por la Policía o por el perito que intervenga, a efecto de que aquélla pueda ser ofrecida como medio de prueba en los términos que señala este Código.

Artículo 298. Registro

El registro a que se refiere el artículo anterior contendrá las fechas de inicio y término de la intervención, un inventario pormenorizado de los documentos, objetos y los medios para la reproducción de sonidos o imágenes captadas durante la misma, cuando no se ponga en riesgo a la investigación o a la persona, la identificación de quienes hayan participado en los actos de investigación, así como los demás datos que se consideren relevantes para la investigación. El registro original y el duplicado, así como los documentos que los integran, se numerarán progresivamente y contendrán los datos necesarios para su identificación.

Artículo 299. Conclusión de la intervención

Al concluir la intervención, la Policía o el perito, de manera inmediata, informará al Ministerio Público sobre su desarrollo, así como de sus resultados y levantará el acta respectiva. A su vez, con la misma prontitud el Ministerio Público que haya solicitado la intervención o su prórroga lo informará al Juez de control.

Las intervenciones realizadas sin las autorizaciones antes citadas o fuera de los términos en ellas ordenados, carecerán de valor probatorio, sin perjuicio de la responsabilidad administrativa o penal a que haya lugar.

Artículo 300. Destrucción de los registros

El Órgano jurisdiccional ordenará la destrucción de aquellos registros de intervención de comunicaciones privadas que no se relacionen con los delitos investigados o con otros delitos que hayan ameritado la apertura de una investigación diversa, salvo que la defensa solicite que sean preservados por considerarlos útiles para su labor.

Asimismo, ordenará la destrucción de los registros de intervenciones no autorizadas o cuando éstos rebasen los términos de la autorización judicial respectiva.

Los registros serán destruidos cuando se decrete el archivo definitivo, el sobreseimiento o la absolución del imputado. Cuando el Ministerio Público decida archivar temporalmente la investigación, los registros podrán ser conservados hasta que el delito prescriba.

Artículo 301. Colaboración con la autoridad

Los concesionarios, permisionarios y demás titulares de los medios o sistemas susceptibles de intervención, deberán colaborar eficientemente con la autoridad competente para el desahogo de dichos actos de investigación, de conformidad con las disposiciones aplicables. Asimismo, deberán contar con la capacidad técnica indispensable que atienda las exigencias requeridas por la autoridad judicial para operar una orden de intervención de comunicaciones privadas.

El incumplimiento a este mandato será sancionado conforme a las disposiciones penales aplicables.

Artículo 302. Deber de secrecía

Quienes participen en alguna intervención de comunicaciones privadas deberán observar el deber de secrecía sobre el contenido de las mismas.

Artículo 303. Localización geográfica en tiempo real y solicitud de entrega de datos conservados

Cuando el Ministerio Público considere necesaria la localización geográfica en tiempo real o entrega de datos conservados por los concesionarios de telecomunicaciones, los autorizados o proveedores de servicios de aplicaciones y contenidos de los equipos de comunicación móvil asociados a una línea que se encuentra relacionada con los hechos que se investigan, el Procurador, o el servidor público en quien se delegue la facultad, podrá solicitar al Juez de control del fuero correspondiente en su caso, por cualquier medio, requiera a los concesionarios de telecomunicaciones, los autorizados o proveedores de servicios de aplicaciones y contenidos, para que proporcionen con la oportunidad y suficiencia necesaria a la autoridad investigadora, la información solicitada para el inmediato desahogo de dichos actos de investigación. Los datos conservados a que refiere este párrafo se destruirán en caso de que no constituyan medio de prueba idóneo o pertinente.

En la solicitud se expresarán los equipos de comunicación móvil relacionados con los hechos que se investigan, señalando los motivos e indicios que sustentan la necesidad de la localización geográfica en tiempo real o la entrega de los datos conservados, su duración y, en su caso, la denominación de la empresa autorizada o proveedora del servicio de telecomunicaciones a través del cual se operan las líneas, números o aparatos que serán objeto de la medida.

La petición deberá ser resuelta por la autoridad judicial de manera inmediata por cualquier medio que garantice su autenticidad, o en audiencia privada con la sola comparecencia del Ministerio Público.

Si la resolución se emite o registra por medios diversos al escrito, los puntos resolutivos de la orden deberán transcribirse y entregarse al Ministerio Público.

En caso de que el Juez de control niegue la orden de localización geográfica en tiempo real o la entrega de los datos conservados, el Ministerio Público podrá subsanar las deficiencias y solicitar nuevamente la orden o podrá apelar la decisión. En este caso la apelación debe ser resuelta en un plazo no mayor de doce horas a partir de que se interponga.

Excepcionalmente, cuando esté en peligro la integridad física o la vida de una persona o se encuentre en riesgo el objeto del delito, así como en hechos relacionados con la privación ilegal de la libertad, secuestro, extorsión o delincuencia organizada, el Procurador, o el servidor público en quien se delegue la facultad, bajo su más estricta responsabilidad, ordenará directamente la localización geográfica en tiempo real o la entrega de los datos conservados a los concesionarios de telecomunicaciones, los autorizados o proveedores de servicios de aplicaciones y contenidos, quienes deberán atenderla de inmediato y con la suficiencia necesaria. A partir de que se haya cumplimentado el requerimiento, el Ministerio Público deberá informar al Juez de control competente por cualquier medio que garantice su autenticidad, dentro del plazo de cuarenta y ocho horas, a efecto de que ratifique parcial o totalmente de manera inmediata la subsistencia de la medida, sin perjuicio de que el Ministerio Público continúe con su actuación.

Cuando el Juez de control no ratifique la medida a que hace referencia el párrafo anterior, la información obtenida no podrá ser incorporada al procedimiento penal.

Asimismo el Procurador, o el servidor público en quien se delegue la facultad podrá requerir a los sujetos obligados que establece la Ley Federal de Telecomunicaciones y Radiodifusión, la conservación inmediata de datos contenidos en redes, sistemas o equipos de informática, hasta por un tiempo máximo de noventa días, lo cual deberá realizarse de forma inmediata. La solicitud y entrega de los datos contenidos en redes, sistemas o equipos de informática se llevará a cabo de conformidad por lo previsto por este artículo. Lo anterior sin menoscabo de las obligaciones previstas en materia de conservación de información para las concesionarias y autorizados de telecomunicaciones en términos del artículo 190, fracción II de la Ley Federal de Telecomunicaciones y Radiodifusión.

Artículo reformado DOF 17-06-2016

CAPÍTULO III
PRUEBA ANTICIPADA

Artículo 304. Prueba anticipada

Hasta antes de la celebración de la audiencia de juicio se podrá desahogar anticipadamente cualquier medio de prueba pertinente, siempre que se satisfagan los siguientes requisitos:

I. Que sea practicada ante el Juez de control;

II. Que sea solicitada por alguna de las partes, quienes deberán expresar las razones por las cuales el acto se debe realizar con anticipación a la audiencia de juicio a la que se pretende desahogar y se torna indispensable en virtud de que se estime probable que algún testigo no podrá concurrir a la audiencia de juicio, por vivir en el extranjero, por existir motivo que hiciere temer su muerte, o por su estado de salud o incapacidad física o mental que le impidiese declarar;

III. Que sea por motivos fundados y de extrema necesidad y para evitar la pérdida o alteración del medio probatorio, y

IV. Que se practique en audiencia y en cumplimiento de las reglas previstas para la práctica de pruebas en el juicio.

Artículo 305. Procedimiento para prueba anticipada

La solicitud de desahogo de prueba anticipada podrá plantearse desde que se presenta la denuncia, querella o equivalente y hasta antes de que dé inicio la audiencia de juicio oral.

Cuando se solicite el desahogo de una prueba en forma anticipada, el Órgano jurisdiccional citará a audiencia a todos aquellos que tuvieren derecho a asistir a la audiencia de juicio oral y luego de escucharlos valorará la posibilidad de que la prueba por anticipar no pueda ser desahogada en la audiencia de juicio oral, sin grave riesgo de pérdida por la demora y, en su caso, admitirá y desahogará la prueba en el mismo acto otorgando a las partes todas las facultades previstas para su participación en la audiencia de juicio oral.

El imputado que estuviere detenido será trasladado a la sala de audiencias para que se imponga en forma personal, por teleconferencia o cualquier otro medio de comunicación, de la práctica de la diligencia.

En caso de que todavía no exista imputado identificado se designará un Defensor público para que intervenga en la audiencia.

Artículo 306. Registro y conservación de la prueba anticipada

La audiencia en la que se desahogue la prueba anticipada deberá registrarse en su totalidad. Concluido el desahogo de la prueba anticipada, se entregará el registro correspondiente a las partes.

Si el obstáculo que dio lugar a la práctica del anticipo de prueba no existiera para la fecha de la audiencia de juicio, se desahogará de nueva cuenta el medio de prueba correspondiente en la misma.

Toda prueba anticipada deberá conservarse de acuerdo con las medidas dispuestas por el Juez de control.

TÍTULO VI
AUDIENCIA INICIAL

Artículo 307. Audiencia inicial

En la audiencia inicial se informarán al imputado sus derechos constitucionales y legales, si no se le hubiese informado de los mismos con anterioridad, se realizará el control de legalidad de la detención si correspondiere, se formulará la imputación, se dará la oportunidad de declarar al imputado, se resolverá sobre las solicitudes de vinculación a proceso y medidas cautelares y se definirá el plazo para el cierre de la investigación.

En caso de que el Ministerio Público o la víctima u ofendido solicite la procedencia de una medida cautelar, dicha cuestión deberá ser resuelta antes de que se dicte la suspensión de la audiencia inicial.

Párrafo reformado DOF 17-06-2016

A esta audiencia deberá concurrir el Ministerio Público, el imputado y su Defensor. La víctima u ofendido o su Asesor jurídico, podrán asistir si así lo desean, pero su presencia no será requisito de validez de la audiencia.

Artículo 308. Control de legalidad de la detención

Inmediatamente después de que el imputado detenido en flagrancia o caso urgente sea puesto a disposición del Juez de control, se citará a la audiencia inicial en la que se realizará el control de la detención antes de que se proceda a la formulación de la imputación. El Juez le preguntará al detenido si cuenta con Defensor y en caso negativo, ordenará que se le nombre un Defensor público y le hará saber que tiene derecho a ofrecer datos de prueba, así como acceso a los registros.

El Ministerio Público deberá justificar las razones de la detención y el Juez de control procederá a calificarla, examinará el cumplimiento del plazo constitucional de retención y los requisitos de procedibilidad, ratificándola en caso de encontrarse ajustada a derecho o decretando la libertad en los términos previstos en este Código.

Ratificada la detención en flagrancia, caso urgente, y cuando se hubiere ejecutado una orden de aprehensión, el imputado permanecerá detenido durante el desarrollo de la audiencia inicial, hasta en tanto no se resuelva si será o no sometido a una medida cautelar.

Párrafo reformado DOF 17-06-2016

En caso de que al inicio de la audiencia el agente del Ministerio Público no esté presente, el Juez de control declarará en receso la audiencia hasta por una hora y ordenará a la administración del Poder Judicial para que se comunique con el superior jerárquico de aquél, con el propósito de que lo haga comparecer o lo sustituya. Concluido el receso sin obtener respuesta, se procederá a la inmediata liberación del detenido.

La omisión del Ministerio Público o de su superior jerárquico, al párrafo precedente los hará incurrir en las responsabilidades de conformidad con las disposiciones aplicables.

Párrafo adicionado DOF 17-06-2016

Artículo 309. Oportunidad para formular la imputación a personas detenidas

La formulación de la imputación es la comunicación que el Ministerio Público efectúa al imputado, en presencia del Juez de control, de que desarrolla una investigación en su contra respecto de uno o más hechos que la ley señala como delito.

En el caso de detenidos en flagrancia o caso urgente, después que el Juez de control califique de legal la detención, el Ministerio Público deberá formular la imputación, acto seguido solicitará la vinculación del imputado a proceso sin perjuicio del plazo constitucional que pueda invocar el imputado o su Defensor.

En el caso de que el Ministerio Público o la víctima u ofendido o el Asesor jurídico solicite una medida cautelar y el imputado se haya acogido al plazo constitucional, el debate sobre medidas cautelares sucederá previo a la suspensión de la audiencia.

Párrafo reformado DOF 17-06-2016

El imputado no podrá negarse a proporcionar su completa identidad, debiendo responder las preguntas que se le dirijan con respecto a ésta y se le exhortará para que se conduzca con verdad.

Se le preguntará al imputado si es su deseo proporcionar sus datos en voz alta o si prefiere que éstos sean anotados por separado y preservados en reserva.

Si el imputado decidiera declarar en relación a los hechos que se le imputan, se le informarán sus derechos procesales relacionados con este acto y que lo que declare puede ser utilizado en su contra, se le cuestionará si ha sido asesorado por su Defensor y si su decisión es libre.

Si el imputado decide libremente declarar, el Ministerio Público, el Asesor jurídico de la víctima u ofendido, el acusador privado en su caso y la defensa podrán dirigirle preguntas sobre lo que declaró, pero no estará obligado a responder las que puedan ser en su contra.

En lo conducente se observarán las reglas previstas en este Código para el desahogo de los medios de prueba.

Artículo 310. Oportunidad para formular la imputación a personas en libertad

El agente del Ministerio Público podrá formular la imputación cuando considere oportuna la intervención judicial con el propósito de resolver la situación jurídica del imputado.

Si el Ministerio Público manifestare interés en formular imputación a una persona que no se encontrare detenida, solicitará al Juez de control que lo cite en libertad y señale fecha y hora para que tenga verificativo la audiencia inicial, la que se llevará a cabo dentro de los quince días siguientes a la presentación de la solicitud.

Cuando lo considere necesario, para lograr la presencia del imputado en la audiencia inicial, el agente del Ministerio Público podrá solicitar orden de aprehensión o de comparecencia, según sea el caso y el Juez de control resolverá lo que corresponda. Las solicitudes y resoluciones deberán realizarse en los términos del presente Código.

Artículo 311. Procedimiento para formular la imputación

Una vez que el imputado esté presente en la audiencia inicial, por haberse ordenado su comparecencia, por haberse ejecutado en su contra una orden de aprehensión o ratificado de legal la detención y después de haber verificado el Juez de control que el imputado conoce sus derechos fundamentales dentro del procedimiento penal o, en su caso, después de habérselos dado a conocer, se ofrecerá la palabra al agente del Ministerio Público para que éste exponga al imputado el hecho que se le atribuye, la calificación jurídica preliminar, la fecha, lugar y modo de su comisión, la forma de intervención que haya tenido en el mismo, así como el nombre de su acusador, salvo que, a consideración del Juez de control sea necesario reservar su identidad en los supuestos autorizados por la Constitución y por la ley.

El Juez de control a petición del imputado o de su Defensor, podrá solicitar las aclaraciones o precisiones que considere necesarias respecto a la imputación formulada por el Ministerio Público.

Artículo 312. Oportunidad para declarar

Formulada la imputación, el Juez de control le preguntará al imputado si la entiende y si es su deseo contestar al cargo. En caso de que decida guardar silencio, éste no podrá ser utilizado en su contra. Si el imputado manifiesta su deseo de declarar, su declaración se rendirá conforme a lo dispuesto en este Código. Cuando se trate de varios imputados, sus declaraciones serán recibidas sucesivamente, evitando que se comuniquen entre sí antes de la recepción de todas ellas.

Artículo 313. Oportunidad para resolver la solicitud de vinculación a proceso

Después de que el imputado haya emitido su declaración, o manifestado su deseo de no hacerlo, el agente del Ministerio Público solicitará al Juez de control la oportunidad para discutir medidas cautelares, en su caso, y posteriormente solicitar la vinculación a proceso. Antes de escuchar al agente del Ministerio Público, el Juez de control se dirigirá al imputado y le explicará los momentos en los cuales puede resolverse la solicitud que desea plantear el Ministerio Público.

El Juez de control cuestionará al imputado si desea que se resuelva sobre su vinculación a proceso en esa audiencia dentro del plazo de setenta y dos horas o si solicita la ampliación de dicho plazo. En caso de que el imputado no se acoja al plazo constitucional ni solicite la duplicidad del mismo, el Ministerio Público deberá solicitar y motivar la vinculación del imputado a proceso, exponiendo en la misma audiencia los datos de prueba con los que considera que se establece un hecho que la ley señale como delito y la probabilidad de que el imputado lo cometió o participó en su comisión. El Juez de control otorgará la oportunidad a la defensa para que conteste la solicitud y si considera necesario permitirá la réplica y contrarréplica. Hecho lo anterior, resolverá la situación jurídica del imputado.

Si el imputado manifestó su deseo de que se resuelva sobre su vinculación a proceso dentro del plazo de setenta y dos horas o solicita la ampliación de dicho plazo, el Juez deberá señalar fecha para la celebración de la audiencia de vinculación a proceso dentro de dicho plazo o su prórroga.

La audiencia de vinculación a proceso deberá celebrarse, según sea el caso, dentro de las setenta y dos o ciento cuarenta y cuatro horas siguientes a que el imputado detenido fue puesto a su disposición o que el imputado compareció a la audiencia de formulación de la imputación.

Párrafo reformado DOF 17-06-2016

El Juez de control deberá informar a la autoridad responsable del establecimiento en el que se encuentre internado el imputado si al resolverse su situación jurídica además se le impuso como medida cautelar la prisión preventiva o si se solicita la duplicidad del plazo constitucional. Si transcurrido el plazo constitucional el Juez de control no informa a la autoridad responsable, ésta deberá llamar su atención sobre dicho particular en el acto mismo de concluir el plazo y, si no recibe la constancia mencionada dentro de las tres horas siguientes, deberá poner al imputado en libertad.

Artículo 314. Incorporación de datos y medios de prueba en el plazo constitucional o su ampliación

El imputado o su Defensor podrán, durante el plazo constitucional o su ampliación, presentar los datos de prueba que consideren necesarios ante el Juez de control.

Exclusivamente en el caso de delitos que ameriten la imposición de la medida cautelar de prisión preventiva oficiosa u otra personal, de conformidad con lo previsto en este Código, el Juez de control podrá admitir el desahogo de medios de prueba ofrecidos por el imputado o su Defensor, cuando, al inicio de la audiencia o su continuación, justifiquen que ello resulta pertinente.

Artículo reformado DOF 17-06-2016

Artículo 315. Continuación de la audiencia inicial

La continuación de la audiencia inicial comenzará con la presentación de los datos de prueba aportados por las partes o, en su caso, con el desahogo de los medios de prueba que hubiese ofrecido y justificado el imputado o su defensor en términos del artículo 314 de este Código. Para tal efecto, se seguirán en lo conducente las reglas previstas para el desahogo de pruebas en la audiencia de debate de juicio oral. Desahogada la prueba, si la hubo, se le concederá la palabra en primer término al Ministerio Público, al asesor jurídico de la víctima y luego al imputado. Agotado el debate, el Juez resolverá sobre la vinculación o no del imputado a proceso.

Párrafo reformado DOF 17-06-2016

En casos de extrema complejidad, el Juez de control podrá decretar un receso que no podrá exceder de dos horas, antes de resolver sobre la situación jurídica del imputado.

Artículo 316. Requisitos para dictar el auto de vinculación a proceso

El Juez de control, a petición del agente del Ministerio Público, dictará el auto de vinculación del imputado a proceso, siempre que:

I. Se haya formulado la imputación;

II. Se haya otorgado al imputado la oportunidad para declarar;

III. De los antecedentes de la investigación expuestos por el Ministerio Público, se desprendan datos de prueba que establezcan que se ha cometido un hecho que la ley señala como delito y que exista la probabilidad de que el imputado lo cometió o participó en su comisión. Se entenderá que obran datos que establecen que se ha cometido un hecho que la ley señale como delito cuando existan indicios razonables que así permitan suponerlo, y

IV. Que no se actualice una causa de extinción de la acción penal o excluyente del delito.

El auto de vinculación a proceso deberá dictarse por el hecho o hechos que fueron motivo de la imputación, el Juez de control podrá otorgarles una clasificación jurídica distinta a la asignada por el Ministerio Público misma que deberá hacerse saber al imputado para los efectos de su defensa.

El proceso se seguirá forzosamente por el hecho o hechos delictivos señalados en el auto de vinculación a proceso. Si en la secuela de un proceso apareciere que se ha cometido un hecho delictivo distinto del que se persigue, deberá ser objeto de investigación separada, sin perjuicio de que después pueda decretarse la acumulación si fuere conducente.

Artículo 317. Contenido del auto de vinculación a proceso

El auto de vinculación a proceso deberá contener:

I. Los datos personales del imputado;

II. Los fundamentos y motivos por los cuales se estiman satisfechos los requisitos mencionados en el artículo anterior, y

III. El lugar, tiempo y circunstancias de ejecución del hecho que se imputa.

Artículo 318. Efectos del auto de vinculación a proceso

El auto de vinculación a proceso establecerá el hecho o los hechos delictivos sobre los que se continuará el proceso o se determinarán las formas anticipadas de terminación del proceso, la apertura a juicio o el sobreseimiento.

Artículo 319. Auto de no vinculación a proceso

En caso de que no se reúna alguno de los requisitos previstos en este Código, el Juez de control dictará un auto de no vinculación del imputado a proceso y, en su caso, ordenará la libertad inmediata del imputado, para lo cual revocará las providencias precautorias y las medidas cautelares anticipadas que se hubiesen decretado.

El auto de no vinculación a proceso no impide que el Ministerio Público continúe con la investigación y posteriormente formule nueva imputación, salvo que en el mismo se decrete el sobreseimiento.

Artículo 320. Valor de las actuaciones

Los antecedentes de la investigación y elementos de convicción aportados y desahogados, en su caso, en la audiencia de vinculación a proceso, que sirvan como base para el dictado del auto de vinculación a proceso y de las medidas cautelares, carecen de valor probatorio para fundar la sentencia, salvo las excepciones expresas previstas por este Código.

Artículo reformado DOF 17-06-2016

Artículo 321. Plazo para la investigación complementaria

El Juez de control, antes de finalizar la audiencia inicial determinará previa propuesta de las partes el plazo para el cierre de la investigación complementaria.

El Ministerio Público deberá concluir la investigación complementaria dentro del plazo señalado por el Juez de control, mismo que no podrá ser mayor a dos meses si se tratare de delitos cuya pena máxima no exceda los dos años de prisión, ni de seis meses si la pena máxima excediera ese tiempo o podrá agotar dicha investigación antes de su vencimiento. Transcurrido el plazo para el cierre de la investigación, ésta se dará por cerrada, salvo que el Ministerio Público, la víctima u ofendido o el imputado hayan solicitado justificadamente prórroga del mismo antes de finalizar el plazo, observándose los límites máximos que establece el presente artículo.

En caso de que el Ministerio Público considere cerrar anticipadamente la investigación, informará a la víctima u ofendido o al imputado para que, en su caso, manifiesten lo conducente.

Artículo 322. Prórroga del plazo de la investigación complementaria

De manera excepcional, el Ministerio Público podrá solicitar una prórroga del plazo de investigación complementaria para formular acusación, con la finalidad de lograr una mejor preparación del caso, fundando y motivando su petición. El Juez podrá otorgar la prórroga siempre y cuando el plazo solicitado, sumado al otorgado originalmente, no exceda los plazos señalados en el artículo anterior.

Artículo 323. Plazo para declarar el cierre de la investigación

Transcurrido el plazo para el cierre de la investigación, el Ministerio Público deberá cerrarla o solicitar justificadamente su prórroga al Juez de control, observándose los límites máximos previstos en el artículo 321.

Si el Ministerio Público no declarara cerrada la investigación en el plazo fijado, o no solicita su prórroga, el imputado o la víctima u ofendido podrán solicitar al Juez de control que lo aperciba para que proceda a tal cierre.

Transcurrido el plazo para el cierre de la investigación, ésta se tendrá por cerrada salvo que el Ministerio Público o el imputado hayan solicitado justificadamente prórroga del mismo al Juez.

Artículo 324. Consecuencias de la conclusión del plazo de la investigación complementaria

Una vez cerrada la investigación complementaria, el Ministerio Público dentro de los quince días siguientes deberá:

I. Solicitar el sobreseimiento parcial o total;

II. Solicitar la suspensión del proceso, o

III. Formular acusación.

Artículo 325. Extinción de la acción penal por incumplimiento del plazo

Cuando el Ministerio Público no cumpla con la obligación establecida en el artículo anterior, el Juez de control pondrá el hecho en conocimiento del Procurador o del servidor público en quien haya delegado esta facultad, para que se pronuncie en el plazo de quince días.

Transcurrido este plazo sin que se haya pronunciado, el Juez de control ordenará el sobreseimiento.

Artículo 326. Peticiones diversas a la acusación

Cuando únicamente se formulen peticiones diversas a la acusación del Ministerio Público, el Juez de control resolverá sin sustanciación lo que corresponda, salvo disposición en contrario o que estime indispensable realizar audiencia, en cuyo caso convocará a las partes.

Artículo 327. Sobreseimiento

El Ministerio Público, el imputado o su Defensor podrán solicitar al Órgano jurisdiccional el sobreseimiento de una causa; recibida la solicitud, el Órgano jurisdiccional la notificará a las partes y citará, dentro de las veinticuatro horas siguientes, a una audiencia donde se resolverá lo conducente. La incomparecencia de la víctima u ofendido debidamente citados no impedirá que el Órgano jurisdiccional se pronuncie al respecto.

El sobreseimiento procederá cuando:

I. El hecho no se cometió;

II. El hecho cometido no constituye delito;

III. Apareciere claramente establecida la inocencia del imputado;

IV. El imputado esté exento de responsabilidad penal;

V. Agotada la investigación, el Ministerio Público estime que no cuenta con los elementos suficientes para fundar una acusación;

VI. Se hubiere extinguido la acción penal por alguno de los motivos establecidos en la ley;

VII. Una ley o reforma posterior derogue el delito por el que se sigue el proceso;

VIII. El hecho de que se trata haya sido materia de un proceso penal en el que se hubiera dictado sentencia firme respecto del imputado;

IX. Muerte del imputado, o

X. En los demás casos en que lo disponga la ley.

Artículo 328. Efectos del sobreseimiento

El sobreseimiento firme tiene efectos de sentencia absolutoria, pone fin al procedimiento en relación con el imputado en cuyo favor se dicta, inhibe una nueva persecución penal por el mismo hecho y hace cesar todas las medidas cautelares que se hubieran dictado.

Artículo 329. Sobreseimiento total o parcial

El sobreseimiento será total cuando se refiera a todos los delitos y a todos los imputados, y parcial cuando se refiera a algún delito o a algún imputado, de los varios a que se hubiere extendido la investigación y que hubieren sido objeto de vinculación a proceso.

Si el sobreseimiento fuere parcial, se continuará el proceso respecto de aquellos delitos o de aquellos imputados a los que no se extendiere aquél.

Artículo 330. Facultades del Juez respecto del sobreseimiento

El Juez de control, al pronunciarse sobre la solicitud de sobreseimiento planteada por cualquiera de las partes, podrá rechazarlo o bien decretar el sobreseimiento incluso por motivo distinto del planteado conforme a lo previsto en este Código.

Si la víctima u ofendido se opone a la solicitud de sobreseimiento formulada por el Ministerio Público, el imputado o su Defensor, el Juez de control se pronunciará con base en los argumentos expuestos por las partes y el mérito de la causa.

Si el Juez de control admite las objeciones de la víctima u ofendido, denegará la solicitud de sobreseimiento.

De no mediar oposición, la solicitud de sobreseimiento se declarará procedente sin perjuicio del derecho de las partes a recurrir.

Artículo 331. Suspensión del proceso

El Juez de control competente decretará la suspensión del proceso cuando:

I. Se decrete la sustracción del imputado a la acción de la justicia;

II. Se descubra que el delito es de aquellos respecto de los cuales no se puede proceder sin que sean satisfechos determinados requisitos y éstos no se hubieren cumplido;

III. El imputado adquiera algún trastorno mental temporal durante el proceso, o

IV. En los demás casos que la ley señale.

Artículo 332. Reapertura del proceso al cesar la causal de suspensión

A solicitud del Ministerio Público o de cualquiera de los que intervienen en el proceso, el Juez de control podrá decretar la reapertura del mismo cuando cese la causa que haya motivado la suspensión.

Artículo 333. Reapertura de la investigación

Hasta antes de presentada la acusación, las partes podrán reiterar la solicitud de diligencias de investigación específicas que hubieren formulado al Ministerio Público después de dictado el auto de vinculación a proceso y que éste hubiere rechazado.

Si el Juez de control aceptara la solicitud de las partes, ordenará al Ministerio Público reabrir la investigación y proceder al cumplimiento de las actuaciones en el plazo que le fijará. En dicha audiencia, el Ministerio Público podrá solicitar la ampliación del plazo por una sola vez.

No procederá la solicitud de llevar a cabo actos de investigación que en su oportunidad se hubieren ordenado a petición de las partes y no se hubieren cumplido por negligencia o hecho imputable a ellas, ni tampoco las que fueren impertinentes, las que tuvieren por objeto acreditar hechos públicos y notorios, ni todas aquellas que hubieren sido solicitadas con fines puramente dilatorios.

Vencido el plazo o su ampliación, la investigación sujeta a reapertura se considerará cerrada, o aún antes de ello si se hubieren cumplido las actuaciones que la motivaron, y se procederá de conformidad con lo dispuesto en este Código.

TÍTULO VII
ETAPA INTERMEDIA

CAPÍTULO I
OBJETO

Artículo 334. Objeto de la etapa intermedia

La etapa intermedia tiene por objeto el ofrecimiento y admisión de los medios de prueba, así como la depuración de los hechos controvertidos que serán materia del juicio.

Esta etapa se compondrá de dos fases, una escrita y otra oral. La fase escrita iniciará con el escrito de acusación que formule el Ministerio Público y comprenderá todos los actos previos a la celebración de la audiencia intermedia. La segunda fase dará inicio con la celebración de la audiencia intermedia y culminará con el dictado del auto de apertura a juicio.

Artículo 335. Contenido de la acusación

Una vez concluida la fase de investigación complementaria, si el Ministerio Público estima que la investigación aporta elementos para ejercer la acción penal contra el imputado, presentará la acusación.

La acusación del Ministerio Público, deberá contener en forma clara y precisa:

I. La individualización del o los acusados y de su Defensor;

II. La identificación de la víctima u ofendido y su Asesor jurídico;

III. La relación clara, precisa, circunstanciada y específica de los hechos atribuidos en modo, tiempo y lugar, así como su clasificación jurídica;

IV. La relación de las modalidades del delito que concurrieren;

V. La autoría o participación concreta que se atribuye al acusado;

VI. La expresión de los preceptos legales aplicables;

VII. El señalamiento de los medios de prueba que pretenda ofrecer, así como la prueba anticipada que se hubiere desahogado en la etapa de investigación;

VIII. El monto de la reparación del daño y los medios de prueba que ofrece para probarlo;

IX. La pena o medida de seguridad cuya aplicación se solicita incluyendo en su caso la correspondiente al concurso de delitos;

X. Los medios de prueba que el Ministerio Público pretenda presentar para la individualización de la pena y en su caso, para la procedencia de sustitutivos de la pena de prisión o suspensión de la misma;

XI. La solicitud de decomiso de los bienes asegurados;

XII. La propuesta de acuerdos probatorios, en su caso, y

XIII. La solicitud de que se aplique alguna forma de terminación anticipada del proceso cuando ésta proceda.

La acusación sólo podrá formularse por los hechos y personas señaladas en el auto de vinculación a proceso, aunque se efectúe una distinta clasificación, la cual deberá hacer del conocimiento de las partes.

Si el Ministerio Público o, en su caso, la víctima u ofendido ofrecieran como medios de prueba la declaración de testigos o peritos, deberán presentar una lista identificándolos con nombre, apellidos, domicilio y modo de localizarlos, señalando además los puntos sobre los que versarán los interrogatorios.

Artículo 336. Notificación de la Acusación

Una vez presentada la acusación, el Juez de control ordenará su notificación a las partes al día siguiente. Con dicha notificación se les entregará copia de la acusación.

Artículo reformado DOF 17-06-2016

Artículo 337. Descubrimiento probatorio

El descubrimiento probatorio consiste en la obligación de las partes de darse a conocer entre ellas en el proceso, los medios de prueba que pretendan ofrecer en la audiencia de juicio. En el caso del Ministerio Público, el descubrimiento comprende el acceso y copia a todos los registros de la investigación, así como a los lugares y objetos relacionados con ella, incluso de aquellos elementos que no pretenda ofrecer como medio de prueba en el juicio. En el caso del imputado o su defensor, consiste en entregar materialmente copia de los registros al Ministerio Público a su costa, y acceso a las evidencias materiales que ofrecerá en la audiencia intermedia, lo cual deberá realizarse en los términos de este Código.

El Ministerio Público deberá cumplir con esta obligación de manera continua a partir de los momentos establecidos en el párrafo tercero del artículo 218 de este Código, así como permitir el acceso del imputado o su Defensor a los nuevos elementos que surjan en el curso de la investigación, salvo las excepciones previstas en este Código.

La víctima u ofendido, el asesor jurídico y el acusado o su Defensor, deberán descubrir los medios de prueba que pretendan ofrecer en la audiencia del juicio, en los plazos establecidos en los artículos 338 y 340, respectivamente, para lo cual, deberán entregar materialmente copia de los registros y acceso a los medios de prueba, con costo a cargo del Ministerio Público. Tratándose de la prueba pericial, se deberá entregar el informe respectivo al momento de descubrir los medios de prueba a cargo de cada una de las partes, salvo que se justifique que aún no cuenta con ellos, caso en el cual, deberá descubrirlos a más tardar tres días antes del inicio de la audiencia intermedia.

En caso que el acusado o su defensor, requiera más tiempo para preparar el descubrimiento o su caso, podrá solicitar al Juez de control, antes de celebrarse la audiencia intermedia o en la misma audiencia, le conceda un plazo razonable y justificado para tales efectos.

Artículo reformado DOF 17-06-2016

Artículo 338. Coadyuvancia en la acusación

Dentro de los tres días siguientes de la notificación de la acusación formulada por el Ministerio Público, la víctima u ofendido podrán mediante escrito:

I. Constituirse como coadyuvantes en el proceso;

II. Señalar los vicios formales de la acusación y requerir su corrección;

III. Ofrecer los medios de prueba que estime necesarios para complementar la acusación del Ministerio Público, de lo cual se deberá notificar al acusado;

Fracción reformada DOF 17-06-2016

IV. Solicitar el pago de la reparación del daño y cuantificar su monto.

Artículo 339. Reglas generales de la coadyuvancia

Si la víctima u ofendido se constituyera en coadyuvante del Ministerio Público, le serán aplicables en lo conducente las formalidades previstas para la acusación de aquél. El Juez de control deberá correr traslado de dicha solicitud a las partes.

La coadyuvancia en la acusación por parte de la víctima u ofendido no alterará las facultades concedidas por este Código y demás legislación aplicable al Ministerio Público, ni lo eximirá de sus responsabilidades.

Si se trata de varias víctimas u ofendidos podrán nombrar un representante común, siempre que no exista conflicto de intereses.

Artículo 340. Actuación del imputado en la fase escrita de la etapa intermedia

Dentro de los diez días siguientes a que fenezca el plazo para la solicitud de coadyuvancia de la víctima u ofendido, el acusado o su Defensor, mediante escrito dirigido al Juez de control, podrán:

Párrafo reformado DOF 17-06-2016

I. Señalar vicios formales del escrito de acusación y pronunciarse sobre las observaciones del coadyuvante y si lo consideran pertinente, requerir su corrección. No obstante, el acusado o su Defensor podrán señalarlo en la audiencia intermedia;

Fracción reformada DOF 17-06-2016

II. Ofrecer los medios de prueba que pretenda se desahoguen en el juicio;

Fracción adicionada DOF 17-06-2016

III. Solicitar la acumulación o separación de acusaciones, y

Fracción reformada y recorrida DOF 17-06-2016

IV. Manifestarse sobre los acuerdos probatorios.

Fracción reformada y recorrida DOF 17-06-2016

El escrito del acusado o su Defensor se notificará al Ministerio Público y al coadyuvante dentro de las veinticuatro horas siguientes a su presentación.

Párrafo reformado DOF 17-06-2016

Reforma DOF 17-06-2016: Derogó del artículo el entonces párrafo segundo

Artículo 341. Citación a la audiencia

El Juez de control, en el mismo auto en que tenga por presentada la acusación del Ministerio Público, señalará fecha para que se lleve a cabo la audiencia intermedia, la cual deberá tener lugar en un plazo que no podrá ser menor a treinta ni exceder de cuarenta días naturales a partir de presentada la acusación.

Párrafo reformado DOF 17-06-2016

Previa celebración de la audiencia intermedia, el Juez de control podrá, por una sola ocasión y a solicitud de la defensa, diferir, hasta por diez días, la celebración de la audiencia intermedia. Para tal efecto, la defensa deberá exponer las razones por las cuales ha requerido dicho diferimiento.

Artículo 342. Inmediación en la audiencia intermedia

La audiencia intermedia será conducida por el Juez de control, quien la presidirá en su integridad y se desarrollará oralmente. Es indispensable la presencia permanente del Juez de control, el Ministerio Público, y el Defensor durante la audiencia.

La víctima u ofendido o su Asesor jurídico deberán concurrir, pero su inasistencia no suspende el acto, aunque si ésta fue injustificada, se tendrá por desistida su pretensión en el caso de que se hubiera constituido como coadyuvante del Ministerio Público.

Artículo 343. Unión y separación de acusación

Cuando el Ministerio Público formule diversas acusaciones que el Juez de control considere conveniente someter a una misma audiencia del debate, y siempre que ello no perjudique el derecho de defensa, podrá unirlas y decretar la apertura de un solo juicio, si ellas están vinculadas por referirse a un mismo hecho, a un mismo acusado o porque deben ser examinadas los mismos medios de prueba.

El Juez de control podrá dictar autos de apertura del juicio separados, para distintos hechos o diferentes acusados que estén comprendidos en una misma acusación, cuando, de ser conocida en una sola audiencia del debate, pudiera provocar graves dificultades en la organización o el desarrollo de la audiencia del debate o afectación del derecho de defensa, y siempre que ello no implique el riesgo de provocar decisiones contradictorias.

Artículo 344. Desarrollo de la audiencia

Al inicio de la audiencia el Ministerio Público realizará una exposición resumida de su acusación, seguida de las exposiciones de la víctima u ofendido y el acusado por sí o por conducto de su Defensor; acto seguido las partes podrán deducir cualquier incidencia que consideren relevante presentar. Asimismo, la Defensa promoverá las excepciones que procedan conforme a lo que se establece en este Código.

Desahogados los puntos anteriores y posterior al establecimiento en su caso de acuerdos probatorios, el Juez se cerciorará de que se ha cumplido con el descubrimiento probatorio a cargo de las partes y, en caso de controversia abrirá debate entre las mismas y resolverá lo procedente.

Si es el caso que el Ministerio Público o la víctima u ofendido ocultaron una prueba favorable a la defensa, el Juez en el caso del Ministerio Público procederá a dar vista a su superior para los efectos conducentes. De igual forma impondrá una corrección disciplinaria a la víctima u ofendido.

Artículo 345. Acuerdos probatorios

Los acuerdos probatorios son aquellos celebrados entre el Ministerio Público y el acusado, sin oposición fundada de la víctima u ofendido, para aceptar como probados alguno o algunos de los hechos o sus circunstancias.

Si la víctima u ofendido se opusieren, el Juez de control determinará si es fundada y motivada la oposición, de lo contrario el Ministerio Público podrá realizar el acuerdo probatorio.

El Juez de control autorizará el acuerdo probatorio, siempre que lo considere justificado por existir antecedentes de la investigación con los que se acredite el hecho.

En estos casos, el Juez de control indicará en el auto de apertura del juicio los hechos que tendrán por acreditados, a los cuales deberá estarse durante la audiencia del juicio oral.

Artículo 346. Exclusión de medios de prueba para la audiencia del debate

Una vez examinados los medios de prueba ofrecidos y de haber escuchado a las partes, el Juez de control ordenará fundadamente que se excluyan de ser rendidos en la audiencia de juicio, aquellos medios de prueba que no se refieran directa o indirectamente al objeto de la investigación y sean útiles para el esclarecimiento de los hechos, así como aquellos en los que se actualice alguno de los siguientes supuestos:

I. Cuando el medio de prueba se ofrezca para generar efectos dilatorios, en virtud de ser:

a) Sobreabundante: por referirse a diversos medios de prueba del mismo tipo, testimonial o documental, que acrediten lo mismo, ya superado, en reiteradas ocasiones;

b) Impertinentes: por no referirse a los hechos controvertidos, o

c) Innecesarias: por referirse a hechos públicos, notorios o incontrovertidos;

II. Por haberse obtenido con violación a derechos fundamentales;

III. Por haber sido declaradas nulas, o

IV. Por ser aquellas que contravengan las disposiciones señaladas en este Código para su desahogo.

En el caso de que el Juez estime que el medio de prueba sea sobreabundante, dispondrá que la parte que la ofrezca reduzca el número de testigos o de documentos, cuando mediante ellos desee acreditar los mismos hechos o circunstancias con la materia que se someterá a juicio.

Asimismo, en los casos de delitos contra la libertad y seguridad sexuales y el normal desarrollo psicosexual, el Juez excluirá la prueba que pretenda rendirse sobre la conducta sexual anterior o posterior de la víctima.

La decisión del Juez de control de exclusión de medios de prueba es apelable.

Artículo 347. Auto de apertura a juicio

Antes de finalizar la audiencia, el Juez de control dictará el auto de apertura de juicio que deberá indicar:

I. El Tribunal de enjuiciamiento competente para celebrar la audiencia de juicio;

Fracción reformada DOF 17-06-2016

II. La individualización de los acusados;

III. Las acusaciones que deberán ser objeto del juicio y las correcciones formales que se hubieren realizado en ellas, así como los hechos materia de la acusación;

IV. Los acuerdos probatorios a los que hubieren llegado las partes;

V. Los medios de prueba admitidos que deberán ser desahogados en la audiencia de juicio, así como la prueba anticipada;

VI. Los medios de pruebas que, en su caso, deban de desahogarse en la audiencia de individualización de las sanciones y de reparación del daño;

VII. Las medidas de resguardo de identidad y datos personales que procedan en términos de este Código;

VIII. Las personas que deban ser citadas a la audiencia de debate, y

IX. Las medidas cautelares que hayan sido impuestas al acusado.

El Juez de control hará llegar el mismo al Tribunal de enjuiciamiento competente dentro de los cinco días siguientes de haberse dictado y pondrá a su disposición los registros, así como al acusado.

TÍTULO VIII
ETAPA DE JUICIO

CAPÍTULO I
DISPOSICIONES PREVIAS

Artículo 348. Juicio

El juicio es la etapa de decisión de las cuestiones esenciales del proceso. Se realizará sobre la base de la acusación en el que se deberá asegurar la efectiva vigencia de los principios de inmediación, publicidad, concentración, igualdad, contradicción y continuidad.

Artículo 349. Fecha, lugar, integración y citaciones

El Tribunal de enjuiciamiento una vez que reciba el auto de apertura a juicio oral deberá establecer la fecha para la celebración de la audiencia de debate, la que deberá tener lugar no antes de veinte ni después de sesenta días naturales contados a partir de la emisión del auto de apertura a juicio. Se citará oportunamente a todas las partes para asistir al debate. El acusado deberá ser citado, por lo menos con siete días de anticipación al comienzo de la audiencia.

Artículo reformado DOF 17-06-2016

Artículo 350. Prohibición de intervención

Los jueces que hayan intervenido en alguna etapa del procedimiento anterior a la audiencia de juicio no podrán fungir como Tribunal de enjuiciamiento.

CAPÍTULO II
PRINCIPIOS

Artículo 351. Suspensión

La audiencia de juicio podrá suspenderse en forma excepcional por un plazo máximo de diez días naturales cuando:

I. Se deba resolver una cuestión incidental que no pueda, por su naturaleza, resolverse en forma inmediata;

II. Tenga que practicarse algún acto fuera de la sala de audiencias, incluso porque se tenga la noticia de un hecho inesperado que torne indispensable una investigación complementaria y no sea posible cumplir los actos en el intervalo de dos sesiones;

III. No comparezcan testigos, peritos o intérpretes, deba practicarse una nueva citación y sea imposible o inconveniente continuar el debate hasta que ellos comparezcan, incluso coactivamente por medio de la fuerza pública;

IV. El o los integrantes del Tribunal de enjuiciamiento, el acusado o cualquiera de las partes se enfermen a tal extremo que no puedan continuar interviniendo en el debate;

V. El Defensor, el Ministerio Público o el acusador particular no pueda ser reemplazado inmediatamente en el supuesto de la fracción anterior, o en caso de muerte o incapacidad permanente, o

VI. Alguna catástrofe o algún hecho extraordinario torne imposible su continuación.

El Tribunal de enjuiciamiento verificará la autenticidad de la causal de suspensión invocada, pudiendo para el efecto allegarse de los medios de prueba correspondientes para decidir sobre la suspensión, para lo cual deberá anunciar el día y la hora en que continuará la audiencia, lo que tendrá el efecto de citación para audiencia para todas las partes. Previo a reanudar la audiencia, quien la presida resumirá brevemente los actos cumplidos con anterioridad.

El Tribunal de enjuiciamiento ordenará los aplazamientos que se requieran, indicando la hora en que continuará el debate. No será considerado aplazamiento ni suspensión el descanso de fin de semana y los días inhábiles de acuerdo con la legislación aplicable.

Artículo 352. Interrupción

Si la audiencia de debate de juicio no se reanuda a más tardar al undécimo día después de ordenada la suspensión, se considerará interrumpido y deberá ser reiniciado ante un Tribunal de enjuiciamiento distinto y lo actuado será nulo.

Artículo 353. Motivación

Las decisiones del Tribunal de enjuiciamiento, así como las de su Presidente serán verbales, con expresión de sus fundamentos y motivos cuando el caso lo requiera o las partes así lo soliciten, quedando todos notificados por su emisión.

CAPÍTULO III
DIRECCIÓN Y DISCIPLINA

Artículo 354. Dirección del debate de juicio

El juzgador que preside la audiencia de juicio ordenará y autorizará las lecturas pertinentes, hará las advertencias que correspondan, tomará las protestas legales y moderará la discusión; impedirá intervenciones impertinentes o que no resulten admisibles, sin coartar por ello el ejercicio de la persecución penal o la libertad de defensa. Asimismo, resolverá las objeciones que se formulen durante el desahogo de la prueba.

Si alguna de las partes en el debate se inconformara por la vía de revocación de una decisión del Presidente, lo resolverá el Tribunal.

Artículo 355. Disciplina en la audiencia

El juzgador que preside la audiencia de juicio velará por que se respete la disciplina en la audiencia cuidando que se mantenga el orden, para lo cual solicitará al Tribunal de enjuiciamiento o a los asistentes, el respeto y las consideraciones debidas, corrigiendo en el acto las faltas que se cometan, para lo cual podrá aplicar cualquiera de las siguientes medidas:

I. Apercibimiento;

II. Multa de veinte a cinco mil salarios mínimos;

III. Expulsión de la sala de audiencia;

IV. Arresto hasta por treinta y seis horas, o

V. Desalojo público de la sala de audiencia.

Si el infractor fuere el Ministerio Público, el acusado, su Defensor, la víctima u ofendido, y fuere necesario expulsarlos de la sala de audiencia, se aplicarán las reglas conducentes para el caso de su ausencia.

En caso de que a pesar de las medidas adoptadas no se pudiera reestablecer el orden, quien preside la audiencia la suspenderá hasta en tanto se encuentren reunidas las condiciones que permitan continuar con su curso normal.

El Tribunal de enjuiciamiento podrá ordenar el arresto hasta por treinta y seis horas ante la contumacia de las obligaciones procesales de las personas que intervienen en un proceso penal que atenten contra el principio de continuidad, derivado de sus incomparecencias injustificadas a audiencia o aquellos actos que impidan que las pruebas puedan desahogarse en tiempo y forma.

Párrafo reformado DOF 17-06-2016

CAPÍTULO IV
DISPOSICIONES GENERALES SOBRE LA PRUEBA

Artículo 356. Libertad probatoria

Todos los hechos y circunstancias aportados para la adecuada solución del caso sometido a juicio, podrán ser probados por cualquier medio pertinente producido e incorporado de conformidad con este Código.

Artículo 357. Legalidad de la prueba

La prueba no tendrá valor si ha sido obtenida por medio de actos violatorios de derechos fundamentales, o si no fue incorporada al proceso conforme a las disposiciones de este Código.

Artículo 358. Oportunidad para la recepción de la prueba

La prueba que hubiere de servir de base a la sentencia deberá desahogarse durante la audiencia de debate de juicio, salvo las excepciones expresamente previstas en este Código.

Artículo 359. Valoración de la prueba

El Tribunal de enjuiciamiento valorará la prueba de manera libre y lógica, deberá hacer referencia en la motivación que realice, de todas las pruebas desahogadas, incluso de aquellas que se hayan desestimado, indicando las razones que se tuvieron para hacerlo. La motivación permitirá la expresión del razonamiento utilizado para alcanzar las conclusiones contenidas en la resolución jurisdiccional. Sólo se podrá condenar al acusado si se llega a la convicción de su culpabilidad más allá de toda duda razonable. En caso de duda razonable, el Tribunal de enjuiciamiento absolverá al imputado.

Artículo reformado DOF 17-06-2016

SECCIÓN I
PRUEBA TESTIMONIAL

Artículo 360. Deber de testificar

Toda persona tendrá la obligación de concurrir al proceso cuando sea citado y de declarar la verdad de cuanto conozca y le sea preguntado; asimismo, no deberá ocultar hechos, circunstancias o cualquier otra información que sea relevante para la solución de la controversia, salvo disposición en contrario.

El testigo no estará en la obligación de declarar sobre hechos por los que se le pueda fincar responsabilidad penal.

Artículo 361. Facultad de abstención

Podrán abstenerse de declarar el tutor, curador, pupilo, cónyuge, concubina o concubinario, conviviente del imputado, la persona que hubiere vivido de forma permanente con el imputado durante por lo menos dos años anteriores al hecho, sus parientes por consanguinidad en la línea recta ascendente o descendente hasta el cuarto grado y en la colateral por consanguinidad hasta el segundo grado inclusive, salvo que fueran denunciantes.

Deberá informarse a las personas mencionadas de la facultad de abstención antes de declarar, pero si aceptan rendir testimonio no podrán negarse a contestar las preguntas formuladas.

Artículo 362. Deber de guardar secreto

Es inadmisible el testimonio de personas que respecto del objeto de su declaración, tengan el deber de guardar secreto con motivo del conocimiento que tengan de los hechos en razón del oficio o profesión, tales como ministros religiosos, abogados, visitadores de derechos humanos, médicos, psicólogos, farmacéuticos y enfermeros, así como los funcionarios públicos sobre información que no es susceptible de divulgación según las leyes de la materia. No obstante, estas personas no podrán negar su testimonio cuando sean liberadas por el interesado del deber de guardar secreto.

En caso de ser citadas, deberán comparecer y explicar el motivo del cual surge la obligación de guardar secreto y de abstenerse de declarar.

Artículo 363. Citación de testigos

Los testigos serán citados para su examinación. En los casos de urgencia, podrán ser citados por cualquier medio que garantice la recepción de la citación, de lo cual se deberá dejar constancia. El testigo podrá presentarse a declarar sin previa cita.

Si el testigo reside en un lugar lejano al asiento del órgano judicial y carece de medios económicos para trasladarse, se dispondrá lo necesario para asegurar su comparecencia.

Tratándose de testigos que sean servidores públicos, la dependencia en la que se desempeñen adoptará las medidas correspondientes para garantizar su comparecencia, en cuyo caso absorberá además los gastos que se generen.

Artículo 364. Comparecencia obligatoria de testigos

Si el testigo debidamente citado no se presentara a la citación o haya temor fundado de que se ausente o se oculte, se le hará comparecer en ese acto por medio de la fuerza pública sin necesidad de agotar ningún otro medio de apremio.

Las autoridades están obligadas a auxiliar oportuna y diligentemente al Tribunal para garantizar la comparecencia obligatoria de los testigos. El Órgano jurisdiccional podrá emplear contra las autoridades los medios de apremio que establece este Código en caso de incumplimiento o retardo a sus determinaciones.

Artículo 365. Excepciones a la obligación de comparecencia

No estarán obligados a comparecer en los términos previstos en los artículos anteriores y podrán declarar en la forma señalada para los testimonios especiales los siguientes:

I. Respecto de los servidores públicos federales, el Presidente de la República; los Secretarios de Estado de la Federación; el Procurador General de la República; los Ministros de la Suprema Corte de Justicia de la Nación, y los Diputados y Senadores del Congreso de la Unión; los Magistrados del Tribunal

Electoral del Poder Judicial de la Federación y los Consejeros del Instituto Federal Electoral;

II. Respecto de los servidores públicos estatales, el Gobernador; los Secretarios de Estado; el Procurador General de Justicia o su equivalente; los Diputados de los Congresos locales e integrantes de la Asamblea Legislativa del Distrito Federal; los Magistrados del Tribunal Superior de Justicia y del Tribunal Estatal Electoral y los Consejeros del Instituto Electoral estatal;

III. Los extranjeros que gozaren en el país de inmunidad diplomática, de conformidad con los Tratados sobre la materia, y

IV. Los que, por enfermedad grave u otro impedimento calificado por el Órgano jurisdiccional estén imposibilitados de hacerlo.

Si las personas enumeradas en las fracciones anteriores renunciaren a su derecho a no comparecer, deberán prestar declaración conforme a las reglas generales previstas en este Código.

Artículo 366. Testimonios especiales

Cuando deba recibirse testimonio de menores de edad víctimas del delito y se tema por su afectación psicológica o emocional, así como en caso de víctimas de los delitos de violación o secuestro, el Órgano jurisdiccional a petición de las partes, podrá ordenar su recepción con el auxilio de familiares o peritos especializados. Para ello deberán utilizarse las técnicas audiovisuales adecuadas que favorezcan evitar la confrontación con el imputado.

Las personas que no puedan concurrir a la sede judicial, por estar físicamente impedidas, serán examinadas en el lugar donde se encuentren y su testimonio será transmitido por sistemas de reproducción a distancia.

Estos procedimientos especiales deberán llevarse a cabo sin afectar el derecho a la confrontación y a la defensa.

Artículo 367. Protección a los testigos

El Órgano jurisdiccional, por un tiempo razonable, podrá ordenar medidas especiales destinadas a proteger la integridad física y psicológica del testigo y sus familiares, mismas que podrán ser renovadas cuantas veces fuere necesario, sin menoscabo de lo dispuesto en la legislación aplicable.

De igual forma, el Ministerio Público o la autoridad que corresponda adoptarán las medidas que fueren procedentes para conferir la debida protección a víctimas, ofendidos, testigos, antes o después de prestadas sus declaraciones, y a sus familiares y en general a todos los sujetos que intervengan en el procedimiento, sin menoscabo de lo dispuesto en la legislación aplicable.

SECCIÓN II
PRUEBA PERICIAL

Artículo 368. Prueba pericial

Podrá ofrecerse la prueba pericial cuando, para el examen de personas, hechos, objetos o circunstancias relevantes para el proceso, fuere necesario o conveniente poseer conocimientos especiales en alguna ciencia, arte, técnica u oficio.

Artículo 369. Título oficial

Los peritos deberán poseer título oficial en la materia relativa al punto sobre el cual dictaminarán y no tener impedimentos para el ejercicio profesional, siempre que la ciencia, el arte, la técnica o el oficio sobre la que verse la pericia en cuestión esté reglamentada; en caso contrario, deberá designarse a una persona de idoneidad manifiesta y que preferentemente pertenezca a un gremio o agrupación relativa a la actividad sobre la que verse la pericia.

No se exigirán estos requisitos para quien declare como testigo sobre hechos o circunstancias que conoció espontáneamente, aunque para informar sobre ellos utilice las aptitudes especiales que posee en una ciencia, arte, técnica u oficio.

Artículo 370. Medidas de protección

En caso necesario, los peritos y otros terceros que deban intervenir en el procedimiento para efectos probatorios, podrán pedir a la autoridad correspondiente que adopte medidas tendentes a que se les brinde la protección prevista para los testigos, en los términos de la legislación aplicable.

SECCIÓN III
DISPOSICIONES GENERALES DEL INTERROGATORIO Y CONTRAINTERROGATORIO

Artículo 371. Declarantes en la audiencia de juicio

Antes de declarar, los testigos no podrán comunicarse entre sí, ni ver, oír o ser informados de lo que ocurra en la audiencia, por lo que permanecerán en una sala distinta a aquella en donde se desarrolle, advertidos de lo anterior por el juzgador que preside la audiencia. Serán llamados en el orden establecido. Esta disposición no aplica al acusado ni a la víctima, salvo cuando ésta deba declarar en juicio como testigo.

El juzgador que presida la audiencia de juicio identificará al perito o testigo, le tomará protesta de conducirse con verdad y le advertirá de las penas que se imponen si se incurre en falsedad de declaraciones.

Durante la audiencia, los peritos y testigos deberán ser interrogados personalmente. Su declaración personal no podrá ser sustituida por la lectura de los registros en que consten anteriores declaraciones, o de otros documentos que las contengan, y sólo deberá referirse a ésta y a las preguntas realizadas por las partes.

Artículo 372. Desarrollo de interrogatorio

Otorgada la protesta y realizada su identificación, el juzgador que presida la audiencia de juicio concederá la palabra a la parte que propuso el testigo, perito o al acusado para que lo interrogue, y con posterioridad a los demás sujetos que intervienen en el proceso, respetándose siempre el orden asignado. La parte contraria podrá inmediatamente después contrainterrogar al testigo, perito o al acusado.

Los testigos, peritos o el acusado responderán directamente a las preguntas que les formulen el Ministerio Público, el Defensor o el Asesor jurídico de la víctima, en su caso. El Órgano jurisdiccional deberá abstenerse de interrumpir dicho interrogatorio salvo que medie objeción fundada de parte, o bien, resulte necesario para mantener el orden y decoro necesarios para la debida diligenciación de la audiencia. Sin perjuicio de lo anterior, el Órgano Jurisdiccional podrá formular preguntas para aclarar lo manifestado por quien deponga, en los términos previstos en este Código.

A solicitud de algunas de las partes, el Tribunal podrá autorizar un nuevo interrogatorio a los testigos que ya hayan declarado en la audiencia, siempre y cuando no hayan sido liberados; al perito se le podrán formular preguntas con el fin de proponerle hipótesis sobre la materia del dictamen pericial, a las que el perito deberá responder atendiéndose a la ciencia, la profesión y los hechos hipotéticos propuestos.

Después del contrainterrogatorio el oferente podrá repreguntar al testigo en relación a lo manifestado. En la materia del contrainterrogatorio la parte contraria podrá recontrainterrogar al testigo respecto de la materia de las preguntas.

Artículo 373. Reglas para formular preguntas en juicio

Toda pregunta deberá formularse de manera oral y versará sobre un hecho específico. En ningún caso se permitirán preguntas ambiguas o poco claras, conclusivas, impertinentes o irrelevantes o argumentativas, que tiendan a ofender al testigo o peritos o que pretendan coaccionarlos.

Las preguntas sugestivas sólo se permitirán a la contraparte de quien ofreció al testigo, en contrainterrogatorio.

Reforma DOF 17-06-2016: Derogó del artículo el entonces párrafo tercero

Artículo 374. Objeciones

La objeción de preguntas deberá realizarse antes de que el testigo emita respuesta. El Juez analizará la pregunta y su objeción y en caso de considerar obvia la procedencia de la pregunta resolverá de plano. Contra esta determinación no se admite recurso alguno.

Artículo 375. Testigo hostil

El Tribunal de enjuiciamiento permitirá al oferente de la prueba realizar preguntas sugestivas cuando advierta que el testigo se está conduciendo de manera hostil.

Artículo 376. Lectura para apoyo de memoria o para demostrar o superar contradicciones en audiencia

Durante el interrogatorio y contrainterrogatorio del acusado, del testigo o del perito, podrán leer parte de sus entrevistas, manifestaciones anteriores, documentos por ellos elaborados o cualquier otro registro de actos en los que hubiera participado, realizando cualquier tipo de manifestación, cuando fuera necesario para apoyar la memoria del respectivo declarante, superar o evidenciar contradicciones, o solicitar las aclaraciones pertinentes.

Con el mismo propósito se podrá leer durante la declaración de un perito parte del informe que él hubiere elaborado.

SECCIÓN IV
DECLARACIÓN DEL ACUSADO

Artículo 377. Declaración del acusado en juicio

El acusado podrá rendir su declaración en cualquier momento durante la audiencia. En tal caso, el juzgador que preside la audiencia le permitirá que lo haga libremente o conteste las preguntas de las partes. En este caso se podrán utilizar las declaraciones previas rendidas por el acusado, para apoyo de memoria, evidenciar o superar contradicciones. El Órgano jurisdiccional podrá formularle preguntas destinadas a aclarar su dicho.

El acusado podrá solicitar ser oído, con el fin de aclarar o complementar sus manifestaciones, siempre que preserve la disciplina en la audiencia.

En la declaración del acusado se seguirán, en lo conducente, las mismas reglas para el desarrollo del interrogatorio. El imputado deberá declarar con libertad de movimiento, sin el uso de instrumentos de seguridad, salvo cuando sea absolutamente indispensable para evitar su fuga o daños a otras personas.

Artículo 378. Ausencia del acusado en juicio

Si el acusado decide no declarar en el juicio, ninguna declaración previa que haya rendido puede ser incorporada a éste como prueba, ni se podrán utilizar en el juicio bajo ningún concepto.

Artículo 379. Derechos del acusado en juicio

En el curso del debate, el acusado tendrá derecho a solicitar la palabra para efectuar todas las declaraciones que considere pertinentes, incluso si antes se hubiere abstenido de declarar, siempre que se refieran al objeto del debate.

El juzgador que presida la audiencia de juicio impedirá cualquier divagación y si el acusado persistiera en ese comportamiento, podrá ordenar que sea alejado de la audiencia. El acusado podrá, durante el transcurso del debate, hablar libremente con su Defensor, sin que por ello la audiencia se suspenda; sin embargo, no lo podrá hacer durante su declaración o antes de responder a preguntas que le sean formuladas y tampoco podrá admitir sugerencia alguna.

SECCIÓN V
PRUEBA DOCUMENTAL Y MATERIAL

Artículo 380. Concepto de documento

Se considerará documento a todo soporte material que contenga información sobre algún hecho. Quien cuestione la autenticidad del documento tendrá la carga de demostrar sus afirmaciones. El Órgano jurisdiccional, a solicitud de los interesados, podrá prescindir de la lectura íntegra de documentos o informes escritos, o de la reproducción total de una videograbación o grabación, para leer o reproducir parcialmente el documento o la grabación en la parte conducente.

Artículo 381. Reproducción en medios tecnológicos

En caso de que los datos de prueba o la prueba se encuentren contenidos en medios digitales, electrónicos, ópticos o de cualquier otra tecnología y el Órgano jurisdiccional no cuente con los medios necesarios para su reproducción, la parte que los ofrezca los deberá proporcionar o facilitar. Cuando la parte oferente, previo apercibimiento no provea del medio idóneo para su reproducción, no se podrá llevar a cabo el desahogo de la misma.

Artículo 382. Prevalencia de mejor documento

Cualquier documento que garantice mejorar la fidelidad en la reproducción de los contenidos de las pruebas deberá prevalecer sobre cualquiera otro.

Artículo 383. Incorporación de prueba

Los documentos, objetos y otros elementos de convicción, previa su incorporación a juicio, deberán ser exhibidos al imputado, a los testigos o intérpretes y a los peritos, para que los reconozcan o informen sobre ellos.

Sólo se podrá incorporar a juicio como prueba material o documental aquella que haya sido previamente acreditada.

Artículo 384. Prohibición de incorporación de antecedentes procesales

No se podrá invocar, dar lectura ni admitir o desahogar como medio de prueba al debate ningún antecedente que tenga relación con la proposición, discusión, aceptación, procedencia, rechazo o revocación de una suspensión condicional del proceso, de un acuerdo reparatorio o la tramitación de un procedimiento abreviado.

Artículo 385. Prohibición de lectura e incorporación al juicio de registros de la investigación y documentos

No se podrán incorporar o invocar como medios de prueba ni dar lectura durante el debate, a los registros y demás documentos que den cuenta de actuaciones realizadas por la Policía o el Ministerio Público en la investigación, con excepción de los supuestos expresamente previstos en este Código.

No se podrán incorporar como medio de prueba o dar lectura a actas o documentos que den cuenta de actuaciones declaradas nulas o en cuya obtención se hayan vulnerado derechos fundamentales.

Artículo 386. Excepción para la incorporación por lectura de declaraciones anteriores

Podrán incorporarse al juicio, previa lectura o reproducción, los registros en que consten anteriores declaraciones o informes de testigos, peritos o acusados, únicamente en los siguientes casos:

I. El testigo o coimputado haya fallecido, presente un trastorno mental transitorio o permanente o haya perdido la capacidad para declarar en juicio y, por esa razón, no hubiese sido posible solicitar su desahogo anticipado, o

II. Cuando la incomparecencia de los testigos, peritos o coimputados, fuere atribuible al acusado.

Cualquiera de estas circunstancias deberá ser debidamente acreditada.

Artículo 387. Incorporación de prueba material o documental previamente admitida

De conformidad con el artículo anterior, sólo se podrán incorporar la prueba material y la documental previamente admitidas, salvo las excepciones previstas en este Código.

SECCIÓN VI
OTRAS PRUEBAS

Artículo 388. Otras pruebas

Además de las previstas en este Código, podrán utilizarse otras pruebas cuando no se afecten los derechos fundamentales.

Artículo 389. Constitución del Tribunal en lugar distinto

Cuando así se hubiere solicitado por las partes para la adecuada apreciación de determinadas circunstancias relevantes del caso, el Tribunal de enjuiciamiento podrá constituirse en un lugar distinto a la sala de audiencias.

Artículo 390. Medios de prueba nueva y de refutación

El Tribunal de enjuiciamiento podrá ordenar la recepción de medios de prueba nueva, ya sea sobre hechos supervenientes o de los que no fueron ofrecidos oportunamente por alguna de las partes, siempre que se justifique no haber conocido previamente de su existencia.

Si con ocasión de la rendición de un medio de prueba surgiere una controversia relacionada exclusivamente con su veracidad, autenticidad o integridad, el Tribunal de enjuiciamiento podrá admitir y desahogar nuevos medios de prueba, aunque ellos no hubieren sido ofrecidos oportunamente, siempre que no hubiere sido posible prever su necesidad.

El medio de prueba debe ser ofrecido antes de que se cierre el debate, para lo que el Tribunal de enjuiciamiento deberá salvaguardar la oportunidad de la contraparte del oferente de los medios de prueba supervenientes o de refutación, para preparar los contrainterrogatorios de testigos o peritos, según sea el caso, y para ofrecer la práctica de diversos medios de prueba, encaminados a controvertirlos.

CAPÍTULO V
DESARROLLO DE LA AUDIENCIA DE JUICIO

Artículo 391. Apertura de la audiencia de juicio

En el día y la hora fijados, el Tribunal de enjuiciamiento se constituirá en el lugar señalado para la audiencia. Quien la presida, verificará la presencia de los demás jueces, de las partes, de los testigos, peritos o intérpretes que deban participar en el debate y de la existencia de las cosas que deban exhibirse en él, y la declarará abierta. Advertirá al acusado y al público sobre la importancia y el significado de lo que acontecerá en la audiencia e indicará al acusado que esté atento a ella.

Cuando un testigo o perito no se encuentre presente al iniciar la audiencia, pero haya sido debidamente notificado para asistir en una hora posterior y se tenga la certeza de que comparecerá, el debate podrá iniciarse.

El juzgador que presida la audiencia de juicio señalará las acusaciones que deberán ser objeto del juicio contenidas en el auto de su apertura y los acuerdos probatorios a que hubiesen llegado las partes.

Artículo 392. Incidentes en la audiencia de juicio

Los incidentes promovidos en el transcurso de la audiencia de debate de juicio se resolverán inmediatamente por el Tribunal de enjuiciamiento, salvo que por su naturaleza sea necesario suspender la audiencia.

Las decisiones que recayeren sobre estos incidentes no serán susceptibles de recurso alguno.

Artículo 393. División del debate único

Si la acusación tuviere por objeto varios hechos punibles atribuidos a uno o más imputados, el Tribunal de enjuiciamiento podrá disponer, incluso a solicitud de parte, que los debates se lleven a cabo separadamente, pero en forma continua.

El Tribunal de enjuiciamiento podrá disponer la división de un debate en ese momento y de la misma manera, cuando resulte conveniente para resolver adecuadamente sobre la pena y para una mejor defensa de los acusados.

Artículo 394. Alegatos de apertura

Una vez abierto el debate, el juzgador que presida la audiencia de juicio concederá la palabra al Ministerio Público para que exponga de manera concreta y oral la acusación y una descripción sumaria de las pruebas que utilizará para demostrarla. Acto seguido se concederá la palabra al Asesor jurídico de la víctima u ofendido, si lo hubiere, para los mismos efectos. Posteriormente se ofrecerá la palabra al Defensor, quien podrá expresar lo que al interés del imputado convenga en forma concreta y oral.

Artículo 395. Orden de recepción de las pruebas en la audiencia de juicio

Cada parte determinará el orden en que desahogará sus medios de prueba. Corresponde recibir primero los medios de prueba admitidos al Ministerio Público, posteriormente los de la víctima u ofendido del delito y finalmente los de la defensa.

Artículo 396. Oralidad en la audiencia de juicio

La audiencia de juicio será oral en todo momento.

Artículo 397. Decisiones en la audiencia

Las determinaciones del Tribunal de enjuiciamiento serán emitidas oralmente. En las audiencias se presume la actuación legal de las partes y del Órgano jurisdiccional, por lo que no es necesario invocar los preceptos legales en que se fundamenten, salvo los casos en que durante las audiencias alguna de las partes solicite la fundamentación expresa de la parte contraria o de la autoridad judicial porque exista duda sobre ello. En las resoluciones escritas se deberán invocar los preceptos en que se fundamentan.

Artículo 398. Reclasificación jurídica

Tanto en el alegato de apertura como en el de clausura, el Ministerio Público podrá plantear una reclasificación respecto del delito invocado en su escrito de acusación. En este supuesto, el juzgador que preside la audiencia dará al imputado y a su Defensor la oportunidad de expresarse al respecto, y les informará sobre su derecho a pedir la suspensión del debate para ofrecer nuevas pruebas o preparar su intervención. Cuando este derecho sea ejercido, el Tribunal de enjuiciamiento suspenderá el debate por un plazo que, en ningún caso, podrá exceder del establecido para la suspensión del debate previsto por este Código.

Artículo 399. Alegatos de clausura y cierre del debate

Concluido el desahogo de las pruebas, el juzgador que preside la audiencia de juicio otorgará sucesivamente la palabra al Ministerio Público, al Asesor jurídico de la víctima u ofendido del delito y al Defensor, para que expongan sus alegatos de clausura. Acto seguido, se otorgará al Ministerio Público y al Defensor la posibilidad de replicar y duplicar. La réplica sólo podrá referirse a lo expresado por el Defensor en su alegato de clausura y la dúplica a lo expresado por el Ministerio Público o a la víctima u ofendido del delito en la réplica. Se otorgará la palabra por último al acusado y al final se declarará cerrado el debate.

CAPÍTULO VI
DELIBERACIÓN, FALLO Y SENTENCIA

Artículo 400. Deliberación

Inmediatamente después de concluido el debate, el Tribunal de enjuiciamiento ordenará un receso para deliberar en forma privada, continua y aislada, hasta emitir el fallo correspondiente. La deliberación no podrá exceder de veinticuatro horas ni suspenderse, salvo en caso de enfermedad grave del Juez o miembro del Tribunal. En este caso, la suspensión de la deliberación no podrá ampliarse por más de diez días hábiles, luego de los cuales se deberá reemplazar al Juez o integrantes del Tribunal y realizar el juicio nuevamente.

Artículo 401. Emisión de fallo

Una vez concluida la deliberación, el Tribunal de enjuiciamiento se constituirá nuevamente en la sala de audiencias, después de ser convocadas oralmente o por cualquier medio todas las partes, con el propósito de que el Juez relator comunique el fallo respectivo.

El fallo deberá señalar:

I. La decisión de absolución o de condena;

II. Si la decisión se tomó por unanimidad o por mayoría de miembros del Tribunal, y

III. La relación sucinta de los fundamentos y motivos que lo sustentan.

En caso de condena, en la misma audiencia de comunicación del fallo se señalará la fecha en que se celebrará la audiencia de individualización de las sanciones y reparación del daño, dentro de un plazo que no podrá exceder de cinco días.

En caso de absolución, el Tribunal de enjuiciamiento podrá aplazar la redacción de la sentencia hasta por un plazo de cinco días, la que será comunicada a las partes.

Comunicada a las partes la decisión absolutoria, el Tribunal de enjuiciamiento dispondrá en forma inmediata el levantamiento de las medidas cautelares que se hubieren decretado en contra del imputado y ordenará se tome nota de ese levantamiento en todo índice o registro público y policial en el que figuren, así como su inmediata libertad sin que puedan mantenerse dichas medidas para la realización de trámites administrativos. También se ordenará la cancelación de las garantías de comparecencia y reparación del daño que se hayan otorgado.

El Tribunal de enjuiciamiento dará lectura y explicará la sentencia en audiencia pública. En caso de que en la fecha y hora fijadas para la celebración de dicha audiencia no asistiere persona alguna, se dispensará de la lectura y la explicación y se tendrá por notificadas a todas las partes.

Artículo 402. Convicción del Tribunal de enjuiciamiento

El Tribunal de enjuiciamiento apreciará la prueba según su libre convicción extraída de la totalidad del debate, de manera libre y lógica; sólo serán valorables y sometidos a la crítica racional, los medios de prueba obtenidos lícitamente e incorporados al debate conforme a las disposiciones de este Código.

En la sentencia, el Tribunal de enjuiciamiento deberá hacerse cargo en su motivación de toda la prueba producida, incluso de aquella que hubiere desestimado, indicando en tal caso las razones que hubiere tenido en cuenta para hacerlo. Esta motivación deberá permitir la reproducción del razonamiento utilizado para alcanzar las conclusiones a que llegare la sentencia.

Nadie podrá ser condenado, sino cuando el Tribunal que lo juzgue adquiera la convicción más allá de toda duda razonable, de que el acusado es responsable de la comisión del hecho por el que siguió el juicio. La duda siempre favorece al acusado.

No se podrá condenar a una persona con el sólo mérito de su propia declaración.

Artículo 403. Requisitos de la sentencia

La sentencia contendrá:

I. La mención del Tribunal de enjuiciamiento y el nombre del Juez o los Jueces que lo integran;

II. La fecha en que se dicta;

III. Identificación del acusado y la víctima u ofendido;

IV. La enunciación de los hechos y de las circunstancias o elementos que hayan sido objeto de la acusación y, en su caso, los daños y perjuicios reclamados, la pretensión reparatoria y las defensas del imputado;

V. Una breve y sucinta descripción del contenido de la prueba;

VI. La valoración de los medios de prueba que fundamenten las conclusiones alcanzadas por el Tribunal de enjuiciamiento;

VII. Las razones que sirvieren para fundar la resolución;

VIII. La determinación y exposición clara, lógica y completa de cada uno de los hechos y circunstancias que se consideren probados y de la valoración de las pruebas que fundamenten dichas conclusiones;

IX. Los resolutivos de absolución o condena en los que, en su caso, el Tribunal de enjuiciamiento se pronuncie sobre la reparación del daño y fije el monto de las indemnizaciones correspondientes, y

X. La firma del Juez o de los integrantes del Tribunal de enjuiciamiento.

Artículo 404. Redacción de la sentencia

Si el Órgano jurisdiccional es colegiado, una vez emitida y expuesta, la sentencia será redactada por uno de sus integrantes. Los jueces resolverán por unanimidad o por mayoría de votos, pudiendo fundar separadamente sus conclusiones o en forma conjunta si estuvieren de acuerdo. El voto disidente será redactado por su autor. La sentencia señalará el nombre de su redactor.

La sentencia producirá sus efectos desde el momento de su explicación y no desde su formulación escrita.

Artículo 405. Sentencia absolutoria

En la sentencia absolutoria, el Tribunal de enjuiciamiento ordenará que se tome nota del levantamiento de las medidas cautelares, en todo índice o registro público y policial en el que figuren, y será ejecutable inmediatamente.

En su sentencia absolutoria el Tribunal de enjuiciamiento determinará la causa de exclusión del delito, para lo cual podrá tomar como referencia, en su caso, las causas de atipicidad, de justificación o inculpabilidad, bajo los rubros siguientes:

I. Son causas de atipicidad: la ausencia de voluntad o de conducta, la falta de alguno de los elementos del tipo penal, el consentimiento de la víctima que recaiga sobre algún bien jurídico disponible, el error de tipo vencible que recaiga sobre algún elemento del tipo penal que no admita, de acuerdo con el catálogo de delitos susceptibles de configurarse de forma culposa previsto en la legislación penal aplicable, así como el error de tipo invencible;

II. Son causas de justificación: el consentimiento presunto, la legítima defensa, el estado de necesidad justificante, el ejercicio de un derecho y el cumplimiento de un deber, o

III. Son causas de inculpabilidad: el error de prohibición invencible, el estado de necesidad disculpante, la inimputabilidad, y la inexigibilidad de otra conducta.

De ser el caso, el Tribunal de enjuiciamiento también podrá tomar como referencia que el error de prohibición vencible solamente atenúa la culpabilidad y con ello atenúa también la pena, dejando subsistente la presencia del dolo, igual como ocurre en los casos de exceso de legítima defensa e imputabilidad disminuida.

Artículo 406. Sentencia condenatoria

La sentencia condenatoria fijará las penas, o en su caso la medida de seguridad, y se pronunciará sobre la suspensión de las mismas y la eventual aplicación de alguna de las medidas alternativas a la privación o restricción de libertad previstas en la ley.

La sentencia que condenare a una pena privativa de la libertad, deberá expresar con toda precisión el día desde el cual empezará a contarse y fijará el tiempo de detención o prisión preventiva que deberá servir de base para su cumplimiento.

La sentencia condenatoria dispondrá también el decomiso de los instrumentos o efectos del delito o su restitución, cuando fuere procedente.

El Tribunal de enjuiciamiento condenará a la reparación del daño.

Cuando la prueba producida no permita establecer con certeza el monto de los daños y perjuicios, o de las indemnizaciones correspondientes, el Tribunal de enjuiciamiento podrá condenar genéricamente a reparar los daños y los perjuicios y ordenar que se liquiden en ejecución de sentencia por vía incidental, siempre que éstos se hayan demostrado, así como su deber de repararlos.

El Tribunal de enjuiciamiento solamente dictará sentencia condenatoria cuando exista convicción de la culpabilidad del sentenciado, bajo el principio general de que la carga de la prueba para demostrar la culpabilidad corresponde a la parte acusadora, conforme lo establezca el tipo penal de que se trate.

Al dictar sentencia condenatoria se indicarán los márgenes de la punibilidad del delito y quedarán plenamente acreditados los elementos de la clasificación jurídica; es decir, el tipo penal que se atribuye, el grado de la ejecución del hecho, la forma de intervención y la naturaleza dolosa o culposa de la conducta, así como el grado de lesión o puesta en riesgo del bien jurídico.

La sentencia condenatoria hará referencia a los elementos objetivos, subjetivos y normativos del tipo penal correspondiente, precisando si el tipo penal se consumó o se realizó en grado de tentativa, así como la forma en que el sujeto activo haya intervenido para la realización del tipo, según se trate de alguna forma de autoría o de participación, y la naturaleza dolosa o culposa de la conducta típica.

En toda sentencia condenatoria se argumentará por qué el sentenciado no está favorecido por ninguna de las causas de la atipicidad, justificación o inculpabilidad; igualmente, se hará referencia a las agravantes o atenuantes que hayan concurrido y a la clase de concurso de delitos si fuera el caso.

Artículo 407. Congruencia de la sentencia

La sentencia de condena no podrá sobrepasar los hechos probados en juicio.

Artículo 408. Medios de prueba en la individualización de sanciones y reparación del daño

El desahogo de los medios de prueba para la individualización de sanciones y reparación del daño procederá después de haber resuelto sobre la responsabilidad del sentenciado.

El debate comenzará con el desahogo de los medios de prueba que se hubieren admitido en la etapa intermedia. En el desahogo de los medios de prueba serán aplicables las normas relativas al juicio oral.

Artículo 409. Audiencia de individualización de sanciones y reparación del daño

Después de la apertura de la audiencia de individualización de los intervinientes, el Tribunal de enjuiciamiento señalará la materia de la audiencia, y dará la palabra a las partes para que expongan, en su caso, sus alegatos de apertura. Acto seguido, les solicitará a las partes que determinen el orden en que desean el desahogo de los medios de prueba y declarará abierto el debate. Éste iniciará con el desahogo de los medios de prueba y continuará con los alegatos de clausura de las partes.

Cerrado el debate, el Tribunal de enjuiciamiento deliberará brevemente y procederá a manifestarse con respecto a la sanción a imponer al sentenciado y sobre la reparación del daño causado a la víctima u ofendido. Asimismo, fijará las penas y se pronunciará sobre la eventual aplicación de alguna de las medidas alternativas a la pena de prisión o sobre su suspensión, e indicará en qué forma deberá, en su caso, repararse el daño. Dentro de los cinco días siguientes a esta audiencia, el Tribunal redactará la sentencia.

La ausencia de la víctima que haya sido debidamente notificada no será impedimento para la celebración de la audiencia.

Artículo 410. Criterios para la individualización de la sanción penal o medida de seguridad

El Tribunal de enjuiciamiento al individualizar las penas o medidas de seguridad aplicables deberá tomar en consideración lo siguiente:

Dentro de los márgenes de punibilidad establecidos en las leyes penales, el Tribunal de enjuiciamiento individualizará la sanción tomando como referencia la gravedad de la conducta típica y antijurídica, así como el grado de culpabilidad del sentenciado. Las medidas de seguridad no accesorias a la pena y las consecuencias jurídicas aplicables a las personas morales, serán individualizadas tomando solamente en consideración la gravedad de la conducta típica y antijurídica.

La gravedad de la conducta típica y antijurídica estará determinada por el valor del bien jurídico, su grado de afectación, la naturaleza dolosa o culposa de la conducta, los medios empleados, las circunstancias de tiempo, modo, lugar u ocasión del hecho, así como por la forma de intervención del sentenciado.

El grado de culpabilidad estará determinado por el juicio de reproche, según el sentenciado haya tenido, bajo las circunstancias y características del hecho, la posibilidad concreta de comportarse de distinta manera y de respetar la norma jurídica quebrantada. Si en un mismo hecho intervinieron varias personas, cada una de ellas será sancionada de acuerdo con el grado de su propia culpabilidad.

Para determinar el grado de culpabilidad también se tomarán en cuenta los motivos que impulsaron la conducta del sentenciado, las condiciones fisiológicas y psicológicas específicas en que se encontraba en el momento de la comisión del hecho, la edad, el nivel educativo, las costumbres, las condiciones sociales y culturales, así como los vínculos de parentesco, amistad o relación que guarde con la víctima u ofendido. Igualmente se tomarán en cuenta las demás circunstancias especiales del sentenciado, víctima u ofendido, siempre que resulten relevantes para la individualización de la sanción.

Se podrán tomar en consideración los dictámenes periciales y otros medios de prueba para los fines señalados en el presente artículo.

Cuando el sentenciado pertenezca a un grupo étnico o pueblo indígena se tomarán en cuenta, además de los aspectos anteriores, sus usos y costumbres.

En caso de concurso real se impondrá la sanción del delito más grave, la cual podrá aumentarse con las penas que la ley contempla para cada uno de los delitos restantes, sin que exceda de los máximos señalados en la ley penal aplicable. En caso de concurso ideal, se impondrán las sanciones correspondientes al delito que merezca la mayor penalidad, las cuales podrán aumentarse sin rebasar la mitad del máximo de la duración de las penas correspondientes de los delitos restantes, siempre que las sanciones aplicables sean de la misma naturaleza; cuando sean de diversa naturaleza, podrán imponerse las consecuencias jurídicas señaladas para los restantes delitos. No habrá concurso cuando las conductas constituyan un delito continuado; sin embargo, en estos casos se aumentará la sanción penal hasta en una mitad de la correspondiente al máximo del delito cometido.

El aumento o la disminución de la pena, fundados en las relaciones personales o en las circunstancias subjetivas del autor de un delito, no serán aplicables a los demás sujetos que intervinieron en aquél. Sí serán aplicables las que se fundamenten en circunstancias objetivas, siempre que los demás sujetos tengan conocimiento de ellas.

Artículo 411. Emisión y exposición de las sentencias

El Tribunal de enjuiciamiento deberá explicar toda sentencia de absolución o condena.

Artículo 412. Sentencia firme

En cuanto no sean oportunamente recurridas, las resoluciones judiciales quedarán firmes y serán ejecutables sin necesidad de declaración alguna.

Artículo 413. Remisión de la sentencia

El Tribunal de enjuiciamiento dentro de los tres días siguientes a aquél en que la sentencia condenatoria quede firme, deberá remitir copia autorizada de la misma al Juez que le corresponda la ejecución correspondiente y a las autoridades penitenciarias que intervienen en el procedimiento de ejecución para su debido cumplimiento.

Dicha disposición también será aplicable en los casos de las sentencias condenatorias dictadas en el procedimiento abreviado.

TÍTULO IX
PERSONAS INIMPUTABLES

CAPÍTULO ÚNICO
PROCEDIMIENTO PARA PERSONAS INIMPUTABLES

Artículo 414. Procedimiento para la aplicación de ajustes razonables en la audiencia inicial

Si en el curso de la audiencia inicial, aparecen indicios de que el imputado está en alguno de los supuestos de inimputabilidad previstos en la Parte General del Código Penal aplicable, cualquiera de las partes podrá solicitar al Juez de control que ordene la práctica de peritajes que determinen si efectivamente es inimputable y en caso de serlo, si la inimputabilidad es permanente o transitoria y, en su caso, si ésta fue provocada por el imputado. La audiencia continuará con las mismas reglas generales pero se proveerán los ajustes razonables que determine el Juez de control para garantizar el acceso a la justicia de la persona.

En los casos en que la persona se encuentre retenida, el Ministerio Público deberá aplicar ajustes razonables para evitar un mayor grado de vulnerabilidad y el respeto a su integridad personal. Para tales efectos, estará en posibilidad de solicitar la práctica de aquellos peritajes que permitan determinar el tipo de inimputabilidad que tuviere, así como si ésta es permanente o transitoria y, si es posible definir si fue provocada por el propio retenido.

Artículo 415. Identificación de los supuestos de inimputabilidad

Si el imputado ha sido vinculado a proceso y se estima que está en una situación de inimputabilidad, las partes podrán solicitar al Juez de control que se lleven a cabo los peritajes necesarios para determinar si se acredita tal extremo, así como si la inimputabilidad que presente pudo ser propiciada o no por la persona.

Artículo 416. Ajustes al procedimiento

Si se determina el estado de inimputabilidad del sujeto, el procedimiento ordinario se aplicará observando las reglas generales del debido proceso con los ajustes del procedimiento que en el caso concreto acuerde el Juez de control, escuchando al Ministerio Público y al Defensor, con el objeto de acreditar la participación de la persona inimputable en el hecho atribuido y, en su caso, determinar la aplicación de las medidas de seguridad que se estimen pertinentes.

En caso de que el estado de inimputabilidad cese, se continuará con el procedimiento ordinario sin los ajustes respectivos.

Artículo 417. Medidas cautelares aplicables a inimputables

Se podrán imponer medidas cautelares a personas inimputables, de conformidad con las reglas del proceso ordinario, con los ajustes del procedimiento que disponga el Juez de control para el caso en que resulte procedente.

El solo hecho de ser imputable no será razón suficiente para imponer medidas cautelares.

Artículo 418. Prohibición de procedimiento abreviado

El procedimiento abreviado no será aplicable a personas inimputables.

Artículo 419. Resolución del caso

Comprobada la existencia del hecho que la ley señala como delito y que el inimputable intervino en su comisión, ya sea como autor o como partícipe, sin que a su favor opere alguna causa de justificación prevista en los códigos sustantivos, el Tribunal de enjuiciamiento resolverá el caso indicando que hay base suficiente para la imposición de la medida de seguridad que resulte aplicable; asimismo, le corresponderá al Órgano jurisdiccional determinar la individualización de la medida, en atención a las necesidades de prevención especial positiva, respetando los criterios de proporcionalidad y de mínima intervención. Si no se acreditan estos requisitos, el Tribunal de enjuiciamiento absolverá al inimputable.

La medida de seguridad en ningún caso podrá tener mayor duración a la pena que le pudiera corresponder en caso de que sea imputable.

TÍTULO X
PROCEDIMIENTOS ESPECIALES

CAPÍTULO I
PUEBLOS Y COMUNIDADES INDÍGENAS

Artículo 420. Pueblos y comunidades indígenas

Cuando se trate de delitos que afecten bienes jurídicos propios de un pueblo o comunidad indígena o bienes personales de alguno de sus miembros, y tanto el imputado como la víctima, o en su caso sus familiares, acepten el modo en el que la comunidad, conforme a sus propios sistemas normativos en la regulación y solución de sus conflictos internos proponga resolver el conflicto, se declarará la extinción de la acción penal, salvo en los casos en que la solución no considere la perspectiva de género, afecte la dignidad de las personas, el interés superior de los niños y las niñas o del derecho a una vida libre de violencia hacia la mujer.

En estos casos, cualquier miembro de la comunidad indígena podrá solicitar que así se declare ante el Juez competente.

Se excluyen de lo anterior, los delitos previstos para prisión preventiva oficiosa en este Código y en la legislación aplicable.

CAPÍTULO II
PROCEDIMIENTO PARA PERSONAS JURÍDICAS

Artículo 421. Ejercicio de la acción penal y responsabilidad penal autónoma

Las personas jurídicas serán penalmente responsables, de los delitos cometidos a su nombre, por su cuenta, en su beneficio o a través de los medios que ellas proporcionen, cuando se haya determinado que además existió inobservancia del debido control en su organización. Lo anterior con independencia de la responsabilidad penal en que puedan incurrir sus representantes o administradores de hecho o de derecho.

El Ministerio Público podrá ejercer la acción penal en contra de las personas jurídicas con excepción de las instituciones estatales, independientemente de la acción penal que pudiera ejercer contra las personas físicas involucradas en el delito cometido.

No se extinguirá la responsabilidad penal de las personas jurídicas cuando se transformen, fusionen, absorban o escindan. En estos casos, el traslado de la pena podrá graduarse atendiendo a la relación que se guarde con la persona jurídica originariamente responsable del delito.

La responsabilidad penal de la persona jurídica tampoco se extinguirá mediante su disolución aparente, cuando continúe su actividad económica y se mantenga la identidad sustancial de sus clientes, proveedores, empleados, o de la parte más relevante de todos ellos.

Las causas de exclusión del delito o de extinción de la acción penal, que pudieran concurrir en alguna de las personas físicas involucradas, no afectará el procedimiento contra las personas jurídicas, salvo en los casos en que la persona física y la persona jurídica hayan cometido o participado en los mismos hechos y estos no hayan sido considerados como aquellos que la ley señala como delito, por una resolución judicial previa. Tampoco podrá afectar el procedimiento el hecho de que alguna persona física involucrada se sustraiga de la acción de la justicia.

Las personas jurídicas serán penalmente responsables únicamente por la comisión de los delitos previstos en el catálogo dispuesto en la legislación penal de la federación y de las entidades federativas.

Artículo reformado DOF 17-06-2016

Artículo 422. Consecuencias jurídicas

A las personas jurídicas, con personalidad jurídica propia, se les podrá aplicar una o varias de las siguientes sanciones:

I. Sanción pecuniaria o multa;

II. Decomiso de instrumentos, objetos o productos del delito;

III. Publicación de la sentencia;

IV. Disolución, o

V. Las demás que expresamente determinen las leyes penales conforme a los principios establecidos en el presente artículo.

Para los efectos de la individualización de las sanciones anteriores, el Órgano jurisdiccional deberá tomar en consideración lo establecido en el artículo 410 de este ordenamiento y el grado de culpabilidad correspondiente de conformidad con los aspectos siguientes:

a) La magnitud de la inobservancia del debido control en su organización y la exigibilidad de conducirse conforme a la norma;

b) El monto de dinero involucrado en la comisión del hecho delictivo, en su caso;

c) La naturaleza jurídica y el volumen de negocios anual de la persona moral;

d) El puesto que ocupaban, en la estructura de la persona jurídica, la persona o las personas físicas involucradas en la comisión del delito;

e) El grado de sujeción y cumplimiento de las disposiciones legales y reglamentarias, y

f) El interés público de las consecuencias sociales y económicas o, en su caso, los daños que pudiera causar a la sociedad, la imposición de la pena.

Para la imposición de la sanción relativa a la disolución, el órgano jurisdiccional deberá ponderar además de lo previsto en este artículo, que la imposición de dicha sanción sea necesaria para garantizar la seguridad pública o nacional, evitar que se ponga en riesgo la economía nacional o la salud pública o que con ella se haga cesar la comisión de delitos.

Las personas jurídicas, con o sin personalidad jurídica propia, que hayan cometido o participado en la comisión de un hecho típico y antijurídico, podrá imponérseles una o varias de las siguientes consecuencias jurídicas:

I. Suspensión de sus actividades;

II. Clausura de sus locales o establecimientos;

III. Prohibición de realizar en el futuro las actividades en cuyo ejercicio se haya cometido o participado en su comisión;

IV. Inhabilitación temporal consistente en la suspensión de derechos para participar de manera directa o por interpósita persona en procedimientos de contratación del sector público;

V. Intervención judicial para salvaguardar los derechos de los trabajadores o de los acreedores, o

VI. Amonestación pública.

En este caso el Órgano jurisdiccional deberá individualizar las consecuencias jurídicas establecidas en este apartado, conforme a lo dispuesto en el presente artículo y a lo previsto en el artículo 410 de este Código.

Artículo reformado DOF 17-06-2016

Artículo 423. Formulación de la imputación y vinculación a proceso

Cuando el Ministerio Público tenga conocimiento de la posible comisión de un delito en los que se encuentre involucrada alguna persona jurídica, en los términos previstos en este Código, iniciará la investigación correspondiente.

En caso de que durante la investigación se ejecute el aseguramiento de bienes el Ministerio Público, dará vista al representante de la persona jurídica a efecto de hacerle saber sus derechos y manifieste lo que a su derecho convenga.

Para los efectos de este Capítulo, el Órgano jurisdiccional podrá dictar como medidas cautelares la suspensión de las actividades, la clausura temporal de los locales o establecimientos, así como la intervención judicial.

En la audiencia inicial llevada a cabo para formular imputación a la persona física, se darán a conocer, en su caso, al representante de la persona jurídica, asistido por el Defensor, los cargos que se formulen en contra de su representado, para que dicho representante o su Defensor manifiesten lo que a su derecho convenga.

El representante de la persona jurídica, asistido por el Defensor designado, podrá participar en todos los actos del procedimiento. En tal virtud se les notificarán todos los actos que tengan derecho a conocer, se les citarán a las audiencias, podrán ofrecer medios de prueba, desahogar pruebas, promover incidentes, formular alegatos e interponer los recursos procedentes en contra de las resoluciones que a la persona jurídica perjudiquen.

En ningún caso el representante de la persona jurídica que tenga el carácter de imputado podrá representarla.

En su caso el Órgano jurisdiccional podrá vincular a proceso a la persona jurídica.

Artículo reformado DOF 17-06-2016

Artículo 424. Formas de terminación anticipada

Durante el proceso, para determinar la responsabilidad penal de las personas jurídicas a que se refiere este Capítulo, se podrán aplicar las soluciones alternas y las formas anticipadas de terminación del proceso y, en lo conducente los procedimientos especiales previstos en este Código.

Artículo reformado DOF 17-06-2016

Artículo 425. Sentencias

En la sentencia que se dicte el Órgano jurisdiccional resolverá lo pertinente a la persona física imputada, con independencia a la responsabilidad penal de la persona jurídica, imponiendo la sanción procedente.

Párrafo reformado DOF 17-06-2016

En lo no previsto por este Capítulo, se aplicarán en lo que sea compatible, las reglas del procedimiento ordinario previstas en este Código.

CAPÍTULO III
ACCIÓN PENAL POR PARTICULAR

Artículo 426. Acción penal por particulares

El ejercicio de la acción penal corresponde al Ministerio Público, pero podrá ser ejercida por los particulares que tengan la calidad de víctima u ofendido en los casos y conforme a lo dispuesto en este Código.

Artículo 427. Acumulación de causas

Sólo procederá la acumulación de procedimientos de acción penal por particulares con procedimientos de acción penal pública cuando se trate de los mismos hechos y exista identidad de partes.

Artículo 428. Supuestos y condiciones en los que procede la acción penal por particulares

La víctima u ofendido podrá ejercer la acción penal únicamente en los delitos perseguibles por querella, cuya penalidad sea alternativa, distinta a la privativa de la libertad o cuya punibilidad máxima no exceda de tres años de prisión.

La víctima u ofendido podrá acudir directamente ante el Juez de control, ejerciendo acción penal por particulares en caso que cuente con datos que permitan establecer que se ha cometido un hecho que la ley señala como delito y exista probabilidad de que el imputado lo cometió o participó en su comisión. En tal caso deberá aportar para ello los datos de prueba que sustenten su acción, sin necesidad de acudir al Ministerio Público.

Cuando en razón de la investigación del delito sea necesaria la realización de actos de molestia que requieran control judicial, la víctima u ofendido deberá acudir ante el Juez de control. Cuando el acto de molestia no requiera control judicial, la víctima u ofendido deberá acudir ante el Ministerio Público para que éste los realice. En ambos supuestos, el Ministerio Público continuará con la investigación y, en su caso, decidirá sobre el ejercicio de la acción penal.

Artículo 429. Requisitos formales y materiales

El ejercicio de la acción penal por particular hará las veces de presentación de la querella y deberá sustentarse en audiencia ante el Juez de control con los requisitos siguientes:

I. El nombre y el domicilio de la víctima u ofendido;

II. Si la víctima o el ofendido son una persona jurídica, se indicará su razón social y su domicilio, así como el de su representante legal;

III. El nombre del imputado y, en su caso, cualquier dato que permita su localización;

IV. El señalamiento de los hechos que se consideran delictivos, los datos de prueba que los establezcan y determinen la probabilidad de que el imputado los cometió o participó en su comisión, los que acrediten los daños causados y su monto aproximado, así como aquellos que establezcan la calidad de víctima u ofendido;

V. Los fundamentos de derecho en que se sustenta la acción, y

VI. La petición que se formula, expresada con claridad y precisión.

Artículo 430. Contenido de la petición

El particular al ejercer la acción penal ante el Juez de control podrá solicitar lo siguiente:

I. La orden de comparecencia en contra del imputado o su citación a la audiencia inicial, y

II. El reclamo de la reparación del daño.

Artículo 431. Admisión

En la audiencia, el Juez de control constatará que se cumplen los requisitos formales y materiales para el ejercicio de la acción penal particular.

De no cumplirse con alguno de los requisitos formales exigidos, el Juez de control prevendrá al particular para su cumplimiento dentro de la misma audiencia y de no ser posible, dentro de los tres días siguientes. De no subsanarse o de ser improcedente su pretensión, se tendrá por no interpuesta la acción penal y no podrá volver a ejercerse por parte del particular por esos mismos hechos.

Admitida la acción penal promovida por el particular, el Juez de control ordenará la citación del imputado a la audiencia inicial, apercibido que en caso de no asistir se ordenará su comparecencia o aprehensión, según proceda.

El imputado deberá ser citado a la audiencia inicial a más tardar dentro de las cuarenta y ocho horas siguientes a aquella en la que se fije la fecha de celebración de la misma.

La audiencia inicial deberá celebrarse dentro de los cinco a diez días siguientes a aquel en que se tenga admitida la acción penal, informándole al imputado en el momento de la citación el derecho que tiene de designar y asistir acompañado de un Defensor de su elección y que de no hacerlo se le nombrará un Defensor público.

Artículo 432. Reglas generales

Si la víctima u ofendido decide ejercer la acción penal, por ninguna causa podrá acudir al Ministerio Público a solicitar su intervención para que investigue los mismos hechos.

La carga de la prueba para acreditar la existencia del delito y la responsabilidad del imputado corresponde al particular que ejerza la acción penal. Las partes, en igualdad procesal, podrán aportar todo elemento de prueba con que cuenten e interponer los medios de impugnación que legalmente procedan.

A la acusación de la víctima u ofendido, le serán aplicables las reglas previstas para la acusación presentada por el Ministerio Público.

De igual forma, salvo disposición legal en contrario, en la substanciación de la acción penal promovida por particulares, se observarán en todo lo que resulte aplicable las disposiciones relativas al procedimiento, previstas en este Código y los mecanismos alternativos de solución de controversias.

TÍTULO XI
ASISTENCIA JURÍDICA INTERNACIONAL EN MATERIA PENAL

CAPÍTULO I
DISPOSICIONES GENERALES

Artículo 433. Disposiciones generales

Los Estados Unidos Mexicanos prestarán a cualquier Estado extranjero que lo requiera o autoridad ministerial o judicial, tanto en el ámbito federal como del fuero común, la más amplia ayuda relacionada con la investigación, el procesamiento y la sanción de delitos que correspondan a la jurisdicción de éste.

La ejecución de las solicitudes se realizará según la legislación de los Estados Unidos Mexicanos, y la misma será desahogada a la mayor brevedad posible. Las autoridades que intervengan actuarán con la mayor diligencia con la finalidad de cumplir con lo solicitado en la asistencia jurídica.

Artículo 434. Ámbito de aplicación

La asistencia jurídica internacional tiene como finalidad brindar apoyo entre las autoridades competentes en relación con asuntos de naturaleza penal.

De conformidad con los compromisos internacionales suscritos por el Estado mexicano en materia de asistencia jurídica, así como de los respectivos ordenamientos internos, se deberá prestar la mayor colaboración para la investigación y persecución de los delitos, y en cualquiera de las actuaciones comprendidas en el marco de procedimientos del orden penal que sean competencia de las autoridades de la parte requirente en el momento en que la asistencia sea solicitada.

La asistencia jurídica sólo podrá ser invocada para la obtención de medios de prueba ordenados por la autoridad investigadora, o bien la judicial para mejor proveer, pero jamás para las ofrecidas por los imputados o sus defensas, aún cuando sean aceptadas o acordadas favorablemente por las autoridades judiciales.

Artículo 435. Trámite y resolución

Los procedimientos establecidos en este Capítulo se deberán aplicar para el trámite y resolución de cualquier solicitud de asistencia jurídica que se reciba del extranjero, cuando no exista Tratado internacional. Si existiera Tratado entre el Estado requirente y los Estados Unidos Mexicanos, las disposiciones de éste, regirán el trámite y desahogo de la solicitud de asistencia jurídica.

Todo aquello que no esté contemplado de manera específica en un Tratado de asistencia jurídica, se aplicará lo dispuesto en este Código.

Artículo 436. Principios

La asistencia jurídica internacional deberá regirse por los siguientes principios:

I. Conexidad. Toda petición de asistencia para ser procedente necesariamente debe estar vinculada a una investigación o proceso en curso;

II. Especificidad. Las solicitudes de asistencia jurídica internacional deben contener hechos concretos y requerimientos precisos;

III. Identidad de Normas. Se prestará la asistencia con independencia de que el hecho que motiva la solicitud constituya o no delito según las leyes del Estado requerido. Se exceptúa de lo anterior el supuesto de que la asistencia se solicite para la ejecución de las medidas de aseguramiento o embargo, cateo o registro domiciliario o decomiso o incautación, en cuyo caso será necesario que el hecho que da lugar al procedimiento sea también considerado como delito por la legislación del Estado requerido, y

IV. Reciprocidad. Consiste en la colaboración internacional entre Estados soberanos en los que priva la igualdad.

Artículo 437. Autoridad Central

La Autoridad Central en materia de asistencia jurídica internacional será la Procuraduría General de la República quien ejercerá las atribuciones establecidas en este Código.

Cualquier solicitud de asistencia jurídica formulada con base en los instrumentos internacionales vigentes, de conformidad con el principio de reciprocidad internacional, podrá presentarse para su trámite y atención ante la Autoridad Central, o a través de la vía diplomática.

Artículo 438. Reciprocidad

En ausencia de convenio o Tratado internacional, los Estados Unidos Mexicanos prestarán ayuda bajo el principio de reciprocidad internacional, la cual estará subordinada a la existencia u ofrecimiento por parte del Estado o autoridad requirente a cooperar en casos similares. Dicho compromiso deberá asentarse por escrito en los términos que para tales efectos establezca la Autoridad Central.

Artículo 439. Alcances

La asistencia jurídica comprenderá:

I. Notificación de documentos procesales;

II. Obtención de pruebas;

III. Intercambio de información e iniciación de procedimientos penales en la parte requerida;

IV. Localización e identificación de personas y objetos;

V. Recepción de declaraciones y testimonios, así como práctica de dictámenes periciales;

VI. Ejecución de órdenes de cateo o registro domiciliario y demás medidas cautelares; aseguramiento de objetos, productos o instrumentos del delito;

VII. Citación de imputados, testigos, víctimas y peritos para comparecer voluntariamente ante autoridad competente en la parte requirente;

VIII. Citación y traslado temporal de personas privadas de libertad en la parte requerida, a fin de comparecer como testigos o víctimas ante la parte requirente, o para otras actuaciones procesales indicadas en la solicitud de asistencia;

IX. Entrega de documentos, objetos y otros medios de prueba;

X. Autorización de la presencia o participación, durante la ejecución de una solicitud de asistencia jurídica de representantes de las autoridades competentes del Estado o autoridad requirente, y

XI. Cualquier otra forma de asistencia, siempre y cuando no esté prohibida por la legislación mexicana.

Artículo 440. Denegación o aplazamiento

La asistencia jurídica solicitada podrá ser denegada cuando:

I. El cumplimiento de la solicitud pueda contravenir la seguridad y el orden público;

II. El cumplimiento de la solicitud sea contrario a la legislación nacional;

III. La ejecución de la solicitud sea contraria a las obligaciones internacionales adquiridas por los Estados Unidos Mexicanos;

IV. La solicitud se refiera a delitos del fuero militar;

V. La solicitud se refiera a un delito que sea considerado de carácter político por el Gobierno mexicano;

VI. La solicitud de asistencia jurídica se refiera a un delito sancionado con pena de muerte, a menos que la parte requirente otorgue garantías suficientes de que no se impondrá la pena de muerte o de que, si se impone, no será ejecutada;

VII. La solicitud de asistencia jurídica se refiera a hechos con base en los cuales la persona sujeta a investigación o a proceso haya sido definitivamente absuelta o condenada por la parte requerida.

Se podrá diferir el cumplimiento de la solicitud de asistencia jurídica cuando la Autoridad Central considere que su ejecución puede perjudicar u obstaculizar una investigación o procedimiento judicial en curso.

En caso de denegar o diferir la asistencia jurídica, la Autoridad Central lo informará a la parte requirente, expresando los motivos de tal decisión.

Artículo 441. Solicitudes

Toda solicitud de asistencia deberá formularse por escrito y en tratándose de casos urgentes la misma podrá ser enviada a la Autoridad Central por fax, correo electrónico o mediante cualquier otro medio de comunicación permitido, bajo el compromiso de remitir el documento original a la brevedad posible. Tratándose de solicitudes provenientes de autoridades extranjeras, la misma deberá estar acompañada de su respectiva traducción al idioma español.

Artículo 442. Requisitos esenciales

Se tienen como requisitos mínimos que toda petición de asistencia jurídica debe contener, los siguientes:

I. La identidad de la autoridad que hace la solicitud;

II. El asunto y la naturaleza de la investigación, el procedimiento o diligencia;

III. Una breve relatoría de los hechos;

IV. El propósito para el que se requieren las pruebas; la información o la actuación;

V. Los métodos de ejecución a seguirse;

VI. De ser posible, la identidad, ubicación y nacionalidad de toda persona interesada, y

VII. La transcripción de las disposiciones legales aplicables.

Artículo 443. Ejecución de las solicitudes de asistencia jurídica de autoridad extranjera

La Autoridad Central analizará si la solicitud de asistencia jurídica cumple con los requisitos esenciales y si se encuentra apegada a los términos del convenio o Tratado internacional, si lo hubiere en su caso procederá al desahogo de la misma de acuerdo con las formas y procedimientos especiales indicados en la solicitud por la parte requirente, salvo cuando éstos sean incompatibles con la legislación interna.

La Autoridad Central remitirá oportunamente la información o la actuación y, en su caso, las pruebas obtenidas como resultado de la ejecución de la solicitud a la parte requirente.

Cuando no sea posible cumplir con la solicitud, en todo o en parte, la Autoridad Central lo hará saber inmediatamente a la parte requirente e informará de las razones que impidan su ejecución.

Artículo 444. Confidencialidad y limitaciones en el uso de la información

La Autoridad Central, así como aquellas autoridades que tengan conocimiento o participen en la ejecución y desahogo de alguna solicitud de asistencia, están obligadas a mantener confidencialidad sobre el contenido de la misma y de los documentos que la sustenten.

La obtención de información y pruebas suministradas en atención a una solicitud de asistencia jurídica internacional, sólo podrán ser utilizadas para el objetivo por el que fue solicitada y para la investigación o proceso judicial que se trate, salvo que se obtenga el consentimiento expreso y por escrito del Estado o la autoridad requirente para su uso con fines diversos.

CAPÍTULO II
FORMAS ESPECÍFICAS DE ASISTENCIA

Artículo 445. Notificación de documentos procesales

En aquellas asistencias que tengan como finalidad la notificación de documentos, se deberá especificar el nombre y domicilio de la persona o personas a quienes se deba notificar.

Cuando la notificación tenga por objeto hacer del conocimiento alguna diligencia o actuación con una fecha determinada, la misma deberá enviarse con una anticipación razonable respecto de la fecha de la diligencia.

En todos los casos, la Autoridad Central, sin demora, procederá a realizar o tramitar la notificación de documentos procesales aportados por el Estado o la autoridad requirente, en la forma y términos solicitados.

La autoridad que realice la notificación levantará un acta circunstanciada o bien una declaración fechada y firmada por el destinatario, en la que conste el hecho, la fecha y la forma de notificación.

Artículo 446. Recepción de testimonios o declaraciones de personas

La autoridad requirente deberá proporcionar el nombre completo de la persona a quien deberá recabarse su declaración o testimonio, el domicilio en donde se le puede ubicar, su fecha de nacimiento y un pliego de preguntas a contestar.

Artículo 447. Suministro de documentos, registros o pruebas

En la solicitud de asistencia, el Estado o la autoridad requirente deberá indicar la ubicación de los registros o documentos requeridos, y tratándose de instituciones financieras, el nombre y en la medida de lo posible el número de cuenta respectivo, este último requisito podrá variar de conformidad con el convenio o Tratado que aplique en su caso.

Artículo 448. Localización e identificación de personas u objetos

A petición de la parte requirente, la parte requerida adoptará todas las medidas contempladas en su legislación para la localización e identificación de personas y objetos indicados en la solicitud, y mantendrá informada a la requirente del avance y los resultados de sus investigaciones.

Artículo 449. Cateo, inmovilización y aseguramiento de bienes

En el caso de diligencias ordenadas por autoridades judiciales que tengan como finalidad la realización de un cateo o medidas tendentes a la inmovilización y aseguramiento de bienes, el Estado o autoridad requirente deberá proporcionar:

I. La ubicación exacta de los bienes;

II. Tratándose de instituciones financieras, el nombre y la dirección de la institución y el número de cuenta respectiva;

III. La documentación en donde se acredite la relación entre las medidas solicitadas y los elementos de prueba con los que se cuente, y

IV. Las razones y argumentos que se tienen para creer que los objetos, productos o instrumentos de un delito se encuentran en el territorio de la parte requerida.

Artículo 450. Videoconferencia

Se podrá solicitar la declaración de personas a través del sistema de videoconferencias. Para tal efecto, el procedimiento se efectuará de acuerdo con la legislación vigente, dichas declaraciones se recibirán en audiencia por el Órgano jurisdiccional y con las formalidades del desahogo de prueba.

Artículo 451. Traslado de personas detenidas

Cuando sea necesaria la presencia de una persona que está detenida en el territorio de la parte requerida, el Estado o la autoridad requirente deberá manifestar las causas suficientes que acrediten la necesidad del traslado a efecto de hacer del conocimiento, y en caso de que resulte procedente, obtener la autorización por parte de la autoridad ante la cual la persona detenida se encuentra a disposición.

Igualmente, para los efectos de traslado es requisito indispensable contar con el consentimiento expreso de la persona detenida; en este caso, el Estado o la autoridad requirente se deberá comprometer a tener bajo su custodia a la persona y tramitar su retorno en cuanto la solicitud de asistencia haya culminado, por lo que deberá establecerse entre la autoridad requerida y la autoridad requirente un acuerdo en el que se fije una fecha para su regreso, la cual podrá ser prorrogable sólo en caso de no existir impedimento legal alguno.

Artículo 452. Decomiso de bienes

En caso de que la asistencia se refiera al decomiso de bienes relacionados con la comisión de un delito o cualquiera otra figura con los mismos efectos, el Estado o la autoridad requirente deberá presentar conjuntamente con la solicitud una copia de la orden de decomiso debidamente certificada por el funcionario que la expidió, así como información sobre las pruebas que sustenten la base sobre la cual se dictó la orden de decomiso e indicación de que la sentencia es firme.

En el caso de solicitudes de asistencia jurídica provenientes del extranjero, además de los requisitos antes señalados y los estipulados en el convenio o Tratado del que se trate, dicho procedimiento será desahogado en los términos establecidos por este Código para regular la figura de decomiso.

Artículo 453. Presencia y participación de representantes de la parte requirente en la ejecución

Cuando el Estado o la autoridad requirente solicite autorización para la presencia y participación de sus representantes en calidad de observadores, será facultad discrecional de la Autoridad Central requerida el otorgamiento de dicha autorización.

En caso de emitir la aprobación respectiva, la Autoridad Central informará con antelación al Estado o a la autoridad requirente sobre la fecha y el lugar de la ejecución de la solicitud.

El Estado o la autoridad requirente remitirá la relación de los nombres, cargos y motivo de la presencia de sus representantes, con un plazo razonable de anticipación a la fecha de la ejecución de la solicitud.

La diligencia a desahogar será conducida en todo momento por el agente del Ministerio Público designado para tal efecto, quien de considerarlo procedente podrá permitir que los representantes del Estado o la autoridad requirente formulen preguntas u observaciones por su conducto.

Artículo 454. Gastos de cumplimentación

El Estado mexicano sufragará todos los gastos relacionados con el cumplimiento de una solicitud de asistencia jurídica internacional, salvo los honorarios legales de peritos y los relacionados con el traslado de testigos.

La Autoridad Central tiene la facultad de determinar, de acuerdo con la naturaleza de la solicitud, aquellos casos en los que no sea posible cubrir el costo de su desahogo, lo que comunicará de inmediato al Estado o a la autoridad requirente para que sufrague los mismos, o en su defecto decida o no continuar cumplimentando la petición.

CAPÍTULO III
DE LA ASISTENCIA INFORMAL

Artículo 455. Asistencia informal

Toda aquella información o documentación que puede ser obtenida de manera informal por la Autoridad Central, sin que medie una solicitud oficial basada en un convenio o Tratado internacional ni formalidad alguna, es una asistencia informal.

Este tipo de información o documentación sólo servirá como indicio a la autoridad investigadora y en ningún caso podrá formalizarse, a menos que sea requerida mediante la figura de asistencia jurídica internacional, cubriendo todos los requisitos señalados en los convenios y Tratados de conformidad con los preceptos establecidos en el presente Código.

TÍTULO XII
RECURSOS

CAPÍTULO I
DISPOSICIONES COMUNES

Artículo 456. Reglas generales

Las resoluciones judiciales podrán ser recurridas sólo por los medios y en los casos expresamente establecidos en este Código.

Para efectos de su impugnación, se entenderán como resoluciones judiciales, las emitidas oralmente o por escrito.

Párrafo adicionado DOF 17-06-2016

El derecho de recurrir corresponderá tan sólo a quien le sea expresamente otorgado y pueda resultar afectado por la resolución.

En el procedimiento penal sólo se admitirán los recursos de revocación y apelación, según corresponda.

Artículo 457. Condiciones de interposición

Los recursos se interpondrán en las condiciones de tiempo y forma que se determinan en este Código, con indicación específica de la parte impugnada de la resolución recurrida.

Artículo 458. Agravio

Las partes sólo podrán impugnar las decisiones judiciales que pudieran causarles agravio, siempre que no hayan contribuido a provocarlo.

El recurso deberá sustentarse en la afectación que causa el acto impugnado, así como en los motivos que originaron ese agravio.

Artículo 459. Recurso de la víctima u ofendido

La víctima u ofendido, aunque no se haya constituido como coadyuvante, podrá impugnar por sí o a través del Ministerio Público, las siguientes resoluciones:

I. Las que versen sobre la reparación del daño causado por el delito, cuando estime que hubiere resultado perjudicado por la misma;

II. Las que pongan fin al proceso, y

III. Las que se produzcan en la audiencia de juicio, sólo si en este último caso hubiere participado en ella.

Cuando la víctima u ofendido solicite al Ministerio Público que interponga los recursos que sean pertinentes y éste no presente la impugnación, explicará por escrito al solicitante la razón de su proceder a la mayor brevedad.

Artículo 460. Pérdida y preclusión del derecho a recurrir y desistimiento

Se tendrá por perdido el derecho a recurrir una resolución judicial cuando se ha consentido expresamente la resolución contra la cual procediere.

Precluye el derecho a recurrir una resolución judicial cuando, una vez concluido el plazo que la ley señala para interponer algún recurso, éste no se haya interpuesto.

Quienes hubieren interpuesto un recurso podrán desistir de él antes de su resolución. En todo caso, los efectos del desistimiento no se extenderán a los demás recurrentes o a los adherentes del recurso.

El Ministerio Público podrá desistirse del recurso interpuesto mediante determinación motivada y fundada en términos de las disposiciones aplicables. Para que el desistimiento del Defensor sea válido se requerirá la autorización expresa del imputado.

Artículo 461. Alcance del recurso

El Órgano jurisdiccional ante el cual se haga valer el recurso, dará trámite al mismo y corresponderá al Tribunal de alzada competente que deba resolverlo, su admisión o desechamiento, y sólo podrá pronunciarse sobre los agravios expresados por los recurrentes, quedando prohibido extender el examen de la decisión recurrida a cuestiones no planteadas en ellos o más allá de los límites del recurso, a menos que se trate de un acto violatorio de derechos fundamentales del imputado. En caso de que el Órgano jurisdiccional no encuentre violaciones a derechos fundamentales que, en tales términos, deba reparar de oficio, no estará obligado a dejar constancia de ello en la resolución.

Si sólo uno de varios imputados por el mismo delito interpusiera algún recurso contra una resolución, la decisión favorable que se dictare aprovechará a los demás, a menos que los fundamentos fueren exclusivamente personales del recurrente.

Artículo 462. Prohibición de modificación en perjuicio

Cuando el recurso ha sido interpuesto sólo por el imputado o su Defensor, no podrá modificarse la resolución recurrida en perjuicio del imputado.

Artículo 463. Efectos de la interposición de los recursos

La interposición de un recurso no suspenderá la ejecución de la decisión, salvo las excepciones previstas en este Código.

Artículo 464. Rectificación

Los errores de derecho en la fundamentación de la sentencia o resolución impugnadas que no hayan influido en la parte resolutiva, así como los errores de forma en la transcripción, en la designación o el cómputo de las penas no anularán la resolución, pero serán corregidos en cuanto sean advertidos o señalados por alguna de las partes, o aún de oficio.

CAPÍTULO II
RECURSOS EN PARTICULAR

SECCIÓN I
REVOCACIÓN

Artículo 465. Procedencia del recurso de revocación

El recurso de revocación procederá en cualquiera de las etapas del procedimiento penal en las que interviene la autoridad judicial en contra de las resoluciones de mero trámite que se resuelvan sin sustanciación.

El objeto de este recurso será que el mismo Órgano jurisdiccional que dictó la resolución impugnada, la examine de nueva cuenta y dicte la resolución que corresponda.

Artículo 466. Trámite

El recurso de revocación se interpondrá oralmente, en audiencia o por escrito, conforme a las siguientes reglas:

I. Si el recurso se hace valer contra las resoluciones pronunciadas durante audiencia, deberá promoverse antes de que termine la misma. La tramitación se efectuará verbalmente, de inmediato y de la misma manera se pronunciará el fallo, o

II. Si el recurso se hace valer contra resoluciones dictadas fuera de audiencia, deberá interponerse por escrito en un plazo de dos días siguientes a la notificación de la resolución impugnada, expresando los motivos por los cuales se solicita. El Órgano jurisdiccional se pronunciará de plano, pero podrá oír previamente a las demás partes dentro del plazo de dos días de interpuesto el recurso, si se tratara de un asunto cuya complejidad así lo amerite.

La resolución que decida la revocación interpuesta oralmente en audiencia, deberá emitirse de inmediato; la resolución que decida la revocación interpuesta por escrito deberá emitirse dentro de los tres días siguientes a su interposición; en caso de que el Órgano jurisdiccional cite a audiencia por la complejidad del caso, resolverá en ésta.

SECCIÓN II
APELACIÓN

APARTADO I
REGLAS GENERALES DE LA APELACIÓN

Artículo 467. Resoluciones del Juez de control apelables

Serán apelables las siguientes resoluciones emitidas por el Juez de control:

I. Las que nieguen el anticipo de prueba;

II. Las que nieguen la posibilidad de celebrar acuerdos reparatorios o no los ratifiquen;

III. La negativa o cancelación de orden de aprehensión;

IV. La negativa a autorizar actos y técnicas de investigación que requieran control judicial previo;

Fracción reformada DOF 26-01-2024

V. Las que se pronuncien sobre las providencias precautorias o medidas cautelares;

VI. Las que pongan término al procedimiento o lo suspendan;

VII. El auto que resuelve la vinculación y la no vinculación del imputado a proceso;

Fracción reformada DOF 26-01-2024

VIII. Las que concedan, nieguen o revoquen la suspensión condicional del proceso;

IX. La negativa de abrir el procedimiento abreviado;

X. La sentencia definitiva dictada en el procedimiento abreviado;

Fracción reformada DOF 26-01-2024

XI. Las que excluyan algún medio de prueba o lo admitan cuando no cumpla con los requisitos legales, o sean ofrecidas fuera del término procesal correspondiente y no tengan el carácter de supervenientes y estén debidamente justificadas;

Fracción reformada DOF 26-01-2024

XII. Las que determinen la ilicitud o ilegalidad de algún dato o medio de prueba, o la prueba, cuando ésta sea anticipada;

Fracción adicionada DOF 26-01-2024

XIII. La que determine la legalidad o ilegalidad de la detención;

Fracción adicionada DOF 26-01-2024

XIV. Las que determinen la incompetencia del órgano jurisdiccional;

Fracción adicionada DOF 26-01-2024

XV. La negativa a autorizar la prórroga del plazo en la investigación complementaria;

Fracción adicionada DOF 26-01-2024

XVI. La que resuelva la solicitud de la orden de comparecencia;

Fracción adicionada DOF 26-01-2024

XVII. Las que se pronuncien sobre la restitución de bienes, objetos, instrumentos o productos del delito, o

Fracción adicionada DOF 26-01-2024

XVIII. La que se pronuncie sobre el no ejercicio de la acción penal.

Fracción adicionada DOF 26-01-2024

Artículo 468. Resoluciones del Tribunal de enjuiciamiento apelables

Serán apelables las siguientes resoluciones emitidas por el Tribunal de enjuiciamiento:

I. Las que versen sobre el desistimiento de la acción penal por el Ministerio Público;

II. La sentencia definitiva en relación a aquellas consideraciones contenidas en la misma, distintas a la valoración de la prueba siempre y cuando no comprometan el principio de inmediación, o bien aquellos actos que impliquen una violación grave del debido proceso.

Artículo 469. Solicitud de registro para apelación

Inmediatamente después de pronunciada la resolución judicial que se pretenda apelar, las partes podrán solicitar copia del registro de audio y video de la audiencia en la que fue emitida sin perjuicio de obtener copia de la versión escrita que se emita en los términos establecidos en el presente Código.

Artículo 470. Inadmisibilidad del recurso

El Tribunal de alzada declarará inadmisible el recurso cuando:

I. Haya sido interpuesto fuera del plazo;

II. Se deduzca en contra de resolución que no sea impugnable por medio de apelación;

III. Lo interponga persona no legitimada para ello, o

IV. El escrito de interposición carezca de fundamentos de agravio o de peticiones concretas.

APARTADO II
TRÁMITE DE APELACIÓN

Artículo 471. Trámite de la apelación

El recurso de apelación contra las resoluciones del Juez de control se interpondrá por escrito ante el mismo Juez que dictó la resolución, dentro de los tres días contados a partir de aquel en el que surta efectos la notificación si se tratare de auto o cualquier otra providencia y de cinco días si se tratare de sentencia definitiva.

En los casos de apelación sobre el desistimiento de la acción penal por el Ministerio Público se interpondrá ante el Tribunal de enjuiciamiento que dictó la resolución dentro de los tres días contados a partir de que surte efectos la notificación. El recurso de apelación en contra de las sentencias definitivas dictadas por el Tribunal de enjuiciamiento se interpondrá ante el Tribunal que conoció del juicio, dentro de los diez días siguientes a la notificación de la resolución impugnada, mediante escrito en el que se precisarán las disposiciones violadas y los motivos de agravio correspondientes.

En el escrito de interposición de recurso deberá señalarse el domicilio o autorizar el medio para ser notificado; en caso de que el Tribunal de alzada competente para conocer de la apelación tenga su sede en un lugar distinto al del proceso, las partes deberán fijar un nuevo domicilio en la jurisdicción de aquél para recibir notificaciones o el medio para recibirlas.

Los agravios deberán expresarse en el mismo escrito de interposición del recurso; el recurrente deberá exhibir una copia para el registro y una para cada una de las otras partes. Si faltan total o parcialmente las copias, se le requerirá para que presente las omitidas dentro del término de veinticuatro horas. En caso de que no las exhiba, el Órgano jurisdiccional las tramitará e impondrá al promovente multa de diez a ciento cincuenta días de salario, excepto cuando éste sea el imputado o la víctima u ofendido.

Interpuesto el recurso, el Órgano jurisdiccional deberá correr traslado del mismo a las partes para que se pronuncien en un plazo de tres días respecto de los agravios expuestos y señalen domicilio o medios en los términos del segundo párrafo del presente artículo.

Al interponer el recurso, al contestarlo o al adherirse a él, los interesados podrán manifestar en su escrito su deseo de exponer oralmente alegatos aclaratorios sobre los agravios ante el Tribunal de alzada.

Artículo 472. Efecto del recurso

Por regla general la interposición del recurso no suspende la ejecución de la resolución judicial impugnada.

En el caso de la apelación contra la exclusión de pruebas, la interposición del recurso tendrá como efecto inmediato suspender el plazo de remisión del auto de apertura de juicio al Tribunal de enjuiciamiento, en atención a lo que resuelva el Tribunal de alzada competente.

Artículo 473. Derecho a la adhesión

Quien tenga derecho a recurrir podrá adherirse, dentro del término de tres días contados a partir de recibido el traslado, al recurso interpuesto por cualquiera de las otras partes, siempre que cumpla con los demás requisitos formales de interposición. Quien se adhiera podrá formular agravios. Sobre la adhesión se correrá traslado a las demás partes en un término de tres días.

Artículo 474. Envío a Tribunal de alzada competente

Concluidos los plazos otorgados a las partes para la sustanciación del recurso de apelación, el Órgano jurisdiccional enviará los registros correspondientes al Tribunal de alzada que deba conocer del mismo.

Artículo 475. Trámite del Tribunal de alzada

Recibidos los registros correspondientes del recurso de apelación, el Tribunal de alzada se pronunciará de plano sobre la admisión del recurso.

Artículo 476. Emplazamiento a las otras partes

Si al interponer el recurso, al contestarlo o al adherirse a él, alguno de los interesados manifiesta en su escrito su deseo de exponer oralmente alegatos aclaratorios sobre los agravios, o bien cuando el Tribunal de alzada lo estime pertinente, decretará lugar y fecha para la celebración de la audiencia, la que deberá tener lugar dentro de los cinco y quince días después de que fenezca el término para la adhesión.

El Tribunal de alzada, en caso de que las partes soliciten exponer oralmente alegatos aclaratorios o en caso de considerarlo pertinente, citará a audiencia de alegatos para la celebración de la audiencia para que las partes expongan oralmente sus alegatos aclaratorios sobre agravios, la que deberá tener lugar dentro de los cinco días después de admitido el recurso.

Artículo 477. Audiencia

Una vez abierta la audiencia, se concederá la palabra a la parte recurrente para que exponga sus alegatos aclaratorios sobre los agravios manifestados por escrito, sin que pueda plantear nuevos conceptos de agravio.

En la audiencia, el Tribunal de alzada podrá solicitar aclaraciones a las partes sobre las cuestiones planteadas en sus escritos.

Artículo 478. Conclusión de la audiencia

La sentencia que resuelva el recurso al que se refiere esta sección, podrá ser dictada de plano, en audiencia o por escrito dentro de los tres días siguientes a la celebración de la misma.

Artículo 479. Sentencia

La sentencia confirmará, modificará o revocará la resolución impugnada, o bien ordenará la reposición del acto que dio lugar a la misma.

En caso de que la apelación verse sobre exclusiones probatorias, el Tribunal de alzada requerirá el auto de apertura al Juez de control, para que en su caso se incluya el medio o medios de prueba indebidamente excluidos, y hecho lo anterior lo remita al Tribunal de enjuiciamiento competente.

Artículo 480. Efectos de la apelación por violaciones graves al debido proceso

Cuando el recurso de apelación se interponga por violaciones graves al debido proceso, su finalidad será examinar que la sentencia se haya emitido sobre la base de un proceso sin violaciones a derechos de las partes y determinar, si corresponde, cuando resulte estrictamente necesario, ordenar la reposición de actos procesales en los que se hayan violado derechos fundamentales.

Artículo 481. Materia del recurso

Interpuesto el recurso de apelación por violaciones graves al debido proceso, no podrán invocarse nuevas causales de reposición del procedimiento; sin embargo, el Tribunal de alzada podrá hacer valer y reparar de oficio, a favor del sentenciado, las violaciones a sus derechos fundamentales.

Artículo 482. Causas de reposición

Habrá lugar a la reposición del procedimiento por alguna de las causas siguientes:

I. Cuando en la tramitación de la audiencia de juicio oral o en el dictado de la sentencia se hubieren infringido derechos fundamentales asegurados por la Constitución, las leyes que de ella emanen y los Tratados;

II. Cuando no se desahoguen las pruebas que fueron admitidas legalmente, o no se desahoguen conforme a las disposiciones previstas en este Código;

III. Cuando si se hubiere violado el derecho de defensa adecuada o de contradicción siempre y cuando trascienda en la valoración del Tribunal de enjuiciamiento y que cause perjuicio;

IV. Cuando la audiencia del juicio hubiere tenido lugar en ausencia de alguna de las personas cuya presencia continuada se exija bajo sanción de nulidad;

V. Cuando en el juicio oral hubieren sido violadas las disposiciones establecidas por este Código sobre publicidad, oralidad y concentración del juicio, siempre que se vulneren derechos de las partes, o

VI. Cuando la sentencia hubiere sido pronunciada por un Tribunal de enjuiciamiento incompetente o que, en los términos de este Código, no garantice su imparcialidad.

En estos supuestos, el Tribunal de alzada determinará, de acuerdo con las circunstancias particulares del caso, si ordena la reposición parcial o total del juicio.

La reposición total de la audiencia de juicio deberá realizarse íntegramente ante un Tribunal de enjuiciamiento distinto. Tratándose de la reposición parcial, el Tribunal de alzada determinará si es posible su realización ante el mismo Órgano jurisdiccional u otro distinto, tomando en cuenta la garantía de la inmediación y el principio de objetividad del Órgano jurisdiccional, establecidos en las fracciones II y IV del Apartado A del artículo 20 de la Constitución y el artículo 9o. de este Código.

Para la declaratoria de nulidad y la reposición será aplicable también lo dispuesto en los artículos 97 a 102 de este Código.

En ningún caso habrá reposición del procedimiento cuando el agravio se fundamente en la inobservancia de derechos procesales que no vulneren derechos fundamentales o que no trasciendan a la sentencia.

Artículo 483. Causas para modificar o revocar la sentencia

Será causa de nulidad de la sentencia la transgresión a una norma de fondo que implique una violación a un derecho fundamental.

En estos casos, el Tribunal de alzada modificará o revocará la sentencia. Sin embargo, si ello compromete el principio de inmediación, ordenará la reposición del juicio, en los términos del artículo anterior.

Artículo 484. Prueba

Podrán ofrecerse medios de prueba cuando el recurso se fundamente en un defecto del proceso y se discuta la forma en que fue llevado a cabo un acto, en contraposición a lo señalado en las actuaciones, en el acta o registros del debate, o en la sentencia.

También es admisible la prueba propuesta por el imputado o en su favor, incluso relacionada con la determinación de los hechos que se discuten, cuando sea indispensable para sustentar el agravio que se formula.

Las partes podrán ofrecer medio de prueba esencial para resolver el fondo del reclamo, sólo cuando tengan el carácter de superveniente.

TÍTULO XIII
RECONOCIMIENTO DE INOCENCIA DEL SENTENCIADO Y ANULACIÓN DE SENTENCIA

CAPÍTULO ÚNICO
PROCEDENCIA

Artículo 485. Causas de extinción de la acción penal

La pretensión punitiva y la potestad para ejecutar las penas y medidas de seguridad se extinguirán por las siguientes causas:

I. Cumplimiento de la pena o medida de seguridad;

II. Muerte del acusado o sentenciado;

III. Reconocimiento de inocencia del sentenciado o anulación de la sentencia;

IV. Perdón de la persona ofendida en los delitos de querella o por cualquier otro acto equivalente;

V. Indulto;

VI. Amnistía;

VII. Prescripción;

VIII. Supresión del tipo penal;

IX. Existencia de una sentencia anterior dictada en proceso instaurado por los mismos hechos, o

X. El cumplimiento del criterio de oportunidad o la solución alterna correspondiente.

Artículo 486. Reconocimiento de inocencia

Procederá cuando después de dictada la sentencia aparezcan pruebas de las que se desprenda, en forma plena, que no existió el delito por el que se dictó la condena o que, existiendo éste, el sentenciado no participó en su comisión, o bien cuando se desacrediten formalmente, en sentencia irrevocable, las pruebas en las que se fundó la condena.

Artículo 487. Anulación de la sentencia

La anulación de la sentencia ejecutoria procederá en los casos siguientes:

I. Cuando el sentenciado hubiere sido condenado por los mismos hechos en juicios diversos, en cuyo caso se anulará la segunda sentencia, y

II. Cuando una ley se derogue, o se modifique el tipo penal o en su caso, la pena por la que se dictó sentencia o la sanción impuesta, procediendo a aplicar la más favorable al sentenciado.

La sola causación del resultado no podrá fundamentar, por sí sola, la responsabilidad penal. Por su parte los tipos penales estarán limitados a la exclusiva protección de los bienes jurídicos necesarios para la adecuada convivencia social.

Artículo 488. Solicitud de declaración de inocencia o anulación de la sentencia

El sentenciado que se crea con derecho a obtener el reconocimiento de su inocencia o la anulación de la sentencia por concurrir alguna de las causas señaladas en los artículos anteriores, acudirá al Tribunal de alzada que fuere competente para conocer del recurso de apelación; le expondrá detalladamente por escrito la causa en que funda su petición y acompañarán a su solicitud las pruebas que correspondan u ofrecerá exhibirlas en la audiencia respectiva.

En relación con las pruebas, si el recurrente no tuviere en su poder los documentos que pretenda presentar, deberá indicar el lugar donde se encuentren y solicitar al Tribunal de alzada que se recaben.

Al presentar su solicitud, el sentenciado designará a un licenciado en Derecho o abogado con cédula profesional como Defensor en este procedimiento, conforme a las disposiciones conducentes de este Código; si no lo hace, el Tribunal de alzada le nombrará un Defensor público.

Artículo 489. Trámite

Recibida la solicitud, el Tribunal de alzada que corresponda pedirá inmediatamente los registros del proceso al juzgado de origen o a la oficina en que se encuentren y, en caso de que el promovente haya protestado exhibir las pruebas, se le otorgará un plazo no mayor de diez días para su recepción.

Recibidos los registros y, en su caso las pruebas del promovente, el Tribunal de alzada citará al Ministerio Público, al solicitante y a su Defensor, así como a la víctima u ofendido y a su Asesor jurídico, a una audiencia que se celebrará dentro de los cinco días siguientes al recibo de los registros y de las pruebas. En dicha audiencia se desahogarán las pruebas ofrecidas por el promovente y se escuchará a éste y al Ministerio Público, para que cada uno formule sus alegatos.

Dentro de los cinco días siguientes a la formulación de los alegatos y a la conclusión de la audiencia, el Tribunal de alzada dictará sentencia. Si se declara fundada la solicitud de reconocimiento de inocencia o modificación de sentencia, el Tribunal de alzada resolverá anular la sentencia impugnada y dará aviso al Tribunal de enjuiciamiento que condenó, para que haga la anotación correspondiente en la sentencia y publicará una síntesis del fallo en los estrados del Tribunal; asimismo, informará de esta resolución a la autoridad competente encargada de la ejecución penal, para que en su caso sin más trámite ponga en libertad absoluta al sentenciado y haga cesar todos los efectos de la sentencia anulada, o bien registre la modificación de la pena comprendida en la nueva sentencia.

Artículo 490. Indemnización

En caso de que se dicte reconocimiento de inocencia, en ella misma se resolverá de oficio sobre la indemnización que proceda en términos de las disposiciones aplicables. La indemnización sólo podrá acordarse a favor del beneficiario o de sus herederos, según el caso.

TRANSITORIOS

Artículo Primero. Declaratoria

Para los efectos señalados en el párrafo tercero del artículo segundo transitorio del Decreto por el que se reforman y adicionan diversas disposiciones de la Constitución Política de los Estados Unidos Mexicanos, publicado en el Diario Oficial de la Federación el 18 de junio de 2008, se declara que la presente legislación recoge el sistema procesal penal acusatorio y entrará en vigor de acuerdo con los artículos siguientes.

Artículo Segundo. Vigencia

Este Código entrará en vigor a nivel federal gradualmente en los términos previstos en la Declaratoria que al efecto emita el Congreso de la Unión previa solicitud conjunta del Poder Judicial de la Federación, la Secretaría de Gobernación y de la Procuraduría General de la República, sin que pueda exceder del 18 de junio de 2016.

En el caso de las Entidades federativas y del Distrito Federal, el presente Código entrará en vigor en cada una de ellas en los términos que establezca la Declaratoria que al efecto emita el órgano legislativo correspondiente, previa solicitud de la autoridad encargada de la implementación del Sistema de Justicia Penal Acusatorio en cada una de ellas.

En todos los casos, entre la Declaratoria a que se hace referencia en los párrafos anteriores y la entrada en vigor del presente Código deberán mediar sesenta días naturales.

Artículo Tercero. Abrogación

El Código Federal de Procedimientos Penales publicado en el Diario Oficial de la Federación el 30 de agosto de 1934, y los de las respectivas entidades federativas vigentes a la entrada en vigor del presente Decreto, quedarán abrogados para efectos de su aplicación en los procedimientos penales que se inicien a partir de la entrada en vigor del presente Código, sin embargo respecto a los procedimientos penales que a la entrada en vigor del presente ordenamiento se encuentren en trámite, continuarán su sustanciación de conformidad con la legislación aplicable en el momento del inicio de los mismos.

En consecuencia el presente Código será aplicable para los procedimientos penales que se inicien a partir de su entrada en vigor, con independencia de que los hechos hayan sucedido con anterioridad a la entrada en vigor del mismo.

Artículo reformado DOF 17-06-2016

Artículo Cuarto. Derogación tácita de preceptos incompatibles

Quedan derogadas todas las normas que se opongan al presente Decreto, con excepción de las leyes relativas a la jurisdicción militar así como de la Ley Federal contra la Delincuencia Organizada.

Artículo Quinto. Convalidación o regularización de actuaciones

Cuando por razón de competencia por fuero o territorio, se realicen actuaciones conforme a un fuero o sistema procesal distinto al que se remiten, podrá el Órgano jurisdiccional receptor convalidarlas, siempre que de manera, fundada y motivada, se concluya que se respetaron las garantías esenciales del debido proceso en el procedimiento de origen.

Asimismo, podrán regularizarse aquellas actuaciones que también de manera fundada y motivada el Órgano jurisdiccional que las recibe, determine que las mismas deban ajustarse a las formalidades del sistema procesal al cual se incorporarán.

Artículo Sexto. Prohibición de acumulación de procesos

No procederá la acumulación de procesos penales, cuando alguno de ellos se esté tramitando conforme al presente Código y el otro proceso conforme al código abrogado.

Artículo Séptimo. De los planes de implementación y del presupuesto

El Consejo de la Judicatura Federal, el Instituto de la Defensoría Pública Federal, la Procuraduría General de la República, la Secretaría de Gobernación, la Secretaría de Hacienda y Crédito Público y toda dependencia de las Entidades federativas a la que se confieran responsabilidades directas o indirectas por la entrada en vigor de este Código, deberán elaborar los planes y programas necesarios para una adecuada y correcta implementación del mismo y deberán establecer dentro de los proyectos de presupuesto respectivos, a partir del año que se proyecte, las partidas necesarias para atender la ejecución de esos programas, las obras de infraestructura, la contratación de personal, la capacitación y todos los demás requerimientos que sean necesarios para cumplir los objetivos para la implementación del sistema penal acusatorio.

Artículo Octavo. Legislación complementaria

En un plazo que no exceda de doscientos setenta días naturales después de publicado el presente Decreto, la Federación y las entidades federativas deberán publicar las reformas a sus leyes y demás normatividad complementaria que resulten necesarias para la implementación de este ordenamiento.

Artículo Noveno. Auxilio procesal

Cuando una autoridad penal reciba por exhorto, mandamiento o comisión, una solicitud para la realización de un acto procesal, deberá seguir los procedimientos legales vigentes para la autoridad que remite la solicitud, salvo excepción justificada.

Artículo Décimo. Cuerpos especializados de Policía

La Federación y las entidades federativas a la entrada en vigor del presente ordenamiento, deberán contar con cuerpos especializados de Policía con capacidades para procesar la escena del hecho probablemente delictivo, hasta en tanto se capacite a todos los cuerpos de Policía para realizar tales funciones.

Artículo Décimo Primero. Adecuación normativa y operativa

A la entrada en vigor del presente Código, en aquellos lugares donde se inicie la operación del proceso penal acusatorio, tanto en el ámbito federal como en el estatal, se deberá contar con el equipamiento necesario y con protocolos de investigación y de actuación del personal sustantivo y los manuales de procedimientos para el personal administrativo, pudiendo preverse la homologación de criterios metodológicos, técnicos y procedimentales, para lo cual podrán coordinarse los órganos y demás autoridades involucradas.

Artículo Décimo Segundo. Comité para la Evaluación y Seguimiento de la Implementación del Nuevo Sistema

El Consejo de Coordinación para la Implementación del Sistema de Justicia Penal, instancia de coordinación nacional creada por mandato del artículo noveno transitorio del Decreto de reformas y adiciones a la Constitución Política de los Estados Unidos Mexicanos publicado el 18 de junio de 2008, constituirá un Comité para la Evaluación y Seguimiento de la Implementación del Nuevo Sistema, el cual remitirá un informe semestral al señalado Consejo.

Artículo Décimo Tercero. Revisión legislativa

A partir de la entrada en vigor del Código Nacional de Procedimientos Penales, el Poder Judicial de la Federación, la Procuraduría General de la República, la Comisión Nacional de Seguridad, la Comisión Nacional de Tribunales Superiores de Justicia de los Estados Unidos Mexicanos y la Conferencia Nacional de Procuradores remitirán, de manera semestral, la información indispensable a efecto de que las Comisiones de Justicia de ambas Cámaras del Congreso de la Unión evalúen el funcionamiento y operatividad de las disposiciones contenidas en el presente Código.

México, D.F., a 5 de febrero de 2014.- Sen. **Raúl Cervantes Andrade**, Presidente.- Dip. **Ricardo Anaya Cortés**, Presidente.- Sen. **Lilia Guadalupe Merodio Reza**, Secretaria.- Dip. **Javier Orozco Gómez**, Secretario.- Rúbricas."

En cumplimiento de lo dispuesto por la fracción I del Artículo 89 de la Constitución Política de los Estados Unidos Mexicanos, y para su debida publicación y observancia, expido el presente Decreto en la Residencia del Poder Ejecutivo Federal, en la Ciudad de México, Distrito Federal, a cuatro de marzo de dos mil catorce.- **Enrique Peña Nieto**.- Rúbrica.- El Secretario de Gobernación, **Miguel Ángel Osorio Chong**.- Rúbrica.

Selección Jurisprudencial

Registro digital: 2031533

SUSPENSIÓN CONDICIONAL DEL PROCESO. ESTÁNDAR PARA CALIFICAR LA OPOSICIÓN DE LA VÍCTIMA U OFENDIDO A ESA FORMA DE SOLUCIÓN ALTERNA DEL PROCEDIMIENTO PENAL.

Hechos: En el desarrollo de la etapa intermedia, en su fase oral, dentro de un procedimiento penal seguido por el delito de violencia familiar, se planteó la suspensión condicional del proceso. Al actualizarse la oposición fundada de la víctima y advertirse el incumplimiento de la reparación integral del daño fue negada por el Juez de Control. Dicha determinación fue confirmada por el tribunal de alzada, por lo cual el imputado promovió amparo alegando desproporcional la decisión, ya que para tener acceso a la solución alterna se contemplaron dos rubros: la reparación del daño moral y el resultado de la práctica de un estudio de daño emergente y lucro cesante, extremos que desde su óptica se encontraban colmados con el plan de pagos propuesto.

Criterio jurídico: Este Tribunal Colegiado de Circuito determina que para evaluar la oposición fundada de la víctima u ofendido en la autorización de la suspensión condicional de proceso, únicamente deben tomarse en consideración los argumentos que guarden relación con los hechos y datos de prueba existentes hasta ese momento y su vinculación con los requisitos de procedencia previstos en el artículo 192 del Código Nacional de Procedimientos Penales.

Justificación: La suspensión condicional del proceso tiene como premisa la voluntad de las partes (imputado y víctima u ofendido) involucradas en la controversia para evitar el procedimiento penal a través de este proceso restaurativo, en el que el investigado acepte los hechos materia de imputación (o al menos no los cuestione, sin que ello implique aceptar su culpabilidad) y, derivado de un ejercicio de conciliación con la víctima, acepte pagar la reparación del daño causado de manera integral. En caso contrario, al existir una oposición a la forma alterna de solución del procedimiento ésta debe ser fundada y sustentarse estrictamente en aspectos objetivos que guarden relación con los hechos hasta ese momento verificables, sin que resulten justificables argumentos subjetivos o diversos a los requisitos legales establecidos, por no guardar pertinencia con la suspensión condicional. Ello, bajo la consideración de que un ejercicio de valoración probatoria no es propio de la naturaleza de este mecanismo.

Registro digital: 2031515

VIDEOGRABACIONES DE LAS AUDIENCIAS DESAHOGADAS EN EL PROCESO PENAL ACUSATORIO CONTENIDAS EN DISPOSITIVOS DE ALMACENAMIENTO DIGITAL SIN AUTENTICAR. SU NATURALEZA JURÍDICA Y VALOR PROBATORIO.

Hechos: Una persona reclamó en amparo indirecto la imposición de una medida cautelar y solicitó la suspensión con efectos restitutorios. En la demanda ofreció como prueba un dispositivo de almacenamiento portátil que contenía los registros de audio y video de la audiencia en la que se emitió el acto reclamado. El Juzgado de Distrito negó la suspensión con efectos restitutorios. La parte quejosa interpuso recurso de queja argumentando que no se tomaron en consideración las videograbaciones exhibidas.

Criterio jurídico: Los dispositivos de almacenamiento digital que contienen las videograbaciones de las audiencias desahogadas en el proceso penal acusatorio, cuyo contenido no ha sido autenticado por autoridad competente: 1) tienen la naturaleza jurídica de prueba documental electrónica, y 2) no tienen el valor probatorio pleno que tienen las documentales públicas, pero poseen eficacia demostrativa sujeta al arbitrio del juzgador y, por regla general, su contenido debe ser adminiculado, corroborado o robustecido con otros elementos probatorios.

Justificación: De los artículos 93, fracción VII y 210-A del Código Federal de Procedimientos Civiles, de aplicación supletoria a la Ley de Amparo, se advierte que se reconoce como prueba a todos aquellos elementos aportados por los descubrimientos de la ciencia, entre otros, la información generada o comunicada que conste en medios electrónicos, ópticos o en cualquier otra tecnología. Por tanto, el dispositivo de información electrónica que contiene las videograbaciones de audiencias celebradas en procedimientos penales de corte acusatorio tiene el carácter de prueba electrónica. En cuanto a su valor probatorio, se tomará en cuenta primordialmente la fiabilidad del método en que haya sido generada, comunicada, recibida o archivada y, en su caso, si es posible atribuir a las personas obligadas el contenido de la información relativa y ser accesible para su ulterior consulta. En consecuencia, la eficacia demostrativa de las videograbaciones de audiencias penales contenidas en un dispositivo como prueba documental electrónica está limitada en función de la posibilidad que en cada caso tenga el juzgador, de confirmar que se trata precisamente de la o las audiencias relacionadas con el acto reclamado, de las mismas partes involucradas, y que los registros de audio y video que contiene no presentan ediciones, supresiones o alteraciones. De no poder confirmar con otros elementos de convicción que el contenido no ha sido alterado, deberá considerar que ese medio de prueba es insuficiente para formar convicción y decidir exclusivamente con base en él.

Registro digital: 2031504

PROCEDIMIENTO ABREVIADO. SU NATURALEZA LIMITA AL JUEZ DE CONTROL PARA MODIFICAR LA FORMA DE INTERVENCIÓN DE LA PERSONA IMPUTADA PLANTEADA POR EL MINISTERIO PÚBLICO.

Hechos: El Ministerio Público solicitó el procedimiento abreviado para una persona imputada a quien atribuyó su participación como coautor del delito, en términos del artículo 13, fracción III, del Código Penal Federal. El Juez de Control aceptó la solicitud y condenó al acusado, pero precisó que la forma de intervención se llevó a cabo como auxiliador del delito, conforme a la fracción VI del referido artículo. En consecuencia y de acuerdo con el artículo 64 Bis del citado ordenamiento, redujo la pena de prisión solicitada por la Fiscalía.

Criterio jurídico: Este Tribunal Colegiado de Circuito determina que la naturaleza del procedimiento abreviado limita al Juez de Control para modificar la forma de intervención de la persona imputada planteada por el Ministerio Público.

Justificación: De conformidad con los artículos 20, apartado A, fracción VII, de la Constitución Política de los Estados Unidos Mexicanos, 201, 203, 205 y 206, del Código Nacional de Procedimientos Penales, la acusación derivada de la solicitud de procedimiento abreviado debe contener la enunciación de los hechos atribuidos al acusado, su clasificación jurídica y el grado de su intervención, así como las penas y el monto de reparación del daño. En tal virtud, acorde con lo resuelto por la Primera Sala de la Suprema Corte de Justicia de la Nación en los amparos directos en revisión 1619/2015, 532/2019 y 2990/2022, en el amparo en revisión 100/2021 y en la contradicción de criterios 50/2019, así como con el criterio del entonces Pleno del Decimoséptimo Circuito en la contradicción de tesis 3/2019, el Juez de Control sólo participa como mediador del acuerdo al que lleguen las partes a fin de concluir el proceso penal con una admisión de responsabilidad sobre los hechos de la acusación. Esto es, su función es verificar el cumplimiento de los requisitos inherentes a la aceptación y consentimiento del imputado a fin de admitir la solicitud, o en su defecto, rechazar la petición al advertir incongruencias o irregularidades en los planteamientos del Ministerio Público, limitándose a analizar la congruencia, idoneidad, pertinencia y suficiencia de los medios de convicción invocados en la acusación para justificar la sentencia de condena. De ahí que su función en el marco del procedimiento abreviado no es modular el acuerdo alcanzado entre las partes, sino verificar que se cumplan los requisitos que le dan validez.

Registro digital: 2031463

IMPRESCRIPTIBILIDAD DE LOS DELITOS COMETIDOS CONTRA NIÑAS, NIÑOS Y ADOLESCENTES. EL ARTÍCULO 106, ÚLTIMO PÁRRAFO, DE LA LEY GENERAL DE LOS DERECHOS DE NIÑAS, NIÑOS Y ADOLESCENTES, ES APLICABLE A TODOS LOS PROCEDIMIENTOS PENALES.

Hechos: Los Tribunales Colegiados de Circuito contendientes sustentaron criterios contradictorios al analizar si la porción normativa referida, al prever que no podrá declararse la caducidad ni la prescripción en perjuicio de niñas, niños y adolescentes, impide la prescripción de la acción penal en todos los delitos, o si su aplicación se limita a procedimientos civiles o administrativos, dejando la prescripción penal sujeta a la legislación local.

Criterio jurídico: La imprescriptibilidad prevista en el artículo 106, último párrafo, de la Ley General de los Derechos de Niñas, Niños y Adolescentes es aplicable a todos los procedimientos penales cuando las víctimas pertenezcan a este grupo vulnerable.

Justificación: Conforme a la jurisprudencia de la Suprema Corte de Justicia de la Nación, el principio del interés superior de la niñez se configura como: 1) derecho sustantivo; 2) principio jurídico interpretativo fundamental; y 3) norma de procedimiento. Esto último faculta a las personas juzgadoras a flexibilizar excepcionalmente normas procesales —como plazos, caducidad o cosa juzgada— si repercuten desproporcionadamente en los derechos de niñas, niños y adolescentes, sin imponer cargas indebidas a terceros ni afectar la eficacia judicial.

Lo anterior encuentra respaldo en los artículos 1o. y 4o. de la Constitución Política de los Estados Unidos Mexicanos, 19 de la Convención Americana sobre Derechos Humanos y 3 de la Convención sobre los Derechos del Niño, que consagran: a) el principio pro persona y la obligación de adoptar la interpretación más favorable, integrando a los tratados internacionales como vinculantes; b) el interés superior de la niñez como criterio rector en todas las decisiones del Estado; c) la obligación de garantizar medidas especiales de protección y el acceso efectivo a la justicia; y d) la priorización del interés superior de la niñez en decisiones judiciales y administrativas, velando por su bienestar y acceso a la justicia. Por su parte, la Primera Sala del Máximo Tribunal del país en el amparo directo 16/2024, del que derivó la tesis aislada 1a. XIV/2025 (11a.), de rubro: "DELITOS SEXUALES COMETIDOS EN CONTRA DE PERSONAS MENORES DE EDAD. LA APLICACIÓN DE LA LEY GENERAL DE LOS DERECHOS DE NIÑAS, NIÑOS Y ADOLESCENTES NO VULNERA EL PRINCIPIO DE NO RETROACTIVIDAD DE LA LEY.", interpretó el artículo 106, último párrafo, como una norma procedimental aplicable a todos los procedimientos jurisdiccionales, incluidos los penales, sin limitarse a la materia civil o administrativa, partiendo del principio "donde la ley no distingue, no es dable distinguir". Ello, para evitar interpretaciones restrictivas.

Lo anterior se armoniza con el principio de progresividad de los derechos humanos, reflejado en las reformas al Código Penal para la Ciudad de México que incorporaron la imprescriptibilidad de los delitos sexuales cometidos contra menores de edad, aplicable a cualquier delito que los afecte. En consecuencia, el artículo 106, último párrafo, de la Ley General de los Derechos de Niñas, Niños y Adolescentes, emitida con fundamento en el artículo 73, fracción XXIX-P, de la Constitución Política de los Estados Unidos Mexicanos, opera como una norma de orden público y de aplicación general, que impide declarar prescrita la acción penal en perjuicio de ese grupo vulnerable, asegurando la tutela efectiva de sus derechos y la sanción de los responsables, conforme a los principios de progresividad de los derechos humanos, pro persona y del interés superior de la niñez.

Registro digital: 2031425

DECLARACIÓN DE UN TESTIGO PROTEGIDO. SI EN SU DESAHOGO SE VIOLÓ EL PRINCIPIO DE INMEDIACIÓN, DEBE ORDENARSE LA REPOSICIÓN DEL PROCEDIMIENTO PARA QUE SE DESARROLLE UN NUEVO JUICIO ORAL, SIN QUE ELLO VULNERE SU DERECHO A RESGUARDAR SU IDENTIDAD Y SEGURIDAD.

Hechos: En la audiencia de juicio oral se desahogó la declaración de la víctima del delito en el área de testigos protegidos, mediante sistema de videoconferencia con la proyección en la sala de audiencias de una imagen distorsionada que impedía al Tribunal de Enjuiciamiento observar su persona y rostro.

Criterio jurídico: Este Tribunal Colegiado de Circuito determina que cuando en el desahogo de la declaración de un testigo protegido se vulnera el principio de inmediación, al carecer del componente consistente en la percepción directa y personal de los elementos probatorios que deben tener los Jueces, debe ordenarse la reposición del procedimiento para que se desarrolle un nuevo juicio oral, sin que lo anterior implique vulneración a su derecho de resguardar su identidad y seguridad.

Justificación: La Primera Sala de la Suprema Corte de Justicia de la Nación, al resolver el amparo directo en revisión 492/2017 definió los tres componentes del principio de inmediación establecido en el artículo 20, apartado A, fracción II, de la Constitución Política de los Estados Unidos Mexicanos y determinó que su vulneración constituye una violación procesal que amerita reponer el juicio oral, ante la falta de fiabilidad en la debida integración de la prueba.

No se desconoce que debe salvaguardarse el derecho de las víctimas y/o de los testigos que requieran medidas especiales de protección, de resguardar su identidad y seguridad, de conformidad con los artículos 12, fracción VIII, de la Ley General de Víctimas y 109, fracción XXVI, 366 y 367 del Código Nacional de Procedimientos Penales.

Sin embargo, tal obligación admite una excepción, pues debe ponderarse y aquilatarse de forma que no vulnere el derecho de defensa adecuada del acusado, ni los principios que rigen el sistema de justicia penal acusatorio, en el caso concreto, el de inmediación, en su componente de la percepción directa y personal que deben tener los Jueces sobre el desahogo de la prueba.

Cuando se vulnera el principio de inmediación en el desahogo de la declaración de un testigo protegido, debe ordenarse la reposición del procedimiento para que se desarrolle un nuevo juicio oral, con la precisión de que el Tribunal de Enjuiciamiento puede emplear las medidas necesarias durante la audiencia de juicio, a fin de salvaguardar el derecho de las víctimas y/o testigos protegidos o especiales, a que se garantice el resguardo de su identidad y seguridad, así como el de respetar el principio de inmediación en su componente de recepción directa y sin obstáculos de la prueba producida, esto es, que prevalezcan simultáneamente tanto el referido derecho de las víctimas y testigos especiales, como el respeto al principio de inmediación en todos sus componentes.

Registro digital: 2031421

ORDEN DE CATEO. SU EJECUCIÓN NO CONSTITUYE UN ACTO CONSUMADO DE MODO IRREPARABLE, POR LO QUE PROCEDE EL AMPARO INDIRECTO CONTRA SUS EFECTOS Y CONSECUENCIAS.

Hechos: Los Tribunales Colegiados de Circuito contendientes sustentaron criterios contradictorios al analizar si procede el amparo indirecto contra los efectos y consecuencias de la orden de cateo y su ejecución. Mientras que uno estimó que al haberse ejecutado la orden de cateo debía considerarse como acto consumado de forma irreparable, lo que actualiza la causa de improcedencia contenida en el artículo 61, fracción XVI, de la Ley de Amparo; el otro sostuvo que los efectos que genera la ejecución de la orden de cateo se proyectan en el tiempo, por lo que debe analizarse el fondo del asunto, de ahí que no se actualiza dicha causal de improcedencia.

Criterio jurídico: El Pleno Regional en Materias Penal y de Trabajo de la Región Centro-Sur, con residencia en la Ciudad de México, determina que la ejecución de una orden de cateo no constituye un acto consumado de modo irreparable, por lo que contra sus efectos y consecuencias procede el amparo indirecto.

Justificación: La ejecución de la orden de cateo constituye un acto de autoridad cuyos efectos y consecuencias tienen la capacidad de infringir derechos fundamentales de manera continua y persistente. Por tanto, no puede considerarse como un acto consumado de modo irreparable en términos del artículo 61, fracción XVI, de la Ley de Amparo.

Al reconocer la procedencia del amparo indirecto se constata el estricto apego de la orden de cateo y su ejecución a los requisitos de los artículos 16 de la Constitución Federal y 283 del Código Nacional de Procedimientos Penales. Asimismo, se permite la restitución efectiva de los derechos a la dignidad humana, a la seguridad jurídica, a la propiedad o a la posesión que el quejoso reclame como afectados por la ejecución de la orden de cateo.

Registro digital: 2031370

ORDEN DE APREHENSIÓN. PREVIAMENTE A ANALIZAR SI SE JUSTIFICA LA NECESIDAD DE CAUTELA PARA SU EMISIÓN, EL JUEZ DEBE VERIFICAR QUE SE CUMPLAN LOS REQUISITOS FORMALES Y DE FONDO.

Hechos: Una persona acusada del delito de violación promovió amparo indirecto contra la orden de aprehensión librada en su contra. El Juzgado de Distrito, sin analizar los requisitos formales y de fondo establecidos para su emisión, concedió el amparo al estimar que el Juez de Control no motivó exhaustivamente la necesidad de cautela advertida por el Ministerio Público pues, a su consideración, en este segmento de la resolución (necesidad de cautela) se limitó a enunciar los datos de prueba que tomó en consideración en otros apartados del fallo (hecho delictivo y presunta responsabilidad), sin abundar ni realizar el análisis lógico-jurídico respectivo. Contra esta determinación la parte tercero interesada interpuso recurso de revisión.

Criterio jurídico: Este Tribunal Colegiado de Circuito determina que para librar una orden de aprehensión (como medida excepcional de conducción al proceso), la persona juzgadora debe verificar, previo a analizar el tema de la necesidad de cautela, que se cumplan los requisitos formales y de fondo.

Justificación: El dictado de una orden de aprehensión constituye una misma resolución con independencia de que en ella se deba abordar tanto lo relativo al acreditamiento de los requisitos formales y de fondo, exigidos por los artículos 16 constitucional y 141, fracción III, del Código Nacional de Procedimientos Penales (atinentes al acreditamiento preliminar del hecho delictivo y la probable responsabilidad), así como lo referente a la justificación de la necesidad de cautela. Sin embargo, no es factible ocuparse solamente de este último tema sin verificar previamente la justificación de la medida de conducción. La persona juzgadora debe analizar, previo al tema de la necesidad de cautela, los requisitos formales y de fondo del asunto, esto es, que se cumpla con lo establecido constitucional y legalmente para su emisión, y no limitarse de manera exclusiva al estudio de la cautela, pues existe una prelación lógica en esos aspectos, que inicia por la justificación de la conducción al proceso y luego a la de la forma excepcional de hacerlo, ya que se trata de una misma resolución secuenciada en cuanto al orden en que deben ser analizados los aspectos (tópicos) que la conforman y la "cautela" como regla de justificación de la forma de conducción; no es lo primero sino el aspecto final necesario, pero sólo si previamente se reúnen los requisitos constitucionales y legales para justificar la necesidad de conducción a proceso en sí misma como orden de aprehensión. Por tanto, no es legal ni racionalmente correcto ocuparse únicamente de la cautela y no de los requisitos constitucionales previos.

Registro digital: 2031281

ORDEN DE APREHENSIÓN. LA VÍCTIMA DEL DELITO TIENE INTERÉS JURÍDICO PARA RECLAMAR EN AMPARO INDIRECTO LA OMISIÓN DE LA AUTORIDAD MINISTERIAL DE EJECUTARLA.

Hechos: El apoderado legal de una empresa promovió amparo indirecto contra la omisión de la autoridad ministerial de ejecutar la orden de aprehensión librada contra uno de sus exempleados por el delito de robo en una causa penal en la que tiene el carácter de ofendida. El Juzgado de Distrito desechó de plano la demanda, al estimar actualizada de manera manifiesta e indudable la causa de improcedencia relativa a la falta de interés jurídico. Contra esta determinación interpuso recurso de queja.

Criterio jurídico: Este Tribunal Colegiado de Circuito determina que la víctima del delito cuenta con interés jurídico para reclamar en amparo indirecto la omisión de la autoridad ministerial de ejecutar la orden de aprehensión librada contra el imputado.

Justificación: De los artículos 16, párrafo cuarto, 20, apartado C, fracciones I, II y VII, y 21, párrafos primero y segundo, de la Constitución Política de los Estados Unidos Mexicanos y 145 del Código Nacional de Procedimientos Penales, se advierte el interés jurídico de la víctima u ofendido del delito para reclamar en amparo indirecto la omisión de ejecutar la orden de aprehensión por parte del agente del Ministerio Público y de otras autoridades auxiliares encargadas de cumplimentarla. La ejecución de la orden de aprehensión y la vigilancia de que se realice corresponden a la autoridad ministerial y a la policía ministerial bajo su mando. La víctima u ofendido del delito cuenta con el derecho a: 1) ser informado del procedimiento penal; 2) que se desahoguen las diligencias correspondientes; y 3) impugnar las omisiones del Ministerio Público. Por tanto, procede el amparo indirecto contra la omisión de ejecutar la orden de aprehensión contra el imputado, pues su ejecución representa una diligencia tendente a poner al detenido a disposición del Juez de Control, para efecto de que el Ministerio Público solicite la celebración de la audiencia inicial a partir de la formulación de la imputación.

Registro digital: 2031268

RECURSO INNOMINADO PREVISTO EN EL ARTÍCULO 258 DEL CÓDIGO NACIONAL DE PROCEDIMIENTOS PENALES. POR REGLA GENERAL, LA OPORTUNIDAD DE SU INTERPOSICIÓN DEBE ANALIZARSE PREVIO A CONVOCAR A LA AUDIENCIA RESPECTIVA.

Hechos: En una carpeta de investigación, la víctima impugnó la determinación del Ministerio Público de no ejercer la acción penal mediante el recurso innominado previsto en el precepto mencionado. En la audiencia respectiva el Juez de Control decretó la extemporaneidad del recurso con base en el debate entre las partes. Contra esta determinación se promovió amparo indirecto. El Juzgado de Distrito lo negó al considerar correcto que la oportunidad del recurso se dilucidara con base en el debate entre las partes, porque así se observó el principio de contradicción.

Criterio jurídico: Este Tribunal Colegiado de Circuito determina que, por regla general, la oportunidad del recurso innominado previsto en el artículo 258 del Código Nacional de Procedimientos Penales, al ser un presupuesto procesal, debe analizarse por el Juez de Control de manera oficiosa antes de convocar a las partes a la audiencia relativa.

Justificación: El artículo mencionado no establece el momento procesal en el que la persona juzgadora debe verificar si los presupuestos procesales del recurso que regula se actualizan. Sin embargo, su interpretación lógica y funcional conduce a afirmar que dicho estudio debe realizarse antes de que las partes sean convocadas a la audiencia respectiva, la cual tiene como propósito decidir en definitiva la cuestión planteada. Esto es, si fue correcta la determinación del Ministerio Público sobre la abstención de investigar, el archivo temporal, la aplicación de un criterio de oportunidad o el no ejercicio de la acción penal. Ese estudio no podría realizarse ante la ausencia de los presupuestos procesales, lo cual presupone que este último tópico debe analizarse por el Juez de Control, por regla general, previo a dicha audiencia, para lo cual, de ser el caso, deberá recabar las constancias necesarias para ello. No tendría sentido que convocara a las partes a una audiencia que se tornaría estéril e innecesaria si en ella se declarara incompetente para conocer del recurso o lo declarara extemporáneo o improcedente.

Registro digital: 2031267

RECURSO INNOMINADO PREVISTO EN EL ARTÍCULO 258 DEL CÓDIGO NACIONAL DE PROCEDIMIENTOS PENALES. EL ANÁLISIS DE SUS PRESUPUESTOS PROCESALES NO ESTÁ SUJETO AL PRINCIPIO DE CONTRADICCIÓN.

Hechos: En una carpeta de investigación la víctima impugnó la determinación del Ministerio Público de no ejercer la acción penal mediante el recurso innominado previsto en el precepto mencionado. En la audiencia respectiva el Juez de Control decretó la extemporaneidad del recurso con base en el debate entre las partes. Contra esta determinación se promovió amparo indirecto. El Juzgado de Distrito lo negó al considerar correcto que la oportunidad del recurso se dilucidara con base en el debate entre las partes, porque así se observó el principio de contradicción.

Criterio jurídico: Este Tribunal Colegiado de Circuito determina que el análisis de los presupuestos procesales del recurso innominado previsto en el artículo 258 del Código Nacional de Procedimientos Penales no está sujeto al principio de contradicción.

Justificación: El principio de contradicción en el sistema penal acusatorio implica que toda afirmación, petición o pretensión formulada por una de las partes en el proceso debe comunicarse a la contraria para que pueda expresar su conformidad u oposición y sus razones, con el objeto de que influyan en la decisión judicial. Sin embargo, ello no debe llegar al extremo de que el examen de los presupuestos procesales de los medios de impugnación deba sujetarse al debate entre las partes, ya que de aquéllos depende su validez o procedencia.

Sostener lo contrario implicaría que pudieran desecharse recursos que conforme a la ley fueran procedentes o, peor aún, que se admitieran los que legalmente no lo sean, lo cual no sólo desvirtuaría el sistema impugnativo previsto en el Código Nacional de Procedimientos Penales, sino que podría incidir en que no se logren los objetivos que persigue dicho ordenamiento: esclarecer los hechos, proteger al inocente, procurar que el culpable no quede impune y que se repare el daño.

Tratándose del recurso innominado establecido en el artículo 258 referido, el principio de contradicción opera por lo que hace al fondo del asunto, esto es, a lo fundado o infundado del recurso, mas no al examen de los presupuestos procesales, habida cuenta que, por regla general, éstos deben examinarse de oficio y con todo cuidado por la autoridad jurisdiccional, previo a convocar a las partes a la audiencia respectiva.

Registro digital: 2031237

RECONOCIMIENTO DEL ACUSADO EN LA SALA DE AUDIENCIA DE JUICIO ORAL. REQUIERE DEL APORTE DE INFORMACIÓN OBJETIVA Y SUFICIENTE.

Hechos: En la sala de audiencia de juicio oral la víctima identificó al acusado debido a que lo había visto en otras audiencias del proceso y porque terceras personas le dijeron que él era responsable de los hechos. Esa declaración fue fundamental para sustentar la sentencia de condena.

Criterio jurídico: Este Tribunal Colegiado de Circuito determina que el señalamiento o imputación que un testigo realiza contra la persona acusada en la audiencia de juicio, requiere que aquél aporte información objetiva y suficiente para estimar que el reconocimiento es genuino.

Justificación: El diseño estructural de las salas en las que se llevan a cabo los juicios penales y se desarrollan las audiencias es un factor determinante para inducir el reconocimiento de la persona acusada. En gran parte de los casos, ésta se encuentra en un espacio físico comúnmente denominado "burbuja", ubicado frente a los testigos, y es señalada por las partes y el órgano jurisdiccional como persona "investigada", "imputada", "acusada" o "sentenciada". En ocasiones el propio órgano jurisdiccional o la Fiscalía, previamente a la declaración de un testigo, le refieren en dónde se ubica la persona acusada. Incluso, en algunos casos en que se debe recibir el testimonio en una sala distinta de la del juicio, el declarante tiene a la vista a la persona acusada por medio de videograbación y en ella se agrega la leyenda de "imputada" o "acusada".

Estos escenarios no son apropiados para realizar el reconocimiento de la persona acusada, porque el diseño de la sala y la dinámica de la audiencia parten de la identificación y participación de las partes, por lo que ninguna identificación sería libre de inducción. Por ello, no basta el simple señalamiento o imputación que un testigo realice en la audiencia de juicio, sino que requiere del aporte de información objetiva y suficiente que permita al órgano jurisdiccional llegar al convencimiento de que el reconocimiento es genuino y no consecuencia de la inducción derivada de la sala de audiencia.

Registro digital: 2031207

RECURSO INNOMINADO PREVISTO EN EL ARTÍCULO 258 DEL CÓDIGO NACIONAL DE PROCEDIMIENTOS PENALES. PROCEDE EN CONTRA DE LA ABSTENCIÓN, OMISIÓN O NO ADMISIÓN DE RECIBIR LA DENUNCIA O REALIZAR ACTOS DE INVESTIGACIÓN POR PARTE DEL MINISTERIO PÚBLICO.

Hechos: Una persona denunció ante el Ministerio Público hechos posiblemente constitutivos del delito de fraude genérico, ya sea consumado o en grado de tentativa. Sin ordenar diligencia alguna que le permitiera esclarecer los hechos, la representación social se abstuvo de realizar los actos de investigación, al considerar que la conducta puesta a su consideración no encuadraba en el tipo penal planteado. Tal determinación fue confirmada por el Juez de Control.

Criterio jurídico: Este Tribunal Colegiado determina que las determinaciones del Ministerio Público consistentes en la no admisión de la querella o denuncia, la abstención de iniciar actos de investigación o darle continuidad, el archivo temporal, la aplicación de un criterio de oportunidad y el no ejercicio de la acción penal, pueden ser impugnadas ante el Juez de control mediante el recurso innominado previsto por el artículo 258 del Código Nacional de Procedimientos Penales.

Justificación: Es así, porque el artículo 109, fracción XXI, del Código Nacional, establece que el derecho de la víctima u ofendido a impugnar las abstenciones o negligencias que cometa el Ministerio Público en el desempeño de sus funciones, debe hacerse valer en los términos previstos en el mismo código y en las demás disposiciones legales aplicables, de ahí que, el medio de defensa previsto en el artículo 258 sea el idóneo para impugnar las omisiones del Ministerio Público, como pueden ser la no admisión de la denuncia o querella, paralización o evasión de indagar, todo ello encuadra en su función como órgano encargado de investigar los hechos constitutivos de algún delito.

Registro digital: 2031138

CALIDAD DE VÍCTIMA EN LA CARPETA DE INVESTIGACIÓN. PARA DETERMINAR SI LA TIENE EL DENUNCIANTE, EL MINISTERIO PÚBLICO DEBE FUNDAMENTAR SU

ANÁLISIS EN LOS HECHOS DENUNCIADOS Y NO EN LA CLASIFICACIÓN JURÍDICA QUE AQUÉL HAYA SEÑALADO.

Hechos: Una persona acudió al Ministerio Público a denunciar a un servidor público por hechos probablemente constitutivos de delitos y solicitó que se le reconociera la calidad de víctima. El Ministerio Público determinó que no le correspondía ese carácter, al considerar que los hechos posiblemente constitutivos de delitos se cometieron en agravio de la sociedad, y hasta el momento no existían datos de prueba que acreditaran que el denunciante sufrió un daño o menoscabo en sus derechos. Inconforme, promovió juicio de amparo. El Juzgado de Distrito negó la protección constitucional.

Criterio jurídico: Este Tribunal Colegiado de Circuito considera que para determinar si el denunciante tiene el carácter de víctima en la carpeta de investigación, el Ministerio Público debe fundamentar su análisis en los hechos denunciados y no en la clasificación jurídica que aquél les haya otorgado.

Justificación: El artículo 21 de la Constitución Federal establece que el Ministerio Público es la autoridad facultada para investigar los delitos y ejercer la acción penal ante la autoridad judicial. En su calidad de órgano técnico tiene la obligación de realizar la investigación de manera inmediata, eficiente, exhaustiva, profesional e imparcial, libre de estereotipos y discriminación. Además, conforme al artículo 212 del Código Nacional de Procedimientos Penales debe explorar todas las líneas de investigación posibles para recabar datos que permitan esclarecer el hecho señalado por la ley como delito, así como identificar a la persona que lo cometió.

La obligación de agotar todas las líneas de investigación reviste especial relevancia, ya que es el Ministerio Público —y no el denunciante— quien ostenta la facultad de ejercer la acción penal y posee la capacidad técnico-jurídica para hacerlo, siendo además el único órgano competente para establecer una clasificación jurídica preliminar.

La calidad de víctima del delito se determina a partir de los hechos denunciados y no de la clasificación jurídica que el denunciante les atribuya, ya que corresponde al Ministerio Público establecer una clasificación jurídica preliminar al ejercer la acción penal. Incluso conforme al artículo 316, penúltimo párrafo, del mencionado código, el Juez de Control puede modificarla, siempre que no se alteren los hechos materia de la investigación. Por ello, resulta fundamental que tanto la investigación como la determinación del carácter de víctima se analicen con base en los hechos denunciados y no en la clasificación jurídica que el denunciante haya señalado.

Registro digital: 2029311

DATOS DE PRUEBA PRESENTADOS POR LA PERSONA IMPUTADA O SU DEFENSOR EN EL PLAZO CONSTITUCIONAL O SU AMPLIACIÓN. NO LES ES APLICABLE LA CARGA DE JUSTIFICAR SU PERTINENCIA.

Hechos: La defensa de la persona imputada ofreció diversos datos y medios de prueba, en términos del artículo 314 del Código Nacional de Procedimientos Penales, los cuales fueron desechados. En amparo indirecto se estimó que, en relación con un dato de prueba, fue correcto el desechamiento porque se omitió justificar su pertinencia.

Criterio jurídico: Este Tribunal Colegiado de Circuito determina que a los datos de prueba presentados por la persona imputada o su defensor en el plazo constitucional o su ampliación, no les es aplicable la carga de justificar su pertinencia.

Justificación: La Primera Sala de la Suprema Corte de Justicia de la Nación, al resolver el amparo en revisión 1070/2019, del que derivó la tesis aislada 1a. XX/2020 (10a.), estableció que conforme al artículo 314, segundo párrafo, del Código Nacional de Procedimientos Penales, como regla general, la persona imputada o su defensor podrán, durante el plazo constitucional o su ampliación, presentar los datos de prueba que consideren necesarios, y sólo en caso de delitos que ameriten prisión preventiva oficiosa u otra medida cautelar personal, podrá admitirse el desahogo de medios de prueba ofrecidos por aquéllos cuando, al inicio de la audiencia o su continuación, se justifique su pertinencia.
Conforme a esa regla general, la persona imputada o su defensor pueden presentar los datos de prueba que consideren necesarios sin mayor formalidad para su ofrecimiento y sin que pueda hacerse extensiva a éstos la carga impuesta en el referido precepto para los medios de prueba, consistente en justificar su pertinencia.
Dicha interpretación garantiza un efectivo acceso a la justicia y es acorde con el principio pro persona, pues permite que la imputada o su defensor presenten datos de prueba, sin imponerles un requisito que no está expresamente previsto.

Registro digital: 2029296

ORDEN DE APREHENSIÓN EN EL SISTEMA PENAL ACUSATORIO. EL CÓMPUTO DEL PLAZO DE QUINCE DÍAS PARA PROMOVER AMPARO INDIRECTO EN SU CONTRA, INICIA A PARTIR DEL DÍA SIGUIENTE AL EN QUE LA PERSONA QUEJOSA HAYA TENIDO CONOCIMIENTO DE AQUÉLLA O DE SU EJECUCIÓN, O AL EN QUE SE HAYA OSTENTADO SABEDORA DE SU EXISTENCIA.

Hechos: Una persona promovió amparo indirecto contra la orden de aprehensión girada en su contra en el proceso penal acusatorio; sin embargo, no lo hizo dentro del plazo genérico de quince días previsto en el artículo 17 de la Ley de Amparo, a pesar de que, bajo protesta de decir verdad, manifestó que tuvo conocimiento de su existencia por el dicho de sus vecinos, quienes le informaron que policías ministeriales se constituyeron en su domicilio con la finalidad de cumplimentarla.

Criterio jurídico: Este Tribunal Colegiado de Circuito determina que el cómputo del plazo de quince días para promover la demanda de amparo indirecto contra la orden de aprehensión en el sistema penal acusatorio y oral, inicia a partir del día siguiente al en que la persona quejosa haya tenido conocimiento de aquélla o de su ejecución, por cualquier medio, o al en que se haya ostentado sabedora de su existencia, sin necesidad de que hubiere tenido conocimiento completo o integral de su contenido.

Justificación: De la tesis de jurisprudencia P./J. 115/2010, del Pleno de la Suprema Corte de Justicia de la Nación, se advierte que, por regla general, el plazo para promover amparo debe computarse a partir del día siguiente al en que la persona quejosa tenga conocimiento completo del acto reclamado; sin embargo, ese criterio encuentra una salvedad tratándose de una orden de aprehensión emitida dentro de un procedimiento seguido bajo las reglas del sistema penal acusatorio y oral, pues dada su naturaleza y la fase en que se emite, destaca la necesidad de su sigilo, ya que los datos recabados por el Ministerio Público deben mantenerse en reserva, para que no se ponga en peligro el éxito de la investigación; aunado a que se traduce en una forma excepcional de conducción al proceso de la persona imputada, donde se han descartado la citación u orden de comparecencia. Situación que justifica y torna indispensable darle un trato distinto con respecto al criterio general sostenido por el Alto Tribunal, con el objeto de dar operatividad a los artículos 17 y 18 de la Ley de Amparo, y evitar el uso indefinido e indiscriminado de la acción de control constitucional que puede derivar en perjuicio de las personas víctimas u ofendidas o de la sociedad en general, a la luz de los principios de seguridad y certeza jurídicas. Ello, en la medida en que el espacio temporal previsto en el artículo 17 citado tiene como propósito que no se menoscaben los derechos fundamentales de otras personas, particularmente el de seguridad jurídica, de modo que se requiere armonizar el inicio del plazo para reclamar actos como el que nos ocupa, con el derecho de los terceros —incluida la sociedad en general— que están en espera de la certidumbre que les brinda la firmeza de la decisión de la autoridad, pues en estos casos el acceso a la justicia y la seguridad jurídica constituyen derechos de un mismo rango que, por la independencia que les caracteriza, exigen de un necesario equilibrio, en aras de obtener su respeto integral con el menor sacrificio posible de su tutela.

Sin que esta circunstancia implique vulnerar las defensas de la persona quejosa, pues en este caso es viable la suplencia de la queja deficiente en términos del artículo 79, fracción III, inciso a), de la Ley de Amparo, de modo que basta con que se presente la demanda, sin mayor asesoría y sin necesidad de formular conceptos de violación, para que el órgano de amparo examine oficiosamente la legalidad de la orden de aprehensión; aunado a que en el trámite del proceso constitucional puede ampliarse la demanda respecto de los conceptos de violación, al tenor de la fracción II del artículo 111 de la propia ley, una vez que sean notificados los informes justificados y se conozca plenamente el acto reclamado; a lo que se suma que la manifestación de la quejosa con respecto a la fecha en que tuvo conocimiento del acto reclamado, constituye una confesión que hace prueba plena.

Registro digital: 2029263

AUTO DE VINCULACIÓN A PROCESO. AL RECLAMARSE EN EL JUICIO DE AMPARO INDIRECTO, EL JUEZ DE DISTRITO SÓLO DEBE CONSTATAR SU LEGALIDAD Y CONSTITUCIONALIDAD, SIN PONDERAR LOS DATOS DE PRUEBA QUE PERMITIERON SU DICTADO PUES, DE ACUERDO CON LOS PRINCIPIOS DE CONTRADICCIÓN E INMEDIACIÓN, ELLO CORRESPONDE AL JUEZ DE CONTROL.

Hechos: Una persona promovió amparo indirecto contra el auto de vinculación a proceso dictado en su contra; como se negó la protección constitucional, interpuso recurso de revisión, en el que alegó que el Juez de Distrito no realizó un ejercicio de ponderación probatoria respecto de los datos de prueba incorporados en la carpeta de investigación.

Criterio jurídico: Este Tribunal Colegiado de Circuito determina que al reclamarse en amparo indirecto el auto de vinculación a proceso, el Juez de Distrito sólo debe constatar su legalidad y constitucionalidad, sin ponderar los datos de prueba que permitieron su dictado pues, de acuerdo con los principios de contradicción e inmediación, ello corresponde al Juez de Control.

Justificación: La Primera Sala de la Suprema Corte de Justicia de la Nación, al resolver la contradicción de tesis 87/2016, de la que derivó la tesis de jurisprudencia 1a./J. 35/2017 (10a.), estableció que para la emisión del auto de vinculación a proceso no se exige la comprobación del cuerpo del delito ni la justificación de la probable responsabilidad, sino que basta con que el Juez de Control encuadre la conducta a la norma penal, que permita identificar, con independencia de la metodología que adopte, el tipo penal aplicable, a fin de fijar la materia de la investigación complementaria y el eventual juicio; luego, si "la oralidad" constituye el instrumento que permite que se materialicen durante el desarrollo del procedimiento, entre otros, los principios de contradicción e inmediación, es incuestionable que los juzgadores deben dirimir verbalmente los conflictos que les sean planteados por los intervinientes, al exponer en la audiencia respectiva, fundada y motivadamente, el sentido de sus resoluciones, en cumplimiento al artículo 16 de la Constitución Política de los Estados Unidos Mexicanos, mediante la videograbación en la que se registra el desarrollo de la audiencia en la que se dictó el auto aludido; de ahí que si éste se reclama en el juicio de amparo indirecto, habrá de analizarse en sede constitucional la determinación emitida oralmente; por consiguiente, el ejercicio de ponderación corresponde llevarlo a cabo al Juez de Control, al tener contacto directo con el dato de prueba idóneo y pertinente para establecer razonablemente la existencia de un hecho delictivo y la probable participación del imputado, bajo el método de la libre apreciación, no así al órgano de control constitucional, toda vez que el juicio de amparo se circunscribe al análisis de la legalidad y consecuente constitucionalidad del acto reclamado.

Registro digital: 2029241

DOCUMENTOS COMO EVIDENCIA MATERIAL EN EL SISTEMA PENAL ACUSATORIO. SU VALORACIÓN POR EL TRIBUNAL DE ENJUICIAMIENTO SIN QUE SE HAYAN INCORPORADO AL DEBATE EN EL JUICIO ES ILEGAL.

Hechos: En la audiencia intermedia se ofreció y admitió como medio de prueba la entrevista realizada a una persona que falleció durante el proceso penal, así como el acta de defunción correspondiente; elementos que debían incorporarse por el policía ministerial que recabó ese registro de investigación. Durante el juicio oral el Ministerio Público desistió del testimonio del policía y leyó de manera directa el dato relativo a la entrevista, sin efectuar la incorporación de dicha acta. En el fallo condenatorio se otorgó valor probatorio a la lectura de la entrevista, bajo el argumento de que se demostró el fallecimiento del testigo con el acta de defunción admitida en el auto de apertura a juicio oral.

Criterio jurídico: Este Tribunal Colegiado de Circuito determina que la valoración por el Tribunal de Enjuiciamiento de documentos como evidencia material en el sistema penal acusatorio, sin que se hayan incorporado al debate en el juicio es ilegal.

Justificación: El sistema penal acusatorio se rige por los principios de inmediación y contradicción, además de ser de corte acusatorio y oral, lo que implica que es a las partes a quienes corresponde producir el debate ante el Tribunal de Enjuiciamiento con la finalidad de crear convicción en éste sobre los temas materia de controversia. El artículo 383, primer párrafo, del Código Nacional de Procedimientos Penales establece que los documentos, objetos y otros elementos de convicción, previamente a su incorporación a juicio, deben exhibirse al imputado, a los testigos o intérpretes y a los peritos, para que los reconozcan o informen sobre ellos; de lo que se obtiene que un documento que se admitió en el auto de apertura a juicio oral, no puede valorarse directamente por el Tribunal de Enjuiciamiento, sino que tiene que incorporarse al debate mediante la persona que lo produjo o recabó, es decir, no es suficiente que haya sido admitido por la persona juzgadora de Control, sino que debe desahogarse en el juicio a través de su incorporación.

Registro digital: 2029262

SUSTRACCIÓN A LA ACCIÓN DE LA JUSTICIA. NO ES NECESARIO QUE PREVIO A SU DECLARATORIA SE FORMULE LA IMPUTACIÓN (ARTÍCULO 141, PÁRRAFO CUARTO, DEL CÓDIGO NACIONAL DE PROCEDIMIENTOS PENALES).

Hechos: Los Tribunales Colegiados de Circuito contendientes sustentaron criterios contradictorios al analizar si para declarar al imputado sustraído de la acción de la justicia, conforme al párrafo cuarto del artículo 141 del Código Nacional de Procedimientos Penales, es necesario que previamente se le haya formulado la imputación. Mientras que uno consideró que no es necesario que previamente se haya celebrado audiencia inicial y formulado la imputación, ya que puede ocurrir en la fase de investigación inicial o en una citación judicial como forma de conducción a la audiencia inicial; el otro estimó que es necesario que el imputado esté sometido al proceso, es decir, que se haya presentado a la audiencia inicial de formulación de la imputación.

Criterio jurídico: El Pleno Regional en Materias Penal y de Trabajo de la Región Centro-Norte, con residencia en la Ciudad de México, determina que para que la autoridad judicial declare sustraído de la acción de la justicia a cierta persona no es necesario que previamente se le haya formulado imputación.

Justificación: De la interpretación sistemática de los artículos 62, 90, 141, párrafo cuarto, 142, 143, y 145, del Código Nacional de Procedimientos Penales, y acorde con lo desarrollado por la Suprema Corte de Justicia de la Nación respecto de la orden de aprehensión prevista en el párrafo tercero del artículo 16 de la Constitución Política de los Estados Unidos Mexicanos, para declarar sustraído de la acción de la justicia a cierta persona no es necesario que previamente se le haya formulado imputación.

En caso de acreditarse una injustificada inasistencia a una citación judicial, el Ministerio Público deberá solicitar la comparecencia del imputado y de no haber acudido, solicitar el libramiento de una orden de aprehensión.

Por otra parte, si el párrafo cuarto del citado artículo 141 incluye como causa de aprehensión no haber comparecido a una "citación judicial", y su fracción I prevé la orden judicial de "citatorio al imputado para la audiencia inicial", ello pone de manifiesto que puede haber supuestos de incumplimiento a una citación judicial antes de la audiencia inicial.
Que el imputado se fugue del lugar donde está detenido puede configurarse previo a que tenga cualquier contacto con la autoridad judicial, esto es, en investigación inicial cuando es detenido en flagrancia. Respecto a que se ausente del domicilio sin avisar y tenga la obligación de informarlo, puede ocurrir en una detención en flagrancia en la que se otorgue la libertad durante la investigación y se le imponga la obligación de no ausentarse o cambiar de domicilio, informarlo a la autoridad, o bien, comparecer cuantas veces sea citado para la práctica de diligencias de investigación.
En cualquiera de esos escenarios la autoridad ministerial podrá solicitar una orden de aprehensión contra el imputado por haberse sustraído de la acción de la justicia. Ello demuestra que esos supuestos no necesariamente ocurren una vez que el fiscal tuvo éxito en llevar la investigación a la fase complementaria, sino también en la de investigación inicial.

Registro digital: 2029222

SENTENCIA ESCRITA EN MATERIA PENAL. NO PUEDE INCORPORAR ELEMENTOS DE JUICIO QUE EL TRIBUNAL DE ENJUICIAMIENTO NO MENCIONÓ AL DICTAR EL FALLO EN LA AUDIENCIA ORAL.

Hechos: En la audiencia de juicio oral, el Tribunal de Enjuiciamiento afirmó que los hechos imputados al sentenciado se acreditaron con los medios de prueba que se desahogaron en esa diligencia, y respecto a la valoración probatoria "se abundaría en la sentencia respectiva", es decir, se haría en la sentencia escrita que se emitiría con posterioridad; además, en esta última valoró un elemento de juicio no referido explícitamente en el respectivo fallo oral.

Criterio jurídico: Este Tribunal Colegiado de Circuito determina que la sentencia escrita no puede incorporar elementos de juicio que el Tribunal de Enjuiciamiento no mencionó al dictar el fallo en la audiencia oral.

Justificación: De conformidad con el primer párrafo del artículo 20 de la Constitución Política de los Estados Unidos Mexicanos, el principio de oralidad constituye una característica fundamental del sistema de justicia penal acusatorio, lo que se refleja en el contenido de las audiencias orales, para generar mayor transparencia en el proceso, lo cual es acorde con el diverso principio de inmediación. Los artículos

67, 400, 401, 403 y 404 del Código Nacional de Procedimientos Penales prevén que si bien las resoluciones se emitirán oralmente, también deben constar por escrito con posterioridad; sin embargo, el primero de los preceptos citados restringe en su penúltimo párrafo dicha facultad al disponer: "En ningún caso, la resolución escrita deberá exceder el alcance de la emitida oralmente", lo cual es acorde con el principio de inmediatez, que se refleja en el plazo dispuesto para dictar la sentencia escrita con posterioridad al fallo verbal, y la forma en que surtirá efectos. No obsta a lo anterior que en el propio código también se establezca que la motivación que sustenta el fallo debe ser sucinta, pues no debe llegar al extremo de que el fallo verbal sea incompleto o inexacto y que, con posterioridad, en la versión escrita se permita subsanar dichas omisiones, lo que generaría que el fallo dependa de los términos de la decisión escrita, y la finalidad del sistema de justicia oral es la contraria, esto es, que el contenido del fallo escrito se sustente en las bases de apreciación expuestas en la audiencia de juicio oral. De ahí que si el Tribunal de Enjuiciamiento, al dictar la sentencia oral, enuncia que alguna decisión o motivación se reflejará cuando se emita la escrita e incorpora en ésta elementos de juicio que omitió mencionar en aquélla, el tribunal de apelación debe considerarla ilegal.

Registro digital: 2028998

TESTIMONIO DE OÍDAS. ES UNA FORMA ESPECÍFICA DE PRUEBA DE REFERENCIA POR LO QUE, POR REGLA GENERAL, NO ES SUSCEPTIBLE DE SER VALORADO EN EL DICTADO DE LA SENTENCIA.

Hechos: Dos personas condenadas por el delito de privación de la libertad en su modalidad de secuestro exprés agravado promovieron amparo contra la sentencia definitiva. Reclamaron que se les condenó con base en "testimonios de oídas", ya que las víctimas no comparecieron a la audiencia de juicio y sus declaraciones se incorporaron mediante las testimoniales de los elementos aprehensores que refirieron haberlas entrevistado. El Tribunal Colegiado de Circuito negó el amparo, pues consideró que, dado que el sistema penal acusatorio se rige por un sistema de valoración de las pruebas libre y lógica, lo trascendente son las razones objetivas que se plasmen respecto del valor probatorio que se les confiera. Los sentenciados recurrieron dicha determinación.

Criterio jurídico: El testimonio de oídas es una forma específica de prueba de referencia, por lo que, por regla general, no constituye prueba válida susceptible de ser valorada en el dictado de la sentencia, pues contraviene los principios de inmediación y contradicción.

Justificación: Por testimonio de oídas se entiende la declaración de un testigo que dice haber percibido una comunicación de un tercero, con la cual se pretende acreditar que lo comunicado por el tercero es cierto. El testimonio de oídas es una forma específica de prueba de referencia, la cual se entiende como toda declaración (escrita, oral, corporal o de cualquier otra índole) realizada fuera de juicio oral, que se introduce a juicio oral con el propósito de demostrar la veracidad de su contenido. No es testimonio de oídas ni prueba de referencia la referencia al dicho de otra persona cuando sólo pretende demostrarse la existencia de la comunicación, con independencia de la veracidad de lo dicho. Por ejemplo, cuando se utiliza para impugnar la credibilidad de un testigo o porque la existencia de la comunicación constituye un elemento del tipo, o en cualquier otro contexto en el que la existencia de la declaración sea relevante para la demostración de los hechos materia de la acusación, siempre y cuando quien da cuenta de la comunicación tenga conocimiento directo de ésta. Un mismo testigo puede ser directo sobre algunas cuestiones (que dice conocer por haberlas percibido con sus propios sentidos) y de oídas respecto de otras (que dice conocer porque alguien más se lo dijo). Por tal motivo, la distinción no siempre puede establecerse con base en la persona que rinde el testimonio, sino de las manifestaciones que pretenda introducir y la forma en la que dice haber adquirido conocimiento de ellas. En el sistema penal adversarial, los principios de inmediación y contradicción regulan el modo en que debe formarse e incorporarse la prueba a fin de garantizar que los hechos no se demuestren a cualquier costo y por cualquier medio, sino sólo a través de las pruebas obtenidas con pleno respeto a los derechos fundamentales y principios que rigen al proceso penal. Conforme al párrafo primero y las fracciones II, III y IV del apartado A del artículo 20 constitucional, el testimonio de oídas no constituye prueba válida para soportar una sentencia penal, pues no se desahoga por el sujeto de prueba de manera oral, personal y directa ante el Tribunal de Enjuiciamiento ni es sometida al escrutinio de un ejercicio contradictorio.

Registro digital: 160184

SISTEMA PROCESAL PENAL ACUSATORIO Y ORAL. SE SUSTENTA EN EL PRINCIPIO DE CONTRADICCIÓN.

Del primer párrafo del artículo 20 de la Constitución Política de los Estados Unidos Mexicanos, reformado mediante Decreto publicado en el Diario Oficial de la Federación el 18 de junio de 2008, se advierte que el sistema procesal penal acusatorio y oral se sustenta en el principio de contradicción que contiene, en favor de las partes, el derecho a tener acceso directo a todos los datos que obran en el legajo o carpeta de la investigación llevada por el Ministerio Público (exceptuando los expresamente establecidos en la ley) y a los ofrecidos por el imputado y su defensor para controvertirlos; participar en la audiencia pública en que se incorporen y desahoguen, presentando, en su caso, versiones opuestas e interpretaciones de los resultados de dichas diligencias; y, controvertirlos, o bien, hacer las aclaraciones que estimen pertinentes, de manera que tanto el Ministerio Público como el imputado y su defensor, puedan participar activamente inclusive en el examen directo de las demás partes intervinientes en el proceso tales como peritos o testigos. Por ello, la presentación de los argumentos y contraargumentos de las partes procesales y de los datos en que sustenten sus respectivas teorías del caso (vinculación o no del imputado a proceso), debe ser inmediata, es decir, en la propia audiencia, a fin de someterlos al análisis directo de su contraparte, con el objeto de realzar y sostener el choque adversarial de las pruebas y tener la misma oportunidad de persuadir al juzgador; de tal suerte que ninguno de ellos tendrá mayores prerrogativas en su desahogo.

Registro digital: 2018012

PRINCIPIO DE INMEDIACIÓN COMO REGLA PROCESAL. REQUIERE LA NECESARIA PRESENCIA DEL JUEZ EN EL DESARROLLO DE LA AUDIENCIA.

En el procedimiento penal acusatorio, adversarial y oral, el mecanismo institucional que permite a los jueces emitir sus decisiones es la realización de una audiencia, en la cual las partes —cara a cara— presentan verbalmente sus argumentos, la evidencia que apoya su posición y cuentan, además, con la oportunidad de controvertir oralmente las afirmaciones de su contraparte. Acorde con esa lógica operativa, el artículo 20, apartado A, fracción II, de la Constitución Política de los Estados Unidos Mexicanos en vigor, dispone que "toda audiencia se desarrollará en presencia del juez", lo que implica que el principio de inmediación en esta vertiente busca como objetivos: garantizar la corrección formal del proceso y velar por el debido respeto de los derechos de las partes, al asegurar la presencia del juez en las actuaciones judiciales, así como evitar una de las prácticas más comunes que llevaron al agotamiento del procedimiento penal tradicional, en el que la mayoría de las audiencias no se dirigían por un juez, sino que su realización se delegó al secretario del juzgado y, en esa misma proporción, también se delegaron el desahogo y la valoración de las pruebas.

Registro digital: 2005716

DERECHO AL DEBIDO PROCESO. SU CONTENIDO.

Dentro de las garantías del debido proceso existe un "núcleo duro", que debe observarse inexcusablemente en todo procedimiento jurisdiccional, y otro de garantías que son aplicables en los procesos que impliquen un ejercicio de la potestad punitiva del Estado. Así, en cuanto al "núcleo duro", las garantías del debido proceso que aplican a cualquier procedimiento de naturaleza jurisdiccional son las que esta Suprema Corte de Justicia de la Nación ha identificado como formalidades esenciales del procedimiento, cuyo conjunto integra la "garantía de audiencia", las cuales permiten que los gobernados ejerzan sus defensas antes de que las autoridades modifiquen su esfera jurídica definitivamente. Al respecto, el Tribunal en Pleno de esta Suprema Corte de Justicia de la Nación, en la jurisprudencia P./J. 47/95, publicada en el Semanario Judicial de la Federación y su Gaceta, Novena Época, Tomo II, diciembre de 1995, página 133, de rubro: "FORMALIDADES ESENCIALES DEL PROCEDIMIENTO. SON LAS QUE GARANTIZAN UNA ADECUADA Y OPORTUNA DEFENSA PREVIA AL ACTO PRIVATIVO.", sostuvo que las formalidades esenciales del procedimiento son: (i) la notificación del inicio del procedimiento; (ii) la oportunidad de ofrecer y desahogar las pruebas en que se finque la defensa; (iii) la oportunidad de alegar; y, (iv) una resolución que dirima las cuestiones debatidas y cuya impugnación ha sido considerada por esta Primera Sala como parte de esta formalidad. Ahora bien, el otro núcleo es identificado comúnmente con el elenco de garantías mínimo que debe tener toda persona cuya esfera jurídica pretenda modificarse mediante la actividad punitiva del Estado, como ocurre, por ejemplo, con el derecho penal, migratorio, fiscal o administrativo, en donde se exigirá que se hagan compatibles las garantías con la materia específica del asunto. Por tanto, dentro de esta categoría de garantías del debido proceso, se identifican dos especies: la primera, que corresponde a todas las personas independientemente de su condición, nacionalidad, género, edad, etcétera, dentro de las que están, por ejemplo, el derecho a contar con un abogado, a no declarar contra sí mismo o a conocer la causa del procedimiento sancionatorio; y la segunda, que es la combinación del elenco mínimo de garantías con el derecho de igualdad ante la ley, y que protege a aquellas personas que pueden encontrarse en una situación de desventaja frente al ordenamiento jurídico, por pertenecer a algún grupo vulnerable, por ejemplo, el derecho a la notificación y asistencia consular, el derecho a contar con un traductor o intérprete, el derecho de las niñas y los niños a que su detención sea notificada a quienes ejerzan su patria potestad y tutela, entre otras de igual naturaleza.

Registro digital: 2012336

DERECHO DEL INCULPADO A SER JUZGADO EN UN PLAZO RAZONABLE. PARA DETERMINAR SI EXISTE VIOLACIÓN A ESTA PRERROGATIVA, PREVISTA EN EL ARTÍCULO 20, APARTADO B, FRACCIÓN VII, DE LA CONSTITUCIÓN FEDERAL, ES NECESARIO ACUDIR A LA FIGURA DEL "PLAZO RAZONABLE", ESTABLECIDA EN EL SISTEMA INTERAMERICANO DE DERECHOS HUMANOS Y ANALIZAR CADA CASO CONCRETO.

Para determinar si existe violación al precepto mencionado y, por ende, a la prerrogativa del inculpado de ser juzgado en un plazo razonable, es necesario acudir a la figura del "plazo razonable" establecida en el derecho internacional de los derechos humanos, en específico, al contenido de ese tema en el sistema interamericano de derechos humanos, aun cuando el referido artículo constitucional disponga que debe ser antes de cuatro meses —tratándose de delitos cuya pena máxima no exceda de dos años de prisión— y antes de un año —si la pena excediere de ese tiempo—. Lo anterior, toda vez que la Corte Interamericana de Derechos Humanos ha considerado que no siempre es posible para las autoridades judiciales cumplir con los plazos legalmente establecidos y, por tanto, ciertos retrasos justificados pueden ser válidos para resolver de mejor forma el caso; por lo que si lo que resulta improcedente o incompatible con las previsiones de la Convención Americana sobre Derechos Humanos, es que se produzcan dilaciones indebidas o arbitrarias, procede que, en cada caso en concreto, se analice si hay motivos que justifiquen la dilación o si, por el contrario, se trata de un retraso indebido o arbitrario.

Registro digital: 2021097

DEFENSA ADECUADA EN SU VERTIENTE MATERIAL. DIRECTRICES A SEGUIR PARA EVALUAR SI ESTE DERECHO HA SIDO VIOLADO.

En virtud de que el órgano jurisdiccional durante el procedimiento penal se encuentra obligado a cerciorarse de que el derecho a gozar de una defensa adecuada no se torne ilusorio a través de una asistencia jurídica inadecuada, es procedente que los juzgadores evalúen la defensa proporcionada por el abogado. Por lo anterior, esta Primera Sala de la Suprema Corte de Justicia de la Nación considera que para determinar si el citado derecho en su vertiente material fue violado, dado que no toda deficiencia o error en la conducción de la defensa implica dicha vulneración, el juzgador debe seguir las siguientes directrices: a) analizar que las supuestas deficiencias sean ajenas a la voluntad del imputado y corresponden a la incompetencia o negligencia del defensor y no a una intención del inculpado de entorpecer o evadir indebidamente el proceso; b) evaluar que las fallas de la defensa no sean consecuencia de la estrategia defensiva del abogado, valorando las cuestiones de hecho más que de fondo para enfocarse principalmente en la actitud del abogado frente al proceso penal; y, c) valorar si la falta de defensa afectó en el sentido del fallo en detrimento del inculpado tomando en consideración caso por caso al apreciar el juicio en su conjunto. Ahora bien, si después de realizar esta tarea evaluativa el Juez determina que alguna de las citadas fallas resultó en la vulneración del derecho del imputado a contar con una defensa adecuada en su vertiente material, tendrá la obligación de informarle tal circunstancia con la finalidad de otorgarle la posibilidad de decidir si desea cambiar de abogado, ya sea que él nombre a uno particular, se le asigne uno de oficio, o continuar con su mismo defensor; si éste opta por cambiar de abogado, el Juez deberá otorgar tiempo suficiente para preparar nuevamente su defensa y poder subsanar las fallas o deficiencias de la defensa anterior. Por otro lado, si decide mantener a su defensor particular, el Juez nombrará un defensor público para que colabore en la defensa y pueda evitarse que se vulneren sus derechos.

Registro digital: 2008181

VÍCTIMA. ALCANCE DEL CONCEPTO PREVISTO EN EL ARTÍCULO 4 DE LA LEY GENERAL DE VÍCTIMAS.

Conforme al artículo 4, primer párrafo, de la Ley General de Víctimas, se denominan "víctimas directas" aquellas personas físicas que hayan sufrido algún daño o menoscabo económico, físico, mental, emocional o, en general, cualquier puesta en peligro o lesión a sus bienes jurídicos o derechos como consecuencia de la comisión de un delito o de violaciones a sus derechos humanos reconocidos en la Constitución Política de los Estados Unidos Mexicanos y en los tratados internacionales de los que el Estado Mexicano sea parte. Así, de una interpretación sistemática de dicho precepto se colige que existen dos connotaciones del carácter señalado: una que surge de un acto delictivo y otra que se produce con la violación a uno o más derechos humanos. Por tanto, toda persona a la que se le concede el amparo y protección de la Justicia Federal adquiere la calidad de víctima directa, para efectos de la ley mencionada, al haberse demostrado la violación a sus derechos humanos.

Registro digital: 2011486

REPARACIÓN DEL DAÑO DERIVADA DEL DELITO. SE RIGE POR LOS PRINCIPIOS CONSTITUCIONALES DE INDEMNIZACIÓN JUSTA E INTEGRAL.

Toda indemnización correspondiente a la reparación del daño debe ser justa e integral. Tal alcance cobra mayor relevancia cuando se trata de reparar los daños y perjuicios que ha sufrido la víctima del delito, en tanto que el derecho a la reparación se encuentra previsto expresamente en la Constitución General y tomando en consideración que el hecho ilícito que da lugar a la reparación constituye un delito y no un simple evento dañoso. Así, el derecho fundamental de las víctimas a ser resarcidas por los daños derivados de un delito, contenido en el artículo 20 de la Constitución General, debe interpretarse como el derecho de la víctima del delito a una indemnización "justa". Esto es, proporcional a la gravedad de las violaciones y al daño sufrido, atendiendo a las directrices y principios que han establecido los organismos internacionales en la materia.

Registro digital: 2011533

REPARACIÓN DEL DAÑO EN MATERIA PENAL. PARA SU CUANTIFICACIÓN, EL JUEZ DEBE VALORAR LOS DAÑOS PRESENTES, ASÍ COMO LAS CONSECUENCIAS FUTURAS.

Tanto los daños patrimoniales como los morales, tienen dos tipos de proyecciones: presentes y futuras. Se considera que el daño es actual cuando éste se encuentra ya producido al momento de dictarse sentencia. Este daño comprende todas las pérdidas efectivamente sufridas. Por su parte, el daño futuro es aquel que todavía no se ha producido al dictarse sentencia, pero se presenta como una previsible prolongación o agravación de un daño actual, o como un nuevo menoscabo futuro, derivado de una situación del hecho actual. Para que los daños futuros puedan dar lugar a una reparación, la probabilidad de que el beneficio ocurriera debe ser real y seria, y no una mera ilusión o conjetura del damnificado. Así pues, para determinar el alcance real de la reparación del daño derivado del delito, el juez debe valorar no sólo las afectaciones actuales, sino también las consecuencias futuras.

Registro digital: 2021167

DERECHO DE LA VÍCTIMA U OFENDIDO A SER INFORMADO POR EL MINISTERIO PÚBLICO DEL DESARROLLO DEL PROCEDIMIENTO PENAL ACUSATORIO. CUANDO LO SOLICITE RESPECTO DE LA RECOLECCIÓN DE INDICIOS O DATOS DE PRUEBA EN LA ETAPA INICIAL, A FIN DE SATISFACER LOS REQUISITOS DE FUNDAMENTACIÓN Y MOTIVACIÓN, LA RESPUESTA NO SE AGOTA SI NO SE PRECISAN, POR LO MENOS, LAS LÍNEAS DE INVESTIGACIÓN QUE JUSTIFIQUEN LA NECESIDAD DE ORDENAR DILIGENCIAS PERTINENTES Y ÚTILES.

El artículo 109, fracción V, del Código Nacional de Procedimientos Penales establece que la víctima u ofendido tiene derecho a ser informado, cuando así lo solicite, del desarrollo del procedimiento penal, entre otros, por el Ministerio Público. Por otro lado, si bien es cierto que la etapa de investigación inicial tiene por objeto que la representación social reúna los indicios necesarios para el esclarecimiento de los hechos y, en su caso, los datos de prueba para sustentar el ejercicio de la acción penal; además, en términos del artículo 131, fracción V, del citado código, el Ministerio Público tiene la obligación de ordenar la recolección de indicios y medios de prueba que deberán servir para sus respectivas resoluciones; también lo es que conforme al artículo 212 de la referida legislación, existe el deber de investigación penal, lo que implica que la indagatoria deberá realizarse de manera inmediata, eficiente, exhaustiva, profesional e imparcial, libre de estereotipos y discriminación, pero orientada a explorar todas las líneas de investigación posibles que permitan allegarse de datos para el esclarecimiento del hecho que la ley señala como delito, así como la identificación de quien lo cometió o participó en él. Por consiguiente, cuando la víctima u ofendido solicite información respecto de la recolección de indicios o datos de prueba ordenados por el Ministerio Público en la referida fase inicial, a fin de satisfacer los requisitos de fundamentación y motivación previstos en el artículo 16 de la Constitución Política de los Estados Unidos Mexicanos, la respuesta no se agota si no se precisan, por lo menos, las líneas de investigación que justifiquen la necesidad de ordenar diligencias pertinentes y útiles para demostrar los tópicos aludidos; lo anterior, pues al constituir un derecho para la víctima u ofendido el que esté informado del desarrollo del procedimiento penal, el Ministerio Público queda conminado a precisar la estrategia de persecución penal que amerita el caso particular, esto es, la metodología de priorización, ya que su función es la conducción de la investigación y la decisión sobre el ejercicio de la acción penal; por tanto, sus actuaciones deben guiarse por los principios relativos al deber de lealtad y el de objetividad.

Registro digital: 2013214

PRESUNCIÓN DE INOCENCIA COMO REGLA DE TRATO EN SU VERTIENTE EXTRAPROCESAL. ELEMENTOS A PONDERAR PARA DETERMINAR SI LA EXPOSICIÓN DE DETENIDOS ANTE MEDIOS DE COMUNICACIÓN PERMITE CUESTIONAR LA FIABILIDAD DEL MATERIAL PROBATORIO.

La sola exhibición de personas imputadas en los medios de comunicación representa una forma de maltrato que favorece el terreno de ilegalidad y que propicia otras violaciones a derechos humanos. Por tanto, estas acciones deben ser desalentadas con independencia de si ello influye en el dicho de quienes atestiguan contra el inculpado. Al respecto, pueden consultarse las tesis aisladas de la Primera Sala de la Suprema Corte de Justicia de la Nación: 1a. CLXXVI/2013 (10a.) y 1a. CLXXVIII/2013

(10a.), (1) de rubros: "PRESUNCIÓN DE INOCENCIA COMO REGLA DE TRATO EN SU VERTIENTE EXTRAPROCESAL. SU CONTENIDO Y CARACTERÍSTICAS." y "PRESUNCIÓN DE INOCENCIA Y DERECHO A LA INFORMACIÓN. SU RELACIÓN CON LA EXPOSICIÓN DE DETENIDOS ANTE LOS MEDIOS DE COMUNICACIÓN.". Ahora bien, cuando se plantea una violación en este sentido, la exposición mediática (y la información asociada a ella) tienen que ser suficientemente robustas para que pueda considerarse que han generado una percepción estigmatizante y que ésta ha elevado, de modo indudablemente significativo, la probabilidad de que los testimonios y las pruebas recabadas contengan información parcial y, por ende, cuestionable. Algunos de los elementos que el juez puede ponderar al llevar a cabo esta operación son: 1. El grado de intervención y participación del Estado en la creación y/o en la divulgación de la información. Cuando el Estado es quien deliberadamente interviene para crear una imagen negativa y contribuye a su formación, los jueces deben ser especialmente escépticos para juzgar el material probatorio. 2. La intensidad del ánimo estigmatizante que subyace a la acusación y su potencial nocividad. 3. La diversidad de fuentes noticiosas y el grado de homogeneidad en el contenido que las mismas proponen. Con apoyo en este criterio, el juez valora si el prejuicio estigmatizante ha sido reiterado en diversas ocasiones y analiza su nivel de circulación. También analiza si existen posiciones contrarias a este estigma que, de facto, sean capaces de contrarrestar la fuerza de una acusación. Cabe aclarar que si bien la existencia de una sola nota o la cobertura en un solo medio puede generar suficiente impacto, eso ocurriría en situaciones excepcionales, donde el contenido y la gravedad de la acusación fueran suficientemente gravosas por sí mismas para generar un efecto estigmatizante. 4. La accesibilidad que los sujetos relevantes tienen a esa información. Al valorar este aspecto, el juez puede analizar el grado de cercanía que él mismo, los testigos o los sujetos que intervienen en el proceso tienen con respecto a la información cuestionada. Si la información es demasiado remota, existirán pocas probabilidades de que el juzgador o tales sujetos hayan tenido acceso a la misma; consecuentemente, la fiabilidad de las pruebas difícilmente podría ser cuestionada. Estos criterios no pretenden ser una solución maximalista, capaz de cubrir todos los supuestos. Se trata, tan sólo, de criterios orientadores que facilitan la tarea de los tribunales al juzgar este tipo de alegatos. Es decir, se trata de indicadores que, por sí mismos, requieren apreciación a la luz de cada caso concreto. De ningún modo deben interpretarse en el sentido de que sólo existirá impacto en el proceso cuando un supuesto reúna todos los elementos ahí enunciados. En conclusión, el solo hecho de que los medios de comunicación generen publicaciones donde las personas sean concebidas como "delincuentes", ciertamente viola el principio de presunción de inocencia en su vertiente de regla procesal. Sin embargo, para evaluar el impacto que estas publicaciones pueden tener en un proceso penal, es necesario que los jueces realicen una ponderación motivada para establecer si se está en condiciones de dudar sobre la fiabilidad del material probatorio.

Registro digital: 2017515

AUDIENCIAS EN EL SISTEMA PROCESAL PENAL ACUSATORIO Y ORAL. EL JUZGADOR NO ESTÁ IMPEDIDO PARA DESARROLLAR UNA TÉCNICA DE DIRECCIÓN DE AQUÉLLAS, SIEMPRE QUE EXISTA RESPETO AL EQUILIBRIO PROCESAL Y SE GARANTICE A LAS PARTES SU DERECHO A MANIFESTAR LIBREMENTE SUS PROPIAS ALEGACIONES O LAS DE LA CONTRARIA.

El sistema procesal penal acusatorio y oral se rige por los principios de publicidad, contradicción, concentración, continuidad e inmediación, y se basa en una metodología de audiencias, cuyos ejes rectores se establecen en el artículo 20 de la Constitución Política de los Estados Unidos Mexicanos, entre otros, que las audiencias se desarrollarán en presencia del Juez, sin que pueda delegar en ninguna persona el desahogo y la valoración de los aspectos que en ella deban hacerse. De esta manera, el Juez, con base en el principio de contradicción indicado, si bien es cierto que sólo puede decidir sobre lo que aduzcan los asistentes, respetando el equilibrio procesal entre las partes, esto es, únicamente está facultado para pronunciarse respecto de los argumentos jurídicos expuestos por éstas; también lo es que dicha limitación dispositiva no le impide destacar o señalar, en un primer orden, al inicio de la diligencia, la naturaleza de ésta, su esencia, objeto o litis, cuya dirección le atañe (ordenar el debate) y, en su caso, cuestionar a los intervinientes con preguntas aclaratorias neutras, sobre contenidos o datos necesarios para pronunciarse e, incluso, hacer notar deficiencias o incongruencias que advierta (administrar el debate), pero siempre respetando el equilibrio procesal y garantizando el derecho de las partes a manifestar libremente sus propias alegaciones o las de la contraria (racionabilidad argumentativa). Lo anterior tiene su justificación, si se estima que los operadores jurídicos a nivel nacional, transitan en un periodo de adaptación a un nuevo sistema procesal, lo que implica concebir que el Juez debe guiar o dirigir (no sustituir) el debido ejercicio de las partes, pero sin rayar en protagonismos que se traduzcan en obstáculo para que éstas, bajo el pretexto de simples formulismos, puedan ejercer su libertad de argumentación y correspondiente prueba; de ahí que la consabida dirección finalmente debe tender a la obtención, captura y procesamiento de la información necesaria y suficiente para resolver lo conducente en cada diligencia judicial.

Registro digital: 2028952

INDIVIDUALIZACIÓN DE LA SANCIÓN PENAL. LA SALA CUENTA CON ARBITRIO JUDICIAL PARA MODIFICAR EL GRADO DE CULPABILIDAD DE LA PERSONA SENTENCIADA ESTABLECIDO EN PRIMERA INSTANCIA Y, COMO CONSECUENCIA, IMPONER LA PENA CORRESPONDIENTE.

Hechos: En el recurso de apelación interpuesto contra la sentencia definitiva condenatoria, al estudiar la forma de intervención de la persona sentenciada, la Sala resolvió que fue a título de coautor material y no de auxiliador como lo indicó la persona juzgadora de la causa; sin embargo, en observancia al principio non reformatio in peius, al establecer el grado de culpabilidad la ubicó en un rango medio, el cual se dispuso con antelación a uno de sus cosentenciados, en cumplimiento a lo ordenado en un juicio de amparo, e indicó que era procedente aplicar la disminución de las tres cuartas partes de la pena, en términos del artículo 64 bis del Código Penal para el Distrito Federal (abrogado), no obstante ser menor a la que le correspondería si se hubiera atendido al grado de culpabilidad precisado.

Criterio jurídico: Este Tribunal Colegiado de Circuito determina que al individualizar la sanción penal la Sala cuenta con arbitrio judicial para modificar el grado de culpabilidad de la persona sentenciada establecido en primera instancia y, como consecuencia, imponer la pena correspondiente.

Justificación: La cuantificación de la pena corresponde exclusivamente a la autoridad judicial, quien goza de autonomía para fijar el monto que en su amplio arbitrio estime justo dentro de los máximos y mínimos señalados en la ley, lo cual debe efectuar de manera fundada y motivada.
En el recurso de apelación la Sala no está obligada a asignar la pena mínima, sino que debe atender al caso concreto e imponer fundada y motivadamente la que considere pertinente acorde al grado de culpabilidad, ya que de lo contrario la individualización de la sanción penal no sería discrecional como lo establece la ley, sino un acto reglado u obligatorio.

Registro digital: 2028878

DERECHO A LA VERDAD Y DERECHO A UNA RESPUESTA JUDICIAL EFECTIVA A FAVOR DE LAS VÍCTIMAS DEL DELITO. SU CUMPLIMIENTO A TRAVÉS DE UNA SENTENCIA CONDENATORIA.

Hechos: Una persona fue condenada por el delito de homicidio cometido en agravio de una mujer, quien al momento de su muerte tenía diecinueve años y era estudiante. El Tribunal de Alzada modificó la sentencia sólo por la individualización de la pena, por lo que la madre de la víctima (víctima indirecta) promovió amparo directo en el que argumentó que ese órgano jurisdiccional no cumplió con la obligación de juzgar con perspectiva de género, lo que impidió reclasificar el delito a feminicidio. El Tribunal Colegiado de Circuito del conocimiento negó el amparo porque no advirtió una situación de violencia o vulnerabilidad que, por cuestiones de género, ameritara un método destinado a remediar un efecto discriminatorio por razón del sexo al que pertenece la víctima. Contra esta resolución la quejosa interpuso el recurso de revisión.

Criterio jurídico: La Primera Sala de la Suprema Corte de Justicia de la Nación determina que para las víctimas u ofendidos de los delitos, el dictado de una sentencia condenatoria no sólo representa un presupuesto necesario para acceder a la reparación del daño, sino que también constituye, por sí misma, una forma de reparación vinculada con el derecho a la verdad, pues conlleva un reconocimiento de que una persona ha sufrido un ilícito, el correlativo fracaso del Estado en su deber de prevenir el delito, y que ha sido perseguido y sancionado conforme a las leyes penales aplicables.

Justificación: La obligación de juzgar con perspectiva de género e interseccionalidad no se agota con la investigación eficaz de los hechos y el acceso a la justicia en las etapas procesales de los juicios penales porque ello derivaría en una tutela judicial incompleta para las víctimas, lo que tornaría nugatorio ese derecho y otros derivados, como el derecho a la reparación y el derecho a la verdad. La verdad es un reconocimiento del sufrimiento de las víctimas y no solamente una decisión de adecuación típica, que consiste en la entrega de un relato correspondiente con los hechos, suficientemente probado y surgido de una investigación exhaustiva y diligentemente conducida. La verdad no es cualquier versión. Las explicaciones para los hechos inconsistentes con la evidencia disponible o producto de una selección o interpretación arbitraria de la misma no satisfacen el derecho a la verdad. El derecho a una respuesta judicial efectiva se entiende como la determinación de los hechos en la vía penal, que constituye una explicación suficiente y satisfactoria sobre los hechos victimizantes y, por ende, debe erigirse como una explicación congruente y respetuosa de los mismos. Para que una sentencia condenatoria cumpla con los estándares mencionados, lo que de suyo implica la atención del mandato de fundamentación y motivación a que hace referencia el marco constitucional, es necesario que garantice la reivindicación del derecho vulnerado por el ilícito y la convicción de que no habrá impunidad.

Registro digital: 2028864

BIEN JURÍDICO TUTELADO. PARA DETERMINARLO COMO MERECEDOR DE LA PROTECCIÓN POR LAS NORMAS PENALES, EL PODER LEGISLATIVO DEBE JUSTIFICAR SU IMPORTANCIA SOCIAL SUFICIENTE Y LA NECESIDAD DE SU PROTECCIÓN PENAL.

Hechos: Una persona dedicada a la prestación del servicio público de transporte promovió juicio de amparo indirecto en el que reclamó, entre otros artículos, el 250 Ter del Código Penal para el Estado de Baja California por estimarlo incompatible con los principios de lesividad e intervención mínima, en relación con el de proporcionalidad en materia penal. La persona Juzgadora de Distrito sobreseyó en el juicio; inconforme la parte quejosa interpuso recurso de revisión. El Tribunal Colegiado de Circuito del conocimiento levantó el sobreseimiento.

Criterio jurídico: La Primera Sala de la Suprema Corte de Justicia de la Nación considera que, para la imposición de un bien jurídico como merecedor de protección por las normas penales, es indispensable que los presupuestos relativos a su importancia social suficiente y necesidad de protección penal hayan pasado por un ejercicio auténtico de discusión y consenso en sede legislativa.

Justificación: La Primera Sala, en la jurisprudencia 1a./J. 114/2010 de rubro: "PENAS Y SISTEMA PARA SU APLICACIÓN. CORRESPONDE AL PODER LEGISLATIVO JUSTIFICAR EN TODOS LOS CASOS Y EN FORMA EXPRESA, LAS RAZONES DE SU ESTABLECIMIENTO EN LA LEY.", determinó que las autoridades legislativas están obligadas a justificar, en todos los casos y en forma expresa, las razones del establecimiento de las penas y el sistema de su aplicación cuando una persona despliega una conducta considerada como delito. Así, para la definición legislativa de un bien jurídico como tutelable por las normas penales, dentro de ese ejercicio de justificación se encuentra la obligación de los órganos legislativos de motivar la importancia social suficiente del bien en cuestión y la necesidad de su protección por las normas penales. Ahora bien, la autoridad legislativa correspondiente, para justificar la importancia social suficiente del bien jurídico en cuestión, debe realizar lo siguiente: a) identificar el fundamento constitucional sustantivo del bien cuya protección penal se pretenda; b) realizar un ejercicio reflexivo tendente a reconocer si se trata de un bien considerado socialmente como indiscutido, en la medida en que pertenece a una conciencia social determinada y cuya vulneración implique una afectación directa sobre la individualidad de las personas; y, c) identificar y graduar la afectación real que la conducta que se pretende disuadir ha provocado, provoca o puede llegar a provocar sobre el ejercicio efectivo de los derechos humanos. Por otro lado, la autoridad legislativa, para justificar la necesidad de proteger el bien jurídico en

cuestión por las normas penales, debe demostrar que son insuficientes otros medios de defensa menos lesivos de los derechos humanos de las personas, particularmente, la libertad personal; para lo cual se debe considerar seriamente que la protección penal de un bien sólo es necesaria frente a formas de ataque que son especialmente peligrosas y efectivamente lesivas de un bien jurídico o que lo colocan suficientemente en peligro de ser lesionado; además de que la medida penal debe constituirse siempre como la más ventajosa para la protección del bien jurídico en cuestión dentro de todas las alternativas posibles y existentes en el propio ordenamiento.

Registro digital: 2028676

PRUEBA TESTIMONIAL EN LA AUDIENCIA DE JUICIO ORAL. CARECE DE VALOR PROBATORIO LA RENDIDA POR UN POLICÍA DE INVESTIGACIÓN CUANDO VERSE SOBRE LO DICHO EN ENTREVISTAS EFECTUADAS EN LA INVESTIGACIÓN DEL DELITO SI LAS PERSONAS ENTREVISTADAS NO COMPARECEN A JUICIO.

Hechos: Los Tribunales Colegiados de Circuito contendientes sustentaron criterios contradictorios al analizar el valor probatorio de las testimoniales rendidas por policías de investigación en la audiencia de juicio oral, cuando versen sobre lo dicho en entrevistas efectuadas en la investigación del delito, si las personas entrevistadas no comparecen a juicio. Mientras que uno sostuvo que tienen valor probatorio de indicio, y adminiculadas con otros medios de prueba pueden generar convicción sobre los hechos; el otro estimó que carecen de ese valor, al tratarse de una versión de los hechos conocida por referencia de terceros en torno a aspectos que no les constan de manera directa.

Criterio jurídico: El Pleno Regional en Materias Penal y de Trabajo de la Región Centro-Norte, con residencia en la Ciudad de México, determina que carece de valor probatorio la prueba testimonial rendida por un policía de investigación en la audiencia de juicio oral, cuando verse sobre lo dicho en entrevistas efectuadas en cumplimiento de sus obligaciones enunciadas en el artículo 132 del Código Nacional de Procedimientos Penales, si las personas entrevistadas no comparecen a juicio.

Justificación: Conforme a los artículos 20, apartado A, de la Constitución Política de los Estados Unidos Mexicanos, 6o., 9o., 259, 261, 263 y 385 del Código Nacional de Procedimientos Penales, que regulan los principios rectores del procedimiento penal acusatorio de inmediación y contradicción, así como la valoración de la prueba testimonial, toda información incorporada al juicio oral por medio de esa probanza, independientemente del encargado de rendirla (sujeto, parte o tercero), debe satisfacer el parámetro constitucional y legal de la prueba, que implica atender a los principios mencionados.

La prueba rendida en los términos referidos no puede interpretarse como una de las excepciones al desahogo del testimonio conforme a las reglas generales de producción de la testimonial, pues éstas deben interpretarse en sentido estricto y restringido al implicar un menoscabo al ejercicio de defensa, por lo que es necesario: 1) que se superen las condiciones de oportunidad de interrogar y contrainterrogar al testigo en audiencias previas cuando no sea posible la producción de la prueba testimonial en juicio, y 2) que ésta no constituya el principal sustento de la acusación y el fallo.

Registro digital: 2028561

REGLAS DE LA SANA CRÍTICA (LÓGICA, MÁXIMAS DE LA EXPERIENCIA Y CONOCIMIENTO CIENTÍFICO). SU CONCEPTO PARA EFECTOS DE VALORACIÓN DE PRUEBAS POR PARTE DEL TRIBUNAL DE ENJUICIAMIENTO EN EL SISTEMA PENAL ACUSATORIO.

Hechos: Los Tribunales Colegiados de Circuito analizaron asuntos relacionados con la valoración por parte del Tribunal de Enjuiciamiento de las pruebas aportadas al juicio en el Sistema Penal Acusatorio, con base en las reglas de la sana crítica (lógica, máximas de la experiencia o conocimiento científico).

Criterio jurídico: El Pleno Regional en Materias Penal y de Trabajo de la Región Centro-Norte, con residencia en la Ciudad de México, sostiene que la sana crítica es el conjunto de reglas establecidas para orientar la actividad intelectual en la apreciación de las pruebas y una fórmula de valoración en la que se interrelacionan las reglas de la lógica, los conocimientos científicos y las máximas de la experiencia, las cuales influyen en la autoridad como fundamento de la razón, en función al conocimiento de las cosas, dado por la ciencia o por la experiencia, y que deben ser aplicadas al valorar las pruebas aportadas al juicio.

Justificación: La Primera Sala de la Suprema Corte de Justicia de la Nación, en el amparo directo en revisión 945/2018 precisó que: 1. la valoración de la prueba constituye la fase decisoria del procedimiento probatorio, ya que es el pronunciamiento judicial sobre el conflicto sometido a enjuiciamiento; y 2. cuando se aduce que las pruebas se apreciarán de conformidad con las reglas de la sana crítica, no se está haciendo referencia a una sujeción del juzgador a la ley, que le establece el valor a la prueba, ni tampoco a una absoluta libertad que implicaría arbitrariedad (íntima convicción), sino a una libertad reglada, ya que para valorar la prueba debe tener en cuenta que su conclusión no sea contraria a las reglas de la lógica, las máximas de la experiencia ni a los conocimientos científicos.

La lógica es entendida como la ciencia que estudia los pensamientos en cuanto a sus formas mentales para facilitar el raciocinio correcto y verdadero, y permite apreciar con corrección, claridad, orden, profundidad e ilación de los hechos.
El conocimiento científico implica el saber sistematizado, producto de un proceso de comprobación, y por regla general es aportado al juicio por expertos en un sector específico del conocimiento.
Las máximas de la experiencia son normas de conocimiento general que surgen de lo ocurrido habitualmente en múltiples casos, y por ello pueden aplicarse en todos los demás, de la misma especie, porque están fundadas en el saber común de la gente, dado por las vivencias y la experiencia social, en un lugar y un momento determinados.

Registro digital: 2028458

ASEGURAMIENTO DE VEHÍCULO POR EL MINISTERIO PÚBLICO. ES UNA TÉCNICA DE INVESTIGACIÓN QUE REQUIERE CONTROL JUDICIAL PREVIO.

Hechos: El Ministerio Público decretó el aseguramiento de un vehículo relacionado con un hecho con apariencia de delito, respecto del que una persona tercera ajena a la carpeta de investigación respectiva dijo ser propietaria y adquirente de buena fe, sin agotar previamente el procedimiento previsto en el artículo 252 del Código Nacional de Procedimientos Penales, es decir, sin solicitar la autorización previa de un Juez de Control y definir la temporalidad durante la cual permanecerá el bien sujeto al aseguramiento.

Criterio jurídico: Este Tribunal Colegiado de Circuito determina que el aseguramiento de vehículos por el Ministerio Público es una técnica de investigación que requiere control judicial previo.

Justificación: Conforme al artículo 252 del Código Nacional de Procedimientos Penales, requieren autorización previa del Juez de Control todos los actos de investigación que impliquen afectación a derechos establecidos en la Constitución Política de los Estados Unidos Mexicanos y, en el caso, el aseguramiento de vehículo, que es de carácter temporal y provisional, es un acto de molestia que puede menoscabar los derechos de propiedad y posesión, al restringir temporalmente la libre disposición de ese bien, aunado a que esa técnica de investigación no se encuentra dentro de las hipótesis relativas a los actos de investigación exentos de dicho control judicial, establecidas en el artículo 252 del mismo ordenamiento.
Máxime que el precepto señalado es acorde con la institución del control judicial previo en materia penal, prevista en el artículo 16, párrafo décimo cuarto, constitucional, así como con lo resuelto por el Pleno de la Suprema Corte de Justicia de la

Nación, en relación con el alcance de esa disposición fundamental, en la acción de inconstitucionalidad 10/2014 y su acumulada 11/2014, al analizar la validez del artículo 242 del Código Nacional de Procedimientos Penales, relativo al aseguramiento de bienes o derechos relacionados con operaciones financieras.

Registro digital: 2019618

ORDEN DE APREHENSIÓN. REQUISITOS MÍNIMOS QUE DEBE CONTENER LA CONSTANCIA EMITIDA POR EL JUEZ DE CONTROL PARA LOGRAR SU EJECUCIÓN.

La orden de aprehensión para su emisión, conforme al nuevo sistema de justicia penal, requiere de datos que establezcan que se cometió un hecho señalado por la ley como delito y que existe la probabilidad de que el indiciado lo cometió o participó en su comisión, ya que el objetivo es poner al detenido a disposición del juez de control para que el Ministerio Público formule imputación y exprese los datos de prueba correspondientes, a fin de que se dicte el auto de vinculación a proceso y se formalice la investigación. Así, para que se pueda llevar a cabo la ejecución de la orden de detención, es necesario que el juez de control proporcione a los elementos aprehensores una constancia que contenga los puntos resolutivos de la determinación que emitió de manera oral, así como copia del audio y video de la audiencia relativa, que les permita identificar plenamente al gobernado y que éste pueda imponerse adecuadamente de la decisión que afecta su derecho a la libertad personal, por tanto, los requisitos mínimos que debe contener la aludida constancia son los siguientes: a) el nombre y apellidos de la persona que se pretende detener; b) la causa penal instruida por su probable participación en la comisión de un hecho que la ley señala como delito, previsto y sancionado en el ordenamiento sustantivo aplicable; c) el juez de control que la pronunció y d) la fecha en que se expidió. Con tales elementos se otorgará certeza y seguridad jurídica al particular, y se asegurará la prerrogativa de defensa contra una detención que no cumpla con la exigencia constitucional.

Registro digital: 2018006

PROCEDIMIENTO ABREVIADO. SU NATURALEZA FRENTE A LOS DERECHOS DE LA VÍCTIMA U OFENDIDO DEL DELITO.

El procedimiento abreviado no debe equipararse con un "mini juicio", "procedimiento reducido en tiempo", "sumario" o "corto", en atención sólo al interés del imputado, si conforme a su naturaleza, se trata de una solución anticipada al conflicto penal que presupone, en esencia, una forma de resolución preacordada que desde el punto de vista político-criminológico pretende no sólo solucionar dicho conflicto anticipadamente, desde una perspectiva de tiempo, sino también, y esto como condición, garantizando los derechos de la sociedad, representada por el Ministerio Público, a fin de evitar la impunidad y, además, los derechos de la víctima u ofendido del delito que, en su caso, igualmente exigen su derecho de acceso a la justicia, conocimiento de la verdad y reparación del daño, esto es, de una tutela judicial efectiva ante los tribunales.

Registro digital: 2031528

PROCEDIMIENTO ABREVIADO. UNA VEZ FORMULADA LA SOLICITUD RESPECTIVA Y ACEPTADA POR EL IMPUTADO, SU TRAMITACIÓN QUEDA SUJETA AL JUEZ DE CONTROL, POR LO QUE RESULTA JURÍDICAMENTE INADMISIBLE QUE EL MINISTERIO PÚBLICO PRETENDA RETIRARLA DEJANDO A UN LADO EL CONTROL JUDICIAL.

Hechos: El representante social de la Federación como parte en el proceso penal acusatorio, solicitó al Juez de Control la apertura del procedimiento abreviado previo acuerdo entre las partes. En la audiencia respectiva la defensa solicitó a la persona juzgadora ejercer su facultad constitucional para ajustar las penas conforme a las reglas relativas al concurso real, lo que se analizó y resolvió en la sentencia respectiva con la reducción de las penas correspondientes.

Inconforme, el Ministerio Público interpuso recurso de apelación en el que el tribunal de alzada estimó fundado el agravio formulado al considerar que esa solicitud alteraba el consentimiento de las partes y revocó la sentencia dictada ordenando la tramitación del procedimiento ordinario. Ante ello, uno de los sentenciados promovió amparo indirecto, mismo que fue negado, por lo que interpuso recurso de revisión.

Criterio jurídico: Este Tribunal Colegiado de Circuito determina que una vez formulada la solicitud de procedimiento abreviado previo acuerdo entre las partes, su tramitación pasa a la esfera de control judicial, por lo que resulta jurídicamente inadmisible que la representación social retire la solicitud, pues corresponde al Juez de Control resolver sobre su procedencia, verificar la validez del consentimiento y, en su caso, imponer la pena correspondiente.

Justificación: Del análisis de los artículos 17, 20, apartado A, fracción VII y 21, párrafo tercero, de la Constitución Política de los Estados Unidos Mexicanos, 105, fracción V, 201 y 202 del Código Nacional de Procedimientos Penales, se desprende que el procedimiento abreviado es una forma de terminación anticipada sujeta a la autorización y supervisión del Juez de Control, lo que garantiza el respeto a los derechos humanos del imputado y de la víctima, entre ellos el derecho a una defensa adecuada.

En dicho procedimiento el Juez de Control actúa como garante del debido proceso, en observancia al principio pro persona, por lo que su función no se limita a autorizar el acuerdo, sino que puede individualizar la pena dentro de los límites legales, e incluso imponer una sanción menor a la propuesta cuando así lo justifiquen las reglas del concurso real de delitos.

En ese sentido, aun cuando la solicitud del procedimiento es facultad exclusiva del Ministerio Público, no debe ser considerada arbitraria, pues corresponde al Juez de Control, como rector del proceso, autorizar y resolver en audiencia sobre su procedencia.

Es por ello que el Ministerio Público, una vez formulada la solicitud y aceptada por las partes, no puede retirarla, pues el procedimiento se encuentra ya en sede judicial. Permitirlo implicaría desconocer la potestad jurisdiccional del Juez y debilitar el control de legalidad propio del sistema penal acusatorio.